Het familieportret

www.boekerij.nl

Jenna Blum

Het familieportret

vertaald door Carolien Metaal

Eerste druk 2010
Zesentwintigste druk 2011

ISBN 978-90-225-5791-4
NUR 302

Oorspronkelijke titel: *Those Who Save Us* (Harcourt)
Vertaling: Carolien Metaal
Omslagontwerp: DPS, Amsterdam
Omslagbeeld: Nina Leen / Getty Images (meisje), Raymond Gehman / Corbis (bakkerij)
Zetwerk: CeevanWee, Amsterdam
Auteursportret: Lynn Wayne

© 2004 by Jenna Blum
© 2010 voor de Nederlandse taal: De Boekerij bv, Amsterdam

Het citaat op p. 69 is afkomstig uit Matthew Arnold, 'Dover Beach'.
Het citaat op p. 219 is afkomstig uit Shakespeare, *Macbeth* (vert. Jan Jonk, Breda: 2008).
Het citaat op p. 319 is afkomstig uit W.B. Yeats, 'The Second Coming' (vert. A. Roland Holst, Den Haag: 1958).

Niets uit deze uitgave mag openbaar worden gemaakt door middel van druk, fotokopie, internet of op welke andere wijze ook, zonder voorafgaande schriftelijke toestemming van de uitgever.

Dit boek is voor mijn moeder, Frances Joerg Blum, die me mee heeft genomen naar Duitsland en me de sleutel heeft gegeven: *Ich liebe dich, meine Mutti.*

En het is in dierbare herinnering aan mijn vader, Robert P. Blum, die zou hebben gezegd: mazzeltof!

‘Ik had mij vrijwillig aangesloten bij de gelederen van de actieve SS
en ik was te gehecht geraakt aan het zwarte uniform om er
afstand van te doen.’

– Rudolf Höss, kampcommandant van Auschwitz

PROLOOG

Trudy en Anna, 1993

Er zijn veel mensen naar de uitvaartdienst gekomen: de lutherse kerk in New Heidelburg is tot de laatste plaats toe bezet door boeren en hun gezinnen, die zijn gekomen om afscheid te nemen van een van hen. Omdat er geen plekje meer vrij is om te zitten, staan er ook mensen langs de muren en in het kerkportaal. De mannen zien er vreemd komisch uit in hun donkere pakken; voor een gewone dienst kleden ze zich nooit zo. De vrouwen dragen echter wat ze elke zondag dragen, wat voor weer het ook is: een rok met een bijpassende trui, panty's en pumps. Hun opbollende parka's, die detoneren en wijzen op de naderende terugkeer naar de dagelijkse gang van zaken, zijn hun enige concessie aan de kou.

En het ís koud. December in Minnesota is een slechte tijd om een dierbare te moeten begraven, denkt Trudy Swenson. Sterker nog, het is onmogelijk. De grond is tot bijna een meter diep bevroren en haar vader zal in een koelcel in het stadsmortuarium ondergebracht moeten worden tot de aarde genoeg ontdooid is om hem te ontvangen. Trudy probeert de gedachte aan hoe Jack er na een paar maanden daar uit zal zien te onderdrukken. Ze doet een poging om zich in plaats daarvan te concentreren op de grafrede. Ze moet echter last hebben van de onsamenhangende waarneming van nabestaanden, want haar gedachten leiden hardnekkig een eigen leven. Ze cirkelen boven haar in het schip en geven haar een luchtopname van de kerk en zijn bezoekers: Trudy zelf, die kaarsrecht op de eerste rij naast haar moeder Anna zit; de predikant, die eindeloos doorzeurt over een man die, zo valt op te maken uit de omschrijving, op iedere kerel hier zou kunnen slaan; de overledene, die er dood uitziet in zijn kist; de rest van de stad, die achter Trudy zit en naar haar achterhoofd staart. Trudy voelt zich afschuwelijk aanwezig, en hoewel het niet haar bedoeling is om oneerbiedig tegenover haar vader te zijn, bidt ze alleen maar dat de dienst snel afgelopen zal zijn.

Dan is dat ook zo: de gemeente komt luidruchtig en verwachtingsvol overeind. Trudy beseft dat men wacht tot zij en Anna vóór alle anderen de kerk verlaten, zoals het hoort. Ze neemt even de tijd om een laatste afscheidsgroet naar Jack te mompelen en pakt dan Anna's elleboog om haar uit de kerkbank te helpen. Anna laat zich door Trudy langs de rijen onbewogen gezichten leiden, maar maakt zich van haar los zodra ze buiten zijn en loopt in haar eentje verder. De twee vrouwen schuifelen met kleine, behoedzame stapjes over de ijzel naar Trudy's auto.

Trudy start de Civic en huivert; ze wacht tot de motor warm is gedraaid. Het zal hier pas behaaglijk zijn als ze hun bestemming bereikt hebben: de boerderij tien kilometer ten noorden van hier. De vrieslucht voelt als glassplinters in haar longen. Trudy bibbert zo hard dat haar botten dreigen te knappen. 'Nou, ik vond het wel een mooie dienst,' zegt ze tegen Anna.

Anna zit door haar raampje naar de horizon te staren. De lutherse kerk is op de hoogste heuvel van New Heidelburg gebouwd, zo dicht mogelijk bij God. Vanaf dit punt lijkt het onderliggende landschap 's zomers net een dambord, waarover je rennend en met gespreide armen zou kunnen afdalen om op te stijgen. Nu is het een saaie en ononderbroken witte vlakte.

Trudy probeert het opnieuw. 'Kort en simpel,' zegt ze. 'Pap zou het mooi gevonden hebben, denk je ook niet?'

Langzaam draait Anna haar nietszeggende blik naar de voorruit en vervolgens naar haar dochter. Ze staart Trudy aan alsof ze niet weet wie Trudy is. 'We moeten naar het huis,' zegt ze dan. 'Ik moet het eten klaarzetten. Voor je het weet staan de mensen voor de deur.'

Dat is waar: om hen heen klimmen de New Heidelburgers al in hun trucks en bestelbusjes. Na een korte, respectvolle pauze om de familieleden hun gezicht te laten opfrissen, zullen de stadslui de boerderij binnen vallen met hun stoofschotels en condoleances. Trudy zet de auto in de eerste versnelling en spurt de parkeerplaats af. Ze ziet Anna's handen en voeten omhoogschieten – een klein stukje maar – vanwege de snelheid waar ze niet aan gewend is. Hoewel Anna al bijna vijftig jaar in deze afgelegen landelijke streek woont, waar mensen het heel gewoon vinden om een half uur te rijden voor hun dagelijkse boodschappen, heeft ze nooit leren autorijden. Ze draait zich weer naar haar raampje om naar de langstrekkende akkers te kijken.

Voor Trudy, die zodra ze vijfendertig jaar geleden de middelbare school verliet New Heidelburg heeft verruild voor de Twin Cities, is dit landschap een studie in monotonie, even deprimerend en ongastvrij als de Siberische steppen. Sneeuw en modder, grijze lucht, de ene na de andere prikkeldraadomheining langs de tweebaansweg. Silo's en trailers. Zelfs koeien zijn nergens te bekennen. Het is nog vroeg, drie uur, maar in dit deel van het land valt de avond vroeg: over een uur is het al donker. Dit besef én de vraag hoe ze die tijd moet doorbrengen, doen Trudy hevig verlangen naar haar eigen keuken, haar studeerkamer, naar het lesgeven aan ontgoochelde studenten in haar collegezaal; naar overal behalve hier. Opeens besluit ze om eerder dan gepland terug te gaan naar Minneapolis, misschien morgenochtend al. Een van de vreemde dingen aan de dood, heeft Trudy ontdekt, is namelijk dat je in het kielzog ervan gewoon verdergaat alsof er niets gebeurd is. Het lijkt harteloos en verkeerd, maar nu de rituelen van de rouw afgehandeld zijn, hoeft Trudy alleen nog de enorme omvang van deze plotselinge verandering proberen te bevatten. En dat kan ze net zo goed lekker in haar eigen huis doen in plaats van hier met Anna te gaan zitten zwijgen.

Maar eerst moet ze zich nog door de ontvangst heen slaan en dus rijdt Trudy de oprit naar de boerderij op. Als ze de rij dennenbomen passeren, prikken vingerdikke stralen zonlicht door de wolken. Die transformeren de stuifsneeuw op de akkers tot glinsterende lakens en benadrukken de bijgebouwen op een volgens Trudy schaamteloos dramatische en eclectische manier. Ze parkeert en helpt Anna de auto uit, maar ijsbeert nog lang nadat Anna naar binnen is gegaan over het erf. Op deze plek zou Jack, naar verluidt, zijn fatale hartaanval hebben gekregen; de patholoog-anatoom heeft Trudy verzekerd dat Jack dood was voordat hij de grond raakte. Toch vraagt Trudy zich af: heeft Jack even stilgestaan, verbijsterd door de verscheurende pijn in zijn linkerarm, zijn borst? Heeft hij tijd gehad om zich te realiseren wat er gebeurde? Trudy hoopt van niet; het zou haar opluchten als ze zeker wist dat dit niet zo was, maar Anna, de enige getuige, zegt zoals gewoonlijk niets.

Trudy staart nog een minuut lang naar de aangestampte sneeuw, probeert daaronder de route van de schuur naar de veranda te onderscheiden die Jack altijd zó consequent volgde, dat zijn laarzen een platgetrapt spoor achterlieten in het gras. Maar ze ziet niets en de zon verdwijnt achter een grauwe, wazige wolk. Uiteindelijk slaakt Trudy een zucht en loopt de treden op, haar moeders huis binnen.

Want het huis is eigenlijk altijd van Anna geweest. Jack en Trudy hadden net zo goed huurders kunnen zijn wier slordige maar noodzakelijke aanwezigheid Anna geduldig heeft getolereerd. Het is tenslotte Anna die de vloeren heeft geschrobd, de gordijnen heeft gewassen, de ramen heeft opgewreven met krantenpapier en azijn, en de bovenkant van de deurposten met een speciaal opzetstuk heeft gestofzuigd. Het is Anna die de vijanden van de boerin – aarde en stront, kaf en bloed – heeft bestreden. Uiteindelijk is dat een verloren strijd, want de grondregel van het agrarische leven luidt: dat wat buiten is, moet vroeg of laat binnenkomen. Toch is Anna er met grote en koppige inspanning in geslaagd hier enige mate van Duitse properheid af te dwingen.

Nadat ze haar jas heeft opgehangen, voegt Trudy zich bij haar moeder in de keuken. De twee vrouwen werken in zwijgende en gehaaste concentratie; ze dragen het eten dat Anna de afgelopen achtenveertig uur heeft bereid naar de eetkamer. Dat is een schemerige, spelonkachtige ruimte waar Anna buitensporig trots op is, met een donkere lambrisering, behang met Franse lelies en een hoog plafond dat in het halfduister lijkt de drijven. De spiegel boven het dressoir is een melkachtige vlek, de zware gordijnen houden het weinige daglicht dat er is tegen. Trudy kan zich niet meer herinneren wanneer ze voor het laatst in deze kamer was. Schuifdeuren sluiten die af van de rest van het huis en beschermen het kostbare eiken meubilair tegen de gesel en de hoon van het alledaagse leven. De kamer is alleen bestemd voor bezoek, wat betekent dat hij de afgelopen jaren helemaal niet gebruikt is.

Maar hij vormt de perfecte omlijsting voor de ophanden zijnde gelegenheid die uiterste formaliteit vereist, en met dat in haar achterhoofd is Anna hier druk bezig geweest. Het vloerkleed vertoont banen van heftig gestofzuig. Het dressoir en de tafel zijn glad van de citroenolie. Hun glimmende oppervlak zal weldra verborgen gaan onder onderzetters en pyrex schalen die niet de *sauerbraten* en *kartoffeln* bevatten uit Anna's geboorteland, maar de gerechten die ze heeft leren maken: een pastaschotel, fruit en geraspte kokosnoot onder een donzige berg slagroom, een gelatinepudding met vruchten. Een oefening in onmatigheid, aangezien de buurtbewoners elk moment kunnen arriveren met meer van hetzelfde. Desondanks vereist het protocol dat Anna hun iets voorschotelt.

Trudy zet een mandje met broodjes op de tafel en wendt zich tot haar moeder. 'Heb je koffie gezet?' vraagt ze, het eerste wat ze tegen Anna gezegd heeft sinds ze binnen is.

Anna maakt afwezig een wegwuivend handgebaar. 'Dat doe ik zo,' zegt ze. 'Ga jij maar even kijken of ik niets vergeten ben.'

Jawohl, denkt Trudy. Ze drentelt van de kamer naar de keuken en weer terug, het vertrouwde rondje dat ze als meisje al in het kielzog van Anna maakte, vragen stellend waarop ze geen antwoord kreeg. Uiteraard is het allemaal tot in de puntjes geregeld. Als Trudy boven in de badkamer controleert of er schone handdoeken hangen, valt het haar op dat Jacks scheerspullen weg zijn. Daarvoor in de plaats staan nu Anna's parfumflesjes op een rij, elk op precies één centimeter van de rand van de glazen plank. Vervolgens werpt Trudy een blik in de slaapkamer van haar ouders. Het bed is netjes opgemaakt, maar de vloer ligt vol gestickerde vuilniszakken: Jacks kleren, klaar om aan de kerk geschonken te worden. Trudy fronst en wrijft over haar armen. Ze loopt terug naar de woonkamer, haalt haar jas uit de kast en vlucht naar de veranda, waar ze ineengedoken en bibberend blijft staan.

Ze tuurt met samengeknepen ogen naar de weg. Er is een zware donkerblauwe schemering over het land gevallen, die de lucht in de grond drukt. Er zouden nu toch koplampen in een plechtige processie over de oprit moeten bewegen, onder de zwarte takken van de dennenbomen die daar langs staan. Maar ze ziet er niet een en ze hoort alleen de fluitende wind over de akkers.

Trudy blijft wachten tot het te donker is om nog iets te kunnen zien. Dan gaat ze weer naar binnen en knipt al lopende lampen aan. Anna zit nog steeds in de eetkamer, aan het hoofd van de tafel. Trudy kan Anna amper onderscheiden van de schaduwen om haar heen; ze is niet meer dan een donkere solide vorm, net als het meubilair.

Trudy tast naar het lichtknopje op de muur en de rookglazen kapjes van de kroonluchter verspreiden een vuilgeel licht. Een van de peertjes is stuk. 'Ik denk niet dat er nog iemand komt,' zegt ze tegen Anna.

Anna lijkt haar niet gehoord te hebben. Ze zit te spelen met een placemat, kamt de kwastjes in rechte lijnen. Ze ziet er vermoeid uit, denkt Trudy. Ze is misschien nog wel bleker dan normaal. Maar het verlies van haar echtgenoot zal geen zichtbaar teken op haar achterlaten. Anna's schoonheid ligt verzonken in haar botten. Hoewel Anna hier niets aan kan doen, vat Trudy het bijna als een persoonlijke belediging op dat haar moeder zelfs nu zo beheerst en prachtig blijft, zelfs op drieënzeventigjarige leeftijd, in weduwezwart.

Trudy doet haar mond open om nog iets te zeggen – ze heeft geen idee of het 'wat vervelend' of 'wat had je dan verwacht?' zal worden – maar Anna voorkomt dit door te knikken en op te staan. Zonder ook maar een blik op Trudy of het onaangeroerde eten te werpen, loopt ze tussen de schuifdeuren door. Even hoort Trudy niets – Anna loopt over de vloerbedekking in de woonkamer – maar dan klinkt het getik van Anna's hakken op de trap en de overloop. Vervolgens het gepiep van spiraalveren als Anna gaat liggen op het bed dat ze meer dan vier decennia met Jack gedeeld heeft. Dan, opnieuw, stilte.

Trudy blijft een tijdje staan en luistert. Als ze niets meer hoort, kuiert ze naar de keuken en schenkt wat koffie in die Anna in een pot van bedrijfsformaat heeft gezet. Trudy staat bij het aanrecht; ze drinkt niet, maar verwarmt haar vingers, die nog stijf van de kou buiten zijn, aan de mok. Ze staart door het raam in de richting van New Heidelburg, hoewel ze vanaf hier niet eens een vage lichtvlek ervan aan de horizon kan zien.

Trudy neemt een slokje van haar koffie. Waarom zou ze verbaasd zijn? Eerlijk gezegd is ze dat niet. De stadslui hebben Jack al de laatste eer bewezen in de kerk. En nu hij er niet meer is, hebben ze geen enkele reden meer om aardig te zijn tegen zijn weduwe, noch tegen haar dochter. Ze hebben het al jaren willen doen, al vanaf het moment dat Jack Anna meenam naar dit land, en nu hebben de New Heidelburgers dan daadwerkelijk hun handen van haar af getrokken.

Anna en Max
Weimar, 1939-1940

1

De avond is als alle andere tot de hond verstikte geluiden begint te maken. En zelfs dan neemt Anna aanvankelijk niet de moeite om zich af te wenden van de *roulade* die ze aan het vullen is voor het avondmaal dat zij en haar vader Gerhard gaan gebruiken, want het energieke gekokhals van de teckel komt niet vreemd op haar over. De hond, Spätzle, eet altijd iets wat hij niet zou mogen eten, verorbert kippenkarkassen en kapjes brood zonder te kauwen, en die vraatzucht wordt onvermijdelijk gevolgd door kokhalzen. Stiekem vindt Anna hem een afschuwelijk mormel en dat is al zo sinds ze hem vijf jaar geleden op haar veertiende verjaardag, net na haar moeders overlijden, als een soort compensatie van haar vader kreeg. Het is misschien niet eerlijk om Spätzle daarom te haten, maar hij is ook chronisch chagrijnig en valt met zijn vergeelde hoektanden naar iedereen behalve Gerhard uit; eigenlijk is hij haar vaders huisdier. En hij is walgelijk dik, aangezien Gerhard hem altijd lekkere hapjes toestopt, ondanks zijn gebulderde waarschuwingen *Geef! De hond! Geen! Eten! Van! De tafel!* aan Anna.

Nu negeert Anna Spätzle en wenst ze dat haar handen niet zo druk bezig waren in de mengkom, zodat ze die tegen haar oren kan drukken. Maar als het verstikte geluid aanhoudt, kijkt ze hem enigszins gealarmeerd aan. Hij hapt naar adem tussen rondjes *rmmp-rmmp-rmmp*-geluiden door en zijn lange snuit zit vol schuimvlokken. Anna laat de *roulade* in de steek en buigt zich over hem heen, ze duwt zijn kaken van elkaar om te kijken wat er in hemelsnaam zijn luchtpijp blokkeert, maar haar vingers, die al slijmerig zijn van het vlees, vinden geen houvast in de gladde hondenkeel. Hij lijkt te slagen in zijn verwoede pogingen het voorwerp door te slikken, maar Anna is niet bereid om het erbij te laten zitten. Stel dat het iets giftigs is? Wat als de hond eraan doodgaat? Met een angstige blik in de richting van haar vaders studeerkamer trekt Anna haar jas aan, grijpt de teckel en stuift zonder haar groezelige schort af te doen het huis uit.

Aangezien er geen tijd is om Spätzle naar haar eigen dokter in het centrum van Weimar te brengen, besluit Anna om het te proberen bij een kliniek die dichterbij is. Ze is er nooit geweest, maar komt er vaak langs als ze boodschappen doet in de vervallen buitenwijk van de stad. Ze rent de hele kwart kilometer, worstelend om de hond, die als een glibberige buis spieren gepikeerd kronkelt in haar armen, niet te laten glippen. Ze rent onder druipende gaslantaarns door, over rottende oktoberbladeren en door tientallen jaren vorst en dooi opgehoogde trottoirs heen. Eindelijk slaat Anna een hoek om naar een rij smalle, verwaarloosde huizen die nog steeds de littekens van de laatste oorlog dragen. Daar is de bronzen naamplaat: HERR DOKTOR MAXIMILIAN STERN. Met haar heup duwt Anna de deur open en haast zich door de receptie naar de onderzoekkamer.

Ze treft de *herr doktor* met een stethoscoop tegen de borst van een vrouw, wier vlees als reuzel uit haar mousselinen brassière golft. De patiënt krijgt Anna in het oog voor de arts haar ziet: ze wijst en laat een korte hijgerige kreet ontsnappen. De doktor springt op en recht verschrikt zijn rug, en de vrouw slaat de armen voor haar boezem en kreunt.

'Gaat u even in de wachtkamer zitten, wie u ook bent,' snauwt herr doktor Stern. 'Ik kom zo bij u.'

'Alstublieft,' hijgt Anna. 'Mijn vaders hond... Hij heeft iets giftigs gegeten... Volgens mij gaat hij dood...'

De doktor draait zich om en fronst. 'U mag zich aankleden, frau Rosenberg,' zegt hij tegen zijn patiënte. 'Uw bronchitis is zeer mild, niets om u zorgen over te maken. Ik zal uw gebruikelijke recept uitschrijven. En als u me nu wilt excuseren, ik moet even naar dat arme dier kijken.'

'Nou ja!' zegt de vrouw, terwijl ze haar jurk aantrekt. 'Nou ja, zeg! Ik word gewoon... aan de kant gezet voor een hónd.' Ze grijpt haar jas en duwt zich met een dramatische zucht langs Anna.

Als de deur dichtslaat, komt de doktor snel naar Anna toe en bevrijdt haar van haar last. Ze beeldt zich in dat hij haar een piepklein samenzweerderig lachje over zijn bril toewerpt. Ze buigt haar hoofd in afwachting van de tweede, verbaasd goedkeurende blik die mannen haar altijd toebedelen. Maar in plaats daarvan hoort ze hem weglopen en als ze weer opkijkt, staat hij met zijn rug naar haar toe over de teckel op de tafel gebogen. 'Eens even kijken,' mompelt hij.

Anna kijkt angstig toe hoe hij zijn hand in de bek van de hond stopt en zich dan omdraait om een injectiespuit klaar te maken. Ze put enige troost uit de behendige bewegingen van zijn handen, de bewegende spieren onder zijn dunne shirt. Hij is een lange, magere man, op de rand van broodmager. Hij lijkt ook op een vreemde manier bekend, hoewel Anna hier absoluut nog nooit geweest is.

'Hoe dankbaar ik u ook ben voor het feit dat u me gered hebt van frau Rosenberg, ik moet u er toch op wijzen dat dit een nogal onorthodox bezoek is, fräulein,' zegt de doktor terwijl hij bezig is. 'Verkeert u wellicht in de veronderstelling dat ik een dierenarts ben? Of dacht u dat een joodse arts alles met beide handen zou aangrijpen, zelfs de behandeling van een hond?'

Joods? Anna knippert naar het blonde haar van de doktor dat, hoewel stijl, alle kanten op staat. Te laat herinnert ze zich de davidster op de deur van de kliniek. Natuurlijk, ze wist dat dit de joodse wijk was, maar in haar paniek heeft ze daar geen moment bij stilgestaan.

'Nee, nee,' protesteert Anna. 'Natuurlijk niet. Ik ben hiernaartoe gekomen omdat u het dichtstbij...' Ze realiseert zich hoe dit klinkt en verstomt. 'Neem me niet kwalijk,' zegt ze. 'Ik wilde u niet beledigen.'

De doktor kijkt haar over een schouder glimlachend aan. 'Nee, ík ben degene die zich moet verontschuldigen,' zegt hij. 'Het was bedoeld als een grapje, maar het was nogal wrang. In deze tijden ben ik inderdaad blij met welke patiënt dan ook, of het nu medejoden of teckels zijn. U bent arisch, is het niet, fräulein? U weet toch dat u alleen al door hier te komen de wet hebt overtreden?'

Anna knikt, hoewel ze ook hier geen moment bij heeft stilgestaan. De doktor richt zijn aandacht weer op de hond. 'Bijna klaar, bijna klaar,' mompelt hij. 'Aha, hier is de boosdoener.' Hij houdt iets omhoog voor Anna: een stuk van haar maandverband, glimmend van het speeksel en vol bloedvlekken.

Beschaamd slaat Anna haar handen voor haar gezicht. 'O, god nog aan toe,' zegt ze. 'Die rothond!'

Herr doktor lacht en werpt het maandverband in een prullenmand. 'Het had veel erger kunnen zijn,' zegt hij.

'Ik kan me niet voorstellen hoe...'

'Hij had iets kunnen opeten wat echt giftig was. Chocolade, bijvoorbeeld.'

'Is chocolade giftig?'

'Voor honden wel, fräulein.'

'Dat wist ik niet.'

'Tja, dan weet u het nu.'

Anna wappert met haar handen voor haar vuurrode wangen. 'Ik weet niet zeker of ik dat niet liever had gewild,' zegt ze, 'gegeven de omstandigheden.'

De doktor lacht – een kort gebulder – en loopt naar de wasbak om zijn handen in te zepen. 'U hoeft zich niet te generen, fräulein,' zegt hij. '*Nihil humanum mihi alienum est* – niets menselijks is mij vreemd. Of honds, nu we het daar toch over hebben. Maar u zou wat beter moeten letten op wat u dat kereltje te eten geeft – écht eten, bedoel ik. Hij is veel te dik.'

'Dat komt door mijn vader,' vertelt Anna hem. 'Hij schuift de hond voortdurend restjes van tafel toe.'

Nu kijkt herr doktor Stern haar wat langer aan. 'Uw vader... dat is toch herr Brandt?'

'Ja.'

'Ach,' zegt de doktor. Hij tilt Spätzle van de onderzoektafel en legt de hond in Anna's armen. De ogen van de teckel staan wazig; nu hij zo verslapt is, lijkt hij zo zwaar als een stoeptegel. 'Een lichte verdoving,' legt de doktor uit, 'en spierontspanners. Om bij... om erbij te kunnen. Hoe dan ook, hij is binnen de kortste keren weer de oude, mits u hem uit de buurt houdt van snoepjes en andere, zullen we zeggen, onverteerbare zaken?'

Hij laat zijn bril zakken en lacht naar Anna, die langer teruglacht dan ze zou moeten doen. Dan komt ze tot bezinning en verschuift de hond om in haar jaszak onhandig naar haar beurs te graaien. 'Hoeveel ben ik u schuldig?' vraagt ze.

De doktor wuift met zijn hand. 'Niets,' zegt hij. 'Dat is wel het minste wat ik kan doen, gezien mijn laatste noodlottige treffen met uw familie.'

Hij draait zich om en Anna denkt na. Natuurlijk. Nu weet ze waar ze hem eerder heeft gezien. Hij bezocht Anna's moeder tijdens de laatste dagen van haar ziekbed, als enige arts in Weimar die op huisbezoek wilde komen. Anna herinnert zich hoe herr doktor Stern met rinkelende flesjes in zijn tas langs haar heen spurtte op de overloop; dat hij, toen hij de bedroefde Anna in een hoekje bespeurde, stopte en haar onder haar kin kietelde en zei: 'Het komt allemaal goed, kleintje.' Ze herinnert zich ook dat Gerhard onmiddellijk na het overlijden van zijn vrouw tierde: 'Het is allemaal zijn schuld dat ze niet beter is geworden. Wat kun je anders verwachten van een jood? Ik had hem nooit met zijn vingers aan haar moeten laten zitten.'

'U had vroeger een baard,' zegt Anna nu, 'een rode baard.'

De doktor wrijft met zijn hand over zijn kaak, wat een licht raspend geluid veroorzaakt. 'Ach, ja, dat is zo,' zegt hij. 'Die heb ik vorig jaar afgeschoren in een poging er jonger uit te zien. IJdel in beide betekenissen van het woord.'

Anna lacht weer. Hoe oud zou hij zijn? Niet ouder dan halverwege de dertig, dat weet ze zeker. Hij draagt geen trouwring.

Met een beleefd zwierig gebaar opent hij de deur voor haar. Anna blijft bij de medicijnkast staan, zoekend naar iets anders wat ze hem zou kunnen vragen, zich afvragend of ze belangstelling zou kunnen veinzen voor de potjes pillen en tongspatels of het geraamte dat met een gleufhoed op in een hoek van de kamer is neergezet. Maar de doktor krijgt nu iets ongeduldigs, dus Anna slaakt een zuchtje en pakt de hond steviger vast. 'Heel hartelijk bedankt, herr doktor,' mompelt ze, als ze vlak langs hem loopt en onder de lucht van ontsmettingsmiddel de geur van kruidige zeep op zijn huid bespeurt.

'Graag gedaan, fräulein.' De doktor werpt Anna een afwezige halve glimlach toe en roept in de richting van de wachtkamer: 'Maizel!'

Een kleine jongen met lange krullen die over zijn oren dansen, dribbelt in de richting van Anna. Zijn arm zit in een mitella. Hij wordt gevolgd door een oudere joodse man in een tot op de draad versleten zwarte jas. Hun slaaplokken doen Anna denken aan houtkrullen. Ze drukt zich tegen de muur om het stel te laten passeren.

Als ze de kille avondlucht in stapt, werpt Anna een weemoedige blik achterom naar de kliniek. Maar dan denkt ze opeens aan haar vader en de schrik slaat haar om het hart. Het is laat en Gerhard zal laaiend zijn dat hij langer op zijn avondeten moet wachten; hij staat erop dat zijn maaltijden met militaire precisie worden opgediend. Dan krijgt Anna een ingeving; ze draait zich om en haast zich naar de bakker een paar straten verder. Een *sachertorte*, Gerhards favoriete dessert, zal als excuus kunnen dienen voor het feit dat Anna zo laat nog op pad is gegaan – ze gaat hem echt niets vertellen over het debacle met de hond – en kan zijn boze bui misschien ook wel temperen.

Net als alles in deze troosteloze buurt is de bakkerij niet om aan te zien. Hij heeft zelfs geen naam. Anna vraagt zich af waarom de eigenaar ervan, frau Staudt, niet liever buiten de joodse wijk een winkel begint. Ze is tenslotte, net als Anna, arisch. Maar ach, hoe armoedig de winkel ook is, je kunt er het beste gebak van heel Weimar krijgen. Anna arriveert net op het moment dat de bakker het bordje van OPEN naar GESLOTEN draait. Anna tikt op het raam en trekt een wanhopig gezicht. Frau Staudt, wier substantiële lichaam als een kalkoen in haar schort is gesnoerd, werpt haar handen ten hemel. Ze haalt de deur van het slot en gromt nijdig: 'En wat wil je nu weer? Een *linzertorte*? De maan?'

'Een *sachtertorte*?' zegt Anna, die haar meest innemende glimlach tevoorschijn tovert.

'Een *sachtertorte*! *Sachertorte* wil de prinses... En je hebt vast ook niet de juiste voedselbonnen bij je.'

'Nou...'

'Dat dacht ik al.'

Maar de verweduwde en kinderloze bakker heeft al lang geleden een moederlijke houding ten opzichte van de moederloze Anna aangenomen en achter in de winkel staat inderdaad een kostbare *sachertorte*. Door zielig genoeg te kijken, slaagt Anna erin de helft daarvan op de pof af te smeken.

Als dit geregeld is, gaat ze terug naar huis – zo snel als ze kan, met de gebaksdoos onder de ene arm en de teckel, die nu begint te wriemelen, onder de andere. En weer heeft Anna geluk: als ze door de dienstmeideningang naar binnen glipt, hoort ze uit de studeerkamer van haar vader een aanzwellend wagneriaans koor. Dan is Gerhard dus in een goede bui. Misschien heeft hij niet gezien hoe laat het is. Anna zet de hond in zijn mand en kijkt fronsend naar het dressoir. De *roulade*, die wel erg lang uit de koelkast is geweest, is nu vast bedorven. In plaats daarvan zal Anna een *eintopf* van het eten van gisteren in elkaar moeten flansen.

Terwijl ze gehaast de ingrediënten daarvoor bij elkaar zoekt, plukt ze stukjes van de taart en stopt die in haar mond. Ze heeft trek gekregen van de koude avondlucht. En die heeft blijkbaar ook voor Spätzle wonderen verricht, want hij herstelt net zo snel als de doktor beloofd heeft. Hij komt waggelend zijn mand uit om haar voor de voeten te lopen, staart met dreigende belangstelling naar Anna's hand en volgt de *sachertorte* van de doos naar haar mond. Als Anna niet genegen lijkt te zijn hem een stukje aan te bieden, begint hij te keffen.

'Stil,' zegt Anna.

Ze snijdt een plakje taart af en eet dat langzaam op. Genietend van de pure Zwitserse chocolade graaft ze in haar geheugen naar nog meer details van het huisbezoek van herr doktor Stern vijf jaar geleden. Ze herinnert zich dat hij met die rode baard leek op de Nederlandse schilder Van Gogh, wiens zelfportretten ooit te zien waren in Weimars Schlossmuseum. Maar zelfs zonder die baard is de gelijkenis treffend, peinst Anna: het smalle gezicht, de trieste blauwe schittering van de ogen, de vermoeide, maar niet van humor gespeende lijnen rond de mond. De kunstenaar in zijn laatste gekwelde dagen.

Anna zucht. In de tijd voor het *reich* zou ze de doktor onder het mom van een ziekte opnieuw hebben kunnen bezoeken. Misschien had ze hem zelfs, als ze het maar voorzichtig genoeg aanpakte, privé kunnen bezoeken. Maar nu? Anna heeft geen enkel excuus om op bezoek te gaan bij een joodse arts. Sterker nog, het is, zoals de doktor haar er zelf aan herinnerde, verboden. Niet dat Anna ooit veel aandacht heeft besteed aan die dingen.

Ontmoedigd pakt ze een stukje taart. Spätzle blaft opnieuw. 'Hou je kop,' zegt Anna afwezig. Dan kijkt ze omlaag naar de hond. Aangemoedigd door Anna's zorgzame uitdrukking begint hij te kwispelen en te piepen. Anna lacht naar hem en snijdt nog een plakje van de taart, een beetje groter deze keer. Even aarzelt ze, de chocolade in haar handpalm wordt zachter. Dan zegt ze: 'Hier, jongen.' En ze laat het plakje op de grond vallen.

2

'Schaak,' zegt de doktor.

Anna kijkt met opgetrokken wenkbrauwen naar het schaakbord, naar de verzameling versleten stukken op hun crème- en eikenhoutkleurige vierkantjes. Dit spel, zo heeft Max haar verteld, is nog van zijn vader geweest en dáárvoor van diens vader. Een van de originele zwarte pionnen is verdwenen en vervangen door een stompje houtskool, en Anna's koningin mist haar kroon. Bovendien is ze ingesloten in een hoekje.

Anna is niet helemaal een leek in het spel: als meisje heeft ze de grondbeginselen geleerd op de knieën van haar grootvader van moeders zijde. Maar Max' onderricht tijdens de afgelopen vier maanden heeft haar meer inzicht gegeven in de logistiek van de onderlinge posities van de stukken, het uitgekiende geometrische netwerk. Ook heeft hij haar opnieuw kennis laten maken met het intense genot van onvervalst leren, iets wat Anna sinds het leren van talen op het gymnasium niet meer heeft ervaren. Als Anna nu 's avonds in slaap valt, ziet ze het schaakbord op de binnenkant van haar oogleden gekerfd staan en blijft ze de stukken eindeloos verplaatsen. En ze wordt er beter in.

Maar Max is zo veel beter dan zij! Nog steeds is elke partij een oefening in vernedering. Net zoals, begint Anna zo langzamerhand te denken, haar clandestiene avonden hier. Max is veel gecompliceerder dan de spelletjes die ze doen. Het is waar dat Max, elke keer als Anna onuitgenodigd voor zijn achterdeur staat, blij lijkt haar te zien. Hij roept steevast: 'Anna! Dat is grappig! Ik had al zo'n gevoel dat je zou komen.' En Anna heeft hem betrapt toen hij haar met de gezonde masculiene bewondering waaraan ze gewend is, taxerend aan zat te staren. Maar Max beperkt zijn complimenten tot kleermakersobservaties en maakt opmerkingen over een nieuwe jurk die Anna draagt of hoe een zijden sjaal het blauw van haar ogen naar voren haalt. Zijn gedrag is dat van een leuke oom. Het is gekmakend.

Nu zit hij haar over de rand van zijn bril geamuseerd aan te kijken. 'Ben je bereid te capituleren?' vraagt hij.

'Nog niet,' laat Anna hem weten. Ze bestudeert het bord. Haar hand hangt boven een van haar paarden. Dan staat ze op en loopt naar het fornuis, dat vermoeide wolkjes gas afscheidt.

'Mag ik nog wat thee zetten?' vraagt ze, terwijl ze haar hand uitstrekt naar het blik op de bovenste plank. Door die beweging kruipt haar rok op tot zeker zevenenhalve centimeter boven de knie. Het is een ouderwets kledingstuk – het potloodmodel is allang uit de mode – maar het is de kortste rok die ze bezit.

'Je staat nog steeds schaak, Anna,' zegt Max. 'Je probeert me toch niet af te leiden met dat leuke rokje, hè?'

Anna kijkt hem aan. 'Werkt het?'

Max lacht. 'Dat doet me denken aan een mop die mijn vaders rabbijn altijd vertelde,' zegt hij. 'Waarom beantwoordt een jood een vraag altijd met een wedervraag?'

'Geen idee,' zegt Anna, die zich bezighoudt met de thee. 'Waarom?'

'Waarom niet?'

Anna trekt een gek gezicht naar Max en kijkt rond in zijn keuken, terwijl ze wacht tot het water gaat koken. Net als zijn andere kamers achter de kliniek is die klein, maar netjes: elke mok hangt aan een eigen haak, de kruiden staan op alfabet in de kast, de vloer is geveegd. Er staan zelfs planten op een etagère tegen een muur. Ze hunkeren in de richting van een vreemde lamp die een koud paarswit licht verspreidt. Toch zijn er huishoudelijke karweitjes die Max ofwel genegeerd, ofwel niet gezien heeft: de ruitvormige vensters in de ramen met verticale stijlen zouden heel goed een beurt met krantenpapier en azijn kunnen gebruiken en als je je vinger over de vensterbank haalde, zou die er onder het stof afkomen. Dingen die alleen een vrouw ziet. Dit is absoluut een vrijgezellenhuishouden, denkt Anna, en ze lacht liefdevol naar haar gebutste theekopje.

Aangezien de ketel hardnekkig weigert te zingen, draait Anna het fornuis haar rug toe en kuiert naar de planten. 'Hoe heet deze?' vraagt ze, terwijl ze zich over een donkergroen blad buigt.

Ze hoort Max' stoel over de vloer schuiven als hij opstaat en achter haar gaat staan. 'Dat is de *Monstera deliciosa*,' vertelt hij haar, 'de gatenplant.'

'Aha. En deze?'

Max legt terloops een hand op Anna's schouder als ze samen vooroverbuigen. Anna houdt haar adem in en kijkt er zijdelings naar: de lange behendige vingers en hun recht afgeknipte nagels.

'Een sierasperge,' zegt Max. '*A. densiflorus sprengerii*.'

Anna staart zonder iets te zien, ontvankelijk en huiverend onder de aanval van hun vermengde adem, naar een enkel geveerd blad dat op zoek is naar het licht. Als Max zijn hand weghaalt, beeldt ze zich in dat ze de warmte ervan nog steeds kan voelen, alsof die daar een gloeiende afdruk heeft achtergelaten.

Hij wijst naar een andere plant met gestreepte bladeren. 'En dit,' zegt hij, terwijl hij Anna over de ijzeren rand van zijn bril aankijkt, 'is de *Zebrina pendula*, ook wel bekend als de wandelende jood. Een cadeau van een oud-patiënt die, als ik me niet vergis, nu in Canada woont. Toepasselijke naam, hè?'

Anna doet een paar passen opzij. 'Tja, misschien wel,' zegt ze.

Ze neemt weer plaats achter het schaakbord. Gniffelt Max nu, terwijl hij hetzelfde doet? Snel en zonder erbij na te denken verplaatst Anna haar toren.

Max schuift zijn bril op zijn voorhoofd alsof hij daar nog een paar ogen heeft. 'Krijg nou wat,' zegt hij zuchtend. 'Je hebt mijn plan volledig verijdeld, jongedame.'

Anna bekijkt hem heimelijk als hij met zijn hoofd in zijn handen en zijn vingers in zijn warrige lichte haar peinzend boven het bord hangt. Hij brengt een wijsvinger naar zijn toren. 'Vertel me eens,' zegt hij. 'Jouw vader. Is hij lid van de *partei*?'

'Hij neigt in die richting, ja,' zegt Anna behoedzaam.

Max wrijft over zijn kin. 'Dat dacht ik al,' zegt hij. 'Die indruk had ik al. Hij is een... eigenzinnige kerel, niet?'

'Dat kun je wel zeggen.'

'Mmmm. En vertel me nog eens iets, lieve Anna. Ik vroeg me af: is het niet erg moeilijk voor jou geweest, de afgelopen vijf jaar met hem alleen? Je lijkt zo ontzettend... geïsoleerd.'

Het is zo stil in de keuken dat Anna het water in de ketel hoort borrelen. Ondanks de verbazingwekkende ongedwongenheid van deze gesprekken, die Anna elke avond in haar kinderbed in gedachten nog eens de revue laat passeren, is dit voor het eerst dat Max haar zoiets persoonlijks vraagt. Ze wil graag antwoord geven. Maar haar reactie blijft hangen in haar keel.

Max aait de toren. 'De dood van een ouder,' zegt hij tegen het schaakstuk, 'is een ingrijpende ervaring die je leven op zijn kop zet, is het niet? Als kind had ik vaak dat gevoel van "God is in Zijn hemel, met de wereld is alles in orde". Die is van Robert Browning. Een Engelse dichter. Maar sinds de dag dat mijn vader in de oorlog is omgekomen, ben ik elke morgen wakker geworden met het besef dat ik nooit meer die absolute zekerheid zal voelen. Niets is ooit helemaal goed, hè, na de dood van een ouder? Hoe goed dingen ook gaan, er is altijd iets wat...'

Terwijl Max praat, zit Anna als verlamd doordat ze zich tegelijkertijd verschillende dingen realiseert. Ten eerste dat niemand sinds de dood van haar moeder daar ooit nog over gesproken heeft. In het begin kwamen buren nog langs met gemeenplaatsen en gerechten, en waren er goedbedoelde uitnodigingen van verre verwanten om de vakantie in hun huis door te brengen en de zomers in hun tweede huis. Maar niemand heeft ooit de moed gehad, de simpele humane vriendelijkheid, om haar te vragen hoe ze zich voelde vlak na dit verlies. Niemand begon er zonder omhaal over.

En dat Max zo de spijker op zijn kop slaat over haar isolatie: hoe weet hij dat? Anna kijkt over de tafel naar zijn smalle gezicht. Hoewel ze als jong meisje van nature teruggetrokken was en af en toe benijd werd vanwege de belangstelling die ze door haar uiterlijk bij jongens wekte, had Anna wel degelijk een tijdje vriendinnen; schoolmaatjes met wie ze gearmd liep tijdens de pauzes, kennissen met wie ze roddelde over klasgenoten. Maar de opkomst van het *reich* maakte hier, samen met de dood van haar moeder, snel een einde aan. De activiteiten van de *Bund Deutscher Mädel*, waar Anna net als alle andere meisjes lid van was geworden, waren in haar ogen banaal en bezorgden haar een ietwat ongemakkelijk gevoel. Tijdens patriottistische kampvuren in het bos op de Ettersberg, of zwempartijtjes met de jongens van de *Hitlerjugend*, keek Anna altijd naar de vrolijk zingende gezichten en dacht aan wat haar thuis te wachten stond: het koken en het schoonmaken, haar moeders donkere en lege bed. Ze ging er steeds minder aan meedoen – met huiswerk en het feit dat haar vader haar nodig had als excuus – en op den duur verschenen haar vriendinnen niet meer bij haar voordeur en verstomden ook hun uitnodigingen tot een raadselachtige stilte.

En dus bleef Anna alleen achter met haar vader, wiens eisen, die ooit als excuus hadden gediend, wel degelijk ingewilligd dienen te worden. Ze denkt aan Gerhards ochtendritueel, hoe hij in zijn ochtendjas door het huis dwaalt, zijn keel schraapt in zakdoeken die hij overal voor haar achterlaat, zodat zij die bij elkaar moet rapen en wassen. Ze moet elke dag zijn grijs wordende baard bijknippen; zijn haar om de twee weken. Zijn overhemden moeten net als zijn lakens gesteven en gestreken worden. Ze moet zijn lievelingsgerechten maken zonder rekening te houden met haar eigen smaak. Het opeten daarvan ondergaat Anna in een angstaanjagende stilte, die alleen wordt onderbroken door het geritsel van Gerhards krant, *Der Stürmer*, en explosieve schimpscheuten over de joden. O, wat had Anna graag gewild dat híj was gestorven in plaats van haar moeder!

Max duwt zijn toren over het bord. 'Schaak,' zegt hij, en hij kijkt op. 'O, Anna, sorry.'

Anna schudt haar hoofd.

'Ik wilde je niet van streek maken,' zegt Max.

'Dat heb je ook niet gedaan,' stelt Anna hem gerust, als ze eindelijk haar stem weer terugheeft. 'Ik ben gewoon verbijsterd over hoe goed je het verwoordt. Het is net alsof je bij een soort club hoort, hè? Een nabestaandenclub. Je wordt er niet vrijwillig lid van, het wordt je in de schoot geworpen. En de leden wier leven is veranderd, weten er meer van dan degenen die geen lid zijn, alleen is de prijs van het erbij horen zo verschrikkelijk hoog.'

Max leunt met zijn stoel achterover en kijkt Anna lange tijd peinzend aan, terwijl hij met zijn hand over zijn gezicht en nek wrijft. 'Ja,' zegt hij. 'Ja, daar lijkt het heel erg op.' Dan komen zijn stoelpoten weer op de grond en staat hij op. 'Over je vader gesproken,' zegt hij lachend, 'wil je zien hoe het met zijn hond gaat?'

Anna staart hem treurig aan, teleurgesteld door zijn terugkeer naar een meer oppervlakkige conversatie. Maar als Max haar wenkt, staat ze gehoorzaam op en loopt achter hem aan.

Nadat hij het vuur onder de fluitketel heeft uitgedraaid, pakt Max Anna's elleboog en leidt haar naar een deur aan de achterkant van het huis die, zo verwacht Anna, uitkomt op een tuin. Maar in plaats daarvan staat ze opeens in een donkere schuur, waar het muffig naar stro en dieren ruikt. Ze hoort een schorre, slaperige blaf en als Max een kerosinelamp aansteekt, ziet Anna dat hij hier een soort noodkennel heeft gemaakt. Met inbegrip van Spätzle zijn er vijf honden in aparte kooien, en in de hoek vangt Anna een groene glimp op van de ogen van een poes die de leiding heeft over een bergje kittens. Er zit zelfs een kanarie in een kooi, met zijn kopje onder zijn veren gestopt.

Anna loopt naar Spätzle toe. 'Hallo, jongen,' zegt ze.

De teckel gromt naar haar. Anna trekt met een ruk haar hand van de kooi. 'Ik zie dat zijn karakter niet verbeterd is,' stelt ze vast.

'Misschien zou dat wel lukken,' zegt Max achter haar, 'als je hem niet meer vol propte met chocolade.'

Anna bloost. 'Ik heb je toch verteld dat dat aan mijn vader ligt...'

'O, ja, natuurlijk,' zegt Max. 'Dat zei je inderdaad.'

Anna draait zich om en ziet dat Max veelbetekenend naar haar lacht. Met een vuurrood gezicht buigt ze zich voorover naar een terriër. 'Dus uiteindelijk ben je toch een soort dierenarts,' merkt ze op.

Max antwoordt niet meteen, en als Anna zeker weet dat haar kleur is weggetrokken, draait ze zich om en kijkt hem onderzoekend aan. Hij staat met zijn handen in zijn zakken naar de dieren te kijken. Hij heeft een vreemde uitdrukking op zijn gezicht, zowel vertederd als grimmig. 'Ik ben meer een asielhouder,' zegt hij. 'En niet uit vrije keuze. Niet dat ik niet van dieren hou, dat doe ik duidelijk wel. Maar deze zijn aan mijn zorgen toevertrouwd. Achtergelaten.'

'Achtergelaten...?'

'Door mijn vrienden, door patiënten die zijn geëmigreerd, naar Israel, de Verenigde Staten, wie hen dan ook hebben wilde. Mensen die ik mijn hele leven al ken – weg, *pffft!* Gewoon, huppetee.' Max knipt met zijn vingers en de kanarie tilt zijn kopje op om hem met verbolgen verrassing aan te kijken.

Anna graaft met de punt van haar schoen in het stro. 'Zijn de omstandigheden echt zo slecht voor... voor jouw volk?'

'Erger dan je je kunt voorstellen. En het wordt nog erger. Wat ik niet allemaal gehoord heb, wat ik gezien heb...'

Als hij zijn zin niet afmaakt, vraagt Anna: 'En jij? Waarom ga jij niet ook weg?' Ze kijkt omlaag en houdt haar adem in, hopend dat hij niet bevestigend antwoordt.

Maar Max lacht alleen even bitter. 'Wat? En dit hier allemaal achterlaten?' zegt hij.

Anna kijkt op. Hij staat haar met een bespiegelende blik aan te kijken. 'Eenzaamheid is ondermijnend,' zegt hij.

Tranen wellen op in Anna's ogen. 'Ja,' zegt ze. 'Dat weet ik.' Ze denkt dat ze op dit moment in staat zou zijn om naar hem toe te lopen, haar armen om hem heen te slaan en haar hoofd tegen zijn borst te leggen. Ze wil niets liever dan voor eeuwig hier bij Max blijven, op deze simpele donkere plek die ruikt naar dierlijke warmte en mest. Maar dat is natuurlijk onmogelijk en uiteindelijk herinnert deze gedachte haar er alleen maar aan hoe laat het is. 'Godallemachtig, de avondklok is al uren geleden ingegaan, ik moet weg,' zegt ze, terwijl ze langs Max het huis in schiet.

In de keuken houdt Max, terwijl Anna haar hoed vastmaakt, haar jas vast als een matador en wappert ermee naar haar. Dan helpt hij haar bij het aantrekken. Zijn handen blijven echter dralen op Anna's schouders als ze de knopen vastmaakt, en als ze daarmee klaar is, draait hij haar snel om zodat ze hem aankijkt. 'Waar denkt je vader dat je bent?' wil hij weten. 'Als je hier komt?'

'O, dat kan hem niets schelen, zolang hij zijn eten maar op tijd krijgt,' mompelt Anna. 'Hij denkt waarschijnlijk dat ik op een bijeenkomst van de BDM ben. Mouwbanden naaien en loftliederen zingen voor het *vaterland* en leren hoe je een goede Duitse echtgenoot binnenhaalt.'

'En is dat niet wat je wilt, Anna?' vraagt Max. 'Ben jij geen keurig Duits meisje?'

Voordat Anna kan antwoorden, kust hij haar; veel heftiger dan ze van deze zachtaardige man verwacht zou hebben. Hij duwt haar met haar rug tegen de muur en houdt haar daar stevig vast met een hand die door laagjes kleding heen tegen haar borstbeen drukt, terwijl hij een zacht jankend geluid maakt, zoals een van zijn geadopteerde honden in zijn slaap zou doen. Anna klampt zich aan hem vast en steekt een aarzelende hand uit naar zijn haar.

Maar dan, even abrupt als hij de omhelzing is begonnen, maakt Max zich los en bukt zich om Anna's hoed van de grond te rapen. Hij lacht schaapachtig omhoog naar haar en kronkelt zijn wenkbrauwen boven de rand van zijn bril. Zijn gezicht is vuurrood geworden. 'Dit kan niet,' zegt hij. 'Zo'n verrukkelijk schepsel als jij moet gewoon zorgeloos flirten met mannen van haar eigen leeftijd en niet haar tijd verspillen aan een oude vrijgezel als ik.'

'Maar je bent pas zevenendertig,' zegt Anna.

Max overhandigt haar de hoed; de steel van een van de zijden bloemen is geknakt. Dan duwt hij zijn bril naar beneden en kijkt Anna ernstig aan. 'Hou daarmee op, jongedame,' zegt hij tegen haar. 'Je weet dat dat niet de werkelijke reden is waarom dit niet kan. Voor je eigen bestwil kun je echt beter niet meer terugkomen.' Hij duwt de protesterende Anna zachtjes door de deur naar buiten en doet die achter haar dicht.

Anna staat op de bovenste tree; haar hand ligt tussen haar borsten, op de plek waar net die van Max nog was. Ze is te perplex door de abruptheid van het gebeuren en wat hij daarna heeft gezegd om zich erover te verheugen. Ze staart de tuin in en wacht tot haar hartslag weer normaal is, kijkt naar de dikke sneeuwvlokken die zo loom door de lucht zweven dat het lijkt alsof ze aan touwtjes hangen.

Natuurlijk heeft Max helemaal gelijk. Er moet een eind komen aan deze avonden, voordat een van hen er zich te ver in laat meeslepen, hoewel het werkelijke obstakel – zoals Max impliceerde – niet het feit is dat hij twee keer zo oud is als zij. Het probleem, dat tot vanavond niet ter sprake is gekomen, is dat joden een apart ras vormen. En zelfs als Max niet belijdend is – de nieuwe wetten verbieden meer dan een bezoek van ariërs aan joodse artsen: seksuele gemeenschap tussen joden en *Deutsche* van zuiver bloed is nu een misdaad. *Rassenschande* noemen de nazi's het. Het lijkt op het gedicht dat Max vorige week aan Anna voorlas – hoe ging het ook alweer? Zoiets als een donkere vlakte waarop legers 's nachts slaags raken. Zij en Max zijn pionnen op tegenover elkaar liggende vakjes, op een bord waarvan de randen zich in een oneindige duisternis uitstrekken, en worden gemanipuleerd door onzichtbare reuzenhanden.

Anna kent het gedicht dan wel niet meer uit haar hoofd, ze herinnert zich wel de manier waarop Max het voorlas: met overdreven zelfspot en tussen strofen pauzerend om haar een ironische blik toe te werpen. Zijn halve glimlachje, de schalksheid die als een bliksem van zijn bril flitste. Anna lacht en steekt haar tong naar buiten om de sneeuw op te vangen als ze de trap af gaat en naar het hek loopt. Natuurlijk komt ze terug.

3

Op een ochtend in maart 1940 wordt Anna gewekt door het gebons van haar vader op de deur van haar slaapkamer. Ze ligt met haar ogen te knipperen en weet even niet meer waar ze is. Hoe laat is het? Heeft ze zich verslapen? Gerhard is nooit eerder op dan zij. Ze draait haar hoofd naar de wekker op het nachtkastje en als ze ziet dat het nog maar net licht is geworden, springt ze uit bed, graait haar ochtendjas van de deur en rent naar de overloop. Gerhard is nergens te bekennen, maar Anna hoort hem beneden tekeergaan.

'*Vati*?' roept Anna, terwijl ze op het geluid in de keuken afgaat. 'Wat is er? Is er iets mis?'

Gerhard staat borden uit de porseleinkast te trekken en houdt die stuk voor stuk inspecterend omhoog, voordat hij ze op de tafel laat vallen. 'Dit,' zegt hij, terwijl hij met een schoteltje naar Anna zwaait, 'dit is wat er mis is. Waarom zijn er zo veel stukjes uit het servies?'

Anna klemt haar ochtendjas dicht bij haar keel. 'Het spijt me, *vati*, ik weet het niet. Ik ben heel voorzichtig geweest, maar het is zo oud en broos...'

Gerhard gooit het schoteltje naast zijn soortgenoten. 'Niets aan te doen, niets aan te doen,' mompelt hij. Dan rukt hij de koelkast open en steekt zijn hoofd naar binnen; grijze haarlokken vallen over zijn voorhoofd. 'Kliekjes,' zegt hij. 'Worteltjes en aardappelen. Een halve fles melk. Een half brood... Is dat alles wat er is?'

'Nou eh, ja, *vati*, ik ben vandaag nog niet naar de markt geweest, het is veel te vroeg, dus...'

Gerhard knalt de deur dicht. 'Er is in dit huis niet eens iets te eten voor een kamermeid, laat staan voor fatsoenlijk gezelschap,' zegt hij. 'Jij moet meteen gaan. Vlees halen. Kalfsvlees of hert. Groenten. Dessert! Je hoeft niet op het geld te letten.'

'Ja, natuurlijk, *vati*, maar...'

Gerhard stormt de keuken uit en Anna staart hem na. Ze is al haar hele leven een onwillige studente van haar vaders excentrieke gedrag geweest, alert als een reekalf, al haar reacties afstemmend op zijn luimen. Maar niets in Gerhards veranderlijke buien heeft Anna kunnen voorbereiden op deze invasie van haar territorium, de keuken. Als je het haar hiervoor gevraagd had, zou Anna gezegd hebben dat Gerhard misschien niet eens wist waar de koelkast stond.

'Anna!'

'Ik kom, *vati*.' Anna haast zich het huis in en vindt Gerhard staande in de badkamer beneden.

'Waarom zijn er geen schone handdoeken?' wil hij weten, terwijl hij een vuistvol linnengoed naar haar schudt.

'Het spijt me, *vati*. Ik heb die afgelopen zondag nog gewassen...'

'Dit is verschrikkelijk,' zegt Gerhard. 'Ze moeten opnieuw gedaan worden. Gesteven. En gestreken.' Hij gooit de doeken voor Anna's voeten.

'Ja, *vati*,' zegt ze, terwijl ze bukt om ze op te rapen. 'Ik doe het zodra ik terug ben van de...'

'En waar is mijn beste pak?'

'In uw kast, *vati*.'

'Geperst? Geborsteld?'

'Ja...'

'Mijn goede schoenen? Zijn die gepoetst?'

'Ja, *vati*, die zijn ook boven.'

'Hm,' zegt Gerhard. Hij komt de gang in en kijkt met zijn handen in zijn zij dreigend rond, naar de ingangen van de bibliotheek, de salon, de eetkamer, naar de kroonluchter aan het plafond. 'Als je terugkomt van de markt, zorg je dat alles hier in huis brandschoon is. Brandschoon, heb je dat begrepen? Dus geen vuil onder vloerkleden vegen, juffie.'

'Maar, *vati*, ik zou nooit...'

Gerhard haalt een hand door zijn dunner wordende haar. In zijn atypische ongekleedheid – hij loopt nog steeds in zijn pyjama – doet hij Anna denken aan een knorrige grote beer die te vroeg uit zijn winterslaap is gewekt. 'Waar is mijn ontbijt?' wil hij weten.

'Ik zal het meteen halen, *vati*.'

'Heel goed,' zegt Gerhard. Hij knijpt in Anna's wang en beent weg in de richting van zijn studeerkamer. Even later hoort Anna hem uitbarsten in een lied, een fragment uit het gezang der pelgrims uit Wagners *Tannhäuser*, dat hij uit volle borst meegalmt.

Anna glipt terug naar boven en kleedt zich snel aan, keert dan terug naar de keuken en doet een gekookt ei en wat kaas, die aan haar vaders aandacht zijn ontsnapt, bij het brood. Ze zet dit samen met een pot thee op een dienblad en brengt dat naar Gerhards studeerkamer.

'Ah, dank je, Anchen,' zegt hij handenwrijvend. 'Dat ziet er heerlijk uit. Net als jij deze morgen, mijn schat.'

Anna zet het eten op haar vaders bureau en trekt zich terug in de deuropening. Ze heeft geleerd het meest voor hem op haar hoede te zijn als hij lacht. 'Anders nog iets?' vraagt ze, met de blik op haar schoenen gericht.

Gerhard snijdt de bovenkant van het ei en eet dat samen met een mondvol brood. 'We krijgen eters,' zegt hij, waarbij hij in zijn enthousiasme kruimels op het vloeiblok spuugt, 'zeer belangrijke mannen op wie ik de best mogelijke indruk moet maken. Alles moet tot in de details perfect zijn. Heb je dat begrepen?'

Anna knikt.

Gerhard wappert met zijn vingers: wegwezen. Anna loopt zo snel mogelijk weg zonder daadwerkelijk te rennen. Gerhard blijft hummend en mompelend doorkauwen. 'Tulpen,' roept hij haar na. 'Daar is het nu de tijd voor, toch? Als je bijtijds op de markt bent, kun je misschien nog een paar bosjes krijgen...'

Anna haast zich de trap af en stopt alleen even om haar boodschappennetje en jas van het rek bij de deur te grissen. Als ze veilig buiten staat, kijkt ze om over haar schouder naar het *elternhaus*, haar ouderlijk huis: zo'n eerbiedwaardig ogende plek met zijn zware stenen fundering en half betimmerde bovenverdiepingen. Niemand zou ooit verwachten dat de eigenaar ervan zo weerbarstig was. Anna werpt een blik op het raam van Gerhards studeerkamer en rent de weg op voor hij dat open kan gooien om nog meer instructies te brullen.

Zodra ze de hoek om is en het huis niet meer ziet, zet ze opnieuw haar hoed vast, die ze in haar haast belachelijk scheef heeft opgezet, en vertraagt haar pas. Dit is haar favoriete deel van de dag, deze uren gewijd aan boodschappen; de enige tijd die ze voor zichzelf heeft. Tijdens de tocht naar het centrum van Weimar en terug zijn Gerhard en zijn eisen opvallend afwezig en gaat Anna al lanterfantend helemaal op in haar dagdromen. Tot voor kort waren die nogal vaag en draaiden ze vooral om de dag dat Anna haar vaders huis zou kunnen ontvluchten om te gaan wonen bij welke echtgenoot hij dan ook voor haar had uitgezocht. Gerhard heeft haar de afgelopen jaren aan verschillende kandidaten voorgesteld, maar het beeld dat Anna van haar echtgenoot had, bleef schimmig. Niet dat het haar veel kon schelen wie het zou zijn of hoe hij eruit zou zien, zolang hij maar rustig en vriendelijk was. Anna heeft ook nooit andere aspiraties gehad, om naar de universiteit te gaan bijvoorbeeld. Waarom zou ze? Niet een van haar vrouwelijke leeftijdgenoten zou ooit zoiets overwegen. *Kinder, kirche, küche* – kinderen, kerk, keuken: dat is waar alle Duitse meisjes op hopen, daar is Anna voor opgevoed. Het is niet aan haar om over haar toekomst te beslissen.

Maar de laatste tijd hebben de dagdromen een andere, meer concrete vorm aangenomen. Met het oog op de oorlog – de meisjes worden opgeroepen voor agrarische *landwerke*, Anna's potentiële huwelijkskandidaten krijgen oproepen voor de Wehrmacht en *luftwaffe* – kan er van alles gebeuren. En dan is Max er nog. Misschien, als het klopt wat hij zegt en het echt steeds erger wordt, zal Max toch vertrekken – en Anna met zich meenemen. Ze zouden naar een warm oord ver van deze zinloze strijd kunnen gaan, naar een plek waar hij een kleine praktijk kan beginnen en ze een eenvoudig bestaan kunnen leiden. Portugal, Griekenland, Marokko? Anna ziet voor zich hoe ze 's ochtends keuvelend over een strand lopen, terwijl vissers hun netten uithangen. Ze blijven hangen in een café om te lunchen. Ze eten vreemde vruchten en gebakken vis.

Dit aangename beeld verdampt als Anna het centrum van Weimar nadert, waar ze zich realiseert dat Gerhards grillige gemoedstoestand zich naar de wereld in het groot lijkt te hebben overgebracht. Het weer zelf is nerveus – stuurse, dikbuikige wolken racen langs een leikleurige hemel – en op de markt op het Raadhuisplein, waar Anna voedselbonnen inwisselt voor hertenvlees en groenten, zijn de kooplieden al net zo nors en kortaf als de klanten. Het lijkt of niemand Anna in de ogen wil kijken. Niet dat er veel mensen op de been zijn: de straten zijn zo verlaten dat het lijkt alsof de stad geëvacueerd is toen Anna sliep. Is er slecht nieuws over de oorlog geweest? Anna grijpt haar hoed vast, die de wind van haar hoofd dreigt te rukken, en herinnert zich Max' opmerking over dat zijn asielzoekertjes rusteloos worden bij een verandering van atmosfeer. Misschien dat haar stadsgenoten net zo reageren op een daling van de oorlogsbarometer.

Anna duikt onder de wapperende nazivlag boven de deur van de *reichsbank* door en zoekt beschutting in de hal, terwijl ze door haar bonnenboekje bladert. Als zij en Gerhard de rest van de week geen zoetigheid meer kopen, rekent Anna uit, heeft ze net genoeg om frau Staudt gebak af te troggelen dat vanavond de nodige indruk zal maken. Opnieuw stapt Anna de rusteloze middaglucht in en haast zich over het plein terug naar de joodse wijk. Zelf is ze inmiddels ook rusteloos geworden en ze wil alleen nog maar terug naar haar warme keuken.

Ook de joodse wijk lijkt verlaten – tenminste, tot Anna herr Nussbaum in het oog krijgt, de stadsbibliothecaris, die op het trottoir voor zijn huis staat. En dat beeld is zo vreemd dat Anna opeens stokstijf stilstaat, met stomheid geslagen. Want de oudere bibliothecaris, wiens overdreven ijdelheid hem niet toestaat zonder de hoed die zijn bobbelige schedel verbergt in het openbaar te verschijnen, is poedelnaakt. Hij draagt alleen een groot kartonnen bord, dat met een touwtje om zijn nek hangt en waarop staat: IK BEN EEN VIEZE JOOD.

Anna zou graag de andere kant opkijken, maar ze kan het niet helpen: met open mond staart ze naar herr Nussbaums arme slappe oudemannenbillen en de witte plukjes haar op zijn rug. De enige keer dat ze ooit in de buurt van een blote man is geweest, was toen ze als kind een glimp had opgevangen van Gerhard in het bad. Zijn slappe en drijvende penis deed haar denken aan een half gevuld saucijsje – een observatie die haar, toen ze het aan haar moeder vertelde, een pak slaag en een uur in de kast had opgeleverd. Het huidige beeld is zo kwetsend voor Anna's normbesef, dat ze niet kan geloven dat het echt is. Ze kijkt wild in het rond om zich ervan te verzekeren dat iemand anders dit ook ziet. Daar is frau Beiderman, aan de overkant van de straat. Maar de naaister maakt zich haastig in de andere richting uit de voeten, alsof ze andere dingen aan haar hoofd heeft. Afgezien van haar zijn alleen Anna en de naakte herr Nussbaum op straat. De laatste staat met zijn handen voor zijn geslachtsdelen voor een heldere achtergrond van huiverende kersenbomen, als een vluchteling uit een droom.

Behoedzaam en na eerst alle kanten op gekeken te hebben, loopt Anna naar de bibliothecaris toe. 'Wat is er gebeurd?' vraagt ze met zachte stem. 'Wie heeft u dit aangedaan?'

Herr Nussbaum staart vastberaden naar het huis aan de overkant en blijft behoorlijk onbeweeglijk staan, zij het dat hij rilt van de hagel die de hemel uitspuugt als zand.

Anna laat haar netje met boodschappen op de stoep vallen en begint haar jas uit te trekken. 'Hier,' zegt ze, 'trek die maar aan.'

De bibliothecaris negeert haar. Zijn langwerpige, middeleeuwse gezicht hoort boven een plooikraag op een portret, zijn blik is van het soort dat de kijker tot in elke hoek van de kamer blijft volgen. Nu stralen de ernstige donkere ogen, die Anna als kind zo bang maakten, zelf doodsangst uit. Ze zijn vochtig van angst en de wind. 'Ga weg,' zegt hij, zonder zijn lippen te bewegen.

'Wat?'

'Weg met die jas, dom wicht. Ze kijken.'

'Wie?'

Anna kijkt achterom. Achter de deur van het huis aan de overkant beweegt een gordijn en blijft dan weer roerloos hangen. 'Maar u moet zich niets aantrekken van de buren,' fluistert ze. 'Als ze ook maar enig fatsoen hadden, zouden ze u naar binnen halen. U staat hier te bevriezen...'

'Zij niet, stomkop,' mompelt de bibliothecaris door zijn piekerige baardharen. 'De ss.'

'ss? Waar? Ik zie geen...'

'Overal. ss en Gestapo. Iets is hen in het verkeerde keelgat geschoten, ze gaan als beesten tekeer. Het begon vanmorgen, ze waren op zoek naar iets hier in de wijk, god mag weten wat. En ze zijn er niet meer mee opgehouden.'

De schrik slaat Anna om het hart. 'Elk huis? En de doktor? Herr doktor Stern? Hebben ze...'

De bibliothecaris haalt even fatalistisch zijn schouders op: waarschijnlijk wel, zegt dat gebaar. 'Je maakt het er voor mij alleen maar erger op,' sist hij. 'Ga weg!'

Anna grijpt haar boodschappen en rent de straat uit naar de kliniek. Die ziet er met zijn met roet bevlekte stenen en bronzen naamplaat net zo uit als anders, en even is Anna gerustgesteld. Dan raakt ze de deur aan in het midden van de zespuntige ster en zwaait die wijd open. De receptie ligt er donker en leeg achter. 'Max?' roept Anna.

Nou ja, misschien heeft hij vanmiddag geen patiënten. De meesten zijn trouwens geëmigreerd en de rest zal niet op doktersbezoek gaan nu de SS hier rondhangt. Maar... 'Max?'

Anna gluurt in de onderzoekkamer. Daar is het een grote troep: de medicijnflesjes zijn stukgegooid en watten hebben zich volgezogen met de medicinale drankjes op de tegels. De archiefkast is opengebroken en de patiëntendossiers liggen uitgebraakt op de grond: GOLDSTEIN, JOSEPH ISRAEL, staat er in Max' gedegen blokletters op de map waar Anna op is gaan staan; 3 MAART 1940, ERNSTIG HEMATOOM DOOR KLAPPEN, KLAAGT OVER PIJN IN DE LINKERARM...

'Max! Max...'

In de keuken ligt een omgevallen theekopje op tafel, melkachtig spul kleeft aan de rand ervan. De planten zijn van hun plek gemaaid en er staan grote laarsafdrukken in de aarde die rond de kapotte potten ligt. Anna sprint naar Max' slaapkamer boven, een plek waar ze nog nooit geweest is, maar waar ze in haar verbeelding al vaak en onder heel andere omstandigheden een bezoek aan heeft gebracht. Hij is klein en onpersoonlijk en al net zo overhoop gehaald: matras en kussens zijn in een explosie van veren opengereten, lakens liggen op de grond. Anna pakt er een in haar ijzige handen en begraaft haar gezicht erin: het ruikt naar Max, naar zijn haar en slaap. Dan laat ze die vallen en daalt de trap af op benen die zowel van rubber als te zwaar lijken, net als soms voordat ze ongesteld moet worden, alsof het bloed erin heviger dan gewoonlijk reageert op de zwaartekracht. Er hangt een vieze lucht in de hal: het doet denken aan koper. Die wordt sterker als Anna in de richting van de deur naar de schuur loopt.

Het waaiervormige raampje boven de ingang van de kliniek licht even op door zwak zonlicht als ze de deur opent, genoeg om de dieren te zien voordat het weer verdwijnt, en in eerste instantie denkt Anna dat ze slapen. Dan wennen haar ogen aan de duisternis en beseft ze dat ze dood zijn. De honden moeten doodgestoken of -geschoten zijn, want er druppelt bloed uit de kooien en er hangt een zware metalen stank. Het lot van de poes is duidelijker: haar schedel is verbrijzeld samen met die van de kittens, de lijkjes liggen op een hoop bij de muur. Alleen de terriër in de kooi onder die van Spätzle leeft nog. Zijn pootjes trekken, een bruin oog draait meelijwekkend in Anna's richting terwijl hij jankt.

Anna doet een paar stappen in zijn richting. Er kraakt iets onder haar hak. Ze kijkt omlaag en haar gezicht betrekt: Max' bril.

Een hoge, woedende toon ontsnapt aan Anna's luchtpijp. Ze raapt de bril op en laat die in haar zak glijden. Dan klapt ze dubbel en braakt in het stro. Als haar maag leeg is, loopt ze de schuur door. Ze staat stil voor Spätzles ontzielde lichaam, wensend dat de dood van haar vaders hond haar iets deed. Maar aangezien ze dat niet op kan brengen, tilt ze de terriër uit zijn kooi.

Het dier is duidelijk stervende en Anna weet dat ze hem uit zijn lijden zou moeten verlossen met een snelle nekdraai of een klap tegen zijn kop. In plaats daarvan laat ze zich op de grond zakken en aait zijn matte vacht. Dus Max is, om welke reden dan ook, gearresteerd. O mijn god, stel dat het door mij komt? Anna duwt een bebloede vuist tegen haar mond, tranen prikken in haar ogen. Stel dat iemand, ondanks haar behoedzaamheid, heeft gezien dat een arisch meisje het huis van een joodse arts heeft bezocht en dat heeft aangegeven? Maar nee, de SS zou niet de hele wijk doorzoeken als dat het geval was. Hoe dan ook, Anna moet hem helpen. Wat kun je doen voor joden die in hechtenis zijn genomen? Had Anna nu maar beter geluisterd naar de gefluisterde geruchten die ze tijdens haar dagelijkse boodschappen om zich heen hoorde. Het is net alsof je je probeert te herinneren wat er gezegd werd in een andere kamer terwijl jij half sliep. Het willekeurig in elkaar slaan van joden, razzia's, aanhoudingen, deportaties. De huizen van ariërs die vraagtekens zetten bij de behandeling van hun joodse buren die plotseling leeg zijn en dat dag en nacht blijven, terwijl de post zich in hun brievenbus opstapelt en de melk voor de deur verzuurt.

Anna herinnert zich echter opgevangen te hebben dat de SS omgekocht kan worden, vooral als degene die dat doet mooi en wanhopig genoeg is. Ze heeft haar uiterlijk wel voor minder belangrijke dingen gebruikt. En in de brandkast op Gerhards studeerkamer ligt vast iets waardevols. Anna hoeft alleen maar een manier te bedenken om haar vader het huis uit te krijgen.

Ze legt de dode terriër neer, zijn ogen zijn al een tijd lang wazig. Nadat ze zo goed en zo kwaad als het gaat haar kleverige handen met stro heeft schoongeveegd, vertrekt Anna via Max' achtertuin om niet gezien te worden. Misschien is de SS nog in de buurt, en het laatste wat Anna wil is meegenomen worden om vragen te beantwoorden over waarom ze in deze wijk was. De vroege schemering is rokerig en guur, de uniforme grijsheid ervan een bondgenoot voor Anna in haar donkere *zellwolle* jas. Ze rent door de steegjes van de verlaten joodse wijk, driewielers ontwijkend en onder waslijnen door duikend, terwijl ze zich al die tijd aan de bril in haar zak vastklampt.

4

Die avond is Gerhard gedwongen zijn plannen voor het etentje aan te passen. Hij belt zijn belangrijke nieuwe kennissen en spreekt met hen af in een restaurant. Want, zo hoort Anna hem in de hoorn uitleggen, hij wil niet dat zij de griep van zijn dochter te pakken krijgen. Anna heeft hem verteld dat er griep heerst in Weimar, de straten zijn een symfonie van niesbuien en de winkels lijken wel wachtkamers vol tbc-patiënten. Gerhards kameraden moeten zijn bezorgdheid over hun gezondheid op prijs hebben gesteld, want Anna hoort hem neuriën als hij zich verkleedt en de trap afkomt. De weeïge geur van zijn *kölnischwasser*, waar hij erg scheutig mee is geweest, blijft nog lang hangen nadat zijn auto van de parkeerplaats is verdwenen.

Een tijdje later sluipt Anna naar de keuken beneden. Het inbreken in haar vaders brandkast heeft niets opgeleverd, aangezien daar alleen Gerhards reisdocumenten en een kapot gouden polshorloge in lagen. Anna ploft bedrukt neer op een stoel en dwingt zichzelf een stukje cheddar te eten, terwijl ze alternatieven probeert te bedenken. Er schiet haar niets te binnen. Misschien dat het horloge op de zwarte markt iets opbrengt, maar Anna heeft geen idee wie zich met deze riskante ondernemingen bezighoudt noch hoe ze die zou kunnen vinden. Wanhopig laat ze de kaas op tafel achter.

Ze wil net een poging wagen aan een appel als ze op het raam naast de dienstmeideningang getik hoort. Ze bevriest met haar tanden half verzonken in het vruchtvlees. Weer hoort ze het, vaag maar indringend.

Anna rent naar de deur, gooit die open en ziet Max staan. 'O, mijn god,' jammert ze. De appel valt uit haar hand en rolt over de houten vloer. 'Goddank is alles goed met je...'

Max probeert te lachen. 'Mag ik binnenkomen?' vraagt hij.

'Doe niet zo gek,' zegt Anna tegen hem. Ze trekt hem aan de mouw van zijn hemd de keuken in.

Max drukt zich tegen de koelkast aan, terwijl Anna de deur op slot doet en de gordijnen voor de ramen schuift. 'Dus je weet het,' zegt hij. 'Van de *aktion* van vanmorgen.'

Anna draait zich om en kijkt hem onderzoekend aan. Hij zit onder de modder, zijn haar zit aan één kant aan zijn hoofd geplakt alsof hij net wakker is geworden en op een van zijn wangen zit een ondiepe snee. Verder oogt hij ongedeerd. 'Ik was in de wijk en kwam herr Nussbaum tegen,' zegt ze. 'En toen ik naar jouw huis ging, vond ik de dieren...'

'Ze hebben ze gedood,' zegt Max.

'Ja.'

Max kijkt fronsend naar de grond, zijn adamsappel gaat op en neer. 'Daar was ik al bang voor,' zegt hij. 'Ik wilde het zelf doen, op een humane manier, maar er was geen tijd meer voor.'

Anna begint in de zakken van haar rok te rommelen. 'Ik heb je bril hier ergens,' zegt ze. 'Ik weet dat je daar niet zonder kan...' Dan barst ze opeens in tranen uit.

Max loopt naar Anna toe en neemt haar in zijn armen. Dit is de eerste keer dat hij haar vasthoudt zoals het hoort en Anna geniet ervan, hoe vochtig en smerig hij ook is. Ze leunt tegen hem aan en sluit haar ogen, maar Max staart afwezig over haar schouder naar de muur. 'Hoe lang blijft je vader weg?' vraagt hij, terwijl hij zich van haar losmaakt.

'Hoe weet je dat hij weg is?'

'Ik heb een groot deel van de middag in de struiken gezeten. Ik heb hem een half uur geleden zien vertrekken, om te gaan eten met zijn vrienden, klopt dat? Stuk voor stuk hoge pieten.' Max wrijft in zijn ogen. 'Lieve god, van alle plekken waar ik naartoe had kunnen gaan,' bromt hij. 'Het spijt me zo, Anna...' Hij strijkt met een hand langs de zijkant van zijn gezicht, wat door de stoppels een rasperig geluid geeft. 'Ik moet alleen even iets eten,' zegt hij. 'Dan ben ik weer weg.'

'Natuurlijk, ik maak wel iets voor je,' zegt Anna, terwijl ze zichzelf tot de orde roept. 'Maar eerst moeten we je uit die natte vodden krijgen.'

'Anna...'

Anna negeert zijn protesten en leidt Max van de keuken het huis in, onder de verwrongen, overdreven schaduwen van de kroonluchter in de hal door, de trap op naar boven. 'Hier,' zegt ze, zodra ze hem de badkamer heeft laten zien. 'Ga je wassen. Ik ben zo terug.'

Vervolgens zoekt ze in Gerhards kledingkast naar kleren die hij niet zal missen, terwijl ze haar oren gespitst houdt naar de spettergeluidjes die Max tijdens het wassen en scheren maakt, de geluiden die ze elke morgen zou horen als ze samenwoonden. Het is gezien de omstandigheden belachelijk, maar het is er: de enorme blijdschap dat Max in haar huis is. Anna schudt haar hoofd over zichzelf en loopt met een oude tweed broek en een overhemd terug naar de badkamer.

'Dank je,' zegt Max, als hij ze aanneemt. 'Ik ben zo weg.'

Anna negeert dit. Ze stapt naar buiten zodat hij zich kan verkleden, maar laat de deur een paar centimeter openstaan. Van achter de deur zegt ze: 'Dus jij was al weg voordat de SS met de *aktion* begon. Hoe wist je dat ze zouden komen?'

Het blijft stil in de badkamer. Anna sluipt dichterbij en ziet dat Max zijn hemd uittrekt. Zijn huid is erg wit, hier en daar bespikkeld met de sproeten van een lichtharige. Omdat hij zo mager is, ziet zijn lichaam er veel ouder uit dan dat van een man van halverwege de dertig. Zijn borst is echter begroeid met een gezonde bos roodachtig haar. Hij laat zijn broek en onderbroek langs zijn heupen zakken.

'Alsjeblieft, Max,' zegt Anna, terwijl ze haar roodgloeiende gezicht aanraakt. 'Vertel me wat er is gebeurd.'

Max trekt Gerhards kleren aan die, gezien het feit dat Gerhard een nogal stevig postuur heeft, komisch om zijn magere gestalte hangen. Dan doet hij de deur helemaal open. Anna glijdt langs hem heen de kleine ruimte in en gaat op de rand van het bad zitten.

'Het spijt me van je vaders hond,' zegt Max. 'Joden mogen geen huisdieren houden. De dieren zijn gedood omdat ze besmet zouden zijn met joods bloed...'

Anna maakt een wegwerpgebaar. 'Herr Nussbaum zei dat ze de hele wijk binnenstebuiten hebben gekeerd,' zegt ze. 'Je maakt mij niet wijs dat ze dat alleen deden vanwege eventuele hondenbezitters.'

Max kijkt Anna een tijdje peinzend aan, terwijl hij over zijn roodgeschoren huid strijkt. Dan zegt hij: 'Mijn aanwezigheid hier brengt jou in groot gevaar. Hoe minder je weet, hoe beter.'

Anna springt overeind. 'Moet jij eens goed naar me luisteren,' zegt ze, terwijl ze Max een zetje geeft. 'Beteken ik nu echt zo weinig voor je dat je me niet kunt vertrouwen? Waren al die avonden dat we gepraat en geschaakt hebben niet meer dan dat, gewoon een spelletje?'

Max zucht. 'Natuurlijk niet,' zegt hij. 'Oké dan. Ik heb je er tenslotte toch al bij betrokken door hier te komen...'

'Ja, vertel.'

'Ik was inderdaad vooraf op de hoogte van de *aktion*. Sterker nog, ik ben bang dat ik er de oorzaak van was.'

'Dat begrijp ik niet. Hoe...'

Max kijkt haar streng aan. 'Rustig, jongedame. Laat het me op mijn eigen manier uitleggen.' Hij gaat naast Anna op de rand van het bad zitten. 'Je weet van het concentratiekamp?'

Anna knikt bedeesd. 'Ik heb erover horen praten,' zegt ze. 'Het is op de Ettersberg, toch?'

'Ja. In het bos op de berg. Opgericht voor politieke gevangenen en misdadigers en joden en ieder ander die de nazi's beledigt. Ze worden in dit Buchenwald gestopt voor heropvoeding, wat betekent dat ze gebruikt worden voor slavenarbeid. Ze worden uitgehongerd en geslagen en dan, als ze halfdood zijn, worden ze als overbodig beschouwd.'

'Wat gebeurt er dan?' fluistert Anna.

'Nou, dan worden ze overbodig gemaakt. Maar aangezien het dezer dagen als misdaad wordt beschouwd om munitie te verspillen, gebeurt het met een dodelijke injectie. De SS doodt hen bij bosjes, met naalden in hun hart. Evipan natrium, dacht ik. Of lucht. Daarna worden de lichamen verbrand.'

Anna probeert dit te verwerken, maar slaagt daar niet in. Het is te waanzinnig om te vatten. Ze kijkt verontwaardigd naar de koude, vaardige vingers op de hare, dan omhoog naar Max' lieve, vermoeide gezicht dat er zonder zijn bril vreemd bloot uitziet, maar alert is als dat van een vos. De diepe rimpels rond zijn ogen, de paarse schaduwen daaronder. Hoe kan hij haar hiermee opzadelen? Hoe kan hij hiernaartoe komen, naar haar huis, en haar dit weerzinwekkende verhaal in de maag splitsen? 'Dat kan niet waar zijn,' deelt ze hem mee.

Max doet een poging tot een ironische glimlach, maar in de buurt van zijn kaak trilt een spiertje. 'O, het is wel degelijk waar,' zegt hij. 'Ik weet dat het onmogelijk lijkt. Maar het gebeurt nu, op dit moment.'

'Hoe weet je dat? Hoe weet je dat het niet gewoon een gerucht is?'

'Het is geen gerucht,' zegt Max mat. 'Ik ben er geweest. Ik heb het gezien.' Hij trekt zijn handen van de hare en frommelt in de zak van Gerhards broek. Hij haalt er een klein cilindervormig pakje uit.

'Wat is dat?'

'Een fotorolletje van het kamp. Er is een fotostudio die de SS gebruikt om pasfoto's te maken van de gedetineerden. Een aantal gevangenen is erin geslaagd foto's te maken van wat daar gebeurt, vraag me niet hoe. Ik moet ervoor zorgen dat dit rolletje op een veilige plek komt.'

'Waar?'

'Ergens in Zwitserland. Waar precies weet ik niet. Dat is veiliger.'

'Dus de SS heeft ontdekt dat jij voor dat... verzetsnetwerk werkt.'

'Ja.'

'En ze waren op zoek naar het fotorolletje.'

'Ja.' Max laat het buisje in Anna's handpalm vallen. Het papier waar het in is gewikkeld voelt vettig aan. Het is waterafstotend. 'Zo'n klein dingetje,' zegt Max. 'Je zou nooit verwachten dat dat zo veel bloed waard is.'

Anna geeft het aan hem terug, terwijl ze probeert deze nieuwe Max te rijmen met de Max die ze kent, de goede arts aan wie ze geheimen heeft toevertrouwd waarvan ze niet wist dat ze die had. Al die tijd dat zij alleen maar dacht aan hoe ze hem zou verleiden, is hij betrokken geweest bij een oneindig gecompliceerder en belangrijker spelletje. Opeens verlegen kijkt ze naar het gevlochten kleedje bij haar voeten. 'Wie is er nog meer bij betrokken?' vraagt ze.

Max laat het filmrolletje weer in de zak van zijn geleende broek glijden. 'Ik weet niet hoe groot het netwerk is. Een handjevol mensen in Weimar. De meeste daarbuiten. Ten eerste frau Staudt...'

'Frau Staudt?' Anna ziet voor zich hoe de bakker stampend door het bos op de Ettersberg loopt en ze begint zonder dat ze het wil te lachen.

'Ik wilde vanavond naar haar toe gaan, maar ik zag de SS bij de bakkerij,' zegt Max. 'Ik wist niet waar ik anders heen moest.'

Anna staat op en kust hem op zijn voorhoofd, terwijl ze even de geur van zijn haar inademt. 'Ik ben blij dat je naar mij bent gekomen,' zegt ze. 'Heel blij. Vooruit, het is tijd om naar bed te gaan.'

'Ben je gek geworden, Anna? Ik kan hier niet blijven!'

'Ga je liever terug naar de struiken?'

Max fronst, maar hij laat Anna hem helpen bij het opstaan. Hij trilt van vermoeidheid. 'Morgenochtend,' zegt hij, 'zodra de boel tot bedaren is gekomen, ga ik op zoek naar een veiliger plek.'

Hij volgt Anna naar haar slaapkamer, waar ze gejaagd in de weer gaat met het terugslaan van het donsbed en het opschudden van de kussens. Als ze zich omdraait, ziet ze hem kijken naar de planken met porseleinen beeldjes uit Dresden en bekers van de bond van Duitse meisjes, naar de geborduurde merklappen, het hemelbed waar Anna al als meisje in sliep. 'Nee,' zegt hij. 'Het is veel te riskant.'

'Een veiliger plek bestaat niet. Mijn vader komt hier nooit. Ik zal wat eten voor je halen.'

Max werpt een blik op de deur, alsof hij overweegt te vluchten, en vervolgens op het hoge raam met het kanten gordijn waar zelfs hij, zo mager als hij is, niet door zou passen. 'Oké,' zegt hij. 'Voor één nacht, omdat iets anders niet haalbaar is. Maar Anna, doe geen moeite voor dat eten. Ik ben zo moe dat ik amper mijn ogen open kan houden.'

Als Anna begint te protesteren, klimt Max in haar bed zonder Gerhards broek uit te trekken. 'Sssjj,' zegt hij. Hij nestelt zich op het kussen.

Anna doet de deur dicht en trekt al lopend door de kamer haar kleren uit. Ze verwisselt haar slipje voor haar kortste nachthemd en gaat naast Max liggen, die met zijn rug naar haar toe ligt. 'Ik ben vergeten je sokken te geven,' fluistert Anna. 'Je voeten zijn koud.' Ze wrijft erover met haar tenen. Max trekt zijn benen weg. Anna drukt zich tegen hem aan en duwt haar lippen in zijn nek. Max draait zich om. 'Nee, Anna,' zegt hij.

'Waarom niet?' Anna voelt dat hij lacht.

'Dat heb ik je al verteld, je bent veel te jong voor mij,' zegt Max, en ze beginnen allebei te lachen, ze schudden ervan en proberen het geluid tegen elkaars schouders te dempen.

Op dat moment hoort Anna haar vader wankelend de trap op komen, de treden klagen onder zijn gewicht. Er klinkt een zachte bons als een deel van Gerhard, een schouder of een knie, de muur op de overloop raakt. Zijn zwoegerige ademhaling stopt voor haar kamer.

De deur zwaait open. Er valt een streep licht op het bed. 'Anna,' zegt Gerhard.

Anna dwingt zichzelf omhoog op een elleboog, hoewel elke vezel in haar lichaam schreeuwt in de foetushouding te gaan liggen. 'Ja, *vati*,' zegt ze met een zo slaperig mogelijk klinkende stem.

Gerhard zet zich schrap tegen de deurpost. De medicinale geur van schnaps zweeft naar het bed. 'Is er zuiveringszout?' vraagt hij.

'Ja, *vati*.'

'Dat wil ik meteen hebben. En misschien een of twee volkorenbiscuitjes.'

'Natuurlijk, *vati*.'

'Het eten in de officiersclub is zo machtig,' klaagt Gerhard. 'Nooit eens een eenvoudige gezonde maaltijd. Vanavond was er gans. Jij weet dat ik daar niet goed tegen kan. Ik moest eerder vertrekken.'

'Wat vervelend,' zegt Anna.

Gerhard boert, waarbij drankwalmen vrijkomen. 'Ik ben nogal misselijk,' bekent hij. Hij draait zich uiterst behoedzaam om en steekt dan zijn hoofd weer de kamer in. 'Waarom lig jij om negen uur te slapen?' vraagt hij.

'Ik voel me ook niet lekker, *vati*. De griep, weet u nog?'

'Ah, ja. Arme Anchen.'

Gerhard wankelt en zwaait dan met zijn hand. 'Zuiveringszout, en snel een beetje,' zegt hij.

'Komt eraan, *vati*.'

Gerhard doet de deur dicht en strompelt weg over de overloop. Als ze *Die Walküre* in zijn studeerkamer hoort, stapt Anna uit bed en grijpt haar ochtendjas. Haar vader zal een beetje langer op zijn medicijnen moeten wachten. Ze moet ontzettend naar de wc. Maar voordat ze vertrekt, klopt ze op de sprei om te kijken waar Max ligt. Ze vindt zijn arm. Zijn spieren zijn zo gespannen dat ze zelfs door het dons heen als staalkabels aanvoelen.

'Onmogelijk,' hijgt Max. 'Dit kan niet...'

Anna buigt zich voorover om haar lippen tegen zijn oor te leggen. 'Jawel, het kan wel,' fluistert ze. 'Ik weet waar ik je moet verstoppen. Ik heb een perfecte plek.'

5

Een week later staat Anna na het boodschappen doen in haar jas op de overloop voor een smalle deur. Daar achter bevindt zich wat Anna altijd de kerstkast noemde, aangezien haar moeder altijd cadeaus verstopte in deze kruipruimte. Als kind kon ze de verleiding vaak niet weerstaan om de sleutel uit haar moeders naaidoos te stelen en die mee te nemen naar deze deur. De nieuwsgierigheid waarmee ze die bekeek, werd slechts geevenaard door de angst voor de gevolgen van het openen ervan, mocht ze daarop betrapt worden. Met de sleutel in haar natte hand geklemd staat ze er nu, grotendeels bevangen door dezelfde emoties, weer voor.

Ze telt langzaam tot vijfhonderd, nadat Gerhards auto vijf minuten daarvoor is weggereden. Anna kan niet voorzichtig genoeg zijn, hoewel de kans dat hij terugkomt klein is. En dan nog, de kans dat hij haar hier vindt als ze eenmaal naar binnen is gegaan, is nog veel kleiner. Anna weet bijna zeker dat Gerhard niet eens van het bestaan ervan weet. Het *elternhaus* zit vol architectonische eigenaardigheden die de huidige eigenaar ontschoten zijn. Oorspronkelijk is het huis gebouwd als jachthut; het is nooit de bedoeling geweest dat het meer zou zijn dan een uitvalsbasis die de bouwer ervan, Gerhards overgrootvader, kon gebruiken om in het seizoen op jacht te gaan. Maar met elke volgende mannelijke Brandt is het rad van het familiefortuin verder de verkeerde kant opgedraaid en hebben de opeenvolgende generaties, die continu in het *elternhaus* bivakkeerden, allemaal hun persoonlijke tintje aan het oorspronkelijke bouwplan toegevoegd.

En Anna heeft, tijdens haar ambtstermijn als huishoudster, elke centimeter ervan schoongemaakt, vaak op keukentrapjes of op handen en knieën. In de dagen na haar moeders overlijden had ze daar soms hulp bij: een reeks dienstmeisjes ingehuurd door Gerhard, die gek genoeg allemaal Grete of Hilde heette. Maar elke Grete-Hilde vertrok binnen een maand na aankomst, wat waarschijnlijk zowel te wijten was aan Gerhards wispelturige houding als het ging om het betalen van loon als aan diens humeurigheid: als hij goed bij kas zat, deelde hij het loon uit met een air alsof hij een enorme gunst verleende; als dat niet zo was, schonk hij beloften. En tegen de tijd dat zijn financiële situatie wat stabieler was geworden – toen zijn juridische praktijk gesteund werd door nieuwe vrienden die hij had gemaakt onder de rangen van het *reich* – had Anna de rollen van dienstmeid, kok en wasvrouw zo goed vervuld, dat Gerhard het blijkbaar niet meer nodig vond om personeel te zoeken.

Daardoor zijn de onverwachte tochtvlagen in de gangen van het *elternhaus* en het onheilspellende geborrel in de leidingen voor Anna net zo vertrouwd als de werking van haar eigen lichaam. Ze zou elke eigenaardigheid kunnen beschrijven als ze geblinddoekt door het huis werd geleid: de zitjes in de vensternis waar geen ramen zitten, de gangen die nergens naartoe leiden, de hartjes die door een artistiekerige achteroom in de trapleuningen zijn gekerfd. En Anna weet nog iets anders waar Gerhard, gezien zijn algehele onachtzaamheid met betrekking tot zijn eigendom, volgens haar niet van op de hoogte is. Ze verplaatst haar gewicht van de ene op de andere voet – ze is nu bij vierhonderd – en wipt de sleutel in haar hand op en neer. Het is waar dat Gerhard, als hij eenmaal naar zijn kantoor in de stad is vertrokken, meestal pas 's avonds weer terugkomt – en dan in het gezelschap van zogenaamde cliënten, dronken kerels met een naziband om hun arm die tot diep in de nacht schreeuwen en zingen. Maar je kunt beter het zekere voor het onzekere nemen.

Eindelijk, als er nog twee minuten verstreken zijn en ze alleen het water hoort dat van de dakrand klettert, doet Anna de deur naar de kerstkast open en stapt naar binnen. Links van haar is een muur met een hoog raam waardoor een stoffige straal licht op een andere, kleine deur rechts van haar valt. Die verbergt een dienstmeidentrap die de bovenetages van het *elternhaus* verbindt met de keuken. Daar konden de bedienden zich vroeger ongezien doorheen reppen om aan de eisen van hun meester gehoor te geven. Maar uiteraard gebruikt Anna die nu voor een ander doel. Ze klopt op het deurtje, drie korte roffels, en duwt het open.

Een paar meter lager, op de overloop, houdt Max beschermend een hand voor zijn ogen. Zelfs indirect licht is pijnlijk voor hem na al die uren in het donker. Zijn opgeheven gezicht is een bleke cirkel en Anna moet, terwijl ze zich tastend een weg over de trap naar beneden baant, denken aan die arme schepsels die in grotten zo diep in de zee leven, dat ze nog nooit de zon gezien hebben en als gevolg daarvan wit en blind zijn.

Max verschuift de dekens om ruimte te maken voor Anna. 'Je hebt het voorjaar meegebracht,' zegt hij. 'Ik kan de wind in je haar ruiken.'

De overloop is amper groot genoeg voor twee personen. Anna wriemelt zich naast Max – ze voelt het uitstekende stuk bot van zijn heup tegen dat van haar – en trekt met moeite haar jas uit. Max begraaft zijn gezicht in de stof.

'Het is de afgelopen dagen warmer geweest,' vertelt ze hem. 'De goten lijken wel bruisende watervallen.'

'Weet ik,' zegt Max. 'Ik lig er 's nachts naar te luisteren.'

'Heb je honger?'

Max lacht. 'Voortdurend. Maar ga alsjeblieft nog even niet naar de keuken. Ik heb meer trek in gezelschap dan in eten.' Hij slaat een arm om haar heen en Anna denkt dat als hij naakt was, ze de botten door zijn huid zou kunnen zien. Hij eet weinig tot niets van wat ze hem brengt. Er zit, zo heeft hij verontschuldigend uitgelegd, een knoop in zijn maag van de zenuwen.

Er valt een genoeglijke stilte. Max wrijft met zijn duim over Anna's sleutelbeen. Het verbaast Anna: ze brengt zo'n groot deel van haar tijd in deze duistere, langwerpige doos door, die muf ruikt doordat hij jarenlang niet gebruikt is en stinkt vanwege de onprettige dampen uit Max' po, dat haar leven in fysiek opzicht is teruggebracht tot deze beperkte proporties. Maar toch voelt ze zich hier, in het donker, opbloeien. Want jarenlang heeft Anna zich op de automatische piloot door haar dagen heen gesleept en hield ze zich alleen bezig met haar dagdromen. Ze besteedde geen aandacht aan wat er om haar heen gebeurde, tenzij het op de een of andere manier haar routine verstoorde. Maar als ze nu onder druppelende bomen door loopt en winkels bezoekt, observeert ze haar omgeving met een gretigheid alsof ze een buitenlandse toerist is. Ze repeteert afgeluisterde gesprekken en dikt die aan voor Max, in de hoop beloond te worden met zijn blaffende lach; ze legt anekdotes als schatten aan zijn voeten. Haar persoonlijke landschap is nog nooit zo helder geweest en haar mentale horizon nooit breder.

'Ik ben vandaag naar de bakker geweest,' vertelt Anna nu aan Max. 'Frau Staudt heeft een afschuwelijke droge hoest. Je zou de boze blikken eens moeten zien die de klanten haar toewerpen als ze hun hun brood geeft.'

'Nog nieuws?' vraagt Max, lachend om Anna's norse imitatie.

'We waren niet lang alleen. Een paar minuten maar. Maar er worden nieuwe papieren voor je gemaakt, zodat je naar Zwitserland verplaatst kunt worden. Frau Staudt zegt dat je geduld moet hebben: "Die dingen kosten tijd" zei ze. En geld. Ze proberen geld in te zamelen.'

Max haalt zijn arm van Anna's schouder en rekt zich huiverend uit. 'En het fotorolletje?'

'Daar heeft ze het sinds donderdag, toen ik het haar gegeven heb, niet meer over gehad. Maar ik weet zeker dat ze het me verteld zou hebben als er iets mis was gegaan.'

Max zucht. 'Lieve Anna,' zegt hij. 'Het enige waar ik spijt van heb, is dat ik jou hierbij heb moeten betrekken.'

Anna voert een ingewikkelde wriemelende manoeuvre uit, die ermee eindigt dat ze achter Max zit, met haar borst tegen zijn rug. 'Hoe vaak moet ik je nog zeggen dat ik het niet erg vind?' zegt ze in zijn oor.

Max geeft geen antwoord. Anna bestudeert, zo goed en zo kwaad als dat gaat in de duisternis, zijn profiel. Ze wil niets liever dan kroelen door zijn haar, dat zo gegroeid is dat het in krullen op zijn kraag rust. Als ze stilstaat bij de manier waarop het van zijn verfijnde, benige gezicht afwaaiert, stelt ze zich Max met een staartje voor die een opera in Wenen bezoekt, of in Berlijn. Opeens voelt ze een smartelijk verlangen naar de dingen die ze nooit samen zullen kennen. 'Je mag wel eens geknipt worden,' zegt ze luchtig, terwijl ze een ruk geeft aan een onhandelbare lok.

'O, vast,' antwoordt Max. 'Waarom neem je de volgende keer dat je naar de stad gaat geen kapper mee terug?'

'Nergens voor nodig. Als ik je hier morgen stiekem uit haal om je te scheren, doe ik het zelf.'

'Nou nee, bedankt. Ik laat het nog liever tot mijn knieën groeien.'

Anna schiet gepikeerd overeind. 'Ik knip mijn vader elke twee weken!'

'Weet ik. Ik heb de resultaten gezien. Ik wacht wel tot ik in Zwitserland ben.'

Anna geeft Max een klap op zijn schouder. Hij draait zich aanstellerig terugdeinzend om en houdt een arm beschermend voor zijn gezicht. 'Au,' zegt hij. 'Dat deed pijn, klein kreng.'

'Lang zo erg niet als je verdient.'

'O, is dat zo?' vraagt Max. Opeens grijpt hij Anna's bovenarm en trekt haar naar voren. Hij kust haar met dezelfde wanhopige intensiteit als die avond in januari in zijn huis. Sinds die tijd heeft hij zich niets vergelijkbaars gepermitteerd, dus Anna is volkomen overdonderd wanneer hij haar met haar rug tegen de trap duwt. Hij rukt haar jurk open – de knopen springen eraf en worden verstrooid op de treden – en trekt haar bh opzij. Anna hapt naar lucht door de glibberigheid en de beet van zijn tanden die hij, in zijn enthousiasme, iets te hard op elkaar zet.

Zwoegend tegen haar aangedrukt, wringt Max zijn broek uit, en Anna voelt een tochtvlaag op haar bovenbenen als hij haar rok tot haar middel omhoogtrekt. Ze inhaleert scherp als hij bij haar binnendringt. Het doet pijn, maar niet veel. Anna vraagt zich af of het zal bloeden; ze heeft gehoord dat dat soms gebeurt. Ze is niet bang haar maagdelijkheid te verliezen, hoewel ze altijd gedacht heeft dat dat op haar huwelijksnacht zou gebeuren en hopelijk aan een Siegfried-achtige bruidegom, in plaats van aan een dokter aan wiens ribben, die tegen die van haar botsen, niet meer vlees zit dan aan die van een wasbord. Later, als ze in bad zit, zal ze een donkerrode vlek op een borst ontdekken en een schrijnende pijn in haar schaambeen voelen. Maar nu, nu Max zich in haar drijft, haar hoofd tegen een stootbord stoot en zachtjes kreunt, nu zegt Anna steeds tegen zichzelf dat dit Max is, haar Max, en ze is dankbaar.

Binnen een paar minuten is het voorbij. Er valt een druppel zweet op Anna's voorhoofd, en nog een, en een in haar oog die prikt. Max fluistert 'Anna...' en verslapt boven op haar. Er lijkt geen eind te komen aan de tijd dat hij niets zegt. Dan laat hij zich op de overloop rollen en kan Anna weer ademhalen.

Na een tijdje trekt Max Anna naar zich toe. Ze liggen naast elkaar en knipperen met hun ogen in de bundel licht. Dan hijst Max zich op een elleboog overeind en kijkt haar aan. Hij strekt zijn hand uit en raakt met duim en ringvinger Anna's tepels aan. 'Net kersen,' zegt hij. 'Kersen in de sneeuw.'

Anna lacht.

'Ligt er buiten nog steeds sneeuw?' wil Max weten.

'Een beetje,' antwoordt Anna. 'Maar het is aan het smelten.'

Max knikt en zakt weer onderuit. Hij legt zijn hoofd op haar borst. Anna streelt zijn vochtige haar en verbaast zich over hoe zacht dat is boven de broze bottenstructuur. Ze blijft hem zo, in peinzende stilte, vasthouden tot het geknerp van kiezelstenen de thuiskomst van Gerhard aankondigt.

6

Het is mei, en warm. In de ruimte achter de trap liggen Anna en Max naakt amechtig te hijgen. Omdat het te benauwd is om elkaar op een aangename manier vast te kunnen houden, neemt Anna genoegen met hun verstrengelde vingers, en haar enkel vriendschappelijk over die van hem. Ze staart omhoog in het trappenhuis. Met het verstrijken van de maanden is de positie van de zon veranderd en een samengebalde lichtstraal doorboort de duisternis als in een kathedraal. De hoek ervan vertelt Anna dat ze hier nog maar een paar minuten kan blijven om te luisteren naar Max' gepraat. Hij hunkert naar conversatie, iets wat Anna – bedenkt ze soms met enig schuldgevoel – liever heeft dan meer fysieke intimiteiten.

Max strijkt met zijn wijsvinger over haar arm. 'Weet je waar ik dol op ben?' vraagt hij.

'Zeg het maar.'

'Die sproetjes. Zo donker op zo'n lichte huid. Net druppeltjes chocolade.'

Anna rolt met haar ogen. 'Nou, bedankt,' zegt ze. 'Mijn andere minnaars zijn er ook gek op.'

'Ah, je andere minnaars,' zegt Max. Hij verstevigt zijn greep om haar middel. 'Nou, dan moeten we maar iets doen om je gedachten van hen af te leiden, hè? Kom hier.'

Anna gehoorzaamt. Er volgt een hartstochtelijke worsteling, die echter wordt onderbroken als Max begint te niezen. Hij krimpt ineen tot een huiverend hoopje en niest aan één stuk door. Uiteindelijk houdt hij ermee op en kijkt Anna met knipperende ogen belabberd aan. Zelfs in dit vage licht ziet ze dat zijn gezicht een geeloranje kleur heeft gekregen.

'O mijn lieve god,' zegt Max snotterend. 'Er is niets beroerders dan een zomerse verkoudheid.'

'Hoe kun jij in godsnaam kou hebben gevat?'

'Ik denk dat het aan het stof ligt.'

'Misschien,' beaamt Anna. 'Of misschien ben je allergisch voor het idee van mijn andere minnaars.' Ze tast naar haar slipje en wurmt zich erin: een hachelijke onderneming in deze kleine ruimte. 'Nu we het daar toch over hebben,' voegt ze eraan toe, 'ik moet nu echt de laatste hand gaan leggen aan het diner. Mijn vader heeft weer een feestelijke avond gepland.'

Max helpt haar een jarretel vast te maken. 'Nog meer huwelijkskandidaten?' vraagt hij.

'Een eindeloze voorraad. *Hauptsturmführers, obersturmführers,* god mag weten welke rang *vati* deze keer weer heeft weten te strikken. Hij heeft zulke grootse plannen met mij.'

Max niest weer als Anna opstaat en haar rok gladstrijkt, en ze kijkt hem bezorgd aan. 'Kon ik maar een dokter voor je halen,' zegt ze.

Hij wuift dat weg. 'Ik bén een dokter en het is niets, geloof me. Maar alle gekheid op een stokje, Anna, je moet tegen Mathilde zeggen dat ze opschieten met de papieren. Ik kan hier niet veel langer blijven.'

'Ik weet het. Tot het eind van de oorlog maar.'

Max schudt zijn hoofd. 'Alsjeblieft, Anna. Beloof me dat je morgen naar Mathilde toegaat.'

'Ik beloof het,' zegt Anna, en ze begint de trap op te lopen.

'Ik meen het, Anna.'

'Ik ook,' fluistert ze naar beneden. 'Maak je geen zorgen.' Ze lacht naar Max en sluit de deur voor zijn smekende gezicht.

Als ze de overloop op loopt, wordt Anna overvallen door een golf van duizeligheid. Ze leunt tegen de muur en drukt haar vingertoppen tegen haar voorhoofd. Die zijn ondanks de hitte ijskoud en als ze die weghaalt, zijn ze nat van het zweet. Ook zij moet last hebben van de lucht in de ruimte achter de trap, die nauwelijks fris te noemen is. Maar wel vreemd dat ze zich pas beroerd voelt op het moment dat ze daar weggaat! Misschien heeft Max gelijk: de druk van het hem hier verborgen houden, eist van hen beiden een fysieke tol. Lekker stel zijn ze, met dat genies en geduizel. Trillend loopt Anna naar haar slaapkamer.

Daar heeft een snelle transformatie plaats. Anna verruilt haar alledaagse jurk voor eentje van blauwe zijde, spettert koud water uit een schaal op het bureau in haar gezicht en zet haar lange, donkere haar, dat golft door de transpiratie, met spelden vast in een wrong. Dan beoordeelt ze zichzelf in de passpiegel en zucht. Aangezien algemeen wordt aangenomen dat kinderen van complimenten naast hun schoenen gaan lopen, is Anna nooit recht in haar gezicht verteld dat ze knap is, maar ze weet dat ze dat is door de effecten die haar uiterlijk heeft op anderen: heimelijke bewondering, verlegenheid, jaloezie. Ze weet ook dat ijdelheid niet goed is, maar ze is altijd stiekem trots geweest op haar slanke taille en hoge ronde borsten, de bleekblauwe ogen en vreemde lichte plukjes in haar haar die zo lang ze zich kan herinneren verraste kreten en snoep van vreemden hebben opgeleverd. Sinds ze echter een jonge vrouw is, vindt Anna het eerder vervelend dan nuttig, gezien Gerhards voortdurende gepronk met haar voor toekomstige huwelijkskandidaten. Nu zou Anna er heel wat voor over hebben om er doorsnee uit te zien, want haar uiterlijk wordt zowel voor haar als voor Max steeds gevaarlijker. Was ze maar lelijk, dan zou Gerhard niet zo nodig weer een nieuw reeks vrijers mee naar huis willen brengen in de hoop zijn eigen carrière een zetje te geven door Anna te verpanden aan een hooggeplaatste nazi-echtgenoot.

Anna weet echter wat er van haar verwacht wordt en speelt haar rol. Op dit moment is het het belangrijkst dat er op geen enkele manier aan haar te zien is hoe ze de middag heeft doorgebracht. Anna fronst naar haar spiegelbeeld en telt tot honderd, tot de koortsachtige kleur uit haar wangen is weggetrokken. Dan daalt ze de trap af naar de keuken, waar ze de afgekoelde soep garneert met takjes peterselie. Ze controleert de tafelindeling in de eetkamer en schikt een roos in de vaas op tafel. Ze gaat op een van de stoelen zitten, vouwt haar handen in haar schoot en wacht. Tegen de tijd dat Gerhard en zijn vrienden arriveren, heeft Anna een dociele, saaie houding aangenomen.

Er zijn twee gasten vanavond. Anna heeft de grote blonde officier nooit eerder gezien. Hij is best knap, maar hij heeft de scheve neus en de strijdlustige houding van een bokser. Terwijl ze lief naar hem lacht, denkt ze dat hij in de onzekere periode tussen de oorlogen een straatvechter moet zijn geweest, het type dat zonder de *partei* in de gevangenis terecht was gekomen. Hij heeft volle lippen, als halve perziken; obsceen in dat vierkante hoofd.

'ss-*unterscharführer* Gustav Wagner,' stelt Gerhard hem voor, 'Gustav, mijn dochter Anna.'

Als Wagner zich over haar hand buigt, vraagt Anna: 'Bent u wellicht familie van de musicus?'

Ze ziet de vochtige flits van Wagners ogen als hij naar haar opkijkt. 'Nee, fräulein, maar ik waardeer schoonheid in elke vorm, muzikaal of in welk opzicht dan ook,' zegt hij, en Anna voelt even zijn tong op haar huid. Ze zou hem het liefst op zijn ingevette haar willen meppen.

'En *hauptsturmführer* Von Schöner heb je al ontmoet,' gaat Gerhard verder, terwijl hij zich naar de andere officier toe draait. 'Bij twee eerdere gelegenheden, is het niet?'

'Drie,' corrigeert Von Schöner hem. Hij heeft een zwakke, schorre stem. Het gevolg, zo weet Anna, van blootstelling aan gas in de loopgraven van de eerste oorlog. Hij hoest in een zakdoek en staart Anna met vochtige bruine ogen aan. Anna heeft zich altijd opgelaten gevoeld in de buurt van mannen met donkere ogen. Ze heeft nog liever dat ook hij haar uitgestoken hand likt dan dat hij haar zo aan staat te staren. Maar Von Schöner blijft stijfjes apart van het viertal staan en projecteert van een afstandje zijn verlangens op haar.

'Neemt u plaats, het eten is klaar,' zegt Anna. 'Of wilt u eerst iets drinken?'

Gerhard lacht. 'Nee, liefje, we zijn al behoorlijk beschonken,' zegt hij. 'Deze kant op, heren.'

Met een overdreven gebaar dat nauwelijks onderdoet voor een buiging begeleidt hij de officieren naar de eetkamer. Anna vlucht naar de keuken, maar hoort Wagner nog zeggen: 'Goh, Gerhard, ik had wel gehoord dat je hier een schat verborgen hield, maar dit had ik nooit verwacht. Ze heeft het gezicht van een engel!' En Gerhards antwoord: 'Ja, ze is behoorlijk aantrekkelijk, al zeg ik het zelf... Maar haar verbergen, Gustav? Wat een dramatische beschuldiging! Ik bescherm haar gewoon tot de juiste kerel zich aandient. Die mazzelaar krijgt een goede echtgenote aan haar...'

Anna, die vecht tegen de zoveelste aanval van misselijkheid, laat de deur achter zich dichtvallen. Als ze – met de soepterrine – weer tevoorschijn komt, hebben de drie mannen plaatsgenomen aan tafel: Gerhard aan het hoofd en de andere twee aan weerszijden van hem. Wagner hangt achterover in zijn stoel, maar Von Schöner zit kaarsrecht: een misplaatste boekensteun. Hij drukt zijn zakdoek tegen zijn lippen en volgt met zijn ogen elke beweging van de serverende Anna.

'Is dit waterkers?' vraagt Wagner, terwijl hij zijn lepel in zijn bord doopt.

'Komkommer,' vertelt Anna hem. 'Goed bij warm weer.'

'Het is lekker, fräulein. Is het een streekgerecht? In mijn geboortestreek kennen ze dit niet.'

'En waar mag dat zijn?' vraagt Anna, terwijl ze tegenover Gerhard gaat zitten.

'Een kleine stad in Oost-Pruisen. U hebt er waarschijnlijk nog nooit van gehoord.'

Anna stelt haar beeld van de vooroorlogse Wagner bij: hij moet toen een boerenknecht geweest zijn die dieren, en misschien de jongere, zwakkere jongens, mishandelde.

Wagner lacht vals. 'Ik heb nooit begrepen waarom iedereen Oost-Pruisen zo achterlijk vindt,' zegt hij. 'Ik zie u nu denken dat ik een boerenpummel ben, fräulein.'

'Natuurlijk niet,' mompelt Anna.

'Laten we hopen dat de Führer u nooit vraagt spion te worden,' zegt Wagner. Hij schuift de lepel over zijn onderlip en laat zijn tong over de zilveren bolling glijden. 'U zou een zeer slechte zijn. Ik kan elke gedachte van uw gezicht lezen.'

Anna bidt dat dit niet waar is. Ze dwingt zichzelf wat soep te eten. Hoewel ze normaal gesproken dol is op komkommer, is het alsof de vloeistof haar mond nu vanbinnen met een slijmerige laag algen bedekt.

'En u hebt uw gezin achtergelaten om hier uw plicht te vervullen?' vraagt ze, terwijl ze doordringend naar Wagners linkerhand kijkt, waar een dunne zilveren ring om zijn ringvinger glimt.

Wagners gezicht betrekt. 'Ja, mijn hele familie. Deze ring is... was van mijn grootmoeder.'

'Werkelijk,' zegt Anna.

Wagner richt zich op zijn soep.

'We moeten allemaal offers brengen voor het *reich*,' zegt Gerhard. Zijn stem, die door jarenlange optredens in de rechtbank welluidend klinkt, is kalm, maar Anna weet dat hij razend op haar is. Dat is hij al sinds ze hem verteld heeft dat Spätzle weg is gelopen. Hij verbergt zijn woede goed, net als zijn grijze snor zijn hazenlip verbergt. Voor de argeloze toeschouwer is die, net als een groot deel van zijn andere gebreken, onzichtbaar. Maar kunnen zelfs deze officieren, die hij al een paar maanden kent, Gerhards hoogmoed niet zien, zijn hielenlikken, de fatterigheid van zijn choker en zijn handgemaakte schoenen? Blijkbaar niet, want Wagner zegt tegen Gerhard: 'Mooi vest.'

Gerhard kijkt bescheiden omlaag naar het kledingstuk, dat met het geborduurde jachttafereel aan de muur beter tot zijn recht zou komen.

'En deze kamer...!' Wagner zwaait met zijn lepel en verspreidt groene druppeltjes. 'Die kroonluchter is geweldig. Heb je dat hert eigenhandig gedood?'

'Natuurlijk,' zegt Gerhard over de configuratie van geweien boven de tafel. Hij strekt zijn hand uit naar de karaf. 'Ik ben een enthousiast jager,' voegt hij er nonchalant aan toe, hoewel Anna weet dat hij zelfs nog nooit een geweer heeft vastgehouden.

De scherpe schoenpoetsgeur van de officier is opeens overweldigend. Gal doorslikkend verzamelt Anna de lege borden, zet haar eigen volle bord erbovenop en excuseert zich om het hoofdgerecht te gaan halen. Walgend schikt ze de plakjes hertenvlees op een zilveren schaal. Het vlees glanst en heeft de kleur van een helende brandwond, waardoor haar maag nog heviger in opstand komt. Met afgewende ogen en ingehouden adem brengt Anna het vlees naar de mannen. 'Weet u,' zegt ze tegen *hauptsturmführer* Von Schöner, 'dat ik u volgens mij nooit heb gevraagd wat u hier naar Weimar heeft gebracht? Wat doet u hier eigenlijk precies?'

De *hauptsturmführer* knippert met zijn ogen. Tranen rollen over zijn verder onbewogen gezicht. 'Bureauwerk... grotendeels,' zegt hij hijgend. Hij hoest in zijn zakdoek, bekijkt de inhoud en vouwt hem dan tot een klein vierkant. 'Ik ben feitelijk... niet meer dan... een bureaucraat... met een gedetailleerd... takenpakket.' Opnieuw brengt hij de zakdoek naar zijn mond, terwijl hij Anna over het linnen heen aanstaart.

'Valse bescheidenheid is een slechte eigenschap, Joachim,' bromt Gerhard. Hij rijgt een plak vlees aan zijn vork en werpt Anna uit ogen zo klein en hebberig als die van een beer een veelbetekenende blik toe.

Vertaald betekent die blik: dit is goed huwelijksmateriaal, hij is van onberispelijke afkomst en heeft zijn waarde bewezen, maar vanwege zijn aandoeningen zal hij nooit naar het front geroepen worden en jou in de steek laten!

Anna beantwoordt haar vaders glimlach niet. Ze heeft zich gekweten van haar taken als gastvrouw en mag nu eten zonder aan de conversatie deel te nemen. Ze richt haar aandacht op het snijden van het vlees om dat vervolgens op een servet op haar schoot te laten vallen, terwijl ze haar oren gespitst houdt om interessante weetjes op te kunnen vangen die frau Staudt door zou kunnen geven aan andere leden van het verzet. Maar de mannen doen niet wat ze wil: in plaats van te praten over het kamp – waarbij ze, als ss, ongetwijfeld zijn aangesloten – analyseren ze het briljante optreden van de Führer tijdens de recente inval in Frankrijk. Anna zou nog meer informatie kunnen vergaren in de *Völkerischer Beobachter*, de plaatselijke krant.

Opeens valt de *hauptsturmführer* midden in een hijgende zin stil.

'Wat is er, herr *hauptsturmführer*?' vraagt Anna. 'Wilt u nog wat wijn?'

'Ik dacht... dat ik... iets hoorde,' zegt hij.

Het groepje bevriest. Wagners vork is halverwege zijn vlezige lippen. In de buurt van het plafond, uit de richting van de verborgen dienstmeidentrap, klinkt een gedempte klap: een soort geluid dat, om maar eens wat te noemen, geproduceerd kan worden doordat iemand zo hard niest dat hij met zijn hoofd tegen de muur stoot.

Onmiddellijk buigt Anna zich hoestend over haar bord. De mannen draaien zich in haar richting; Gerhard geïrriteerd, Wagner verbaasd, Von Schöner bezorgd. En ondertussen merkt Anna dat haar toneelstukje werkelijkheid is geworden: er zit uiteraard geen stukje eten in haar keel, maar ze krijgt geen lucht. In zijn consternatie barst ook Von Schöner in een hoestbui uit en begint het gezelschap aan tafel te klinken als het slagwerkgedeelte van een menselijk orkest.

Dan staat Wagner opeens achter Anna. Hij pakt haar armen vast en tilt die boven haar hoofd. 'Ademhalen,' beveelt hij. 'Diep. Zo, ja.' Hij steekt zijn hand over haar schouder om een glas te pakken. 'Drink dit.'

Anna gehoorzaamt. Door een laatste oprisping komt er wat wijn in haar neus, maar ze is eindelijk in staat om een beetje adem te halen. Als

Wagner haar loslaat en weer op zijn plek gaat zitten, knikt ze hem dankbaar toe en veegt haar betraande gezicht af met haar mouw.

'Zo maken wij Oost-Pruisen een einde aan verstikkende hoestbuien,' zegt Wagner. De mannen grinniken. Anna lacht zwakjes met hen mee. Door haar krachtige schertsvertoning is Max' vocht naar buiten gekomen; ze voelt het als eiwit tussen haar bovenbenen glijden.

'Iemand een dessert?' vraagt Gerhard. Hij kromt een vinger naar Anna.

Anna verroert zich niet. De officieren zullen moeten wachten of zichzelf moeten bedienen. Ze is bang dat er vlekken in haar jurk zitten.

'Ik kan... geen hap... meer door... mijn keel krijgen,' zegt Von Schöner. 'Mijn... complimenten, fräulein...'

Opnieuw horen ze een bonk achter de muur.

'Wat ís dat?' vraagt Wagner.

'Muizen, misschien,' oppert Gerhard. 'Ik vermoed dat dit huis daar zijn portie van heeft gekregen, zoals alle oude huizen. Dit is gebouwd in 1767, moet je weten, als een zomerverblijf voor de *kaiser*.'

Anna sluit haar ogen. Zelfs zij heeft dit verhaal nog nooit gehoord.

Wagner kauwt mechanisch, zijn vette lippen puilen uit. 'Indrukwekkend,' zegt hij. 'Maar je hebt toch echt een verdelger nodig. Om het ongedierte kwijt te raken.'

7

In juli 1940 beperken de gesprekken tussen de burgers van Weimar zich maar tot één onderwerp: het fenomenale succes van de blitzkrieg op Londen. Geen gefluisterde klachten meer over hoe moeilijk het is om een fatsoenlijke lamsbout, echte pantykousen of een goede cognac te krijgen; geen gezeur over een ooit zo wulps figuur of gejammer over echtgenoten aan het front. In plaats daarvan loopt het volk met opgeheven hoofd en de borst vooruit, en begroet men elkaar met een glimlach: 'Hebt u het gehoord? Vierduizend doden na één enkele luchtaanval! Die Messerschmitts zijn een wonder, een tovermiddel. Die vette worst van een Churchill zit vast te bibberen in zijn bunker. Onze jongens zijn met kerst al thuis!'

'Ja, het is geweldig,' mompelt Anna, terwijl ze zich met haar schouders een weg baant door het opgewonden groepje in de bakkerij van frau Staudt. 'Ja, ja, ik ben het er helemaal mee eens, het is voortreffelijk nieuws.'

Eenmaal buiten haalt ze diep adem, opgelucht bevrijd te zijn van de doordringende stank die het gevolg is van het rantsoeneren van badwater en van haar eigen hypocrisie. Anna heeft nooit geduld kunnen opbrengen voor het gepoch over de triomfen van het *reich*, en vandaag al helemaal niet, want het nieuws dat ze voor Max heeft, is van een nogal andere orde. Ze begint op een drafje naar huis te lopen en negeert de klokken van het *rathaus* achter haar, die de zoveelste zege van de *luftwaffe* bejubelen. Hoe zal ze het hem vertellen? Nog geen uur geleden, zal Anna zeggen, heeft frau Staudt me verteld dat de nieuwe identiteitspapieren en passen klaar zijn – twee sets, niet één. Jij en ik, mijn lieve Max, houden op te bestaan, maar Stefan en Emilie Mitterhauser zullen naar Zwitserland reizen, waar ze hun huwelijk op papier met een ingetogen plechtigheid kunnen verzilveren.

Geen warm strand of gebakken vis dus: in plaats daarvan – en op dit moment aantrekkelijker – de koele briesjes van Interlaken. Eenvoudige kamers, wellicht met uitzicht op het diepe, rimpelloze meer en de omringende bergen met hun besneeuwde toppen. Koel en lieflijk, en nogal contrasterend met de middag waar Anna zich, wat trager nu, doorheen beweegt. Je door deze lucht verplaatsen is alsof je je een weg moet vechten door een droom. Heel Weimar snakt naar frisse lucht in een hitte die drukkend is als watten, de roerloze atmosfeer die voorafgaat aan een onweersbui.

Gerhards auto staat niet op de oprit als Anna het *elternhaus* bereikt, dus gaat ze meteen door naar de kerstkast. 'Hallo, herr Mitterhauser,' roept ze, terwijl ze de buitendeur achter zich dicht doet. 'Wat dacht u van een vakantie in de bergen?'

Haar poging leuk te doen wordt gesmoord in de bekrompen ruimte, alsof de flauwe lucht die doorgeslikt heeft. Zonder waarschuwing wordt ze overvallen door de duizeligheid en bijbehorende misselijkheid. Anna legt een hand tegen de muur en wacht.

Als het weggetrokken is, veegt ze het zweet van haar voorhoofd en opent de binnendeur. 'Ik zou maar gaan inpakken,' roept ze. 'We vertrekken vanavond...'

Dan dringt het zwakke licht uit het bovenraam het trappenhuis binnen en vloeit alle kracht als water uit haar benen. Want er liggen geen lakens, waar Anna Max' dekens door heeft vervangen toen het steeds warmer werd. Er zijn geen stukjes papier met gedichten aan de muur geprikt. Geen lege borden. Geen po. Feitelijk wijst niets erop dat hier ooit iemand geweest is, behalve de lucht van Max' transpiratie en hun vrijpartijen: een zoutachtige geur die vreemd genoeg doet denken aan uien.

Als Anna Gerhards sleutel in de voordeur hoort kraken, is het bijna acht uur. Ze zit in zijn studeerkamer, in zijn stoel achter zijn bureau: een plek die verboden is voor haar. Ze speelt met Gerhards briefopener terwijl ze op hem wacht, draait die voortdurend rond in haar hand. In het voorwerp is een familiewapen gegraveerd – niet dat van de Brandts, hoewel Gerhard beweert dat dat wel zo is. Anna strijkt met haar wijsvinger over het kromme lemmet dat scherp genoeg is om bloed te laten vloeien. Het weer is omgeslagen: donderslagen rollen boven haar hoofd, en aangezien Anna niet de moeite heeft genomen om de lampen aan te steken, is het wegebbende licht dat de kamer binnensijpelt nat en groen.

Eindelijk gooit Gerhard de deur van zijn studeerkamer open. 'Daar ben je,' zegt hij. 'Heb je me niet horen roepen? Is het zo langzamerhand niet tijd om te eten?' Hij frommelt in zijn zak naar zijn horloge en kijkt overdreven theatraal hoe laat het is.

Anna kijkt naar hem. Zijn poriën wasemen whiskey uit, zijn dunner wordende haar is ontsnapt aan de pommade en hangt in slierten over zijn voorhoofd. Onder invloed van zijn nieuwe vrienden heeft Gerhard, die ooit geheelonthouder was, er een gewoonte van gemaakt elke avond een fles leeg te drinken. In de ogen van een argeloze toeschouwer lijkt hij een sul die geen vlieg kwaad zou doen.

Maar natuurlijk weet Anna dat Gerhard alles behalve een sul is en ondanks haar voornemen om kalm te blijven, klemt ze haar hand om de briefopener. Het lemmet glipt weg en snijdt in het zachte vlees onder haar vingernagel. Ze legt de briefopener neer en inspecteert de zwellende druppel bloed.

'Ik heb geen eten gemaakt,' zegt ze. 'En u weet wel waarom.' Dan krimpt ze ineen, zet zich schrap voor de tirade die ongetwijfeld volgt. Maar Gerhard – die alleen voorspelbaar is in zijn onvoorspelbaarheid – verrast haar door niets te zeggen. Hij laat zich in een van de leunstoelen zakken die meestal gereserveerd zijn voor zijn cliënten.

'Hoe wist u het?' vraagt Anna.

Gerhard onderdrukt een boer.

'Hoe?'

'De haren in de scheerkom,' zegt Gerhard, 'waren blond.'

'U hebt hem naar de Gestapo gebracht. Om verdelgd te worden, zoals Wagner opperde. Net als elk ander ongedierte – dat klopt toch, hè?'

Gerhards mond valt open, alsof hij geschokt en gekrenkt is door deze beschuldiging. 'Ik heb het voor jou gedaan, Anchen,' zegt hij.

Bij het horen van het koosnaampje uit haar jeugd voelt Anna weer een vlaag van misselijkheid opkomen. Haar blouse en haar haarwortels zijn meteen drijfnat van de transpiratie. Ze staat op en begint met een hand over haar neus gevouwen te ijsberen, in de hoop dat de troostende geur van haar eigen huid de misselijkheid zal beteugelen. Achter haar eigent Gerhard zich zijn troon toe.

'Hoeveel hebben ze u betaald, uw vrienden?' vraagt Anna, terwijl ze om hem heen loopt. 'Of bent u hierdoor louter in hun achting gestegen? Heeft het uw sociale positie verstevigd, hem naar het hoofdkwartier van de Gestapo brengen? Hebben ze u onderscheiden met een Ridderkruis?'

Ze begint te huilen en haar tranen, die op zo'n ongeschikt moment komen, maken haar nog woedender. 'U hebt hem vermoord,' zegt ze, 'vermoord, alsof u eigenhandig een pistool tegen zijn hoofd heeft gezet en de trekker heeft overgehaald...'

Gerhard ramt met zijn vuist op het vloeiblok op zijn bureau. 'Genoeg!' brult hij. 'Hou op met janken, walgelijke slet dat je er bent. Stomme trut! Je bent niet alleen een hoer, je bent ook nog eens een domme hoer. Van alle mannen voor wie je je benen uit elkaar had kunnen doen, koos jij een jood?'

Anna probeert zichzelf te verdedigen, maar kan alleen maar een gepiep uitbrengen. Aha, hier is de uitbarsting dan toch; ondanks het uitstel niet minder krachtig.

'En dat je hem uitgerekend hier hebt verborgen,' schreeuwt Gerhard. 'Terwijl ik al die tijd alleen maar aan jou dacht! Jóúw veiligheid. Jóúw toekomst. Ik zou je moeten laten creperen. Of nee, nog beter, ik zou jou ook moeten aangeven. Sterker nog, ik denk dat ik dat maar doe. We gaan nu meteen naar de Gestapo...' Hij komt slingerend achter zijn bureau vandaan en klemt een hand om Anna's schouder. 'Kom mee,' zegt hij, 'we gaan nu meteen. Is dat wat je wilt? Is dat wat je wilt, Anna?'

De spieren in Anna's nek verkrampen als haar vaders vingers zich erin klauwen. 'Nee, *vati*,' hijgt ze. 'Alstublieft...'

Gerhard brengt zijn gezicht vlak bij dat van haar. 'Het is wat je verdient, hoer,' zegt hij. Spetters spuug, die naar drank en haring ruiken, bekogelen Anna's wangen. Hij duwt haar van zich af.

'Heb je ooit één seconde nagedacht?' wil hij weten. 'Heb je ooit stilgestaan bij de gevolgen voor mij? Als je ontdekt was – en dat was slechts een kwestie van tijd, geloof me – zou je samen met die smerige jood in hechtenis zijn genomen, en wat zou er dan van je arme vader zijn geworden? Moederziel alleen, zonder iemand om voor hem te zorgen, geteisterd door een chronische maagzweer?'

Anna waagt een blik naar haar vader, een lange man die te dik wordt, zijn hoofd gebogen als een dreigend kijkende stier. Max zou geen partij voor hem zijn geweest. Ze voelt de hoopvolle verwachting in haar maag die Max gevoeld moet hebben toen de deur naar het trappenhuis openging. En vervolgens, toen Gerhard daar verscheen in plaats van zij, de knal van doodsangst. Zij grijpt zich vast aan een bijzettafeltje en knijpt haar ogen dicht in een poging niet te gaan braken.

'Oké,' zegt Gerhard. 'Oké, zo is het wel genoeg.' Nu hij zich verzekerd heeft van de overwinning, kan hij zich veroorloven grootmoedig te zijn. Zijn stem zakt naar het vertrouwenwekkende register dat hij gebruikt als hij vriendschap wil sluiten met een jury, nadat hij die met de krachtige retorische tactieken die hij geleend heeft van de Führer, heeft geïntimideerd.

'Je eer is nu geschonden,' zegt hij tegen Anna, 'je bent besmet door die jood, maar goddank hoeft niemand dat te weten. We zetten ons beste beentje voor. Ja, we moeten alleen aan de toekomst denken. *Hauptsturmführer* Von Schöner – hij is jouw toekomst. Hij mag dan een zwakkeling zijn, maar hij is een aardige man. Denk maar eens aan alles wat hij al voor je gedaan heeft! Wie anders dan Joachim heeft voorkomen dat je te werk bent gesteld in een of ander godvergeten oord? Hij kent de waarde van een gezin, van het bij elkaar houden van een gezin. Hij zou morgen met je trouwen.'

Anna doet haar ogen open en staart Gerhard aan. Meent hij dat serieus? Zal hij haar nooit anders zien dan als een kind of als zijn bezit? Want de afgelopen paar weken is Anna zich meer dan ooit bewust geweest van haar eigen lichaam: haar gezwollen borsten die tegen haar bh's schuren, de vermoeidheid die haar bij elke stap achtervolgt, de pijntjes in haar gewrichten, alsof ze een verzakkend huis is, de voortdurende misselijkheid vergezeld van de kopersmaak van *pfennigs*. Ze is nog niet zo dik rond haar middel en ze draagt jurken zonder ceintuur. Maar zou het kunnen dat Gerhard echt niet gezien heeft dat ze vier maanden zwanger is?

Maar natuurlijk, hij is de verpersoonlijking van een egoïstisch man. Anna loopt naar het schaakbord bij het raam en knipt een lamp aan. De ivoren en marmeren vakjes glanzen. Misschien dat Gerhard Max ook nooit echt gezien heeft, niet als een menselijk wezen, een medemens met wie hij wellicht het hoofd had kunnen buigen over deze prachtige stukken, om zich te verdiepen in de strategieën van kleinschalig, onschuldig oorlog voeren.

Ze raakt de kroon van de witte koning aan. Een rommelende donderslag, ver weg nu. 'Alleen aan de toekomst denken,' herhaalt ze. 'Ik denk dat u gelijk hebt.'

Gerhard knikt.

'Ik heb er zo'n spijt van, *vati*, van alle problemen waarmee ik u opgezadeld heb. Ik zal een goede vrouw zijn voor *hauptsturmführer* Von Schöner.'

'Dat is mijn Anchen,' zegt Gerhard.

'Ik ben moe,' zegt Anna tegen hem. 'Ik zou graag even gaan liggen. Vergeef me, maar zou u het erg vinden om zelf wat eten te pakken? Er ligt een duivenpastei in de koelkast.'

'Ja, ja,' zegt Gerhard. Hij glimlacht en straalt een vettige mengeling van schnaps en vergeving uit.

Anna keert haar wang omhoog om geknepen te worden en verlaat de studeerkamer zonder achterom te kijken.

In haar slaapkamer knipt ze de lamp aan. De kap ervan is een globe van berijpt glas, bobbelig door de kleine knobbeltjes. Haar moeders keuze, evenals de gebloemde sprei en de buitenissige klerenkast. Niets in deze kamer is echt van Anna. Het is de onpersoonlijke kamer van iemand die continu slaapt.

Anna haalt haar oude schooltas uit de kast en stopt daar drie sets kleding in. Meer hoeft ze niet mee te nemen, volgende maand om deze tijd passen de jurken haar toch niet meer. Ze stopt haar haarborstel en een paar lekker zittende schoenen bij de kleren. Ze graaft in de onderste la van het bureau en duikt haar doopjurk op, die kraakt tussen vergeelde lagen tissuepapier. Dan glipt ze de achterste trap af en rent door de dienstmeideningang het *elternhaus* uit.

De weg naar Weimar is verlaten, aangezien je zonder connecties niet meer aan benzine kunt komen en het al ver na spertijd is. Het enige voertuig dat nu kan passeren, zou van de SS of de Gestapo zijn, en Anna moet er absoluut niet aan denken een van beide tegen het lijf te lopen. Ze versnelt haar pas, springt op als ze iets ziet bewegen in het gras. Haar handpalmen zijn drijfnat. De nacht is maanloos en zwart, afgezien van een incidentele bliksemflits aan de horizon, voorbij de bobbel van de

Ettersberg waar het kamp is. In de buitenwijken van de stad zweven de geluiden van alledaagse menselijke bezigheden de huizen uit: het ijle gehuil van een klein kind, een abrupt lachsalvo, een man die zijn vrouw roept een glas water te brengen. Anna haat hen allemaal.

Terwijl ze verder stapt en haar jurk haar als een zwachtel omhult, schiet haar het gedicht te binnen. Is het echt nog maar vierentwintig uur geleden dat ze op de trap stond en luisterde hoe Max het voordroeg? Hij lag toen met zijn armen gekruist achter zijn hoofd en met zijn ogen dicht om de herinnering op te roepen, zich niet bewust van de glimlach van de luisterende Anna.

> O, lief, laten we eerlijk zijn tegen elkaar!
> ... En we zijn hier, als op een donker wordende vlakte
> Meegesleurd door verwarrende alarmkreten over worsteling en vlucht,
> Waar onnozele legers 's nachts slaags raken.

Als Anna haar bestemming bereikt, loopt ze de voordeur voorbij en ritselt door het struikgewas naar de achterzijde. Daar klopt ze op de dubbele houten deur. Er komt geen antwoord, binnen beweegt niets, geen flakkerend licht voor een raam. Anna fluistert het gedicht in de vochtige lucht en wacht. Als ze dat drie keer gedaan heeft, klopt ze opnieuw, harder dit keer, en ze wordt beloond met een sloffend geluid. Anna doet haar ogen dicht: godzijdank is ze er dus nog; ze is niet opgepakt en meegenomen, de enige vrouw die haar nu kan helpen. De deur gaat op een kier open en onthult het behoedzame, chagrijnige gezicht van frau Mathilde Staudt.

Trudy, november 1996

8

Een van de meest ironische dingen van haar moeders leven, denkt Trudy Swenson, is dat ze van alle plaatsen waar ze na haar emigratie had kunnen gaan wonen, uiteindelijk terecht is gekomen in een plaats die niet zo heel anders is dan de stad die ze heeft achtergelaten. Natuurlijk, Weimar was en is veel groter dan New Heidelburg en het was ooit een regeringszetel en de woonplaats van Goethe, Schiller en andere kunstenaars en een stad van musea. Dit boerengehucht is absoluut veel minder mondain. Maar het landschap in het zuiden van Minnesota, waar Trudy nu doorheen rijdt, lijkt op het platteland rond Weimar. Dezelfde glooiende heuvels en akkers, waarvan voormalige Buchenwaldgevangenen zeggen dat die te zien waren vanuit het kamp. En Trudy veronderstelt dat de mentaliteit van de twee plaatsen ook vergelijkbaar is. Mensen houden zich ogenschijnlijk blind voor de activiteiten van hun buren, terwijl ze hun levens in feite tot in de details verslinden en analyseren. De ingrediënten voor hun maaltijden. De kleur van hun ondergoed, gekocht bij de plaatselijke Ben Franklin. Wie ziek is, wie gezond, wie overspel pleegt. En in het geval van Weimar in oorlogstijd: wie er midden in de nacht was weggehaald.

Hier en nu, ook in het donker maar een oceaan verder en vijftig jaar later, tart Trudy de maximumsnelheid zo veel als ze durft: honderdtwintig op de snelweg, bijna vijftig in de bebouwde kom. Deze kleine stadjes zijn allemaal snelheidsfuiken en op de provinciale weg is het niet veel beter. Als ze de bebouwde kom van New Heidelburg bereikt, gaat ze nog langzamer rijden, hoewel ze het liefst het gaspedaal helemaal in zou drukken. Terwijl ze over de hoofdstraat sukkelt, is Trudy zich bewust van bewegende gordijnen, van gezichten die samenkomen voor de ramen van Chic's Pizza en Cathy's Chat'N'Chew. Ze doet net of ze die niet ziet. Ze weet dat niet alleen haar aanwezigheid hier maar ook de reden daarvoor, tegen de ochtend als een lopend vuurtje door de hele stad is gegaan. Sterker nog: Trudy kan de gesprekken woordelijk verstaan, alsof ze voor het sleutelgat staat af te luisteren: *Heb je gezien dat Trudy Swenson hier vandaag was? Neeee. Maar ik heb wel gehoord dat haar moeder heeft geprobeerd het huis in brand te steken. Ja! Dat heb ik ook gehoord! Nou, dan zal die grotestadsmevrouw Swenson die oude heks nu eindelijk in het tehuis moeten stoppen.*

Trudy beseft pas dat ze haar adem in heeft gehouden als ze aan de rand van New Heidelburg komt en die dan laat ontsnappen. De rode wijzer van de snelheidsmeter kruipt omhoog als ze langs de laatste rij bomen, de in onbruik geraakte golfbaan, de katholieke begraafplaats – de papen van de stad worden zelfs na hun dood gescheiden van de luthersen – en een paar boerderijen rijdt. Dan is er even niets tot een paar kilometer verder opeens de kliniek van New Heidelburg opdoemt in Trudy's koplampen. Het grote gebouw van rode bakstenen, met het verzorgingstehuis dat er als een bastaardhond tegenaan is gekropen, is volledig geïsoleerd van de rest van de stad, alsof niet alleen ziekte, maar ook een hoge leeftijd – de dementie, de wezenloosheid en het bedplassen – quarantaine vereist.

Trudy rijdt de parkeerplaats van de kliniek op en kijkt op het dashboardklokje. Het is half acht; tweeënhalf uur na het telefoontje van Anna's maatschappelijk werkster. Trudy heeft het snel gedaan. Ze zet de motor uit en blijft even in het donker zitten. Dan slaakt ze een zucht, draait haar sjaal om haar hoofd en trekt een sprintje naar het gebouw.

In de hal is het stil en duister, de balie wordt overspoeld door fluorescerend licht. Hoewel Trudy wel iets anders aan haar hoofd heeft, doet het tafereel haar toch denken aan een schilderij van Hopper: de streep helder licht en de vrouw die daar in haar eentje in zit, de gedistilleerde essentie van isolatie.

De verpleegkundige kijkt op als Trudy aan komt lopen en stopt een vinger tussen de bladzijden van het boek dat ze aan het lezen is. 'Kan ik u helpen?' vraagt ze.

'Ik ben Trudy Swenson,' zegt Trudy enigszins buiten adem. 'Mijn moeder is hier? Anna Schlemmer?'

De verpleegkundige knikt en steekt haar hand uit naar een map in de hangkast voor haar. 'Kamer 113,' bevestigt ze. 'Maar het bezoekuur is afgelopen. U zult morgenochtend terug moeten komen. Het spijt me.'

'Nee, alstublieft,' zegt Trudy. 'Ik móét haar zien. Ik ben helemaal uit de Twin Cities hierheen komen rijden. Ik ben zo snel mogelijk gekomen...'

'O, dat zal best,' zegt de verpleegkundige. 'Maar ik kan niet zomaar de regels aan mijn laars lappen. Uw moeder ligt op de trauma-afdeling...'

'Trauma!' herhaalt Trudy. 'Mij is verteld dat ze maar heel weinig rook heeft binnengekregen!'

'Ja, dat klopt,' zegt de verpleegkundige. 'Er is ook niets waar u zich echt zorgen over hoeft te maken. Maar op de leeftijd van uw moeder, weet u, kunnen we niet voorzichtig genoeg zijn. Daarom houden we haar hier ter observatie.' Ze glimlacht meelevend naar Trudy. 'Ga lekker slapen en kom morgen terug. Dat lijkt mij het beste.'

Trudy staart de verpleegkundige gefrustreerd aan. Heel even vraagt ze zich af of de vrouw haar opzettelijk de toegang tot Anna verbiedt – de zoveelste valse New-Heidelburgtruc. Maar nee, hoewel de verpleegkundige ongeveer even oud is als zij, heeft Trudy haar nog nooit gezien. Ze komt niet uit de stad; ze moet ergens in de buurt wonen, in Rochester misschien, of LaCrosse. 'Kan ik niet heel even bij haar gaan zitten?' houdt Trudy vol.

'Luister, mevrouw... Swenson, was het, hè?'

'Doctor,' corrigeert Trudy automatisch.

De verpleegkundige trekt haar potloodwenkbrauwen op. 'U bent dokter?'

'In de geschiedenis,' zegt Trudy met een glimlach.

De verpleegkundige kijkt haar enigszins medelijdend aan. Opeens is Trudy in verlegenheid gebracht en ziet ze zichzelf door de ogen van een ander: een belachelijk arrogant blond vrouwtje in een pluizige zwarte jas met vastbesloten, opeengeklemde kaken. 'Alstublieft,' zegt ze.

De verpleegkundige zucht. 'Ik zou het eigenlijk niet moeten doen,' zegt ze. 'Maar... goed dan. Heel even maar. Deze kant op.'

Trudy loopt achter de verpleegkundige aan de gang in. Ze is klein en kloek, als een theepot. Alles aan deze vrouw, van haar plompe, compacte lichaam tot aan haar makkelijk te onderhouden permanentje, straalt een gemoedelijke bekwaamheid uit. Om haar gedachten af te leiden van wat haar wellicht te wachten staat op de trauma-afdeling, fantaseert Trudy over het leven van de verpleegkundige: ze heeft minstens twee volwassen kinderen en verscheidene kleinkinderen, die in het weekeinde langskomen met stoofschotels en braadworst die ze opeten in de speelkamer, terwijl de gepensioneerde echtgenoot van de verpleegkundige een biertje drinkt en naar American football kijkt. Er hangt ongetwijfeld een basket aan de garage. De verpleegkundige is alles waar Trudy voor is opgevoed en lijkt in geen velden of wegen op de persoon die Trudy geworden is.

Voor kamer 113 staan ze stil. 'Denk eraan, niet te lang,' waarschuwt de verpleegkundige. 'En probeer haar niet wakker te maken. Ze heeft haar rust nodig.'

'Dank u. Ik waardeer dit.'

De verpleegkundige legt een hand op Trudy's arm. Trudy kijkt ernaar: de korte, roze nagels, de opbollende huid met sproetjes aan weerszijden van de verlovings- en de trouwring. 'Er is nog iets anders wat u misschien moet weten,' zegt de verpleegkundige.

'En dat is?'

'Ze praat niet. Sinds ze hier is, heeft ze nog geen woord gezegd, tegen de dokter niet, tegen niemand niet. We hebben alles aan haar maatschappelijk werkster moeten vragen.'

Trudy knikt. 'Dat is niets nieuws,' zegt ze. 'Maar fijn dat u het me vertelt.'

Opnieuw die medelijdende blik. Dan loopt de verpleegkundige weg. De rubberen zolen van haar gymschoenen piepen op het linoleum.

Trudy wacht tot de verpleegkundige de hoek om is. Dan haalt ze diep adem en opent de deur van haar moeders kamer.

'O, mama,' zegt ze zacht.

Anna ligt te slapen in een ziekenhuisbed, de tl-buis erboven verspreidt een felwitte gloed over haar gezicht. Waarom is die in hemelsnaam aan, als ze er zo op staan dat Anna haar rust krijgt? Ze kijkt de kamer rond. Anna zit gelukkig maar aan één draadje vast: die van haar infuus. Er zitten geen buisjes in haar neusgaten, er zijn geen piepende apparaten. Trudy tilt een plastic stoel naar de rand van het bed. Ze trekt haar jas uit en gaat zo dicht als ze durft bij Anna zitten.

Trudy heeft haar moeder niet meer gezien sinds Anna's zesenzeventigste verjaardag in augustus en ze schrikt als ze ziet hoe erg Anna in die drie maanden is veranderd. Het 'begeven', zouden de oudere inwoners van New Heidelburg het noemen. Verontwaardigd verdrietig registreert Trudy het gewichtsverlies, de ouderdomsvlekken, de groter wordende blauwe plek van het infuus op haar moeders hand. Ze zijn beangstigend en oneerlijk, de verwoestingen die de tijd aanricht. Toch is Trudy zelfs nu getroffen door de buitengewone geometrie van haar moeders gezicht. De gebeeldhouwde jukbeenderen en de rechte kaak. De aangename symmetrie van de v-vormige haarlok in het midden van het voorhoofd en de puntige kin. De lichte strengen in Anna's grijze haar – ooit blond, nu wit – zorgen voor net dat tikkeltje curiositeit zonder welke echte schoonheid incompleet is. Al zo lang Trudy zich kan herinneren, werden mensen, bij Anna's zeldzame pogingen zich op publiekelijk terrein te wagen, als een magneet naar de ruimte getrokken waarin zij zich bevond, alleen maar om even naar haar te kijken. Maar ze kwamen nooit té dichtbij. De combinatie van lieftalligheid en de schaarse keren dat ze haar mond opendeed, plaatste haar in een apart vakje. Maakte gewone mensen onbeholpen. Wantrouwend. Verlegen. Rancuneus: 'O, wat heeft zij het hoog in haar bol. Denkt dat ze zo veel beter is dan wij.'

Maar Trudy weet dat er andere redenen zijn voor Anna's zwijgzaamheid. Nu schuift ze stukje bij beetje dichterbij en knijpt haar ogen tot spleetjes, alsof ze door zich te concentreren kan doordringen tot wat haar werkelijk interesseert: haar moeders schedel, hard als het omhulsel van een walnoot. En daarbinnen, net als de ingewikkeld gevouwen walnoot zelf, haar moeders hersenen. Welke informatie ligt er opgeslagen in die weke grijze massa? Trudy ziet hoe Anna's oogbollen als knikkers heen en weer rollen onder de perkamentachtige oogleden. Wat ziet Anna in haar slaap? Welke taferelen zijn zo beschamend dat ze er nooit over zal praten, er nooit over gepraat heeft, zelfs niet tegen haar eigen dochter? Welke herinneringen zijn zo martelend, dat ze uiteindelijk – misschien – ondraaglijk zijn geworden?

Alsof ze deze invasie van vragen aanvoelt, wordt Anna met een ruk wakker. Ze focust haar bleke ogen op Trudy, die moet denken aan het spookachtige gestaar dat soms te zien is bij een overleden familielid op een oude foto; een blik waar je je niet los van kan maken.

Trudy schiet achterover. Anna kijkt naar haar, of misschien wel door haar heen naar iemand die er niet is. 'Mama? Hoe voel je je?'

Anna knippert niet eens met haar ogen. De vertrouwde stilte spint zichzelf uit, zo volledig, dat Trudy het vage en insectachtige gezoem van de tl-buis boven het bed kan horen. 'Wil je niet met me praten, mama?'

Anna zegt niets. Trudy wacht. Dan raakt ze Anna's hand aan, voorzichtig, lettend op het buisje dat in de ader is geschoven. 'Alsjeblieft, mama. Was het een ongeluk? Het huis, bedoel ik. De brand. Of... sorry, maar ik moet het weten. Heb je... Heb je het opzettelijk aangestoken?'

Anna draait haar gezicht af. Dan rolt ze haar hoofd naar het midden van het kussen. Haar ogen zijn weer gesloten.

Na een minuut of twee staat Trudy op en pakt haar jas van de stoel. 'Sorry dat ik je gestoord heb, mama,' zegt ze. 'Ik ga nu. Maar maak je geen zorgen. Ik kom snel terug. En ik zal alles regelen.' Ze verlaat de kamer, doet zachtjes de deur achter zich dicht en loopt over de trauma-afdeling naar de balie.

De verpleegkundige kijkt op en legt haar romannetje opzij. *Hartstochtelijke belofte* heet het. 'Hoe is het met ons meisje?'

'Beter dan ik verwacht had,' zegt Trudy.

'Slaapt ze nog?'

'Ja.'

De verpleegkundige knikt tevreden. 'Het komt helemaal goed. Ze is hier zo weer weg.'

'Hoe lang moet ze hier blijven, denkt u?' vraagt Trudy.

'O, op zijn hoogst een paar dagen. Niet langer.'

Trudy haalt een hand door haar haar. 'Oké. Tja, dan zal ik meteen iets moeten regelen... Nou, bedankt voor alles.'

De verpleegkundige kijkt Trudy nieuwsgierig aan als die haar jas dichtknoopt. 'Gaat u haar dan in huis nemen?' wil ze weten.

Trudy schrikt hier zó van, dat ze het tegen beter weten in uitproest. Snel wrijft ze met haar knokkels over haar neus, in de hoop dat de verpleegkundige het geluid voor een niesbui heeft gehouden. 'O, nee,' antwoordt ze. 'Volgens mij is ze daar veel te zwak voor, denkt u niet?'

'Nou,' zegt de verpleegkundige weifelend, 'ze oogt behoorlijk taai. Dit soort boerenvrouwen heeft soms het eeuwige leven, weet u. Als het aan mij lag, zou ik...'

Trudy schudt haar hoofd. 'Geen sprake van,' zegt ze. 'Ik werk fulltime, ik kan niet voor haar zorgen en zelfs als ik genoeg verdiende om iemand in dienst te nemen... Nee. Het is onmogelijk.'

De verpleegkundige haalt haar schouders op en slaat haar boek weer open. 'Jammer,' zegt ze. 'Ik neem aan dat ze dan naar het tehuis gaat.'

Trudy vertrekt haar gezicht onder de sjaal die ze om haar hoofd wikkelt. Het penitentiaire gebouw hiernaast is nou niet bepaald de plek waar je je laatste jaren zou willen slijten. Maar het heeft geen zin om er sentimenteel over te gaan doen. Zo gaan die dingen nu eenmaal. Trudy zal zelf op een dag ook in zo'n soort instituut terechtkomen. En voor Anna is dat nu het enige logische alternatief.

'Ja, naar de Barmhartige Samaritaan,' zegt ze met een door de wol gedempte stem tegen de verpleegkundige. 'Hebt u trouwens enig idee bij wie ik moet zijn om voor haar een kamer te regelen? Ik denk namelijk dat het het beste is dat ze daar meteen naartoe gaat als ze hier weg mag.'

9

Na dit bezoek is Trudy te vermoeid om de drie uur durende rit terug naar Minneapolis aan te durven, met de bijbehorende gevaren van ijzel en uitgehongerde dolende herten op de weg. Trouwens, Trudy heeft nog wat dingen te doen in New Heidelburg, ze kan het beter meteen allemaal afhandelen in plaats van de rit nog een keer te moeten maken. Aangezien de stad qua overnachtingsplekken niets te bieden heeft – het is niet bepaald een toeristische attractie – brengt ze de nacht door in een van de goedkope motels in de buitenwijken van Rochester, in een oververhitte kamer die ruikt naar rook en vies haar. Ze slaapt rusteloos en staat vroeg op. Na een gratis ontbijt dat bestaat uit een broodje en koffie die zo slap is dat Trudy door de vloeistof de bodem van de beker kan zien, keert ze terug naar New Heidelburg, waar ze eerst bij het verzorgingstehuis stopt om een kamer voor Anna te regelen. Een eenpersoons uiteraard. Als Anna, de meest teruggetrokken vrouw aller vrouwen, gedwongen zou worden om als klap op de vuurpijl een kamergenoot te verdragen, zou ze volgens Trudy het glas in de badkamer breken en op haar gemak alle stukjes opeten.

Wanneer deze vervelende maar noodzakelijke klus geklaard is, gaat Trudy verder met de volgende: langsgaan bij de makelaar in de stad om de boerderij te koop te zetten en de inboedel te laten veilen. Ook deze transactie verloopt verrassend eenvoudig, hoewel de makelaar op haar trui een speld draagt van een Kerstman met duivelse, flitsend rode ogen, wat Trudy zowel fascineert als een vage angst bezorgt.

Ze staat veel sneller weer buiten dan ze verwacht had en aangezien ze geen enkele reden heeft om te blijven hangen, zegt ze de stad opnieuw gedag, deze keer met een overweldigend anticlimaxgevoel. Trudy fronst verbaasd. Ze zou opgelucht moeten zijn, tevreden zelfs: ze zal ruim voor haar werktijd en het college van die middag op de campus van de universiteit terug zijn. En dat is maar goed ook, want na het telefoontje over Anna gisteren is ze op stel en sprong vertrokken, zonder ook maar een briefje achter te laten voor haar secretaresse op de afdeling Geschiedenis. Maar als Trudy langs de Chat'N'Chew, de Starlight Supper Club en de melkveehouderij van de Holgars rijdt, wordt het zeurende gevoel dat ze iets vergeten is, sterker. De lutherse begraafplaats waar Jack op de heuvel begraven ligt, komt in zicht. Is dat het? Dat ze vergeten is zijn graf te bezoeken? Trudy gaat langzamer rijden, maar ziet dan een plastic kerstmannenhoofd van het formaat pompoen, dat op het puntige ijzeren hek is gespietst. Trudy huivert, zet de verwarming hoger en rijdt verder.

Als ze de dubbele rij dennenbomen ziet die naar de boerderij leidt, beseft ze wat haar dwars heeft gezeten. Niet dat ze, zo houdt ze zichzelf voor, sentimenteel is. Het zou gewoon een vriendelijk gebaar zijn om persoonlijk Anna's bezittingen op te halen en ze naar de Barmhartige Samaritaan te brengen, in plaats van dat ze de maatschappelijk werkster dat laat opknappen. En hoewel mensen van het verzekeringsbedrijf en taxateurs naar het perceel zullen gaan om de waarde vast te stellen, is het alleen maar praktisch als Trudy de brandschade vanuit de eerste hand in ogenschouw neemt. Ze rijdt de oprit onder de bomen op en worstelt met het stuur, aangezien de banden van haar Civic gieren om grip te krijgen op de sneeuw. Uiteindelijk bereikt ze het erf, parkeert en stapt uit. Dan blijft ze staan om het huis uit haar jeugd te bekijken.

Sinds Jack drie jaar geleden is overleden, heeft Trudy haar best gedaan hier vier of vijf keer per jaar te komen – met Kerstmis, Pasen, Anna's verjaardag, Moederdag – genoeg om aan de door haarzelf gestelde dochterlijke verplichtingen te voldoen. Maar bij die gelegenheden heeft de behoefte om aan Anna's zwijgzaamheid te ontsnappen en terug te keren naar het gewone leven, die net zo dringend was als een volle blaas, Trudy ervan weerhouden echt naar het huis te kijken. Nu is Trudy, net als bij Anna, verbijsterd door de mate en het tempo waarin de boerderij is afgetakeld. Het huis staat nog net. De verf is afgebladderd, de fundering verzakt, het dak kan elk moment instorten. De projectontwikkelaar aan wie het waarschijnlijk verkocht wordt, zal het of slopen om extra landbouwgrond te winnen of wachten tot het vanzelf instort – afgaande op de buitenkant zal dat niet lang duren. Feitelijk is het zonde, want het is al drie generaties lang in het bezit van Jacks familie. Maar er is niets aan te doen. Trudy gaat hier zeker niet wonen en ze kan het zich niet veroorloven het te onderhouden. 'Sorry,' mompelt ze, als ze over de vermolmde treden naar de veranda laveert.

Binnen zijn meer tekenen die wijzen op het ter ziele gaan van de huishoudelijke taken die Anna niet langer aankon. Het vloerkleed waar ze zo trots op was, zit vol vlekken en krult op in de hoeken, in het behang zitten bobbelige vochtplekken. Trudy waagt zich in de keuken en deinst terug als ze de zwarte roetvlekken rond het fornuis ziet. Glas knerpt onder haar voeten en een ijzige tochtvlaag laat het blauwe fabrieksplastic voor het raam klapperen. Iemand van de brandweer uit New Heidelburg heeft het raam met een bijl ingeslagen. Een overdreven dramatische ingreep, denkt Trudy. Waarom hebben ze niet gewoon de deur geprobeerd? Net als de meeste huizen in de buurt was de boerderij nooit op slot.

De ouderlijke slaapkamer boven is nog intact, hoewel het er stoffig en koud is. Trudy is hier sinds Jacks begrafenis niet meer geweest en ze kijkt bedroefd naar het doorgezakte bed en de gebutste ladekast. Zelfs het uitzicht uit het raam is pretentieloos en ongeïnspireerd: de zuidelijke akker, de schuur, een vierkantje witte lucht. Hoe komt het dan dat ze zichzelf er soms op betrapt, als ze in de rij staat voor de kassa in de supermarkt of halverwege het geven van een college, precies dit tafereel voor zich te zien? Het verschijnt ongenood voor haar geestesoog en blijft hangen, schuift voor het beeld dat ze feitelijk ziet.

Maar ze verdoet haar tijd. Uit de klerenkast diept Trudy een versleten harde koffer op, een overblijfsel uit de jaren vijftig, en begint die vol te stoppen met Anna's kleren. Vesten, pumps, jurken, rokken. Anna heeft nog nooit in haar leven een lange broek gedragen, hoe koud het buiten ook was. Vervolgens buigt Trudy zich over de ladekast, haalt daar nepjuwelen en panty's uit, handschoenen waar het prijskaartje nog aan zit, een paar pantoffels gewikkeld in krakend cellofaan. Als Trudy bij de onderste la belandt, waar de ongewenste spullen in liggen, kiest ze de minst versleten katoenen nachtpon van Anna uit. Dan gaat er opeens ver in haar geheugen een belletje rinkelen en verstart ze even. Zou Anna het bewaard hebben? Ligt het er nog?

Trudy kauwt op haar lip. Eigenlijk moet ze de la weer dichtschuiven.

Geen slapende honden wakker maken. Ze buigt zich voorover en trekt de la zo ver mogelijk naar buiten, het protesterende gekraak van oud hout negerend.

Ze ploegt door het nachtgoed en die vermaledijde onderbroeken, duwt een tientallen jaren oude maandverbandgordel in een hoek, en daar, helemaal achter in de la, vindt ze waar ze naar op zoek is: één wollen sok. Ze haalt hem uit de la, rolt hem met trillende handen uit en laat het harde voorwerp in haar schoot vallen. Dan gaat ze op de koude vloer zitten en staart naar het enige souvenir van haar moeders oorlogsverleden.

Het is goudkleurig en rechthoekig, en heeft de vorm en het formaat van een sigarettendoosje voor dames. Op het eerste gezicht zou je inderdaad kunnen denken dat het dat is. De achterkant is glad, de voorkant gegraveerd met een horizontale band van zigzaggende zilveren lijnen in een art-decopatroon. In het midden daarvan omcirkelen diamantjes – er ontbreken er twee of drie; daar zitten nu piepkleine kuiltjes – een zilveren hakenkruis.

Voor iemand met Trudy's historische kennis zou het een misplaatst cadeau kunnen lijken, aangezien het Duitse vrouwen in de tijd van het *reich* afgeraden, en zelfs verboden werd om te roken. Maar voor Trudy is het niet vreemd, aangezien het doosje helemaal niet bedoeld is voor sigaretten. Ze wrikt het palletje aan de zijkant los en ziet, omlijst door kalend kastanjebruin fluweel, een ovalen zwart-witfoto. Van een jonge Anna. Ze zit en heeft de kleine Trudy op haar schoot. Ze draagt een dirndljurk en haar haar is in vlechten op haar hoofd vastgezet. En achter Anna, met één hand bezitterig op haar schouder, staat een ss-officier in uniform. Zijn hoofd is trots geheven, zijn puntige pet schuin naar voren geschoven, zodat zijn gelaatstrekken niet te zien zijn.

Hoe vaak heeft Trudy dit als meisje, als adolescent, niet gedaan, terwijl Anna buiten de was ophing, druk bezig was aan het fornuis of Jack hielp met het vee? Turen naar de foto, proberen de details van de achtergrond los te maken en te ontwarren. Er zijn er niet veel. De opvouwbare canvas stoel waarop Anna en Trudy zitten. De bollende massa van de dienstauto achter de rug van de officier. Een vlek die de Mercedes-ster zou kunnen zijn. Achter zijn hoofd piepkleine golvende lijntjes zo groot als wimpers: de blaadjes van de wilgen in het Park an der Ilm, de plek waar deze foto genomen is, weet Trudy. Of denkt ze dat te weten? Bevestigt deze foto echt haar vroegste herinneringen? Of heeft ze er gewoon zó vaak naar gekeken dat ze alleen maar denkt dat ze het zich herinnert? Beelden die de plek van de realiteit innemen.

Trudy veegt haar ogen af met haar mouw. Ze tranen en haar neus is verstopt; feiten die ze besluit aan de kou te wijten.

Ze komt overeind – haar knieën knakken als geweerschoten – en neemt de foto mee naar het raam. Ze draait het doosje alle kanten op, een handeling die ze in haar jeugd ontelbare keren verricht heeft, alsof ze zo de pet van het hoofd van de officier af kon schudden en eindelijk, eindelijk haar vaders gezicht zou kunnen zien.

Maar omdat ze dat uiteraard niet kan doen, komen andere herinneringen daar behulpzaam voor in de plaats.

Waar is hij, mama? Waarom is hij niet hier, bij ons? Ik mis hem...

Stil, Trudie! Wil je dat Jack je hoort? Ik ga je nu iets heel belangrijks vertellen. Zulke dingen mag je nooit meer in dit huis zeggen. Je mag nooit over die man praten. Je mag zelfs nooit aan hem denken. Nooit. Begrepen?

Maar ik wil Jack niet. Ik wil hém...

Haar moeders sterke vingers die aan weerskanten in het zachte vlees van Trudy's kinderkin dringen.

Ik zei dat je niet over hem mag praten. Hij bestaat niet meer. Hij hoort bij het verleden, bij die andere plek en die andere tijd, en dat is allemaal dood. Hoor je me? Het verleden is dood en dat kan maar beter zo blijven.

En dit gesprek, dat gevoerd werd in de schuur waar Jack meestal was:

Papa, ik heb een vraag.

Zeg het maar, Strudel. Wat wilde je vragen?

Beloof je dat je niet boos wordt?

Waarom zou ik boos worden?

Omdat het een beetje een slechte vraag is.

Hoe kan ik op jou nou boos worden, Strudel. Vraag maar.

Papa, heb jij mijn echte papa gekend?

Ik begrijp niet wat je bedoelt, schat.

Jawel. Mijn echte vader. Uit Duitsland. Heb jij hem wel eens gezien?

Nou, Strudel, je hebt gelijk, dat is geen aardige vraag. Die maakt me verdrietig. Ik ben je vader.

Dat weet ik, maar...

En meer is er niet over te zeggen.

Oké, maar...

En je moet niet over deze dingen praten, Strudel. Met niemand. En zeker niet als je moeder in de buurt is. Je weet dat ze daar niet tegen kan.

Enzovoorts enzovoorts. Een samenzweerderig zwijgen, een muur waar Trudy door noch overheen kon komen. Ze heeft zich vaak afgevraagd of Anna en Jack afgesproken hadden wat ze zouden zeggen als ze met dit soort vragen werden geconfronteerd, of dat ze onafhankelijk van elkaar en instinctief antwoord gaven. Niet dat het er echt toe doet. De ontkenningen zijn bevestigend genoeg. En de foto – het tastbare bewijs. Natuurlijk is Jack, ondanks zijn stuntelige, goedaardige uitvluchten, niet Trudy's vader. Nee, haar echte vader, die nu echter waarschijnlijk net zo dood is als haar adoptievader, is nog steeds bij haar. Hij is Trudy's blonde haar, haar hang naar organisatie, haar voorliefde voor schaken en klassieke muziek en al die andere voorkeuren waar Jack en Anna zich nooit in hebben kunnen vinden. Soms denkt Trudy dat ze hem kan ruiken, dat de persoonlijke geur van de man uit haar poriën wasemt: scheerzeep, schoenpoets, de zuurkool en het hertenvlees die hij tussen de middag heeft gegeten.

Wat Trudy niet weet, is de aard van Anna's relatie met hem. Was zij de minnares van de officier? Zijn echtgenote? En, zo ja, is zij die relatie dan vrijwillig aangegaan? Gaf ze om hem, hield ze zelfs van hem? Trudy kan zichzelf er niet echt toe brengen dit te geloven. Alleen van de gedachte krijgt ze al een ijsklomp in haar maag en een samengeknepen keel. Maar waarom zou Anna deze foto – en haar stilzwijgende verweer – anders al die jaren bewaard hebben?

Trudy houdt de foto omhoog naar het licht en kijkt met samengeknepen ogen naar haar jonge moeder. Anna's uitdrukking verraadt niets. Die is kalm, een beetje plechtig misschien. Wijst dat op een geheime voldoening over het binnenhalen van zo'n machtige partner? Zou Anna moreel echt zo verdorven geweest kunnen zijn om te azen op de verbintenis met de officier en ervan genoten te hebben? Zou er achter dat prachtige gezicht een grote leemte kunnen zitten?

Het zou ook kunnen dat Anna's uitdrukking berusting verbergt. Of doodsangst. Of een uiterlijk portret van innerlijk afsterven is, de verlamdheid die gepaard gaat met herhaaldelijk misbruik. Trudy heeft tientallen casestudy's gelezen van vrouwen die tijdens de oorlog wanhopige dingen deden om maar te kunnen overleven. Misschien heeft de officier Anna gedwongen. Misschien had ze geen keus. Maar als dat klopt en Anna een slachtoffer van de omstandigheden is, waarom heeft ze er dan voor gekozen dat nooit aan haar dochter uit te leggen?

Het verleden is dood. Het verleden is dood en dat kan maar beter zo blijven.

Trudy blijft nog een minuut naar de foto staren, schudt dan haar hoofd en klapt het doosje vastberaden dicht. Genoeg is genoeg. Er valt niets te winnen door voor de zoveelste keer pijnlijke vragen te gaan stellen waar geen pasklare antwoorden op zijn. Wat Anna ook gedaan heeft, Trudy heeft haar eigen bestaan opgebouwd en het wordt hoog tijd om daar naar terug te keren. Ze moet vanmiddag college geven.

Ze loopt weg van het raam, zet het kleine gouden doosje op de ladekast en pakt de laatste spullen van Anna in. Een favoriete broche, een sjaal, haarborstels. Trudy klikt de sloten dicht en kijkt nog een keer om zich heen; ze zal hier nooit meer komen. Ze tilt de koffer op en vertrekt.

Ze is halverwege de trap als ze zich opeens omdraait, terug naar boven rent en het gouden doosje weggrist. Ze laat het in haar jaszak glijden. Dan haast ze zich uit de slaapkamer, deze keer voorgoed. Haar ademteugen zweven als schimmen naar binnen en naar buiten.

10

Hoewel ijzel de wegen terug naar de Twin Cities spekglad maakt, slaagt Trudy erin een paar minuten vóór haar ingeroosterde werktijd op de universiteitscampus te arriveren. Dat is een opluchting. Trudy vindt het verschrikkelijk om te laat te komen, verschrikkelijk dat het van hot naar her rennen haar zelfbeheersing ondermijnt, waardoor ze gaat transpireren en er slonzig uitziet en haar sokken naar beneden zakken in haar laarzen. Ook is ze blij om te zien dat er geen studenten voor haar op de loer liggen. Als Trudy op haar best is, vindt ze het leuk om met hen te praten, sterker nog, ze geniet van elk teken dat wijst op een intellectuele inspanning van hun kant, hoe klein ook. Maar de afgelopen vierentwintig uur zijn zwaar geweest en Trudy weet dat als haar studenten nu naar haar toe zouden komen, zij zich zou opwinden over hun voortdurend rinkelende mobieltjes, hun zenuwachtige gêne over het feit dat ze zo dicht in haar nabijheid verkeren, hun onaannemelijke, grammaticaal foute, irritant intieme smoesjes voor het niet op tijd inleveren van hun opdrachten.

Vandaag, denkt Trudy, zullen met een beetje mazzel het weer of de eisen van hun mysterieus drukke bestaan hen ervan weerhouden naar haar toe te komen. Ze heeft dit uur nodig om van haar privé-ik over te schakelen op haar professionele ik. In de kantine van de afdeling Geschiedenis schenkt ze een kop koffie in en hangt haar vochtige jas op, dan loopt ze naar haar kantoor, neemt haar gebruikelijke plek achter haar bureau in en trekt een stapel examenpapers op haar vloeiblad. Met een ijverig gebaar haalt Trudy het dopje van haar rode pen.

Het Moederkruis, is de titel van de bovenste paper, *Een analyse van Duitse vrouwen als fokpaarden voor het Derde Rijk.* Trudy zucht en slaat de kaft om naar de eerste bladzijde:

Er is door historici uit de periode waar het over gaat, het Derde Rijk dus, beweerd en echt gestelt dat tijdens deze periode de Duitse vrouw door de nazi-regering werd gezien als een babymachine, dus dat aan haar vruchtbaarheid de meeste waarde werd gehecht. Duiste vrouwen die drie, zes of negen volbloedkinderen produceerden werden onderscheiden met een biezondere onderscheiding, respektievelijk brons, zilver en goud en daaruit is de implicatie te trekken dat de werkelijke plaats die de Duitse vrouw tijdens deze periode innam de stal was. Ze was louter een broedmerrie of fokpaard.

Trudy kan zich er nog net van weerhouden om *Heb je enig idee waar je het over hebt?* in de kantlijn te schrijven en krabbelt in plaats daarvan zo driftig SPELLINGSCONTROLE dat haar pen door het papier heen schiet. Dan slaat ze de paper dicht en duwt die opzij. Misschien is ze toch niet helemaal in de juiste stemming om cijfers te geven. Ze leunt achterover in haar stoel en staart naar de muur aan de overzijde, waar de enige versiering van de kamer hangt: een archieffoto vergroot tot posterformaat, van Amerikaanse soldaten die een paar dagen na de bevrijding van Buchenwald rijen Duitse burgers naar het kamp begeleiden, waar ze de doden moeten begraven. De middag is grijs en druilerig – niet heel anders dan wat Trudy nu door haar raam ziet – en de Amerikanen dragen door het leger verstrekte regenjassen, hun gevangenen opgekalefaterde wollen jassen. Ergens aan het eind van de rij staat, zich vastklampend aan een onzichtbare hand, een klein meisje met vlashaar dat Trudy's tweelingzusje zou kunnen zijn toen zij zo oud was. Sterker nog, het zou Trudy zelf kunnen zijn.

Trudy zit naar de poster te staren zonder die echt te zien, als ze de gevreesde klop op de deur hoort. Ze woelt door haar haar, dat zo te voelen opdroogt in stijve, onaantrekkelijke pieken, zoals geklopt eiwit. 'Binnen,' roept ze, en ze tovert een uitdrukking op haar gezicht waarvan ze hoopt dat die gastvrij is.

Maar het is geen student die binnenkomt, het is dr. Ruth Liebowitz, hoofd van het Holocaust Onderzoek, van beneden. 'Kom ik ongelegen, dr. Swenson?' vraagt ze.

'Nee, helemaal niet. Waarom?'

Ruth lacht. 'Je gezicht. Die blik alsof je moet poepen, die je altijd krijgt als je hulpvaardig over wilt komen. Je verwachtte zeker een student?'

Trudy kijkt gemaakt stuurs. 'Inderdaad, ja, maar gelukkig is er niemand komen opdagen. Kom binnen, ik heb nog' – Trudy kijkt op haar horloge – 'twintig minuten. Hoe is het?'

Ruth vlijt zich als een poes op de stoel aan de andere kant van Trudy's bureau, met haar voeten onder zich. Trudy kijkt minzaam toe. Mensen die Ruth voor het eerst zien, verwarren haar vaak met een van haar studenten. Haar kleine gezicht met sproetjes, haar naar alle kanten uitwaaierende kroeshaar en haar uniform van sweater en gekreukte kaki broek lijken meer te passen bij een studente dan bij Ruths belangrijke functie. En Ruth voedt die indruk met opzet, ze benut haar 'vermomming' wanneer ze maar kan. Zo gaat ze op de eerste lesdag tussen haar studenten zitten om te horen wat zij over haar zeggen. In werkelijkheid is ze slechts negen jaar jonger dan Trudy.

'Goed,' zegt Ruth nu. 'Maar relevanter is: hoe is het met jóú?'

'Een beetje moe, maar... Wat? Waarom kijk je zo?'

Ruth knijpt haar donkere ogen tot spleetjes. 'Ja, wat denk je, meis? Je bent gisteren weggelopen tijdens je college. Je was gisteravond niet thuis. Wat is er aan de hand?'

'Hoe weet jij dat ik niet thuis was?'

'Ik heb gebeld,' zegt Ruth. 'Een paar keer zelfs.'

'Een paar keer? Wat dacht je, dat ik dood op de bank lag?'

Ruths blik dwaalt af. 'Nou ja, ik was gewoon een beetje bezorgd,' mompelt ze opstandig.

Trudy verbergt een glimlach. Omdat ze weet dat Trudy alleen woont, is Ruth soms een beetje overbeschermend, maar het is ook een troostrijke gedachte dat als Trudy inderdaad dood op de grond zou liggen, ze daar niet dagenlang hoefde te blijven voordat ze gevonden werd. 'Misschien had ik wel mannelijk bezoek!'

Ruth kijkt opgetogen. 'Is dat zo?'

'Nee,' geeft Trudy toe. Ze leunt achterover in haar stoel en wrijft in haar ogen. 'Ik moest naar New Heidelburg. Er was iets met mijn moeder.'

Ruths blik wordt nog scherper. 'Is dat de moeilijke moeder? Degene over wie ik zelden iets hoor?'

'Ja, natuurlijk. Hoeveel moeders denk je dat ik heb?'

Ruth wappert ongeduldig met haar hand. 'Wat is er gebeurd?'

'Ze heeft een ongelukje gehad.'

'Wat voor ongelukje?'

'Nou ja, Ruth, wie ben jij, de Gestapo?'

Ruth blijft haar recht aankijken. De in historisch opzicht onmogelijke vriendschap tussen de twee vrouwen, de onwaarschijnlijke band tussen een hoogleraar Duitse geschiedenis en het hoofd van het Holocaust Onderzoek, vergt galgenhumor, een manier om eventuele spanningen te onderkennen en op die manier te verminderen. Maar geen van beiden heeft het ooit persoonlijk op de ander toegepast.

'Sorry,' zegt Trudy. 'Ik ben niet helemaal mezelf vandaag... Met mijn moeder gaat het goed, het was niets ernstigs, maar het is wel duidelijk dat ze niet meer alleen kan wonen. Dus ik moest regelen dat ze in een verzorgingstehuis terecht kon.'

Ruth tuurt meelevend door haar wimpers. 'Dat is niet niks,' beaamt ze. 'Ik weet hoe dat voelt. Toen wij mijn tante in een tehuis hebben gestopt, heeft ze een half jaar niet meer met ons gepraat.'

'Mijn moeder praat al vijftig jaar niet meer met mij,' zegt Trudy, en ze lacht.

Opnieuw kijkt Ruth haar doordringend aan, maar ze laat het onderwerp rusten. 'Nou, meis,' zegt ze, terwijl ze uit de stoel overeind komt, 'als je erover wilt praten, dan zeg je het maar... O! Nou vergeet ik bijna waarom ik hier nog meer naartoe ben gekomen.'

'En dat is?'

Ruth zet haar handpalmen op Trudy's bureau en helt voorover. 'We hebben het,' zegt ze theatraal.

'Wat?' vraagt Trudy.

Ruth geeft het vloeiblad een bemoedigend klapje. 'Godallemachtig, dame, word eens wakker! Het fonds voor het Nagedachtenisproject.'

'O,' zegt Trudy. 'O, fijn voor je. Hoeveel heb je gekregen?'

Ruth rolt met haar ogen. 'Niet zoveel als ik gehoopt had, natuurlijk. Maar genoeg om contact te leggen met overlevenden, en om interviewers en cameramensen in te huren. Ik kan besparen door een van mijn doctoraalstudenten de bandjes te laten coderen voor de archieven. En als alles goed gaat, kan ik volgend jaar nog meer geld vragen – het kan niet op.'

'Dat is geweldig,' zegt Trudy. 'Gefeliciteerd...'

'Dit is zo'n opsteker. Nu kunnen we ons programma op de kaart zetten door het opnemen van Holocaustgetuigenissen, we komen op gelijke hoogte met dat verdomde Yale. En zelfs dat verdomde Yale heeft geen gefilmde interviews met overlevenden.'

'Weet ik,' zegt Trudy. 'Je zult wel enorm trots zijn.'

'Ik moet bekennen dat ik dat ben,' zegt Ruth grinnikend. Haar tanden zijn piepklein en parelend en scheef, als babytandjes, denkt Trudy. Melktanden, zou Anna ze noemen. 'Dit project is mijn kindje... Maar soms denk ik dat ik gestoord ben. Er moet zo veel gebeuren...'

'Het is de moeite waard,' verzekert Trudy haar. 'Laat het me weten als ik iets kan doen.'

Ruth laat een vrijpostig, in kaki gehuld deel van haar achterwerk op de hoek van Trudy's bureau neerdalen en kreukt de examenpapers. 'Nou, eigenlijk...' zegt ze.

'O, god,' kermt Trudy. 'Ik zei het gewoon uit beleefdheid, Ruth!'

'Ik dacht dat je misschien wel wilde solliciteren,' zegt Ruth.

'Solliciteren?'

'Naar de functie van interviewer.'

'Ik?'

'Ja, jij.'

Trudy schudt haar hoofd. 'Ik snap het niet,' zegt ze. 'Waarom zou je mij willen? De Holocaust is niet mijn pakkie-an.'

Ruth wuift dit bezwaar weg. 'We moeten dit snel van de grond krijgen,' zegt ze, 'en we hebben historici nodig die echt kennis van zaken hebben om interviews te kunnen afnemen, jij dus. Volgens mij ben je een natuurtalent. En je zou me echt een dienst bewijzen.'

Hier heeft Trudy niet van terug. Ze draait haar stoel naar het raam en kijkt naar buiten. Het plein is verlaten, de sneeuw is door een meedogenloze wind naar de randen geveegd en de gebouwen van gotisch rood zandsteen ogen in de vroegtijdige schemering droefgeestiger dan gewoonlijk. Haar spiegelbeeld zweeft ertussen, transparant en oplettend, met een straatlantaarn in de keel. 'Is het niet erg dat ik niet joods ben?' vraagt ze.

'Tja, natuurlijk zou dat eigenlijk wel moeten, aangezien wij het Uitverkoren Volk zijn,' zegt Ruth sarrend. 'Maar nee, dat is niet erg.'

'Hm,' zegt Trudy. Dan draait ze haar stoel weer terug en steekt haar hand uit om de papers onder Ruths achterwerk uit te trekken en die in haar koffertje te stoppen. 'Ik kan het niet doen,' zegt ze. 'Het spijt me, Ruth. Ik ben echt gevleid dat je het me gevraagd hebt. Maar zoals je weet heb ik dit semester een enorme lading colleges, en daar komt nu dat gedoe met mijn moeder nog eens bij...'

Ze voelt dat ze bloost. Aangezien Anna's overplaatsing naar de Barmhartige Samaritaan al geregeld is, blijft er voor Trudy niet veel meer over om te doen, behalve een bezoekje in het weekend om te kijken of ze het naar haar zin heeft. En dat kost niet veel tijd. Maar dat hoeft Ruth niet te weten.

En, zoals Trudy verwacht had, slikt Ruth het. 'Neem me niet kwalijk,' zegt ze, terwijl ze van Trudy's bureau af wipt. 'Dat was ik vergeten. Maar misschien, als het met haar allemaal weer zijn gangetje gaat... Wil je er in ieder geval over nadenken?'

'Natuurlijk,' liegt Trudy.

Ruth loopt naar de deur. 'Goed,' zegt ze. 'Want je bent nog niet van me af.' Ze maakt met haar hand een schietgebaar naar Trudy. 'Je weet waar je me kunt vinden als je van gedachten verandert,' voegt ze eraan toe voor ze vertrekt.

'Nogmaals proficiat,' roept Trudy Ruths wegebbende voetstappen op de gang na. Die gaan snel. Ruth doet alles snel.

Trudy glimlacht en werpt dan een blik op haar horloge. Ze vloekt en springt van haar stoel, trekt haar nog natte laarzen aan en grijpt haar koffertje. Als ze de deur openrukt, botst ze bijna tegen de studente die met gebogen hoofd aan de andere kant ervan staat.

'Professor Swenson?' mompelt het meisje naar de vloerbedekking tussen haar voeten. 'Kan ik even met u praten? Ik vind het heel heel heel erg dat ik er gisteren niet was, ik had een heel heel heel erge blaasontsteking...'

11

Ondanks Trudy's invloedrijke positie heeft haar college van die middag, de rol van de vrouw in nazi-Duitsland, plaats in de kelder, in de krochten van de afdeling Geschiedenis van de universiteit. Aan het begin van het college noemt Trudy de ruimte routinematig de bunker – 'Hallo allemaal en welkom in onze prachtige bunker!' – om het opgelaten gevoel van zo'n eerste dag te temperen en de druk een beetje van de ketel te halen. Als het een leuk, humoristisch stelletje is, oogst de spitsvondigheid een paar lachende gezichten, onderdrukt gegiechel zelfs. Vaker blijven de studenten echter met een onbewogen gezicht zitten, buitengewoon niet onder de indruk van deze flauwe poging hen voor zich te winnen. Trudy veronderstelt dat ze het hen niet kwalijk kan nemen. Er valt feitelijk weinig te lachen met het vooruitzicht een volledig semester te moeten doorbrengen in een benauwde, raamloze ruimte, onder lichtbakken die lijken op ouderwetse ijsblokjesvormen en op kleine oranje stoeltjes die geschikter zijn voor dwergen dan voor de doorsnee student.

Maar eerlijk gezegd is Trudy blij met haar collegeruimte; het veilige gevoel onder de grond te zijn, de warmte van al die samengepakte lichamen. Dit is haar domein, de plek waar ze drie keer per week vijftig minuten lang volledig de dienst uitmaakt. Waar geschiedenis met bewijsstukken wordt gestaafd en van noten voorzien, teruggebracht wordt tot tekst. Begrijpelijk, zij het dan in retrospectief.

Zoals altijd aan het begin van elk college breekt ze een nieuw stukje krijt doormidden en wrijft met haar duim over het ruwe oppervlak, terwijl ze een onderzoekende blik werpt op haar aan hun stoelen gekluisterde toeschouwers. Het is een bonbondoos vol persoonlijkheden. In deze fase van het semester kent Trudy alle studenten, zo niet hun namen dan wel bepaalde eigenschappen. Het stille meisje dat vroeg arriveert en met een bezeten ijver kruiswoordpuzzels maakt. De briljante tweedejaarsstudente met op haar gezicht een getatoeëerd spinnenweb. De twee jongens – Snip en Snap – die altijd vluchtklaar bij de deur zitten en qua motoriek een eeneiige tweeling lijken, maar geen familie van elkaar zijn. Als de een ziek of afwezig is, is de ander dat ook.

'Hoe gaat het vandaag met u allen?' vraagt Trudy.

Ze wacht met nadrukkelijk opgetrokken wenkbrauwen tot ze een paar ondoorgrondelijke reacties krijgt. Dit is typisch. Dit college begint om vier uur: een slechte tijd, de gedeprimeerdheid slaat toe. Haar studenten zijn sloom, hun bioritme eist een middagdutje, hun maag eten. Ze knikkebollen uilig en korzelig in de richting van hun voeten, ze hangen in hun stoel, krabbelen in hun schriften – bloemen, hartjes, ingewikkelde geometrische figuren – tekeningen die, voor zover Trudy dat kan opmaken, niets met de stof te maken hebben. Op dit moment zou Trudy, wier ogen zwaar zijn van het slaapgebrek en haar moeizame rit, niets liever doen dan zich bij hen aansluiten. Vooral omdat het onderwerp van vandaag, een onderzoek naar Duitse vrouwen met betrekking tot wat zij deden in de oorlog, wel een beetje erg dichtbij komt.

Maar goed, íémand moet hier de leraar zijn. En dus werpt Trudy een blik omlaag op haar aantekeningen en geeft een zo geanimeerd mogelijk college. Ze praat, pauzeert, vraagt of er vragen zijn en beweegt haar krijtje piepend over het bord. Maar ze voelt het onder haar turtleneck steeds vochtiger worden. Het klamme zweet. Elke hoogleraar is er vatbaar voor, geeft zo nu een dan een slecht ontvangen college. Trudy, die daarop geen uitzondering is, weet dat ze zich daar helemaal niet voor hoeft te schamen. Maar elke keer wanneer het gebeurt, wordt ze overspoeld door dezelfde paniek als de eerste keer.

Ze veegt haar vochtige pony van haar voorhoofd en kijkt op haar horloge, dat ze af heeft gedaan en op de lessenaar heeft gelegd. Goddankt, nog maar tien minuten.

Trudy wipt het krijtje op en neer in haar handpalm. 'De slotconclusie dus,' zegt ze, 'wat hebben jullie opgestoken van het stuk dat jullie voor vandaag moesten lezen? Wat probeert de auteur duidelijk te maken over de manier waarop juist deze Duitse vrouwen zich tijdens de oorlog gedroegen?'

Stilte.

Trudy kijkt met een afkeurende blik naar haar studenten. Als ze eenmaal op gang zijn, is dit meestal een praatgrage groep, op het flirtende af zelfs. Daarom is hun huidige apathie des te irritanter. Misschien is het niet haar schuld, misschien zijn ze ten prooi gevallen aan het Thanksgivingsyndroom: te veel slaap en eten thuis, vrees voor komende examens. Trudy besluit hen een beetje uit hun tent te lokken.

'Kom op, mensen,' zegt ze. 'Participatie hoort bij jullie jaar, hoor... Wat vonden jullie van het feit dat frau Heidenreich zei dat de joden de Holocaust over zichzelf hebben afgeroepen? Waren jullie verbaasd dat ze dat nog steeds vindt, zelfs nu nog?'

Stilte.

'Is haar opstelling typerend?'

Stilte.

'Heeft iemand het stuk eigenlijk wel gelezen?'

Stilte.

Dan wordt er, ergens achterin, fluimachtig gegeeuwd. Het klinkt als een knikker in een stofzuiger.

'Juffrouw Meyerson,' zegt Trudy. 'Als u mij per se op deze manier wilt beledigen, bedekt u dan uw mond. Ik ben het zat uw amandelen te zien.'

Wat nerveus gegiechel. Dus ze zíjn wakker, denkt Trudy.

'Sorry,' mompelt de zich misdragende studente. 'Het is gewoon dat...'

'Gewoon dat wat?'

'Natúúrlijk was die antisemiet typerend,' zegt de studente, terwijl ze woedend naar haar schrift staart. 'Al die vrouwen waren antisemitisch. Ze waren, een soort van, deel van de hele oorlogsmachinerie. Zíj waren de daders.'

'Aha,' zegt Trudy. 'Dus Duitse vrouwen waren daders. Zal ik je eens wat zeggen? Ik ben het met je eens, tot op bepaalde hoogte. Een groot deel van hen was dat ook. Maar was dat volledig hun fout? Waren zij niet net zulke producten van hun cultuur – die, zoals we gezien hebben, fanatiek antisemitisch was – als jij en ik dat zijn? Zouden ze niet door de oorlog gedwongen kunnen zijn om te doen wat ze deden? Vragen desperate tijden niet om desperate maatregelen?'

Stilte. En rolt een zweetdruppel langs Trudy's ribben.

'Oké,' zegt ze, terwijl ze achter haar lessenaar vandaan loopt en voor de collegebanken gaat staan. 'Laten we het eens op een andere manier proberen. Laten we zeggen... dat jij een arische Duitse vrouw in 1940, 1941 bent. Net zo oud als de meeste van jullie zijn: twintig, eenentwintig. Je normale leven is ruw verstoord door de oorlog. Jouw man is aan het vechten voor het *vaterland* of al gesneuveld. Misschien heb je een klein kind. En opeens beginnen de joden in jouw buurt te verdwijnen. Misschien zie je het gebeuren, misschien – zoals veel van deze vrouwen beweerd hebben – niet. Maar je hoort de geruchten. Je roddelt, net als alle andere vrouwen. Je weet het. En je weet ook dat je aansluiten bij het verzet of de joden helpen – hen verstoppen, eten geven, wat dan ook – bestraft wordt met de dood. Wat doe je?'

Nu luisteren ze.

'Wat je zou moeten doen,' roept iemand.

'En dat is?'

'Ja, hè hè. De joden helpen natuurlijk. Op alle mogelijke manieren.'

'O ja, joh?' schimpt een andere student. 'Dat is zo ongelooflijk naïef. Het klinkt mooi, maar jij gaat dus echt niet helpen als je weet je dan doodgaat. En niet gewoon, jeweetwel, doodgaat. Maar eerst wordt gemarteld. En dan maken ze je kind ook nog af.'

'Toch zou ik het doen,' houdt de eerste vol.

'Nee, je dénkt alleen maar dat je dat zou doen,' stelt de tweede. 'Het is nogal makkelijk om te zeggen dat je iets zal doen als je, gewoon, hier een beetje op je stoel zit.'

'Zie je?' werpt Trudy tussenbeide. 'Zo simpel is het niet, hè? De meeste mensen zijn geneigd om deze periode te beschouwen als een oorlog van absoluut goed tegen absoluut fout – eigenschappen die zelden in hun meest pure vorm te vinden zijn – en dat is waar. Maar vergeet niet dat geschiedenis meer is dan een zwart-witstudie. Menselijk gedrag bestaat uit heimelijke motieven, uit grijze nuances.'

Elk gezicht is nu opgericht naar Trudy, aandachtig, gegrepen zelfs. Op de voorste rij zit een bleke jongen te knikken.

Opgewonden, omdat ze hun aandacht nu volledig gevangen heeft, gaat Trudy verder: 'Oké, laten we een stapje verdergaan in onze hypothetische situatie. Je bent nog steeds dezelfde jonge vrouw, maar het tij van de oorlog begint te keren. Er is geen brandstof meer. Je hebt het koud. Voedsel wordt steeds schaarser. Je kind verhongert waar je bij staat. Je wordt elke nacht gebombardeerd door de Britten. De vijand rukt op en het enige waar iedereen het over heeft, is hoe de Russen jou zullen verkrachten en vermoorden als ze er zijn. Maar dan heb je opeens de kans om beschermd te worden. Door een, een hooggeplaatste ss-officier zelfs. Wat doe je? Maak je gebruik van wat je hebt, als vrouw, op de voor die tijd gebruikelijke manier, en word je... laten we zeggen zijn maîtresse?'

Iemand snuift. 'Néé,' zegt ze.

'Zelfs niet als dat een beter leven voor jou en je kind betekent?'

'Nee,' herhaalt de studente. 'Dat is gewoon fóút.'

'Ja,' zegt een andere student.

'Maar...'

'Het enige wat je moet doen, is het volhouden tot de oorlog voorbij is. De meeste mensen hebben het toch overleefd?'

'Ja, maar dat is achteraf praten,' zegt Trudy. 'Het is nogal makkelijk om dat nu te zeggen, maar...'

'Maar de maîtresse van zo'n kerel worden, dat is zoiets als proactief kwaad. Het is net zo fout als het aangeven van joden.'

'Maar denk nou eens ná,' zegt Trudy, terwijl ze uit pure frustratie een klap op de lessenaar geeft. 'Verplaats je nou eens in die vrouw. Bestaan er geen situaties waarin het doel de middelen heiligt...?'

Haar stem hapert en ze brengt een hand naar haar keel, die plotseling dichtgeknepen voelt. Als je een effectieve leraar wilt zijn, heeft Trudy altijd gedacht, is het cruciaal dat je gelooft wat je zegt. Nu kan ze de student die haar heeft uitgedaagd niet recht in de ogen kijken.

Trudy schuift wat met haar aantekeningen en kucht in haar vuist. 'Neem me niet kwalijk,' zegt ze hees. 'Lange dag.'

'Professor Swenson?' vraagt iemand.

Wat nu weer, denkt Trudy.

'Het is kwart over vijf.'

'O,' zegt Trudy. 'Bedankt. Sorry, mensen... Oké, wegwezen.'

Opeens is de ruimte een en al bedrijvigheid, de studenten beginnen hun spullen in hun rugzakken te schuiven en hun parka's aan te trekken.

Trudy klapt in haar handen. 'Vergeet niet om voor volgende keer de Goldhagen te lezen,' roep ze.

Als ze, opeens onbesuisd, achter elkaar aan naar buiten lopen, draait

Trudy zich om en veegt het bord schoon. Inwendig gaat ze tegen zichzelf tekeer. Hoe heeft ze verdomme zo stom kunnen zijn om persoonlijke zaken aan haar studenten voor te leggen? Ze heeft een van haar eigen fundamentele regels overtreden: in tegenstelling tot veel van haar collega's, die colleges opleuken met familieanekdotes, reizen en weekeinden, is Trudy van mening dat een bepaalde afstand noodzakelijk is om voldoende autoriteit te bewaren. Geïrriteerd veegt ze stof van het krijt van haar schouders – lerarenroos – maar slaagt er alleen in een brede witte streep op de donkere wol achter te laten. Trudy vloekt opnieuw. Ze draagt bijna altijd zwarte kleren en dat zou ze niet moeten doen.

'Professor Swenson?'

Trudy kijkt naar het plafond, smekend om geduld, en draait zich dan om. 'Ja?' zegt ze.

Aan de andere kant van de lessenaar staat een meisje te wachten. Ze blaast fluorescerende kauwgombellen. Ze is eerstejaars, weet Trudy, maar omdat ze nooit haar naam kan onthouden, noemt ze haar in gedachten Mooi Meisje. En dat is ze ook, met haar grote blauwe ogen, roze wangen en lange blonde haar. Een combinatie die cliché zou moeten zijn, maar in plaats daarvan neerkomt op simpele perfectie. Trudy betrapt zich er af en toe op dat ze een hekel heeft aan Mooi Meisje. Niet vanwege haar uiterlijk op zich, maar omdat dat Trudy er nou juist toe heeft gebracht de subjectieve meningen te vormen die een goede leraar nooit zou mogen koesteren: de studente is zo knap dat ze wel dom moet zijn. Ze is verwend, gewend om vanwege haar uiterlijk altijd haar zin te krijgen, ze zou uitstekend geschikt zijn voor een affiche van de *Bund Deutscher Mädel.* Zij is wel de laatste persoon met wie Trudy nu wil praten.

'Wat kan ik voor je doen?' vraagt Trudy.

Het meisje waagt een vlugge blik op Trudy. Ze draagt glittermake-up, ziet Trudy, een fonkelende verzameling verspreid over haar roze gezicht. 'Ik wilde u alleen maar even zeggen?' zegt het meisje tegen haar schoenen. 'Dat ik deze colleges echt, nou ja, fascinerend vind?'

'Goh, nou, dank je wel,' zegt Trudy. 'Dat is het beste wat een professor te horen kan krijgen.' Ze schenkt Mooi Meisje een vluchtige glimlach en schuift dan met overdreven gebaren haar papieren bij elkaar.

Ze stampt het stapeltje op de lessenaar en bergt het op. Het verlangen naar de beslotenheid van haar eigen huis, naar een warm bad om de restanten van de misser van vanmiddag weg te wassen, is zo acuut dat haar huid jeukt.

Maar Mooi Meisje houdt koppig vol, blijft naast Trudy lopen als ze de collegezaal verlaat. 'Mijn oma heeft de oorlog meegemaakt?' zegt ze. 'Ze werd verborgen door een katholieke familie, ging door voor een christen? Ze was een... een hoe noem je dat, een onderzeeër?'

'Een onderduikster,' verbetert Trudy.

'O ja, een onderduikster,' zegt het meisje, terwijl ze een kleine knalgroene bel laat klappen.

Trudy kijkt haar zijdelings aan. 'Ben jij joods?' vraagt ze.

'Half,' zegt Mooi Meisje. 'Mijn grootouders waren Hongaarse joden? Ik ben half-joods.'

'Ach ja,' zegt Trudy. 'Nou, doe de hartelijke groeten aan je oma.'

'Dat wil ik wel doen,' zegt het meisje, 'maar ze is dood.'

'O. Neem me niet kwalijk.'

'Maar ik wilde u wat vragen. Er is nog steeds iets wat ik niet snap. Het klinkt wel logisch als u het uitlegt, u weet wel, históris gezien, maar ik begrijp niet hoe die vrouwen al die dingen hebben kunnen doen. Zoals wat u zei over die SS-officier. Of gewoon niet helpen, net doen alsof er niets aan de hand was. Hoe kunnen zij, u weet wel, zichzelf daarna nog recht in de ogen kijken?'

'Dat is een goede vraag,' zegt Trudy. 'Ontkenning, vermoed ik. Of...' Ze blijft stilstaan. Ze denkt aan de keuken van de boerderij, hoe die zich vult met zwarte rook. Waar was Anna? Probeerde ze wanhopig met een theedoek de pan te pakken die ze vergeten was van het fornuis te halen? Of lag ze in het echtelijke bed boven, met haar ogen dicht? Te wachten tot de hitte haar huid zou verstrakken, haar liet weten dat de vlammen deze kamer ook hadden geclaimd?

'Gaat het, professor Swenson?' De snelle aanraking van haar arm door het meisje, zo licht als het pootje van een kat.

Trudy schudt bruusk haar hoofd. 'Ja,' zegt ze. 'Prima. Dank je.'

Ze staan nu in de gang, naast een sissende en tikkende radiator. Ergens boven hen fluit een conciërge een populair deuntje. Verder is het stil in het gebouw, op de troosteloze manier waarop drukke plekken dat zijn als de mensen die ze overdag bevolken vertrokken zijn.

'Je hebt niet echt veel aan me gehad, hè?' zegt Trudy. 'Wilde je nog iets anders vragen?'

'Eh, nee,' zegt Mooi Meisje. Ze trekt haar rugzak wat steviger om haar schouders en kuiert weg. Een paar meter verder begint ze te rennen. Bij de deur die naar de parkeerplaats leidt, draait ze zich om en roept: 'Prettig weekend!'

'Jij ook,' roept Trudy.

De deur gaat piepend dicht na een paar dwarrelende sneeuwvlokken te hebben binnengelaten. Hoewel Trudy nu vrij is om te gaan, blijft ze staan in het synthetische fruitluchtje dat de shampoo van het meisje heeft achtergelaten. Wat benijdt ze die jonge vrouw. Niet vanwege de voor de hand liggende redenen, maar omdat ze een familiegeschiedenis heeft waar ze over kan praten en trots op kan zijn. Een geschiedenis die iemand haar uit de eerste hand uit de doeken heeft gedaan. Een geschiedenis die ze ként.

Een nevel van intuïties voegt zich samen en uit de fonkelende wasem van hun wrijving rijst een idee op. Neemt vaste vorm aan. Groeit. Een minuut lang is Trudy verlamd door de logica ervan, de overtuigende eenvoud – waarom heeft ze dit niet eerder bedacht? Dan draait ze zich razendsnel om en rent de dichtstbijzijnde trap op. Ze moet Ruth vinden, voordat haar plotselinge overtuiging haar in de steek laat.

Ruth is niet op haar kamer of in de docentenkamer, maar uiteindelijk ontdekt Trudy haar in de kantine. Ze zit in haar eentje aan een lange houten tafel verschrompelde blauwe bessen uit een muffin te pulken en die met een kinderlijke kreet van afschuw op een servet uit te vegen.

'Wat doe jij hier?' vraagt ze aan Trudy.

'Jou zoeken,' zegt Trudy.

'Nou, ik voel me gevleid, maar ik snap het niet. Ik dacht dat jij al lang en breed thuis in een warm bad zou liggen.'

Trudy schuift een stoel onder de tafel uit en gaat naast haar zitten. 'Luister,' zegt ze snel. 'Ik wil alles van je weten over jouw Nagedachtenisproject. Hoe je het hebt georganiseerd, hoe je precies participanten denkt te gaan vinden, waar je je cameramannen vandaan gaat halen...'

‘Betekent dit dat ik een sjikse interviewer krijg?’ onderbreekt Ruth haar.

Trudy lacht. Ze zit te trillen van opwinding. ‘Nee,’ zegt ze. ‘Ik ben bang van niet. Maar ik heb een voorstel voor je en ik heb je hulp nodig. Ik moet namelijk aan de slag met mijn eigen project.’

Anna en Mathilde

Weimar, 1940-1942

'Backe, backe Kuchen!'
der Bäcker hat gerufen.
'Wer will guten Kuchen backen,
Der muss haben sieben Sachen:
Butter und Salz,
Zucker und Schmalz,
Milch und Mehl,
und Eier machen den Kuchen gel.'

12

Anna is al een week in de bakkerij als ze zich voor het eerst op de begane grond waagt. Of misschien is het wel langer dan een week. Ze weet het niet zeker, ze is het besef van tijd kwijt. Liggend op het veldbed in de kelder van de bakkerij staart ze naar de rafelige zwarte strepen op de vochtige muur naast haar hoofd. Iemand die hier eerder verborgen heeft gezeten, heeft blijkbaar geprobeerd de duur van zijn verblijf bij te houden met een stukje houtskool: een maand ongeveer, alles bij elkaar. Anna zou hetzelfde kunnen doen. Maar ze verwerpt het idee, omdat het te veel moeite kost. Het verstrijken van de tijd zegt haar sowieso niet veel.

Ze krult zich op zoals het embryo in haar, wegsoezend en wakker schrikkend. Soms hoort ze, als ze wakker wordt, de houten zolen van de bakkersklanten boven haar hoofd tikken, de nietszeggende flarden van hun gesprekken. Op andere momenten is de duisternis zo volledig als ze haar ogen opendoet, dat die met het gewicht van een matras op haar lijkt te drukken. Pas dan kan Anna zichzelf ertoe brengen het eten weg te kauwen dat Mathilde op een afgedekt dienblad aan de voet van de verraderlijke houten trap voor haar heeft neergezet.

Sinds Anna's komst heeft de bakker, met het oog op Anna's precaire toestand en het ontbreken van voorzieningen in de kelder, Anna gesmeekt om in haar eigen kamer boven de winkel in te trekken. Maar Anna moet er niet aan denken om onder een vlecht van Mathildes lang geleden gestorven moeder te liggen, omringd door droogbloemen en vrolijke foto's van Mathildes overleden echtgenoot Fritzi. De claustrofobie van de kelder bevalt Anna veel beter, dichter kan ze de omstandigheden waar Max zich in moet bevinden niet benaderen. Ze omvat haar gezwollen borsten en geniet met de geestdrift van een boeteling van het touwachtige geschraap van rattenstaarten over de vloer. Ze is dankbaar dat ze mag hoesten in het fijne zwarte stof dat de levering van kolen in de nabijgelegen vulklep elke ochtend oplevert. De ranzige geur van het angstzweet van de anderen die Mathilde hier verborgen heeft gehouden, biedt Anna troost. Met haar ogen dicht zou ze net zo goed in het trappenhuis van de dienstmeid in het *elternhaus* kunnen zijn.

Op een avond schiet Anna, als ze wakker wordt uit haar hazenslaapje, echter opeens recht overeind, alsof ze reageert op een inwendig bevel: genoeg. De beweging was te abrupt: er schieten witte lichtflitsen voor haar ogen. Anna wacht tot die verdwijnen, kruipt dan van het veldbed en loopt de trap op naar de keuken. Zelfs deze simpele handeling vergt enorme wilskracht: haar ledematen zijn gevuld met nat cement in plaats van met bloed. Anna herkent dit gevoel uit de tijd na haar moeders overlijden. Verdriet is zwaar. Misschien dat nieuwe smart de symptomen van oude smart oproept.

Ze wankelt in de deuropening van de keuken en houdt een hand boven haar ogen tegen het licht. 'Mathilde,' zegt ze met schorre stem. 'Welke dag is het vandaag?'

De bakker hoort haar niet. Ze is met een botermes deeg uit de scheuren van de gigantische houten werktafel aan het peuteren. Alleen van het kijken ernaar wordt Anna al moe. 'Mathilde,' zegt ze nog een keer.

De bakker schrikt op, ze hijgt hoorbaar. 'Kijk eens aan,' zegt ze. 'De Schone Slaapster is wakker.'

'Is het morgen zondag? Ik heb geen kerkklokken gehoord. Ben ik hier al langer dan een week?'

'Het is augustus,' zegt Mathilde. Ze gaat verder met haar klus. Haar bromstem, gevangen in lagen vet als een vlieg in een fles, wordt onderbroken door kleine pufjes van inspanning als ze vraagt: 'En hoe maakt onze prinses het vanavond?'

'*Wunderbar*,' zegt Anna. Ze loopt in de richting van de gootsteen, die eveneens enorm is en twee spoelbakken heeft, net als het wasbassin in het *elternhaus*. Ze pompt er water in en schept er met haar handen wat uit om op te drinken. Het smaakt naar het ijzer in de leidingen. Haar haar hangt in vettige strengen over haar schouders en opeens beseft ze hoe ze moet ruiken. Ze snuift aan de binnenkant van haar elleboog: een beetje zuur, zoutig en vettig, zoals karnemelk. Sinds ze zwanger is, is

Anna's lichaamsgeur haar vreemd. 'Ik hoop dat ik je niet al te veel last heb bezorgd,' zegt ze.

Mathilde snuift. 'Nauwelijks. Ik had nauwelijks in de gaten dat je daar beneden zat.'

Anna neemt de bakker, die druk in de weer is, in zich op: het lijf dat gevangen wordt gehouden door een schort, het kleine poppenhoofdje, het dunne donkere haar dat zo strak gekamd is, dat het geschilderd lijkt, de schedel die er tussendoor glanst, de wantrouwende zwarte ogen ingebed in vlees. 'Ik ben geen prinses,' zegt Anna tegen haar. 'Ik ben klaar om de kost te gaan verdienen.'

Mathilde kijkt Anna ongelovig aan. '*Scheisse*,' mompelt ze, terwijl ze rakelings langs Anna loopt om een doekje nat te maken. Ze loopt terug naar de werktafel en zegt, terwijl ze begint te schrobben: 'Je papieren zijn nog steeds goed, hoor. Je kunt nog steeds naar Zwitserland gaan, daar je kind krijgen.'

'Nee,' zegt Anna. 'Ik ga niet weg uit Weimar.'

'O, hoezo geen prinses? Jij bent zo gewend om je zin te krijgen. Heb je wel stilgestaan bij hoe het hier voor je zal zijn? Alleen je vader kan je leven al verpesten.'

'Ik ben niet van plan om ooit nog contact met hem op te nemen,' zegt Anna. 'Hij weet niet waar ik ben en als hij daar achter komt, kan me dat niets schelen. Hij heeft Max zelf aangegeven bij de Gestapo.'

'Natuurlijk heeft hij dat gedaan. Wie anders? Het verbaast me dat hij jou niet ook heeft aangegeven. Geen enkele vader vindt het leuk als zijn dochter loopt te rotzooien met iemand, laat staan met een jood. Maar ik neem aan dat hij jou gespaard heeft vanwege de baby.'

'Ik heb hem niet verteld over de baby,' zegt Anna.

Dat levert Anna een tweede ongelovige blik op.

'Het verstoppen van een jood zou hij nog door de vingers kunnen zien als hij me thuis kon houden tot hij een geschikte huwelijkspartner vond,' legt Anna uit. 'Maar mijn zwangerschap zal al snel zichtbaar zijn en daar kan hij zijn ogen niet voor sluiten. Niet alleen zou ik dan geen stuiver meer waard zijn, hij zou ook de risee onder zijn vrienden worden. Misschien beschuldigen ze hem zelfs van het vergoelijken van *rassenschande* onder zijn eigen dak. Dan zou hij me aan moeten geven.'

Mathilde haalt het doekje met een veeg over de tafel. 'Heb je niet een aardige tante in een andere stad,' vraagt ze, 'een andere plek waar je naartoe kunt, weg van deze ellende?'

'Nee. En ik zou daar ook niet naartoe gaan als dat wel zo was. Ik moet hier blijven, om nieuws over Max te kunnen horen. Heb jij iets gehoord? Hebben ze hem... naar het kamp gebracht?'

De bakker knikt, terwijl ze met een vingernagel over een hardnekkig stukje deeg krast. 'Hij houdt het daar vast niet lang uit,' zegt ze, 'hij is zo mager.'

Tranen springen in Anna's ogen bij deze botte uitspraak. Ze heeft zo'n zin om Mathilde een klap in haar gezicht te geven, dat ze de rode afdruk kan zien die haar hand op het gezicht van de oudere vrouw zou achterlaten. Van nature is Anna niet zo snel boos en de woede die haar nu al dagenlang verlamt, beangstigt haar. Er zit een zekere ironie in: nu ze eindelijk ontsnapt is aan Gerhards razernij, wordt ze geknecht door zijn emotionele erfenis. Zo vader, zo dochter. Maar het gevoel is nu nuttig, want het geeft haar genoeg ruggengraat om met Mathilde om te gaan. Als er ook maar één verlate les valt te trekken uit Gerhards opvoeding, dan is dat wel dat je alleen het respect van een dwingeland kunt krijgen door je op een vergelijkbare manier te gedragen.

Ze loopt naar de tafel. 'Dan ga ik het werk doen wat Max deed,' deelt ze Mathilde mee. 'Ik neem zijn plaats in.'

Mathilde neemt niet de moeite om op te kijken. 'Een prinses als jij?' snibt ze. 'Alsjeblieft! Je hebt geen idee waar je het over hebt.'

'Vertel het me dan.'

Mathilde gooit het doekje in de gootsteen en waggelt naar de winkel. Anna hoort het *ting!* van de kassa die geopend wordt en vervolgens het geluid dat de bakker maakt als ze de geldla eruit haalt. Ze slaat haar armen over elkaar en wacht.

Als Mathilde terug is, schuift ze een kruk naar de tafel en laat zich daar op zakken. Ze maakt stapeltjes *reichmarks*, kleingeld en voedselbonnen. Ze telt binnensmonds en schrijft, met haar tong in haar wang, cijfers in een grootboek. 'Ben je er nog steeds?' vraagt ze, geveinsd verbaasd opkijkend. 'Nog niet terug naar bed? Ik zou het maar doen. Een vrouw in jouw toestand heeft rust nodig.'

Opeens buigt Anna zich voorover en slaat met haar hand het grootboek dicht, de dikke vingertjes van de bakker zitten er bijna tussen.

'Nou moet jij eens goed naar me luisteren,' zegt Anna. 'Vergeet niet dat ik Max in mijn eigen huis verborgen heb, recht onder mijn vaders neus. Ik heb informatie voor jou heen en weer gesmokkeld. Ik heb net zo veel lef als jij of wie dan ook.'

Mathilde kijkt Anna even onderzoekend aan. 'Ga zitten,' beveelt ze.

Anna gehoorzaamt.

De bakker staat op en loopt naar de koekoeksklok aan de muur. Ze opent een van de piepkleine versierde deurtjes, haalt er iets uit en legt dat op de werktafel. 'Weet je wat dit is?' vraagt ze. 'Daar had je er beter een paar van kunnen gebruiken.'

Anna pakt behoedzaam het condoom op.

'Ja, vooruit,' zegt Mathilde, 'maak hem maar open.'

Verstopt in het condoom vindt Anna een strookje papier dat niet langer is dan een vinger. Het is beschreven met letters ter grootte van mieren. Ze houdt het voor haar ogen en knijpt die samen om de minuscule code te ontcijferen. Een zin trekt in het bijzonder haar aandacht: DE HARTELIJKE GROETEN VAN DE GOEDE DOKTOR. 'Max,' mompelt Anna. Ze kijkt naar Mathilde. 'Heb je deze van hem?'

De bakker knikt en gaat weer zitten. 'Niet rechtstreeks,' zegt ze. 'Maar we hebben onze manier van communiceren.'

'Hoe?'

'Als jouw minnaar je dat niet wilde vertellen, waarom zou ik dat dan doen?'

Anna zegt niets, maar de blik die ze de bakker toewerpt, zorgt ervoor dat de oudere vrouw opeens haar ogen neerslaat en haar handen begint te inspecteren. 'Oké, ik zal je vertellen hoe het werkt, want het is wel duidelijk dat je me geen moment meer met rust zal laten als ik dat niet doe,' moppert Mathilde. 'Nou... We hebben een afspraak, de SS en ik. Zij leveren mij grondstoffen, ik bezorg hun van alles op bestelling. Ik doe dat al sinds 1937, toen die plek des onheils nog een moddervlakte was. Koch, de *kommandant*, is zelf naar me toe gekomen. Hij zei dat hij gehoord had hoe goed mijn gebak was.'

Mathilde kijkt zelfvoldaan, maar krijgt een kleur als ze Anna's opgetrokken wenkbrauwen ziet. 'Nou, het is toevallig wel het beste gebak dat er is,' zegt ze defensief. 'En voor mij tien anderen. En waarom zou een andere bakker die opdracht krijgen? Trouwens, ik zag ook de voordelen van de regeling, manieren om er gebruik van te maken voor het verzet. Ja zeker, toen bestond het netwerk al. Je zou het niet zeggen, maar er zijn in deze stad genoeg mensen die het verschrikkelijk vinden wat de nazi's doen. En ik zou bij het afleveren van mijn spullen dingen kunnen zien die voor hen van onschatbare waarde zijn. Dus ik accepteerde Kochs contract. En ik kan je vertellen: ik heb dingen gezien...'

Ze buigt zich naar Anna toe en dempt haar stem tot een schril gefluister. 'Elke week heeft de SS kameraadschapavonden in de Bismarcktoren,' zegt ze. 'Je weet wel, op die heuvel daar? Daar gebeuren dingen, dat geloof je niet. Prostituees, mannelijke en vrouwelijke, kleine jongetjes. Orgieën. Die mooie officieren naaien alles wat beweegt, dat is een ding dat zeker is. Na afloop wassen ze elkaar met champagne. Dat is pas kameraadschap, vind je niet?'

Anna tovert een wereldse uitdrukking op haar gezicht.

Mathilde schenkt Anna een sarcastisch lachje. 'Zo'n schattig jong meisje als jij begrijpt dat niet, maar als je ouder wordt zien mannen je niet echt staan. Voor de SS ben ik gewoon een dikke oude weduwe. Zo noemen ze me ook – *die dicke*. Maar het voordeel is dat ik onzichtbaar ben. Als ik gebak naar de toren breng of als ik brood aflever bij de mooie huizen van de officieren in de Eickestrasse of in hun kantine, zou ik, afgaande op de hoeveelheid aandacht die ze me schenken, net zo goed een stoel kunnen zijn. Alsof dik zijn je ook doof en blind maakt. Dus ik zie alles, hoor alles. En na mijn gewone bestelronde maak ik altijd een speciale naar de gevangenen. Ik laat brood voor ze achter. De arme stakkers, ze...'

'Waar?' onderbreekt Anna.

'Wat?'

'Waar laat je dat brood achter?'

'In het bos, bij de steengroeve waar de SS ze laat werken. Er staat daar een holle boom waar ik mijn broodjes en informatie van het verzet in kan stoppen. En zij geven mij op die manier informatie over het kamp.' Ze wijst op het condoom. 'Het is niet veel, wat ik doe,' zegt ze, 'maar het geeft hun een beetje hoop.'

Anna stopt het stukje papier weer in het rubber. De buitenkant ervan is vet en smerig, en Anna kan zich levendig voorstellen waar een gevangene dat zou moeten verstoppen. 'Ik wil ernaartoe,' zegt ze tegen Mathilde. 'De volgende keer dat je gaat, ga ik.'

Mathilde pakt het condoom uit Anna's hand en verstopt het weer in de klok. Dan haalt ze een geborduurd buideltje uit haar schort. Ze haalt er een vloeitje en een plukje tabak uit en rolt – tergend langzaam – een sigaret.

'Heb je me gehoord?' schreeuwt Anna. 'Ik wil helpen, ik wil het brood brengen, ik ga met je mee!'

Mathilde schraapt een lucifer over de zijkant van de oven en steekt haar sigaret aan. Ze ademt uit en bekijkt Anna door een zwevende blauwe waas. Anna's ogen spuwen vuur. 'Je hebt meer lef dan je op het eerste gezicht zou denken,' zegt de bakker, 'maar nee. Heb je enig idee hoeveel tijd het ons gekost heeft om dit systeem op te zetten? Eén misstap en we zitten allemaal in het kamp. Jij handelt vanuit je hart, niet vanuit je verstand. Te riskant.'

'Ik zeg dit bij mijn volle verstand. Ik ben in mijn hele leven nog nooit zo zeker van iets geweest.'

'En de baby,' gaat Mathilde verder, terwijl ze as in een blikje tikt waarin ooit, zo ziet Anna, corned beef heeft gezeten. 'Denk eens aan de baby.'

Anna wuift zowel deze opmerking als de rook weg. 'Je zou niet moeten roken,' zegt ze fel.

'O, heb ik opeens de rijksminister van propaganda Goebbels in mijn keuken? Een fatsoenlijke Duitse vrouw rookt niet, toch, prinses?'

Anna wil zeggen: nee, omdat ik er misselijk van word. In plaats daarvan vraagt ze om de sigaret. 'Geef me die,' zegt ze.

Schouderophalend overhandigt Mathilde haar de sigaret. Anna inhaleert. Terwijl ze uit alle macht probeert niet te stikken, zoekt ze naar een opmerking die Mathilde ervan kan overtuigen dat ze dapper genoeg is om betrokken te worden bij deze onderneming. Ze denkt aan *unterscharführer* Wagner, die uit dezelfde sociale klasse komt als de bakker, wiens onbehouwen taal Mathilde spreekt en waardeert. Wat zou hij zeggen om haar over te halen?

'Als ik kon,' zegt Anna met tranende ogen tegen Mathilde, 'zou ik deze rook recht in de aars van de Führer blazen.'

Mathilde schudt van het onderdrukte lachen. 'Oké,' zegt ze met een vochtig, raspend gekuch. 'Zo hard hoef je nu ook weer niet je best te doen om me te overtuigen. Maar voorlopig geen speciale bestellingen. Jij blijft hier, werkt voor me, we zullen kijken hoe het gaat. Dan...'

'Wanneer?' vraagt Anna. 'Wanneer mag ik met je mee?'

'Na de baby misschien,' zegt Mathilde. Ze draait zich om een spuugt in de gootsteen.

'Maar dat duurt nog maanden! Tot Kerstmis bijna...'

'Dat is vroeg genoeg,' zegt Mathilde, en ze blijft onvermurwbaar.

13

'Gember.'

'Ja, gember, Anna. Verse, als je die kunt krijgen, maar ik heb gemerkt dat gekonfijte gember ook effectief kan zijn.'

'Waarom geef je dat arme kind zo'n waardeloos advies? Gember is tegen ochtendmisselijkheid en fräulein Brandt is duidelijk al veel verder.'

'Maar het verlicht ook maagzuur, Hilde...'

'Trouwens, waar moet zij vandaag de dag gember vandaan halen? Het is al lastig genoeg om met de rantsoenen die ze ons toebedelen de eerste levensbehoeften te krijgen!'

'Ssst, Hilde, let een beetje op. Je bent altijd zo uitgesproken, veel meer dan goed voor je is...'

'Knoflook dan. Of uien. Die kun je nog wel krijgen en die zuiveren je bloed, verhogen je uithoudingsvermogen...'

'Wat je nodig zult hebben voor de bevalling, Fräulein Brandt, vooral bij het eerste kind... oei, oei!'

('Ssst! Je hoeft haar niet banger te maken dan ze waarschijnlijk al is, dat arme schaap.) Ja, uien, Anna...'

'Uien, ja...'

'Uien. En thee van frambozenstruikblaadjes, voor meer en zoetere moedermelk.'

'Ja, thee van frambozenstruikblaadjes.'

Anna, die aankopen in staat te pakken en aanslaat op de kassa, lacht beleefd. Deze flarden van advies klinken voor haar hetzelfde als de eindeloze propaganda uit de radio van de bakker, die Mathilde de Goebbelssnuit noemt. De bezorgdheid van de vrouwen lijkt al net zo surrogaat als de koffie van beukennootjes die ze nu allemaal moeten drinken en die volgens Anna naar potloodslijpsel smaakt.

Ze overhandigt een roggebrood aan Monika Allendorf, die dat aanneemt zonder haar vingertoppen die van Anna te laten raken. Als meisje waren Anna en Monika goede vriendinnen, liepen ze met hun armen om elkaars middel over het schoolplein. Ze waren meedogenloos, herinnert Anna zich, in hun achtervolging van een jongen met de naam Geoff, op wie ze allebei verliefd waren. Ze fietsten rondjes om de arme jongen terwijl ze jouwden: 'Kippenpoot, *joe-hoe*, kippenpoot!' Nu heeft Monika zelf een scharminkel van een zoon. Ze werpt Anna een overdreven glimlach toe.

'Kan ik iemand nog van dienst zijn?' vraagt Anna, terwijl ze haar handen op het smalle deel van haar rug zet. 'Want als dat niet zo is, denk ik dat we vandaag wat vroeger gaan sluiten.'

'Nee, nee, we hebben alles. Dank je.'

'Ga jij maar lekker uitrusten. Dat is het allerbelangrijkst.'

'Ja, rust maar uit, Anna. Het zal wel niet lang meer duren?'

'Nog een maand,' zegt Anna.

'Zo lang nog! Ik zou zeggen dat het morgen kwam. Niet dat je er niet blakend bij staat hoor...'

'Ja, je straalt gewoon. Het zal je geen moeite kosten, geen enkele moeite, zo'n jonge gezonde meid als jij.'

Als de vrouwen vertrekken, loopt Anna achter hen aan om de deur op slot te doen. Ze is inderdaad bekaf; de fantasieën waarin Max ooit de hoofdrol speelde, draaien nu volledig om slapen, eindeloos slapen in een zacht bed. Maar 's nachts mijdt de rust haar. Dan trekt ze haar nachtpon op om met angstige fascinatie te staren naar haar buik, die een op zichzelf staand iets lijkt en rond en hard als de maan is. Overdag, aangekleed en gehuld in een schort, is ze net zo groot als Mathilde.

Anna verschuift de grendel en schuift de kanten gordijnen voor het raam van de bakkerswinkel, het verduisteringsdoek zal ze straks laten zakken. Ze is uit het zicht en blijft nog even dralen in de koelte bij het venster. Zoals ze al verwachtte, zijn de vrouwen op straat op een kluitje bij elkaar gaan staan. Hun vage stemmen bereiken haar door het glas heen.

'Ik heb Mathilde Staudt altijd een aardige vrouw gevonden, maar om die arme meid zo hard te laten werken in haar achtste maand...'

'Kom op nou, geen slecht woord over Mathilde. Zij heeft haar toch maar mooi in huis gehaald. Zou jij dat doen, Bettina?'

'Ja, dat kan wel zo wezen, maar ik heb een zwangere vrouw er nog nooit zo pips zien uitzien. Iedereen ziet dat ze elk moment kan instorten. Dat zou niet zo zijn als ze genoeg rust kreeg. De manier waarop Mathilde haar laat werken is schandalig.'

'Een schande, ha! Dat is een toepasselijk woord, hè, gezien de manier waarop de baby verwekt is!

'Monika, toch! Ik verbaas me over jou. Ik dacht dat je haar vriendin was.'

'Nou, jawel, maar... Dat is lang geleden, ik was nog maar een klein meisje. Hoe kon ik nou weten wat voor soort iemand zij is?'

'Maar het is niet Anna's schuld, dat weet je. Zij kon er niets aan doen.'

'Ga me nou niet vertellen dat je dat verhaaltje gelooft dat frau Staudt heeft opgehangen.'

'Nou, ik... Niet echt.'

'Ik ook niet.'

'Ik al helemaal niet.'

'Hoe je het ook bekijkt, haar vader is er kapot van, dat kan ik je wel vertellen. Wist je dat hij uit de stad is weggegaan?'

'Nee!'

'Nee.'

'Ja, ik heb zoiets gehoord...'

'Het is waar. De laatste keer dat Grete Hortschaft ernaartoe ging om schoon te maken, was het huis volledig in duisternis gehuld en afgesloten. En heb jij hem de laatste tijd nog naar kantoor zien gaan?'

'Nou, nee, nu je het zegt.'

'Ik heb gehoord dat hij naar Berlijn is gegaan om als juridisch adviseur van het *reich* te werken. Om zich van verdriet op zijn werk te storten, wed ik.'

'Poeh! Zo sentimenteel is die herr Brandt helemaal niet. Hij is gevlucht voor het schandaal, meer niet.'

'Nou, hoe je het ook bekijkt, het heeft hem hier in Weimar kapotgemaakt.'

'Arme man.'

'Arme kerel...'

Het groepje loopt treuzelend en met de hoofden bij elkaar de straat uit. Anna draait zich van het raam af, haar mond is verwrongen tot een wrange lach. Ze heeft al die tijd geweten dat er een reden moest zijn waarom Gerhard haar niet is komen zoeken. Hoe kon hij nou afstand doen van zijn dienstmeid, zijn lakei, zijn wasvrouw, zijn persoonlijke chef? Dus hij is weggegaan, hè? Of hij nu naar Berlijn of naar een andere stad is gevlucht, Anna weet dat Bettina Borschert het dichtst bij de waarheid zat: Gerhard is nauwelijks aangedaan. Of zijn hielenlikken heeft hem eindelijk verzekerd van een betere positie óf hij is gevlucht voor een arrestatie op verdenking van het uitlokken van rassenvervuiling. Hoe dan ook, hij probeert zijn eigen hachje te redden.

Maar één ding wil Anna nog graag weten. Ze draagt de bakplaten uit de vitrine naar de keuken, waar Mathilde onverkochte waren in bruin papier zit te wikkelen en er een gereduceerde prijs op schrijft voor de volgende dag. Anna zet de ijzeren platen met een luide knal in de gootsteen, maar de bakker kijkt niet op.

Anna schrobt de platen en schuift ze in hun rekken, daarna spoelt ze haar mond met water. De laatste tijd wordt ze geplaagd door een vieze smaak in haar mond, alsof ranzige boter haar tong bedekt, hoewel ze meer dan een jaar geen echte boter, al dan niet bedorven, heeft geproefd. Ze schraapt haar keel, maar de ranzige smaak blijft. Er is niets aan te doen. 'Mathilde,' zegt ze, terwijl ze haar vermoeide rug schrap zet tegen de gootsteen. 'Wat heb jij mensen verteld over deze baby?'

De bakker krabbelt intensiever dan ooit tevoren. 'Hoe bedoel je?' vraagt ze, terwijl ze Anna met zulke grote ogen aankijkt, dat die het wit om de hele pupil ziet.

Anna snuift, ze kan er niets aan doen. 'Het is maar te hopen dat de SS je nooit betrapt en ondervraagt,' zegt ze. 'Je bent een slechte leugenaar. Je weet wat ik bedoel. Wie denken ze dat de vader is?'

'Je moet niet luisteren naar dat stomme geroddel,' zegt Mathilde stijfjes. 'Dat is slecht voor het zog.' Ze legt de afgeprijsde artikelen in de koelkast en kijkt Anna dan over haar schouder aan. 'Goed, wil je het verhaal horen?'

'Afgaande op die doortrapte uitdrukking op je gezicht, weet ik niet zo zeker...'

Mathilde dendert naar Anna toe en grijpt haar bij de arm. 'Arme Anna,' zegt ze met een hese toneelstem. 'Verkracht door een zwerver, een asociaal, tijdens haar ochtendwandeling! In de bosjes achter de kerk gesleept! Maar god zij gedankt voor de SS. Die hebben de klootzak vliegensvlug in de kladden gegrepen en hem in het kamp gestopt, waar ze... *zzzzsjt!*' Mathilde haalt een vinger over haar keel. 'En dat was zijn verdiende loon,' besluit ze, terwijl ze haar handen ineenslaat.

De baby schopt in de richting van Anna's navel, als een soort protest tegen dit absurde verhaal. Anna is het stilzwijgend met hem eens. Ze weet niet of ze moet lachen of huilen. 'Had je niet iets betamelijkers kunnen verzinnen?' vraagt ze. 'Een soldaat, bijvoorbeeld, die gesneuveld is in de strijd?'

Mathilde wendt zich af, haar wangen trillen duidelijk beledigd. 'Het is prima,' snauwt ze. 'Het leidt ze af van de waarheid, toch? Goed, aan het werk. We hebben een grote hoeveelheid deeg nodig, genoeg voor vijftig broden. Ik ga morgen naar het kamp. Als jij dat voor je rekening neemt, begin ik met het gebak.'

'Waarom moet ik altijd brood maken, terwijl jij taarten versiert?'

Mathilde kijkt kwaad. 'Omdat jij nog niet genoeg ervaring hebt,' kaatst ze terug.

Anna, die inziet dat verzet geen zin heeft, verzamelt de ingrediënten voor de broden: meel, gist en water in grote hoeveelheden. Ze knalt een enorme mengkom op de werktafel. Onervaren! Alsof zij niet in staat zou zijn reepjes deeg kruislings op een *linzertorte* te leggen, dat kan toch elk kind! Maar in een bepaald opzicht heeft Mathilde gelijk: al die jaren waarin ze Gerhard verzorgd heeft, hebben haar op geen enkele manier kunnen voorbereiden op dit soort arbeid. Ze staat op nog voor het licht wordt en voedt de gigantische oven met briketten. Die sleept ze, gehinderd door haar eigen uitdijende lichaam, emmer voor emmer de trap op. De hele dag door stookt ze het vuur op, vult de toonbank, helpt de klanten, wast de bakplaten en pannen en dweilt de vloer. Ze heeft genoeg deeg gekneed en genoeg broden uit de oven gehaald om de gehele Wehrmacht te voeden. Haar vingertoppen zitten vol kloven van het droge meel. Het geestdodende werk is eindeloos, eindeloos.

'Te veel meel,' zegt Mathilde achter haar.

Anna doopt haar handen in de schaal met water en schudt druppeltjes op het deeg.

'*Scheisse*! Niet zo veel!'

'Ik weet heus wel hoe ik brood moet maken,' mompelt Anna.

'Wat zei je?'

Anna bijt op de binnenkant van haar wang om geen antwoord te hoeven geven. Vanwege haar buik moet ze een meter van de tafel af staan, de spieren in haar uitgestrekte armen kloppen als ze het deeg stompt en slaat. Ze weet dat die vanavond zullen trillen alsof ze onder stroom staan. De baby trappelt met zijn hielen tegen haar ribben.

'Hoe lang was je van plan door te gaan met kneden? In godsnaam, stomkop, zo wordt het zo taai als leer.'

Zonder ook maar een seconde na te denken, draait Anna zich razendsnel om en smijt het deeg naar Mathilde. De zware massa knalt recht op de borst van de bakker en ontlokt haar een verbijsterd *oeff!* Het deeg ploft op de grond en Anna denkt terneergeslagen dat Mathilde weer gelijk had: aan het geluid te horen zou het eindresultaat veel te compact zijn geworden.

Ze laat zich op de kruk zakken en wacht op de onvermijdelijke tirade. Het deeg is nu natuurlijk onbruikbaar en nu ze zelfs de kleinste restjes bij elkaar moeten schrapen om bladerdeeg voor taarten te maken, is het verspillen van welk ingrediënt dan ook onvergeeflijk. Maar de bakker blijft al net zo roerloos als het kind, dat ophoudt te bewegen en als een steen in Anna's buik ligt.

De vrouwen in Weimar zijn het er, op grond van de vorm van Anna's buik, over eens dat het een jongen wordt. Maar Anna weet dat al zonder al die bakerpraatjes, zonder trouwringen die aan touwtjes voor haar buik worden gehouden. Ze heeft zich Max' zoon al zo vaak voorgesteld. 's Nachts, in de kelder, ziet Anna de baby voor zich, voegt gelaatstrekken toe en haalt andere weg, bespreekt die met de afwezige vader. 'Wat een treurig exemplaar hebben wij gefabriceerd, Max,' zegt ze tegen hem. 'Met onze blauwe ogen en bleke huid zal het arme schaap er ziekelijk uitzien, vooral in de winter. En waarschijnlijk krijgt hij jouw ielige enkels. Dan zal ik hem een stoere naam moeten geven, iets stevigs ter compensatie: Wolfgang, Hans, Günter – ja, Günter.' Wensend dat ze zich op haar rug kon draaien, of op haar buik, om de slaap te vatten, denkt Anna dat Max het mis had. Eenzaamheid is niet ondermijnend. Het is uithollend.

Moeizaam bukkend raapt Anna nu het deeg van de grond en legt het op de werktafel. Ze begint er tegenaan te duwen, het met haar vuisten te bewerken. Dan pakt Mathilde haar armen vast en drukt die tegen haar lichaam. 'Sssj,' zegt de bakker. 'Sssj. Hou op. Zo is het wel genoeg. Stil maar.'

Ze omsluit Anna in een melige omhelzing. In eerste instantie duwt Anna haar wars van medelijden van zich af, maar na een tijdje laat ze haar hoofd tegen Mathildes boezem hangen, die zo groot is dat ze eerder een dan twee borsten lijkt te hebben, als een rolkussen. De bakker ruikt naar gist, sigaretten, transpiratie en, heel vaag, naar ongewassen voeten.

Als Mathilde haar loslaat, brengt Anna haar mouw naar haar gezicht. Ik ben bang, probeert ze te zeggen, zó bang dat ik niet kan slapen, zó boos dat ik iemand zou kunnen vermoorden... Maar het enige wat ze over haar lippen krijgt is: 'Ik ben... Ik ben...'

Mathilde staart naar de vloer, alsof ze zich schaamt voor haar spontane uiting van genegenheid en, misschien, voor haar onervarenheid op het gebied van troost. Dan legt ze een aarzelende hand op Anna's haar. 'Ik weet het,' zegt ze.

14

Tijdens een novembernacht heeft Anna een levendige droom. In tegenstelling tot Mathilde, die elke droom tot in de kleinste details kan navertellen, heeft Anna niets met dromen. Ze kan er zich uit al haar twintig jaar niet eentje herinneren. Ze weet niet of ze in dit opzicht apart is, ze heeft er gewoon nog nooit bij stilgestaan. Daarom kerven deze onverwachte beelden zich met een opmerkelijke helderheid in haar geest, zodat het, als ze er later aan denkt, net is alsof ze iets herbeleeft dat echt is gebeurd.

In de droom staat ze in het voorportaal van de katholieke kerk waar ze als kind naartoe ging, te wachten tot ze gaat trouwen. De vrouwen van Weimar strijken met hun wangen langs die van haar en geven mompelend hun complimenten en hun zegen, voordat ze door de boogvormige deuropening naar hun plek lopen. Maar geen van hen kijkt Anna recht aan. Anna weet dat deze schuwheid te maken heeft met het feit dat haar jurk roze is, net zo'n opzichtige kleur als het glazuur op de petitfours die voor de ss-kameraadschapavonden op het kamp worden afgeleverd. Ze is tevens hoogzwanger: een gigantische rijpe aardbei in satijn en tule.

Schuifelend achter de deur gluurt Anna de kerk in. Ze staat hier al een tijdje, haar entree is wegens ondoorgrondelijke redenen uitgesteld, en in de gewelfde ruimte weerkaatsen de speculaties over waar ze blijft. Alle banken zijn bezet. Mensen die Anna al sinds haar jeugd kent, zitten verspreid tussen ss-officieren en de Buchenwaldgevangenen in hun gestreepte vodden. Hun geschoren hoofden glanzen mat in het licht van de kaarsen. Halsreikend en half verborgen tuurt Anna langs al die mensen heen tot ze Max ontwaart.

Hij staat in een donker pak rustig te wachten bij het altaar. Ze ziet zijn profiel; hij heeft zijn handen als een ober of een diplomaat achter zijn rug in elkaar geslagen. Zijn haar is te lang en krult over zijn hoge kraag. De agitatie onder de gemeente neemt toe, maar het komt in niemand op om achterom te kijken. Behalve bij Max, die dat plotseling doet, alsof Anna hem geroepen heeft. Hij fronst zijn wenkbrauwen boven de rand van zijn bril en glimlacht haar half toe. Anna maakt geen aanstalten om naar hem toe te gaan, noch hij naar haar: puur het kijken naar elkaar schenkt voldoening en over de rijen rusteloze mensen voelt ze zijn serene, onuitgesproken geruststelling dat alles goed zal komen.

In de echte wereld wordt hun kind, een meisje, de volgende dag geboren, op de elfde november 1940, na een bevalling van vijftien uur. Anna, die geen meisjesnaam voorhanden heeft, neemt de eerste die haar te binnen schiet. Eentje die, net als de namen die ze voor een zoon had gekozen, eerder nuttig is dan goed in het gehoor ligt, meer uitgekozen vanwege de kracht dan de bevalligheid. Ze geeft de krijsende boreling de naam Gertrud Charlotte Brandt, maar al binnen een paar dagen neemt Anna het koosnaampje van Mathilde over en noemt haar Trudie. Ondanks Mathildes vrees voor de onsterfelijke ziel van de baby, weigert Anna haar naar de kerk te brengen om gedoopt te worden. Ze heeft het gehad met kerken. De twee vrouwen voeren het ritueel zelf uit: tijdens een geïmproviseerde plechtigheid boven de gootsteen in de keuken van de bakkerij.

15

Soms mijmert Anna wel eens dat haar nieuwe leven, vooral met de komst van haar dochter, best plezierig zou kunnen zijn, ware het niet dat Mathilde er zo'n bekrompen tirannie op na houdt. Van vroeg tot laat vaardigt de bakker met haar meisjeachtige stem een aaneengesloten reeks bevelen en vermaningen uit. Alles moet meteen gebeuren en precies zoals zij het wil, anders zijn haar roodgloeiende woede-uitbarstingen afschuwelijk om aan te zien. Tijdens een bijzonder hevige ruzie over een partij misvormde broodjes wijst Anna, die tolt van vermoeidheid door Trudies nachtelijke voedingen, erop dat het *reich* een groot verlies heeft geleden toen Mathilde lid werd van het verzet, aangezien ze onder andere omstandigheden een uitstekende *feldmarschall* zou zijn geweest. Anna verwacht dat de bakker hierop zoals gebruikelijk zal reageren door te dreigen haar op straat te zetten, maar Mathilde vat het op als een compliment en lacht.

Anna's fantasieën, die van ontsnappen aan haar vaders heerschappij, via weglopen met Max en het uiterlijk van hun kind uiteindelijk waren gevorderd tot uren ononderbroken slapen, gaan nu over een denkbeeldig bestaan zonder Mathilde. En eind april 1941 krijgt ze tijdelijk de gelegenheid om die fantasie te verwezenlijken, omdat Mathilde ziek wordt. De kwaal van de bakker, voedselvergiftiging, is niet ernstig, maar ze kronkelt kreunend in haar bed alsof ze in haar buik geschoten is. Bij elk rinkelend belletje uit de kamer van de zieke moet Anna de smalle trap op en af rennen, terwijl ze tegelijkertijd de vaste klanten in de winkel helpt en voor haar dochtertje moet zorgen. Maar ze doet het met plezier. Sterker nog, Anna is zo verheugd over het feit dat Mathilde het bed moet houden, dat ze zich er vergevingsgezind van weerhoudt om te zeggen: ik zei toch dat je die drie blikjes sardines van de zwarte markt niet moest eten.

Tegen het eind van de middag besluit Anna de winkel iets vroeger te sluiten. Zittend op Mathildes stoel schrijft ze de inkomsten van die dag in het grootboek, zich inbeeldend dat de bakkerij van haar is. Ja, haar leven is erg aangenaam als Mathilde uit de weg is en Anna zit net te overpeinzen hoe lang dit zal gaan duren als de bel weer klinkt.

'Wat is er nu weer?' roept ze zonder zich te verroeren. Er komt echter geen antwoord van boven en Anna beseft dat ze de bel van de winkeldeur heeft gehoord. Geschrokken en boos op zichzelf dat ze de deur niet op slot heeft gedaan toen ze het bordje GESLOTEN voor het raam zette, loopt Anna naar de winkel om de laatkomer weg te sturen. Aan de andere kant van de toonbank staat een SS-*rottenführer*.

De schrik slaat Anna om het hart, maar de verontschuldigende glimlach die ze voor de laatkomer tevoorschijn heeft gehaald, blijft op haar gezicht gebeiteld staan. 'Kan ik u van dienst zijn, herr *rottenführer*?' vraagt ze.

De man geeft niet meteen antwoord. Hij staat minachtend de enige versiering in de bakkerij te bestuderen: een opzichtig Beiers landschap dat lang geleden, tijdens Mathildes huwelijksreis, is aangeschaft. 'Ik kom voor frau Staudt,' zegt hij, als hij klaar is met zijn inspectie.

Anna verbergt haar trillende handen tussen de plooien van haar schort. 'Zij is op dit moment onwel, maar misschien dat ik u kan helpen?'

De *rottenführer* richt zijn aandacht op Anna, die ziet dat hij niet veel ouder is dan zij. Als hij geen Sudetisch accent had, zou hij iemand kunnen zijn bij wie ze op het gymnasium had gezeten. Zijn dikke nek en arrogante uitdrukking typeren hem als zo'n jongen die niet goed kon leren en alleen geïnteresseerd was in sport. Verder bestond zijn opleiding uit het maken van spottende opmerkingen van achter in het klaslokaal.

'Frau Staudt is deze week vergeten haar bestelling af te leveren,' zegt hij.

'Ach jee,' zegt Anna. 'Tja, ze is behoorlijk ziek, kan niet uit bed komen. Ze heeft iets gegeten dat slecht is gevallen...'

De *rottenführer* trekt een vies gezicht, blijkbaar vindt hij het walgelijk om lastig gevallen te worden met de ingewandsproblemen van een dikke oude weduwe. 'Wat de oorzaak ook is,' zegt hij, 'het schendt haar overeenkomst. Als frau Staudt het brood vrijdag nog niet bezorgd heeft, dienen we de daartoe geëigende maatregelen te nemen.'

'Ik... ik weet zeker dat dat niet nodig zal zijn.'

'Goed,' zegt de *rottenführer*. Hij kijkt naar Anna's boezem en lacht besmuikt. Het is bijna tijd voor Trudies avondeten en Anna's borsten lekken al.

Anna recht haar rug en gooit haar borst vooruit, een stompzinnig teken van vrouwelijke trots die gekrenkt is door de sneer van deze jongen. 'Ik zal het doorgeven,' zegt ze.

De *rottenführer* wriemelt met zijn tong in zijn wang alsof hij op zoek is naar een restje eten. 'Zeg dat als zij niet aan haar verplichtingen kan voldoen,' zegt hij, 'er heel wat anderen blij zouden zijn met dit werk.'

'Ik zal het zeggen.'

'*Heil* Hitler,' zegt de *rottenführer* met een gestrekte arm. Dan gaat hij weg.

Als ze zijn motorfiets de weg af hoort brommen, doet Anna de bakkerij op slot en gaat terug naar de keuken, waar ze Trudie uit haar wasmand onder de tafel tilt. Het kind krijst en zwaait met haar vuistjes. Ze slaat Anna daar zo hard mee op haar jukbeen, dat de tranen in haar ogen springen, maar Anna heeft het amper in de gaten. Dit zou wel eens de kans kunnen zijn waar ze op gewacht heeft. Peinzend staat ze de melkachtige geur van haar dochters schedel in te ademen. Dan loopt Anna, terwijl ze haar blouse losknoopt, de trap naar de slaapkamer op en vertelt Mathilde over het gesprek met de *rottenführer*.

De bakker lijkt dit nieuws nogal stoïcijns op te nemen. Ze luistert zonder Anna in de rede te vallen en als Anna uitgepraat is, zegt ze alleen maar: 'Haal de schaal even, wil je? Ik moet weer overgeven.'

Anna pakt de porseleinen schaal van het bureau, terwijl ze Trudie in de holte van haar andere elleboog wiegt. Na vijf maanden verbaast het haar nog steeds hoe zwaar het hoofdje van de baby is. Trudie, die niet uit het veld geslagen is door Mathildes kokhalzende geluiden, drinkt alsof haar leven ervan afhangt, haar lippen vormen een piepkleine rode zuigcirkel. Bij elke ruk voelt Anna haar baarmoeder samentrekken, alsof al haar moederlijke organen door een dunne, elastische draad met elkaar verbonden zijn.

'Dan hebben we dus nog twee dagen,' zegt Anna, als Mathilde zich terug laat vallen op het kussen. 'Dan ben je nog niet voldoende hersteld om de bestelling af te leveren. Dat kan ik beter doen.'

Mathilde schampert: 'Jij! Je weet niet eens hoe je het busje moet rijden.'

'Dat kan ik leren,' kaatst Anna terug.

'Wie moet dat jou dan leren? Geen zorgen, ik doe het wel, al moet ik om de vijf meter kotsen. Die verdomde sardines. Ik wist dat die spullen van die oplichter Pfeffer niet te vertrouwen waren.'

Anna veegt Trudies mond af met de zoom van haar schort en weerhoudt zich er opnieuw van te zeggen: dat zei ik toch. In plaats daarvan vraagt ze: 'En de gevangenen dan?'

'Ik zei toch dat ik de bestelling af ging leveren?'

'Ja, en als je dan bij de steengroeve moet overgeven? De ss hoort je van een kilometer afstand.'

De bakker draait haar gezicht naar het bureau, waar een portret van haar dode echtgenoot haar verlegen toelacht, omringd door een altaar van kaarsstompjes. 'Dan zullen ze moeten wachten,' mompelt ze.

'Ze kunnen niet wachten,' werpt Anna tegen. 'Hoe vaak heb jij me niet verteld dat één enkel broodje de doorslag kan geven wat betreft leven of dood? Je hebt gezegd...'

Mathilde kijkt dreigend naar het portret. 'Ik weet wat ik heb gezegd. Wat wil je dat ik eraan doe? Je ziet hoe ik eraan toe ben.'

'Niets,' zegt Anna. 'Dat heb ik je al gezegd. Ik doe het wel.'

Trudie begraaft haar vingertjes in Anna's borst, alsof ze het wel een goed idee vindt. Een rafelig nageltje schraapt over de tere huid en laat een dunne rode streep achter. 'Au,' mompelt Anna. 'Gulzig monster dat je er bent!'

'Daarom kun jij het niet doen,' zegt Mathilde. 'Als jou iets overkomt, wie moet er dan voor het kind zorgen?'

'Nou, haar tante Mathilde,' zegt Anna. Ze maakt het kind los van haar borst en laat Trudie boven de bakker bungelen. 'Kijk haar eens lachen,' zegt ze. 'Ze wil naar je toe.'

'Ze moet gewoon boeren,' snauwt Mathilde. 'Ga me niet omkopen, Anna. Dat heeft geen zin.' Maar ze werkt zich omhoog en gaat tegen het hoofdeinde van het bed zitten. Ze pakt Trudie aan en legt de baby op haar bovenbenen. Zachtjes wippend zingt de bakker:

'Backe, backe Kuchen!'
der Bäcker hat gerufen.
'Wer will guten Kuchen backen,
Der muss haben sieben Sachen:
Butter und Salz,
Zucker und Schmalz,
Milch und Mehl,
und Eier machen den Kuchen gel.'

Trudie boert.

'Dat vond je leuk, hè?' zegt de bakker. Ze zucht. '*Butter und eier...* Ik zou een moord doen voor echte boter, een paar echte eieren in plaats van poeder. Ik zou ze meteen opeten, zelfs nu ik er zo ellendig aan toe ben... Je weet niet eens waar het afleverpunt is,' voegt ze eraan toe, terwijl ze het helgele donshaar van de baby gladstrijkt.

'Vertel het me dan,' zegt Anna. 'Ik ken het bos op de Ettersberg goed genoeg. Ik heb er als kind gespeeld.'

En dat klopt, want als Anna vlak voor zonsondergang met een meelzak vol broodjes het bos in loopt, kan ze nog steeds de paden onderscheiden waarover ze als tiener heeft gelopen, toen ze verplicht lid was van de bond van Duitse meisjes. En hoewel de paden er niet naartoe leiden, kent Anna de weg naar Buchenwald. In de periode voor haar moeders overlijden dirigeerde Gerhard zijn kleine gezin vaak de Ettersberg op om te picknicken onder Goethes eik, die de nazi's volgens alle berichten in het midden van het kamp hebben laten staan. Sentimentele lui, die SS'ers.

En ook ijverig, althans de mannen die ze onder hun hoede hebben. Het gerucht gaat namelijk dat de gevangenen onder dwang een vijf kilometer lange weg van het station van Weimar naar het kamp hebben aangelegd. Als ze ongeveer een derde van haar route heeft afgelegd, loopt Anna daar inderdaad tegenaan. Maar uiteraard gaat ze niet over het wegdek verder: ze baant zich een weg door de dichtbegroeide strook ernaast en gebruikt de weg aan haar rechterzijde als leidraad. Het moet een helse klus voor de gevangenen zijn geweest, het omhakken van deze bomen. De oude stammen van tientallen meters hoge sparren staan zo dicht op elkaar, dat ze slechts lichtbundels ter grootte van een *pfennig* op de bosgrond doorlaten. Het doet Anna denken aan het decor van Grimms *Hansel und Gretel*, waar ze als kind zo bang voor was.

Gek genoeg is ze dat nu echter niet. Haar zintuigen zijn scherper dan ze sinds Max' verdwijning zijn geweest. Anna ziet de groepjes krokussen en hoort het gekoer van duiven, alsof ze die details nog steeds moet opslaan om ze naar de ruimte onder de trap te brengen. Dat is natuurlijk bespottelijk, ze gaat nou niet bepaald theedrinken met de mannen in de kantine van Buchenwald! Maar de onschuldige vreugde die Max in Anna oproept, is even krachtig als altijd, en het enige wat ze wil is een glimp van hem opvangen, al is het vanuit de verte. Misschien lukt het haar om op de een of andere manier met hem te communiceren...

Anna is zo in gedachten verzonken, dat ze de steengroeve pas ziet als die vlak voor haar opdoemt. Ze krimpt ineen tussen de bomen, haar hart bonst en ze krijgt de smaak van ijzer in haar mond. In tegenstelling tot wat ze over het eigenlijke kamp heeft gehoord, is de steengroeve niet afgezet met prikkeldraad. Maar aangezien de bewakers op regelmatige afstand van elkaar staan, moet er een soort afbakening zijn. Bij het zien van die wachtposten veranderen Anna's spieren in drilpudding. Mathilde heeft haar verzekerd dat de steengroeve op dit uur verlaten zou zijn, dat de gevangenen terug zouden zijn in het kamp voor het avondappel. De bakker is of de zomertijdregeling vergeten, of heeft de productieijver van de SS onderschat.

Als ze zich vermand heeft, sluipt Anna in een wijde boog om de steengroeve tot ze de enorme dennenboom in het oog krijgt die Mathilde beschreven heeft. Het brood moet in de holle stam; onder de platte steen aan de voet van de boom zal Anna misschien informatiedragende condooms aantreffen. Het is echter duidelijk dat ze zal moeten wachten tot de steengroeve verlaten is. Anna overweegt zich terug te trekken en vanaf een veiliger afstand toe te kijken. Dat zou het verstandigst zijn, hoewel haar gevoel zegt dat ze zich beter helemaal terug kan trekken. Maar Anna vreest dat ze, als ze dat doet, nooit meer de moed bijeen kan rapen om het opnieuw te proberen. Bovendien moet ze er niet aan denken om met een zak vol broodjes terug te keren naar de bakkerij en Mathildes hoon. Trouwens, Max is hier. Dus Anna verstopt zich achter de boom, wacht en kijkt.

De gevangenen, die gezamenlijk werken tegen een decor van een sorbetachtig geel en oranje gestreepte zonsondergang, vormen een donker organisme waaruit zich kleinere organismen losmaken om stenen naar een kant te dragen. De kapo's die hen bewaken zijn eveneens niet te onderscheiden. Maar de ss'ers die toezicht houden op de kapo's staan dichter bij Anna en ze heeft genoeg berichten van gevangenen gelezen om te zien dat de langste van de twee de beruchte *unterscharführer* Hinkelmann is. De kleinere man, non-descript als een bankbediende, is *unterscharführer* Blank. Of is het andersom? Hoe dan ook, ze ogen beiden verveeld en ook behoorlijk dronken. Een fles cognac gaat van de een naar de ander.

Maar schijnbaar hebben ze niet genoeg aan het kostbare vocht, want de langere officier, Hinkelmann of Blank, heft zijn knuppel naar een gevangene die de fout begaat om wankelend met een kei te dicht in zijn buurt te komen. 'Jij daar,' zegt hij. 'Hier komen.'

Als de gevangene in een poging onzichtbaar te blijven verder strompelt, haalt Blank of Hinkelmann wankel naar hem uit en slaat met zijn knuppel de pet van het hoofd van de man. 'Luisteren als ik tegen je praat,' zegt hij.

De verdwaasde gevangene laat de kei los. 'Jawel, herr *unterscharführer*,' zegt hij. Uit zijn oor stroomt bloed.

Met zijn knuppel vist Hinkelmann of Blank niet zonder enige moeite de pet uit de modder en slingert die door de lucht. Hij vliegt langs de bewakers. 'Pet halen,' beveelt hij.

'Maar herr *unterscharführer*, neem me niet kwalijk, dat is over de afscheiding.'

Blank of Hinkelmann geeft de man zo'n enorme knal tegen zijn hoofd, dat hij op zijn knieën neervalt.

'Ik zei pet halen. Ben je verdomme doof?'

De gevangene kijkt knipperend met zijn ogen door het bloed dat over zijn gezicht stroomt op naar de *unterscharführer*. 'Nee, en ik ben verdomme ook niet gek. Haal hem zelf.'

Hinkelmann of Blank zwenkt en gaapt zijn ss-broeder met groteske verbazing aan. 'Hoorde je dat?' vraagt hij. 'Heb je gehoord wat hij zei?' Hij schopt de man in zijn nieren, duwt hem met zijn gezicht in de modder en knuppelt hem op zijn hoofd, zijn schouders en zijn rug. Met zijn voet wipt hij de gevangene op zijn rug. Hij wacht tot de man weer bij bewustzijn is, zet dan zijn voet op diens keel en gaat er met zijn hele gewicht op staan. De gevangene zwaait wild met zijn armen en benen, en zijn handen zoeken graaiend houvast aan de laars van de officier. Als hij opgehouden is met rochelen, buigt Hinkelmann of Blank zich over hem heen en tuurt in zijn gezicht. Voldaan deelt hij een laatste schop uit.

'Weer iemand gedood bij een vluchtpoging,' zegt hij. 'Heb je dat begrepen, Rippchen?' Hij wendt zich tot een adjudant een paar meter verderop. Declamerend als een acteur die de achterste rij wil bereiken en gebarend alsof hij de woorden opschrijft, brult de *unterscharführer*: 'Neergeschoten... tijdens... vluchtpoging.'

'Begrepen, herr *unterscharführer*,' stelt de adjudant hem gerust. Achter hen werken de gevangenen door, met iets meer energie dan daarnet.

'Jezus christus,' zegt Blank of Hinkelmann, fronsend naar de vlekken die de greep van de dode man op zijn laars heeft achtergelaten. 'Geef me die fles.'

Zijn partner overhandigt hem de cognac.

Geen van beiden heeft de derde officier gezien die tijdens de afranseling is gearriveerd. Deze kerel, wiens onderscheidingen aangeven dat hij hoger in rang is dan Hinkelmann en Blank, is ook groter dan zij, heeft donker haar en is nuchter. Hij loopt vastberaden naar de mannen toe en spreekt hen aan. Zijn stem is te zacht om zijn woorden op te kunnen vangen. De *unterscharführer* reageert verontwaardigd. 'Kom op, Horst,' zegt Blank of Hinkelmann. 'Je hebt er maar een verdomde fractie van gezien. Je weet toch hoe het gaat!' Hij stuwt de drank van de ene wang naar de andere en spuugt het dan naast het dode lichaam op de grond.

De derde officier zegt nog iets en Hinkelmann of Blank salueert overdreven. 'Jawel MIJNHEER, herr *obersturmführer*, MIJNHEER,' zegt hij. Hij gebaart naar de adjudant die op een fluitje blaast. De gevangenen pakken elk een steen op, gaan in rijen staan en rennen naar de ingang van de steengroeve, geholpen door klappen van de kapo's. De *obersturmführer* blijft dralen en inspecteert de dode gevangene.

Opeens draait het hoofd van de *obersturmführer* naar Anna, alsof hij een hond is die iets ruikt. Hij staart in haar richting en even denkt Anna dat hij blind is. Dan beseft ze dat dat natuurlijk niet zo is; het komt gewoon omdat zijn ogen zo licht zijn, dat hij vanuit de verte geen pupillen lijkt te hebben. Maar zelfs als hij zich omgedraaid heeft en weggelopen is, blijft Anna's angst voor hem zo groot, dat die grenst aan een bijgelovige overtuiging: op de een of andere manier heeft de *obersturmführer* haar gezien. Hij weet dat ze er is.

Ze kruipt in elkaar achter de boom en slaat haar handen voor haar mond om de hikkende doodsbange geluidjes die ze tijdens het huilen maakt te smoren. Hoe kunnen mensen elkaar zulke dingen aandoen? Welke gedachten schoten er door het hoofd van de gevangene toen zijn leven uit hem geperst werd, toen hij opkeek naar een stuk van Blanks of Hinkelmanns gezicht, wetende dat de voet op zijn keel hoorde bij een man met dezelfde huid, hetzelfde bloed, hetzelfde stukje vlees tussen zijn benen als dat van hem?

Als het uiteindelijk donker begint te worden, knoopt Anna de zak open en stopt de broodjes zo snel mogelijk in de rottende holte van de dennenboom. Op de een of andere manier herinnert ze zich dat ze moet graaien onder de grote steen naar het condoom. Haar handen trillen zo, dat ze het dunne grijze vlies scheurt als ze het uitgraaft. Desalniettemin stopt ze het ding in haar zak, raapt de lege meelzak op en vlucht in de richting waaruit ze gekomen is.

16

Tegen december zijn de rantsoenen nog verder aan banden gelegd. De inwoners van Weimar leven op een dieet dat bijna geheel bestaat uit linzen en knollen. Ze staan uren in de rij om vlees te kunnen kopen, dat zo vol kraakbeen zit dat het nauwelijks eetbaar is. Ze krijgen ruzie over botten en hoeven voor bouillon. Er wordt gezegd dat al het wild in de bossen van Thüringen verdwenen is. De broden die Anna en Mathilde maken, zijn zwaar als stenen en bevatten zelfs vaak kleine kiezelstenen, aangezien zelfs het meel dat door de SS geleverd wordt beneden de maat is.

En voedsel is niet het enige waar gebrek aan is. Benzine en sigaretten worden gebruikt in plaats van geld. Garen, dat ontzettend nodig is voor het herstellen van kleren die al drie jaar of langer gedragen worden, is nergens te vinden. En het *reich* heeft verordonneerd dat alle Duitsers alleen op zaterdag in bad mogen, aangezien elke brandstof voor warm water, of dat nou kolen zijn of hout, tot nationale hulpbron is uitgeroepen.

Voor Anna, die naar de enige – tachtigjarige – arts is gegaan die in de stad is overgebleven voor medicijnen tegen Trudies hoest, is het dus geen verrassing dat ze met lege handen terugkeert naar de bakkerij. 'We zijn weer aangewezen op bloedzuigers,' merkt ze bitter op tegen Mathilde. 'Ik zou er maar wat graag een paar vinden!' De kroep van het kind wordt erger en de bakker hanteert een al even archaïsche, zij het wat meer gewelddadige methode. Anna zal nooit vergeten hoe Mathildes nachtpon met een winderig geluid openscheurde toen de bakker zich vooroverboog om de stikkende dreumes bij haar hielen uit de tot wieg gebombardeerde meelkist in de kelder te vissen en op haar ruggetje te kloppen. Dit had even geholpen. Maar nu kan Trudie alleen nog oppervlakkig ademen, dus Anna besluit een van de verordeningen van het *reich* aan haar laars te lappen. Nadat ze de verduisteringsgordijnen goed heeft gesloten, vult ze de porseleinen kachel met kolen, die nu kostbaarder zijn dan goud. Genoeg om een vol bad en een kamer vol stoom te produceren.

Het is laat op de avond. Anna gaat met Trudie op haar schoot op de rand van het bad zitten en wrijft over de rug van het kind. De vochtigheid lijkt te helpen: Trudie dommelt eindelijk in als Mathilde de deur openduwt. Ze zit onder de modderspetters die de ruimte vullen met de geur van zwavel.

'Hoe is het met haar?' fluistert de bakker.

'Iets beter, goddank. Maar het kan zo niet langer doorgaan. Denk je dat je op de zwarte markt sterkere medicijnen kunt krijgen?'

'Niet nodig,' zegt Mathilde, die nog nahijgt van het beklimmen van de trap. Ze klopt op haar opbollende jaszakken, haalt uit een daarvan een flesje en geeft dat aan Anna. 'Dit helpt,' zegt ze.

Anna strekt haar hals boven haar dommelende dochter en tuurt naar het etiket, maar herkent de naam niet. 'Heb je dit van de zwarte markt?' vraagt ze. 'Van Pfeffer?'

'Nee, niet van die oplichter, die verkoopt je suikerwater waar je bij staat. Ik heb het van Ilse gekocht, de dienstmeid van herr doktor Ellenbeck, toen ik vanmiddag de spullen heb afgeleverd in de Eickestrasse. Het kostte me een fortuin aan sigaretten, dat kan ik je wel vertellen, maar zij heeft gezworen dat het zou helpen. Ze heeft zelf vier kleintjes.'

'Dit is het medicijn van een SS-arts?' zegt Anna ontsteld. 'Dan is het waarschijnlijk cyaankali!'

'Ze bewaren echt geen cyaankali in huis,' zegt Mathilde, aan wie Anna's ironie voorbijgaat. 'Alleen in het ziekenhuis.' De bakker hangt haar jas over de achterkant van de deur en plonst haar onderarmen in het bad. Anna wacht tot ze iets zegt over het feit dat het water zeker twintig centimeter boven de zwarte lijn staat die op het porselein is geschilderd. Maar Mathilde zucht alleen maar. 'Ach, wat is dit lekker,' zegt ze. 'Het is smerig buiten. Het sneeuwt. Ik ben drie keer bijna van de weg af geraakt.'

'Ik neem aan dat je een speciale bestelling hebt afgeleverd?' zegt Anna, terwijl ze naar het nu bruine water knikt waarop dennennaalden drijven. 'Hoe ging het?'

‘Prima. Prima. Het brood van vorige week was weg. En ik heb een nieuw bericht van de gevangenen.’

‘Goed,’ zegt Anna. Ze schudt Trudie voorzichtig wakker om haar wat van het drankje te geven, wat het slaperige kind zonder haar gebruikelijke protest accepteert. Iedere vrouw die de bakkerij bezoekt, merkt op nog nooit een steviger kind te hebben gezien en Anna moet dat beamen. Maar haar trots op haar dochter wordt enigszins getemperd door iets wat haar op een verwarrende manier irriteert. Als ze in orde is, heeft Trudie weinig van zowel haar moeder als van haar vader. Ze is stevig en rond, heeft de bouw van een kleine vrachtwagen met benen als heipalen. Haar woede-uitbarstingen als ze gedwarsboomd wordt, haar charme als ze haar tegenstander heeft uitgeschakeld en haar zin heeft gekregen, haar halsstarrige aard: precies Gerhard. Door een genetische gril hebben de karaktertrekken een generatie overgeslagen.

In feite is de enige overeenkomst die Anna, los van het blauw van haar ogen, tussen haar dochter en Max kan zien, het lichte haar dat in spiralen alle kanten op groeit en niet te temmen is, hoe vaak ze het ook borstelt. Nu krult het vanwege de stoom in vochtige kronkels, die Anna van het verhitte voorhoofdje van het kind strijkt.

Mathilde glimlacht als ze zich op het gesloten deksel van de wc laat zakken. Alsof ze Anna’s gedachtestroom kan volgen, merkt ze op: ‘Ze heeft echt het haar van haar vader.’

Anna legt haar hand op de smalle borst van het kind. De benauwdheid is volgens haar minder geworden.

‘Wil je het niet weten?’ vraagt de bakker.

‘Wat?’

‘Of er nieuws is over jouw Max? Je hebt er al in eeuwen niet naar gevraagd.’

Anna verschuift Trudie naar een comfortabeler plek op haar schoot en brabbelt tegen haar.

‘Ik moet je zeggen, Anna, het ziet er niet goed uit. Ilse zegt dat ze klaar zijn met de bouw van het crematorium. Zelfs in dit kloteweer hebben die ss’ers die arme sloebers dag en nacht laten werken.’

Dat verbaast Anna niets. Ze heeft de vrouwen er in de bakkerij over horen praten. Zij zeggen dat de ss lijken in bestelbusjes naar Reinhards rouwkamer in het centrum van Weimar brengt om ze te laten cremeren, maar dat er af en toe iets misgaat en er doden op straat vallen. Dat kan de SS niet gebruiken; het is slecht voor het moreel. Logisch dat ze hun eigen middelen willen om zich van hun slachtoffers te ontdoen.

'Nou?' zegt Mathilde.

'Nou wat?'

'Heb je daar niets op te zeggen?'

Anna schudt haar hoofd. Een injectie in het hart, dysenterie, de galg, ondervoeding, de moordlustige grillen van Hinkelmann en Blank, simpel overwerk in de modder en de sneeuw: wat heeft ze eraan om net te doen of Max het zal overleven? Hij kan op zo veel manieren sterven. Als Anna überhaupt al aan hem denkt, wat ze alleen doet als ze vlak voor ze in slaap valt even niet op haar hoede is, ziet ze zijn uitgekookte glimlach boven het schaakbord, de smalle driehoek van zijn torso vol sproetjes in de ruimte onder de trap. Er zijn al sinds augustus geen berichten meer van Max gekomen.

'Hij kan best nog leven,' zegt Mathilde.

Boos wrijft Anna met de achterkant van haar pols in haar ogen. 'Lieg niet tegen me,' zegt ze tegen de bakker. 'En alsjeblieft, doe niet zo aardig. Daar kan ik helemaal niet tegen.'

Mathilde staat op om de laatste kolen in de kachel te stoppen. 'Hield je erg veel van hem?' vraagt ze verlegen met haar rug naar Anna toe.

Anna laat haar hoofd hangen. De tranen die Mathilde onbewust heeft losgemaakt, vallen als donkere vlekken op haar overhemdjurk en maken Trudies natte haar nog natter. 'Ja,' zegt ze. 'Heel veel.'

'Nou, dan heb je dat tenminste meegemaakt,' zegt Mathilde, terwijl ze met een piepende zucht weer gaat zitten. 'Dan heb je in ieder geval iets om je aan vast te houden.'

De troosteloze toon in de stem van de bakker doet Anna opkijken. 'Hoezo, jij toch ook?' zegt ze. 'Jij hebt de herinnering aan jouw Fritzi.'

'O, Fritzi,' zegt Mathilde schouderophalend. 'Dat was anders.'

'Hoe bedoel je?'

'Ach, Anna, dat begrijp je toch niet. Zo'n mooi meisje als jij. Jij hebt vast voor je zestiende al tien huwelijksaanzoeken gehad. Maar een vrouw die eruitziet als ik moet nemen wat ze kan krijgen. Mijn Fritzi is vanwege de bakkerij met mij getrouwd, daar is nooit geheimzinnig over gedaan. Hij kwam uit een heel arme familie. Hij heeft nooit van me gehouden, niet echt, niet zoals jouw Max van jou hield.'

'Hoe weet je dat nou?' zegt Anna loyaal. 'Mensen die een verstandshuwelijk sluiten, gaan vaak van elkaar houden. Dat hoor je heel veel.'

Het schurende lachje van Mathilde verandert in een hoestbui. 'Fritzi niet. Hij was anders,' herhaalt ze.

'Hoezo anders?'

'Je weet wel, Anna, van de verkeerde kant! Hij hield niet van vrouwen. Hij ging in het weekeinde altijd naar Berlijn en... Nou ja, we hadden een afspraak. Hij mocht doen wat hij wilde en ik zou geen oude vrijster worden.' De bakker buigt zich voorover om Trudies voetje vast te pakken, ze wiegt het net zo liefdevol als ze dat met een ei zou doen. 'Het enige waar ik spijt van heb,' voegt ze eraan toe, 'los van het feit dat ik hem in de vorige oorlog in stukken heb laten schieten, is dat we vanwege de afspraak nooit een kind hebben gekregen.'

Anna kijkt omlaag naar Mathildes mollige hand en denkt aan de verlegen jongeman met de roze wangen op het portret in Mathildes slaapkamer. Nu begrijpt ze waarom Mathilde altijd zo hunkerend naar Trudie staart als ze denkt dat Anna niet kijkt, waarom de bakker alleen maar lacht als ze ontdekt dat de dreumes gaten in de korsten van de kostbare broden heeft gemaakt om de zachte binnenkant eruit te pulken. 'Ben je daarom de gevangenen eten gaan brengen?' vraagt Anna. 'Ik heb me vaak afgevraagd waarom je dat risico neemt, terwijl alle anderen zich van de domme houden. Komt het omdat sommige van hen... anders zijn, zoals Fritzi?'

Mathilde kijkt Anna verbijsterd aan. 'Zo heb ik het nooit bekeken,' zegt ze langzaam. 'Ik heb gewoon ontzettend te doen met die arme stakkers. Maar... Ja, ik denk dat dat er wel iets mee te maken zou kunnen hebben.' Ze strijkt met haar duim over Trudies kleine voetje. Tussen de twee vrouwen valt een stilte die alleen verstoord wordt door het gesis van het water op de hete kachel.

'O, Anna,' zegt Mathilde dan opeens. Haar stem hapert. 'Wat moet er van ons worden? Na de oorlog trouw jij misschien wel. Het kind heeft een vader nodig. En ik, ik vermoed dat ik gewoon verder ga met de bakkerij. Maar het wordt nooit meer hetzelfde, weet je? De wereld is gek geworden. Mensen in ovens verbranden... Dat we daar op dezelfde manier over praten als we altijd praatten over... over... of Irene Schultz's man bij haar weg zou gaan, of de prijs van knollen, of het weer...'

'Ik weet het,' zegt Anna geschrokken. 'Sssjjj.' Want nu is het de bakker die huilt. Haar lichaam schudt van de hevigheid ervan, haar kleine donkere ogen die smekend op Anna gericht zijn, staan vol tranen.

'Het heeft geen zin om jezelf zo van streek te maken,' zegt Anna tegen haar. 'We doen wat we kunnen en meer kunnen we niet doen.'

Mathilde laat haar hoofd zakken en veegt haar wangen af met haar vieze rok. 'Je hebt gelijk,' zegt ze na een tijdje. Ze slaakt een enorme zucht. 'Je hebt gelijk. We praten niet meer over die dingen. Het heeft geen zin. Ik weet niet wat er met me aan de hand is, dat ik er juist vanavond over moest beginnen.' Ze staat grommend op, buigt voorover en geeft Anna een onhandige kus op haar haar. 'Gelukkig kerstfeest,' zegt ze.

Anna glimlacht naar Mathilde; ze is niet in staat om het gebaar te beantwoorden uit angst het kind wakker te maken. In liefde en oorlog is alles geoorloofd, zeggen ze. Daar hoort schijnbaar ook het sluiten van vreemde vriendschappen bij. De dappere, ongelukkige bakker is de enige echte vriendin die Anna ooit gehad heeft. 'Jij ook een gelukkig kerstfeest,' antwoordt ze, en ze vertelt Mathilde maar niet dat ze het totaal vergeten was.

17

Als Anna op een ochtend begin maart 1942 haar slapende dochter heeft ingestopt en de keldertrap beklimt, treft ze Mathilde op handen en knieën in de keuken aan. Ze is iets aan het zoeken in een van de lange, lage kasten die langs de muur staan.

'Wat aardig van je dat je je schoonheidsslaapje onderbreekt,' zegt ze vanuit de kast met een holle en gedempte stem tegen Anna. 'Ik dacht al dat je tot halverwege de dag op bed zou blijven liggen.'

Ondanks Mathildes bitse toon, lacht Anna opgelucht. Sinds Kerstmis is de bakker almaar somberder geworden. Steeds vaker heeft ze buien van neerslachtigheid waar zelfs Trudie, rennend op haar dikke beentjes naar haar geliefde tante, haar niet uit kan halen. Ze moet toegeven dat het gedrag van de bakker deze ochtend wat bizar is, maar het is beter dan dat ze op de schommelstoel in haar kamer boven de winkel in het niets zit te staren.

'Wat ben je aan het doen?' vraagt Anna.

Er komt geen antwoord en Anna loopt naar de gootsteen, waar ze ijskoud water in haar gezicht plenst. Het raam is een glimmend gouden vlak, de ijsbloemen erop worden beschenen door de eerste zonnestralen. Het belooft een mooie dag te worden.

Als Anna haar schort om haar middel knoopt en zich omdraait, ziet ze Mathilde achterwaarts het kastje uit kruipen met haar handen vol pistolen. De bakker laat zich op haar billen vallen en begint de wapens in een meelzak te proppen die zo te zien al vol zit met broodjes. 'Waar heb je die pistolen vandaan?' vraagt Anna.

Mathilde gebruikt de rand van de werktafel om zichzelf op te hijsen. 'Stel me geen vragen,' zegt ze, 'dan vertel ik je ook geen leugens.' Ze knoopt haar versleten jas dicht en draagt de zak door de achterdeur. Anna zet zich schrap tegen de koude tochtvlaag die binnenkomt, tilt de plaat met broden die de afgelopen nacht zijn gebakken op en volgt Mathilde naar buiten.

'Ik neem aan dat je die wapens niet bij de SS gaat afleveren,' houdt Anna vol. Kleine wolkjes adem verlaten haar mond als ze het brood in de achterkant van het bakkersbusje laadt.

Mathilde snuift. Ze staat de zak in de geheime ruimte onder de passagiersstoel te proppen. Als die veilig weggestopt is, laat ze er de rubberen mat over vallen. Anna kijkt goedkeurend toe. Als de auto niet heel grondig doorzocht wordt, zal niemand ooit vermoeden dat de wapens daar liggen.

Mathilde komt naar haar toe en brengt haar mond naar Anna's oor. 'Ze zijn voor de Rode Driehoeken,' fluistert ze.

'De Rode...?'

'De politieke gevangenen. Ze organiseren een opstand.'

Anna doet een stap achteruit en veegt heimelijk wat spatjes speeksel van de bakker van haar wang. 'O mijn god,' zegt ze.

Mathilde hijst zichzelf op de bestuurdersstoel, waar ze een sigaret rolt en aansteekt voordat ze de motor start. Dan draait ze zich om en kijkt Anna met samengeknepen ogen vanwege de rook over haar schouder aan. 'Schaam je, Anna,' roept ze. 'Ben je nou echt zo naïef om te denken dat er een god bestaat?'

Zonder op een antwoord te wachten, zet ze de auto in de eerste versnelling en rijdt weg, met de sigaret tussen haar tanden geklemd.

Anna staat te hoesten in de blauwe uitlaatgassen tot het geratel van de knalpijp in de verte verdwijnt. Dan schudt ze Mathildes vraag van zich af en haast zich huiverend naar de keuken. Hoewel er voor de vaste klanten vandaag weinig kliekjes zijn, is er een hoop te doen, aangezien de SS brood verlangt.

Feitelijk is het die ochtend zo druk – met klanten die als duiven lopen te kibbelen over de oude broodjes en het keiharde roggebrood – dat Anna pas halverwege de middag een moment voor zichzelf heeft, als alles verkocht is. Ze verontschuldigt zich bij de laatste ontstemde vrouwen, werkt hen naar buiten, doet de deur op slot en gaat naar haar dochter. Gelukkig heeft Trudie de verleiding kunnen weerstaan om de trap te beklimmen: haar nieuwe favoriete spelletje. Ze is nog steeds in de keuken, waar ze van Anna moest blijven. Maar in plaats van dat ze zit te spelen met haar pop, een sneu schepsel dat Mathilde van een oude sok heeft gemaakt, heeft Trudie haar lunch omgekeerd en zit ze vrolijk met haar handen in een plasje pastinakensoep te slaan.

'Stoute meid,' zegt Anna, terwijl ze Trudie overeind hijst en een pak op haar billen geeft. Ze dirigeert het kind naar de hoek en zegt dat ze met haar gezicht naar de muur moet blijven staan. Trudie gehoorzaamt tot haar moeder de rotzooi begint op te dweilen. Dan draait ze zich om, kijkt Anna kwaad aan en laat zich op een hoopje op de grond zakken. Ze bonkt met haar houten slippers op de vloer. Ze snikt verontwaardigd. Anna, die haar best doet haar te negeren, vraagt zich verwonderd af hoe een kind met zo'n engelachtig uiterlijk zo onhandelbaar kan zijn. Ze wringt de dweil uit boven de gootsteen en begint met de afwas.

Het uitzicht uit het raam, dat vanmorgen zo veelbelovend was, is lelijk geworden. Het grasveld is besmeurd met sneeuw en modder, de donkere bomen daarachter worden gegeseld door de wind. De laaghangende bewolking ziet er dreigend uit. Er komt nog meer sneeuw. Omdat de zon al ergens achter die dichte wolken zakt, wordt het nu al donkerder. Een slechte middag voor het afleveren van bestellingen, vooral in een onberekenbaar busje over een weg die onder betere omstandigheden nog verraderlijk zou zijn. Dus als de laatste pan afgedroogd en opgeborgen is, wendt Anna zich tot Trudie en zegt: 'Tijd om te slapen.'

Trudie, die los pleisterwerk uit een gat in de muur aan het peuteren is, schudt zo hevig haar hoofd dat haar dunne haar losschiet uit de vlechten. 'Nee,' zegt ze. 'Niet slaap.'

'Jawel, slapen,' zegt Anna. 'En voor deze ene keer mag je in tantes bed slapen. Is dat niet leuk?'

'Nee,' zegt de dreumes. Maar ze laat zich overhalen om naar boven te gaan, hoewel ze erop staat zelf de treden te beklimmen in plaats van gedragen te worden. Hevig ademend van de concentratie tilt ze eerst het ene, en vervolgens het andere voetje op – voor Anna lijkt het minstens een half uur te duren voor ze de overloop bereiken.

Als ze Trudie eenmaal in Mathildes bed heeft gestopt, haalt Anna de laatste hoestsiroop uit de badkamer. 'Néé,' huilt Trudie als ze de gevreesde fles ziet.

Anna zucht. Was er maar een betrouwbare buurvrouw die zonder vragen te stellen op Trudie kon passen. 'Vooruit,' zegt ze, terwijl ze de lepel tegen haar dochters lippen duwt. 'Wees een braaf meisje.'

Trudie klemt haar lippen op elkaar. 'Mama drinken,' oppert ze geraffineerd.

Ondanks haar ongeduld moet Anna lachen: Trudie is absoluut Gerhards kleinkind. Anna doet net alsof ze een slokje uit de fles neemt. 'Mmmmm,' zegt ze, terwijl ze verrukt met haar ogen rolt. 'Heerlijk. Nu jij.'

Trudie is gesust en slikt het drankje door. Anna durft het kind niet meer dan twee theelepels te geven, maar dit zou genoeg moeten zijn om haar een paar uur te laten slapen. Er zit codeïne in.

Zittend op de rand van het bed wacht Anna, terwijl ze het gladde haar van het kind streelt, tot ze zeker weet dat Trudie vast in slaap is. Dan trekt Anna een trui over haar jurk, wikkelt een donkere sjaal om haar hoofd, wurmt zich in haar jas en verlaat de bakkerij door de achterdeur. Ze steekt het grasveld naar de Ettersberg over.

Het bos is niet erg gastvrij in deze tijd van het jaar. Aangezien de vogels gevlucht zijn op zoek naar een milder klimaat en de herten en konijnen in stoofschotels zijn verdwenen, is het als dun glas knerpende ijs onder haar laarzen het enige geluid dat Anna hoort. Het begint te sneeuwen. Anna vangt een paar vlokken en wrijft haar vingertoppen onder haar neusgaten om te ruiken of het gewoon neerslag is of as van het crematorium, hoewel ze dat feitelijk onbewust doet. Gebukt loopt ze door de berm, dichter bij de weg dan verstandig is, maar ze moet elk teken kunnen zien dat erop wijst dat er iets ergs is gebeurd met het bestelbusje. Zwenkende bandensporen van plotseling remmen bijvoorbeeld, of gebroken takken die erop kunnen wijzen dat het busje de helling af is gegleden.

Eigenlijk is dit stompzinnig. De bakker heeft onder veel slechtere weersomstandigheden bestellingen afgeleverd. Bovendien gaat Anna nu de verkeerde kant op: ze volgt de vertakking van de weg naar de steengroeve die Mathilde niet zou nemen, tenzij ze een speciale bestelling moest afleveren, maar dat zou ze dan weer nooit op klaarlichte dag proberen.

Anna's angstige voorgevoel heeft zulke ernstige vormen aangenomen, dat ze geschrokken maar niet verbaasd is als haar vermoeden wordt bevestigd bij het zien van de gekantelde auto langs de kant van de weg op nog geen tweehonderd meter van de steengroeve. Heel even brandt er iets in haar buik, als een draadje van een gloeilamp, maar dooft dan weer. Dat is alles.

Ze waadt door het struikgewas en krijgt takken in haar gezicht tot ze bijna bij het wegdek is. Dan ziet ze daar een voet op liggen, gestoken in een stevige zwarte enkellaars met veters. Anna heeft vaak de draak gestoken met deze laarzen, plagend tegen Mathilde gezegd dat die voor oude dames waren. Een meter verder naar rechts verschijnt de rest van de bakker in beeld. Als een grote lappenpop ligt ze half in de auto, half op de weg. Haar ogen staren naar de hemel. Er zit een keurig gaatje in haar voorhoofd – de randen ervan zijn roetzwart van het buskruit – en om haar heen heeft het bloed de sneeuw in een waterige rode soep veranderd. 'Nee,' fluistert Anna. 'Nee.'

Ze zet nog een stap in de richting van de bakker, hoewel een of ander rudimentair instinct haar zegt dat dat niet verstandig is. Het bloed stroomt nog steeds uit het lichaam en de sneeuw die in Mathildes ogen valt, smelt en druppelt langs haar wangen. De executie is dus recent en degene die het gedaan heeft, zal waarschijnlijk niet ver weg zijn. Toch verbergt Anna zich pas als ze de ss-onderofficier langs de zijkant van het busje ziet strompelen. Dan, op haar buik in de val in het struikgewas, kan ze niets anders doen dan kijken. Hij is jong en duidelijk een nieuwkomer op het gebied van moorden, want er zitten spetters braaksel op zijn jas en hij kijkt zowel doodsbang als schaapachtig. Maar hij herstelt zich snel: als hij zijn mond aan zijn mouw heeft afgeveegd, loopt hij langzaam rond Mathilde en hurkt om nieuwsgierig in haar gezicht te turen. Hij haalt zijn knuppel onder zijn riem vandaan en gebruikt die om de jas en de rok van de bakker op te tillen. Hij port tegen een van haar benen. Hij tilt het op en laat het vallen. De laars stuitert op het wegdek.

Buiten zichzelf van woede – is het niet genoeg dat hij de bakker heeft vermoord, moet hij ook nog met haar spelen? – reageert Anna voordat ze kan nadenken. 'Hou op!' zegt ze.

Het hoofd van de onderofficier schiet omhoog. Hij frommelt zijn pistool uit de holster. Zijn handen trillen zo hevig, dat elk schot dat hij afvuurt alle kanten op zal vliegen. 'Wie is daar?' schreeuwt hij met schorre stem. 'Kom tevoorschijn!'

Hij loopt in de richting van de struik waar Anna ligt, die te laat haar hand over haar mond heeft geklemd.

Dan draait hij zich opeens om. Uit de richting van het kamp komt het geluid van een naderend konvooi: het gebrul van automotoren en het wespachtige gezoem van motorfietsen. De onderofficier stopt zijn pistool terug, zet zijn pet recht en controleert zijn spiegelbeeld in de zijspiegel van het bestelbusje. Tevreden gesteld gaat hij in de houding boven het dode lichaam staan en steekt zijn borst vooruit: een jager die poseert met zijn prooi.

Anna maakt van de gelegenheid gebruik door zich achteruit te wurmen. Liggend op haar buik duwt ze zichzelf met haar handen naar achteren. Dertig meter verder in het bos springt ze overeind, draait zich om en begint te rennen zonder acht te slaan op het geluid dat ze maakt. Ook doet ze geen moeite om haar sporen uit te wissen, hoewel de sneeuwvlokken die tussen de dennenbomen door dwarrelen die al snel zullen bedekken. Het maakt niet uit. De SS is grondig. Ze komen er wel achter. Ze zullen een onderzoek instellen. Er zal een lange zwarte auto voor de bakkerij parkeren waaruit officieren komen die op de deur gaan bonzen. Vanavond al zal Anna in de kelder van het hoofdkwartier van de Gestapo zitten. Of, nog waarschijnlijker, zijn Trudie en zij ter plekke neergeschoten.

Ze sprint door het struikgewas, haar ademt giert door haar longen, haar ogen prikken van de tranen, niet van verdriet maar van woede. Als Mathilde nog leefde, zou Anna de bakker door elkaar schudden tot haar tanden gingen klapperen. Hoe heeft Mathilde dit kunnen doen? Hoe heeft ze zo egoïstisch kunnen zijn? Er zijn betere manier om zelfmoord te plegen dan op klaarlichte dag een speciale bestelling afleveren, ze had het kunnen doen zonder iemand anders in gevaar te brengen. Ze heeft Anna met lege handen achtergelaten; ze weet zelfs niet eens hoe ze contact op moet nemen met de andere leden van het verzet. Er is geen enkele plek waar Anna en Trudie heen kunnen, de SS zal hen overal vinden. Het enige wat Anna kan doen is terugkeren naar de bakkerij, andere kleren aantrekken en net doen of alles normaal is. Ze zal haar dochter te eten geven, die in ieder geval met een volle maag zal sterven, en ze zal haar kind dicht bij zich houden en ze zal proberen niet aan haar dode vriendin te denken. En tijdens dat alles zal ze wachten. Ze zal wachten tot ze naar haar toe komen.

Trudy, december 1996

18

Trudy zit te wachten tot de Duitsers naar haar toe komen. Terwijl de rest van Minneapolis zich in een pre-Kerstmisgekte verdrong in de winkelcentra en samendromde in de supermarkten, en terwijl Trudy's collega's mopperden over hoe ze hun feestdagverplichtingen in godsnaam moesten combineren met het beoordelen van de laatste examens, heeft Trudy beraadslaagd met Ruth om te proberen haar Duitse Project van de grond te krijgen. Het is waar dat het hoofd van het Holocaust Onderzoek over haar aanvankelijke weerzin heen gezet moest worden; alleen vermoedt Trudy dat die weerzin meer voortvloeide uit het feit dat Ruth haar zuurverdiende fonds zou moeten delen dan dat ze bezwaar had tegen het feit dat de daders van het naziregime even veel aandacht zouden krijgen als hun joodse slachtoffers. Maar Trudy heeft volgehouden, vleiend en zalvend en aftroggelend. 'Zet de behoeften van de afdeling Geschiedenis boven die van jezelf,' had ze gesmeekt. En uiteindelijk heeft ze Ruth bakzeil zien halen.

'Ik denk dat je gelijk hebt,' zei Ruth bedachtzaam op een druilerige decembermiddag, toen ze uitgeput van het gekibbel in de universiteitskantine in mistroostige broodjes zaten te prikken. 'Er is inderdaad nooit echt uitgebreid onderzoek gedaan naar de reacties van Duitse burgers... Geen op tape vastgelegde getuigenissen...'

Haar sputterende enthousiasme begon te vonken en vatte toen vlam: ze wapperde haar kleine sproeterige handen alle kanten op en de kruimels vlogen in het rond. 'Yale kan het schudden, dit tweeledige project gaat ons internationaal op de kaart zetten! Oké, Trudy, ga je gang. Ik stel je mijn cameramensen en apparatuur ter beschikking en een deel van het geld – op voorwaarde dat jíj om meer gaat vragen als we dat nodig hebben. Waarom zou ik al het werk moeten doen? Deal?'

'Deal,' zei Trudy, terwijl ze met een servet haar lippen depte om de glimlach van zegevierende opluchting te verbergen.

Maar nu, nu ze vlak voor Kerstmis in haar kantoor zit en bidt dat haar toekomstige respondenten zullen bellen, denkt Trudy dat haar triomf wellicht ietwat prematuur is geweest. Ze heeft alles gedaan wat ze kon om de Duitsers uit hun tent te lokken. Ze is naar hun restaurants geweest, de Black Forest Inn op Nicollet Avenue en het Gasthof zur gemütlichkeit in het noorden van Minneapolis, waar pils uit levensgrote glazen laarzen wordt gedronken en mannen in lederhosen tussen de tafels door kuieren en uit hun zwoegende accordeons nostalgische volkswijsjes persen, die dagenlang in Trudy's hoofd blijven zitten. *Ich hab mein Herz in Heidelberg verloren...* Ze heeft zich gewaagd in de lokale afdeling van de Duits-Amerikaanse Gemeenschap, waar een door motten aangevreten paardenhoofd boven de deur hangt en polkafeestjes worden aangekondigd op het mededelingenbord, waar kerels met bierbuiken haar schuine blikken toewierpen voor ze zich weer op hun kaarten richtten. Ze heeft Die Bäckerei op Lyndale bezocht, waar ze alert heeft staan wachten op een déjà vu dat nooit gekomen is; de lampen en de apparatuur waren te modern, de vitrine vol muffins en koekjes in de vorm van rendieren, in plaats van de *lebkuchen* en *stollen* die Trudy had verwacht. En op al die plekken heeft Trudy flyers neergelegd, waarop staat:

> Gezocht: Duitsers van geboorte om deel te nemen aan een onderzoek uitgevoerd door hoogleraar Geschiedenis aan de universiteit van Minnesota. Ik ben op zoek naar alle herinneringen die u hebt aan de oorlog in Duitsland. Interviews worden opgenomen met een camera, maar alleen voor universitair onderzoek gebruikt. Vrouwelijke participanten genieten bijzondere belangstelling, maar mannen worden eveneens aangemoedigd zich aan te melden. U ontvangt een vergoeding voor de tijd die u eraan kwijt bent.
>
> Dit is uw kans om uw verhaal te vertellen, iets wat de hedendaagse geschiedenis lange tijd heeft genegeerd. Neemt u, indien u belangstelling hebt, contact op met dr. Trudy Swenson, afdeling Geschiedenis, Universiteit van Minnesota, doorkiesnummer...

Trudy heeft ook advertenties gezet in Duitse kranten, de *Minneapolis Star Tribune* en de *St. Paul Pioneer Press* – na ampele overweging zowel in de rubriek ZAKELIJK als PARTICULIER. Vanwege de drukte van de feestdagen verwacht Trudy niet veel reacties voor de jaarwisseling, maar ze had niet gedacht er niet één te krijgen. Ze verschuilt zich in haar kantoor in de bijgelovige overtuiging dat als ze bij de telefoon blijft haar potentiële respondenten zullen bellen, net zoals het neerzetten van melk en koekjes een bezoek van de Kerstman garandeert. Ze beoordeelt papers, leest kranten en maakt lesplannen voor het volgende semester, terwijl ze ondertussen probeert zich niet bewust te zijn van de zwijgende telefoon bij haar elleboog, alsof ze helemaal nergens op zit te wachten.

De twintigste december, een dag waarop de verblindende zon en knalblauwe lucht de illusie van warmte geven, terwijl die er in feite op wijzen dat het te koud is om te sneeuwen. De campus is angstaanjagend stil, de studenten zijn allang naar huis gevlucht en de hoogleraren hebben, na het registreren van de laatste cijfers, hun voorbeeld gevolgd. Trudy heeft niets te doen. Ze zit achterover geleund in haar bureaustoel door de ramen naar de lege paden op de binnenplaats te staren en registreert onbewust het scherpe contrast tussen het licht en de langer wordende schaduwen. In haar ene hand heeft ze het kleine gouden doosje waar de bezwarende foto in zit. Ze strijkt met haar duim over het hakenkruis en het art-decopatroon.

Kom op, denkt Trudy. Kom op, Duitsers. Ik weet dat jullie er zijn.

Het enige antwoord is een zachte plof van sneeuw die van de overhangende dakrand valt. Trudy zucht en staat op. Ze zegt tegen zichzelf dat haar respondenten nu wel wat anders aan hun hoofd hebben: cadeaus kopen en inpakken, kerstmaaltijden bereiden, arriverende kleinkinderen verwennen. Het enige wat Trudy moet doen is geduldig zijn. Maar als ze haar jas aantrekt, verzucht ze dat de hele onderneming gedoemd is te mislukken, een verspilling is van geld, energie en hoop. Anna heeft nooit gepraat. Waarom zouden haar landgenoten anders zijn?

Trudy staat met de sleutelbos in de gang te zoeken naar de sleutel waarmee ze de deur kan afsluiten als haar telefoon gaat. Ze loopt haar kantoor weer in en staart naar het knipperende rode lichtje op het apparaat. Waarschijnlijk is het gewoon Ruth, zegt Trudy tegen zichzelf, die wil weten of er al iets is gebeurd – of om op haar meest subtiele manier op te scheppen over het aantal joodse getuigenissen dat ze al heeft opgenomen.

'Professor Swenson,' zegt Trudy als ze de hoorn opneemt.

'Hallo?'

Het is een vrouwenstem. Niet die van Ruth. Met het vibrato van een ouder iemand.

'*Hallo, ist da jemand?* Met wie spreek ik? Is dit de afdeling Geschiedenis?'

Trudy's hart maakt een sprongetje en klopt in haar keel. Het accent van de vrouw is meer Beiers dan dat van Anna, maar er zijn een paar overeenkomsten: het rekken van de klinkers, de afgeknepen medeklinkers. 'Ja, mevrouw, dit is de afdeling Geschiedenis,' zegt Trudy. 'Belt u over de advertentie? Het Duitse Project?'

Ze hoort een bons, alsof de beller de hoorn heeft laten vallen, en wat geschuifel op de achtergrond. Trudy zet zich schrap voor de toon van een verbroken verbinding, maar dan hoort ze de vrouw ademen. 'Wat is uw naam, mevrouw?' vraagt Trudy. 'Bent u er nog?'

'Kluge. Frau Kluge. Voornaam Petra.'

Trudy pakt een pen. '*Danke*, frau Kluge,' zegt ze. 'Welnu, ik neem aan dat u zich aanmeldt als vrijwilliger voor...'

'U wilde iets weten over de oorlog,' zegt de vrouw.

'Ja, dat klopt.'

'Waarom?'

'Nou,' zegt Trudy, 'zoals ik ook in de advertentie heb gezet, ik doe onderzoek...'

'Wat voor soort onderzoek? U gaat me toch niet slecht afschilderen?'

Oe kaat me tok niecht slekt absjielderen?

'Natuurlijk niet,' zegt Trudy. 'Ik probeer gewoon een paar verhalen te verzamelen...'

'*Gut*,' zegt de vrouw. 'Want ik heb u wel een en ander te vertellen... Maar! U zei vrijwillig?'

'Hoe bedoelt u?' vraagt Trudy.

'Vrijwillig, dat zei u net. Maar in uw advertentie staat dat ik er geld voor krijg. Hoeveel precies?'

'Ehm,' zegt Trudy, boos op zichzelf omdat ze is vergeten Ruth te vragen hoeveel zij haar respondenten aanbiedt. 'Vijf... eh, honderd dollar?'

'*Gut*. Dat is akkoord.'

'Fijn,' zegt Trudy. 'Wanneer zou u...'

'Ik woon op nummer 1043 in North Thirtieth Street, appartement B. U komt morgen.'

'O,' zegt Trudy, die als een gek zit te schrijven. 'Nou, dank u wel, frau Kluge, maar weet u zeker dat u het al zo snel wilt? We hebben niet veel tijd om ons voor...'

'Drie uur,' zegt de vrouw.

'O, nou, prima,' zegt Trudy. 'Luister, er zijn nog wat andere dingen die u moet weten, frau Kluge. Ik neem een cameraman mee om het interview op te nemen en...'

Maar frau Kluge heeft al opgehangen.

Trudy haalt de hoorn tussen haar schouder en oor vandaan en kijkt er even naar. Dan schuift ze hem weer terug en bladert door haar projectpapieren op zoek naar het nummer van Ruths cameraman. Het zou wel heel veel gevraagd zijn als hij zo vlak voor de kerst beschikbaar is. Maar mocht dat niet zo zijn, dan is Trudy bereid te smeken.

Haar mazzel houdt aan, althans tot de volgende middag, dan lijkt die opeens op te zijn: de cameraman, die aan de telefoon nog opgewekt meegaand was, is te laat. Trudy zit in de straat van frau Kluge in haar auto op hem te wachten met het gevoel dat ze een inbreker is. Dat zou niets nieuws zijn in deze buurt, denkt ze, de inwoners hier zijn waarschijnlijk continu op hun hoede voor dieven. Frau Kluge woont in een bakstenen gebouw van twee verdiepingen in een rijtje van vijf identieke huizen, die allemaal omringd worden door gazen hekken waar vuilnis tussen blijft hangen. Op de parkeerplaats staan een paar oude auto's met hun neuzen tegen vieze hoopjes sneeuw. Op de een of andere manier verrast dit Trudy. Ze weet niet wat ze dan verwacht had, maar in ieder geval niet dat ze haar respondent in zo'n buurt zou aantreffen.

Ze probeert haar aandacht te richten op de vragen die ze de hele avond heeft voorbereid als er een witte truck de hoek om komt, langzaam de straat door rijdt en een paar meter verder bij de stoeprand parkeert. Een man in een legerjasje springt van de bestuurdersstoel en loopt op een drafje naar de achterklep, die hij met veel geratel opent. Godzijdank, denkt Trudy. Ze pakt de doos koekjes die ze voor frau Kluge bij de banketbakker heeft gekocht en stapt uit om hem te begroeten. Haar laarzen knerpen op de zanderige sneeuw.

'Hallo, daarbinnen,' roept ze, want de man is in zijn truck verdwenen, waar nu als een ijzeren tong een laadklep uit komt schuiven. 'Ben jij mijn cameraman?'

De man steekt zijn hoofd naar buiten en Trudy ziet dat zijn ogen zo licht zijn, dat er nauwelijks kleur in zit. Haar hart schiet in haar keel, ze heeft zich nooit op haar gemak gevoeld bij mannen met lichte ogen. Ze strekt zich uit om zijn uitgestoken hand te drukken. 'Trudy Swenson,' zegt ze.

'Thomas Kroger,' antwoordt de man. 'Sorry dat ik zo laat ben, die verdomde achterklep zat dichtgevroren... Eén minuutje nog.'

Opnieuw verdwijnt hij uit het zicht en dan begint er een karretje beladen met logge apparatuur gehuld in gewatteerde dekens de laadklep af te dalen. De man komt erachteraan, zich vastklampend aan het handvat. Naarmate er meer van hem tevoorschijn komt, wordt het duidelijk dat hij erg lang is, misschien wel bijna twee meter. Als hij eenmaal vaste grond onder de voeten heeft, kijkt hij lachend neer op Trudy. Hij is ongeveer even oud als zij, maar lijkt te zijn blijven steken in het hippietijdperk. Zijn gezicht is zo rond, dat het rimpelloos is, behalve rond zijn ogen. Over zijn ruige grijzende haar heeft hij een rode bandana geknoopt.

Anna zou zo'n ding verafschuwen, denkt Trudy. Kon ze hem maar vragen hem af te doen. In plaats daarvan kijkt ze weifelend naar zijn karretje. 'Ik had niet verwacht dat je zo veel mee zou nemen,' zegt ze. 'Het project is een relatief bescheiden operatie...'

Thomas lacht. 'U wilde toch dat dit interview gefilmd werd?' zegt hij. 'Ik ben een professional, doctor Swenson, geen toerist. Ik werk niet met een handcameraatje.'

'O, dat zal dan wel,' zegt Trudy, hoewel ze na al Ruths verhalen over het zeer beperkte budget enigszins uit het veld geslagen is door de uitstekende statieven en microfoons. 'Sorry, ik wilde je niet beledigen. En noem me alsjeblieft Trudy.'

Thomas doet de achterklep dicht en sluit die af met een hangslot.

'Geeft niets,' zegt hij. 'Oké, Trudy, ik ben er klaar voor. Ga maar voor.'

Dat doet Trudy. Thomas en zijn karretje volgen haar door de gazen omheining naar het juiste gebouw. De buitendeur is van zwaar staal en zit onder de graffiti, daarnaast zit een intercom. Trudy drukt op de B en wacht. Er gebeurt niets. Thomas steekt zijn arm langs haar heen en duwt de deur open. 'Hij is kapot,' zegt hij.

Trudy betreedt een hal die zo slecht verlicht is dat ze even moet stoppen om haar ogen aan de duisternis te laten wennen. Het ruikt naar schimmel en urine en chemische vloerreiniger. Trudy loopt naar het dichtstbijzijnde appartement en knijpt haar ogen samen om het nummer te kunnen lezen. Ze springt achteruit als er binnen woest geblaft en gegromd wordt. 'Godallemachtig,' zegt ze, terwijl ze haar hand op haar galopperende hart slaat.

Thomas grijnst opnieuw. 'Iemand met een rottweiler,' zegt hij. 'Maar niet degene die we zoeken, gelukkig. Hier, Trudy.'

Ze volgt zijn stem een paar treden af naar een souterrainwoning bij een trappenhuis en klopt op de deur. Geen reactie. Trudy probeert het opnieuw, iets nadrukkelijker deze keer.

'*Ja, ja*,' roept een ietwat chagrijnige stem binnen. Trudy hoort een ketting die weggeschoven wordt en het geslof van pantoffels, maar de deur gaat niet open. Ze lacht pijnlijk naar Thomas. 'Sorry, hoor,' zegt ze. 'Ik had geen idee...'

'Ik heb wel op ergere plekken gewerkt,' zegt Thomas.

'Nou, ik stel het erg op prijs. Vooral omdat je dit zo vlak voor Kerstmis wilde doen.'

Thomas haalt zo goed en zo kwaad als hij kan zijn schouders op. Hij staat voorover gebukt in de driehoekige ruimte onder het trappenhuis om te voorkomen dat hij zijn hoofd stoot aan de onderkant van de traptreden. 'Kerstmis zegt me niet zoveel,' zegt hij. 'Ik ben joods.'

Trudy strekt haar nek om zijn gezichtsuitdrukking te zien, maar dat is onmogelijk in de vervormende duisternis van de hal. 'Heeft Ruth je niet verteld dat ik Duitsers ga interviewen?' vraagt ze.

'Natuurlijk wel,' zegt Thomas. 'Daarom ben ik hier. Ik wil ontzettend graag weten hoe deze mensen in godsnaam kunnen rechtvaardigen wat ze gedaan hebben.'

Nu krijgt Trudy helemaal de zenuwen. Ze had kunnen weten dat

Ruths cameraman joods zou zijn. Maar dit is wel het laatste waar Trudy op zit te wachten: een cameraman die niet onpartijdig is. Stel dat hij het interview verpest door verontwaardigde vragen te gaan stellen of vol ongeloof te snuiven? Ze heeft echter geen tijd om stil te staan bij hoe ze dat aan moet pakken, want na het geluid van een reeks verschuivende grendels opent frau Kluge de deur. Nou ja, een centimeter.

'Wat wilt u?' vraagt ze.

Trudy doet een stap opzij, zodat frau Kluge haar kan zien. Ze doet haar best een innemende glimlach op haar gezicht te toveren. 'Frau Kluge?' zegt ze. 'Ik ben Trudy Swenson...'

'Aan de deur wordt niet gekocht,' zegt de vrouw.

'Nee, nee, ik ben van de universiteit. We hebben elkaar gisteren aan de telefoon gesproken, weet u nog? Over het Duitse Project. U hebt toegestemd in een interview? Over de oorlog?'

Er valt een stilte en dan zegt de vrouw: '*Ach ja.* Dat was me ontschoten.' De deur gaat half open.

Trudy recht haar schouders en stapt de woning van frau Kluge binnen: een kleine ruimte die ruikt naar mottenballen en tomatensoep. De rolgordijnen zijn half naar beneden getrokken en door het raam daaronder ziet Trudy de bumper van een auto. Frau Kluge laat zich met enige moeite zakken op een stoel aan een formica tafel: met uitzondering van een tweede stoel en een doorzakkende slaapbank de enige zitplaats.

'Wat een eh... gezellig huis hebt u,' zegt Trudy.

Frau Kluge maakt een wegwerpgebaar met een door jicht gezwollen hand. 'Het is een krot,' zegt ze.

Trudy kijkt enigszins wanhopig naar Thomas, die met samengeknepen ogen van de concentratie de kamer staat te inspecteren. 'Vindt u het goed als ik mijn spullen hier neerzet?' vraagt hij, terwijl hij naar de slaapbank wijst.

'Ja,' antwoordt frau Kluge schouderophalend.

Trudy ververst haar glimlach en zet de doos koekjes op tafel.

'Wat is dat?' vraagt frau Kluge.

'Koekjes.'

Frau Kluge peutert aan het gestreepte touwtje. Trudy steekt haar hand uit om te helpen, maar frau Kluge schuift de doos opzij en staat op om een mes uit het dressoir te halen. Ze snijdt het deksel open en tuurt naar binnen. '*Ach, makronen*,' zegt ze. 'Mijn lievelingskoekjes.' Ze vist er een bitterkoekje uit en begint dat op te eten. Er vallen kruimels op haar vest.

Trudy maakt gebruik van de gesprekspauze door te gaan zitten en haar aantekeningen te raadplegen, terwijl ze af en toe een heimelijke blik op frau Kluge werpt. Ze is ongeveer net zo oud als Anna, vermoedt Trudy, eind zeventig, maar daar houdt de overeenkomst dan ook op. Frau Kluge is een kleine gedrongen vrouw met een slap, rimpelig gezicht. Haar ogen zitten verborgen achter een grote vierkante ziekenfondsbril. Haar haar heeft de vorm van een champignon en is zo eentonig grijs dat het wel een pruik moet zijn. Een echte haar, lang en wit, groeit op haar kin.

Frau Kluge rommelt in de doos op zoek naar nog meer bitterkoekjes, maar ze heeft die blijkbaar allemaal opgegeten, want ze schuift de doos in de richting van Trudy.

'Nee, dank u,' zegt Trudy. 'Ik ben blij dat u ze lekker vindt.'

'Ze waren oudbakken,' zegt frau Kluge.

Trudy haalt diep adem en kijkt omlaag naar haar portfolio. 'Frau Kluge, het lijkt mij goed om het even over het interview...'

'Waar is het geld?'

'Pardon?'

'De honderd dollar. Waar zijn die?'

Uit haar handtas haalt Trudy een cheque met het stempel van de universiteit en schuift die over de tafel. Frau Kluge pakt hem op en houdt hem vlak voor haar ogen. Dan vouwt ze hem op en laat hem in haar zak verdwijnen. '*Ja*,' zegt ze. '*Gut*.' Ze staat op om het touwtje van de doos koekjes in een la te stoppen. Dan haalt ze iets van de koelkastdeur en schuifelt ermee terug naar de tafel. 'Mijn kleinkinderen,' zegt ze, terwijl ze haar hand uitsteekt.

Trudy pakt het van haar aan en kijkt gehoorzaam naar twee kinderen die gevat zijn in gemagnetiseerd perspex. Tegen de gemarmerde suède achtergrond die zo geliefd is bij schoolfotografen kijken ze Trudy grijnzend aan. Het haar van het meisje is zo strak vastgezet met haarspeldjes, dat haar ogen in een pijnlijk loensende stand zijn getrokken. De mond van de jongen glimt van de beugel. In Trudy's ogen zijn het zeer ordinaire kinderen. Ze draait de foto om en leest door het vergeelde plastic:

ANDI UND TEDDY, 1989. Zeven jaar geleden. Ze kijkt met hernieuwde belangstelling op naar frau Kluge. 'Uw kleinzoon moet nu al een flinke jongeman zijn,' zegt ze.

Frau Kluge mompelt iets en trekt aan een lus van haar vest.

Trudy aarzelt, maar maakt dan van de gelegenheid gebruik: 'Ziet u hen deze kerst?' vraagt ze.

Frau Kluge grist de foto uit haar handen. '*Ja*, natuurlijk,' snauwt ze. 'Waarom niet? Hebt u kleinkinderen?'

'Nee, ik...'

'Kinderen?'

'Nee...'

'Hebt u dan ten minste een man?'

'Ik ben getrouwd geweest, maar...'

Frau Kluge knikt voldaan. 'Hij is dood,' zegt ze.

Trudy lacht. 'Nee, hij is springlevend. Sterker nog, hij heeft een uiterst succesvol Frans restaurant. Le P'tit Lapin, misschien hebt u er wel eens van gehoord? Het...'

'Ik eet geen Frans voedsel,' meldt frau Kluge. 'Vette saus bederft de darmen.' Ze kijkt Trudy triomfantelijk aan.

Er valt een kleine stilte, waarin Trudy water hoort druppelen in de gootsteen van de vrouw. Dan ontdooit frau Kluge een beetje, wellicht als gevolg van haar overwinning, want ze zegt tegen Trudy: 'U doet me een beetje denken aan mijn dochter. Uiteraard bent u een paar jaar ouder. Maar u hebt iets van haar, híér.' Ze tikt tegen haar wangen.

Trudy knikt.

'Bent u Duitse?' vraagt frau Kluge.

'Ja.'

'Een echte Duitse? Geen *mischling*?'

In gedachten noteert Trudy frau Kluges gebruik van de naziterm voor 'halfbloed', maar ze is niet van plan deze uitgestoken hand van de vrouw af te wijzen. Ze besluit een stap verder te gaan. '*Nein*,' antwoordt Trudy. '*Ich bin kein Mischling, Frau Kluge. Ich bin Deutsche.*'

Van achter haar brillenglazen, die door een straal zwak licht veranderd zijn in melkwitte vierkanten, kijkt frau Kluge Trudy onderzoekend aan. Dan laat ze haar bril langzaam zakken en werpt Trudy een samenzweerderige glimlach toe. '*So*,' zegt ze. '*Sehr gut*. Ik had kunnen weten dat u raszuiver was. Door uw mooie blonde haar.'

Onwillekeurig gaat Trudy's hand omhoog naar haar pony.

'Sorry,' roept Thomas.

Trudy draait zich angstig naar hem om, vooruitlopend op wat hij zal gaan zeggen, maar hij kijkt vriendelijk. Achter hem is het gebied rond frau Kluges slaapbank veranderd in een filmset: lichtschermen en grote lampen, een camera op een statief en een microfoon in de vorm van een gigantische pinda, die midden in de lucht bungelt. Thomas houdt twee microfoons omhoog, de snoeren daarvan lopen uit in een knoop op het versleten tapijt. 'De dames kunnen afgetapt worden,' zegt hij. 'Breng die stoelen hiernaartoe, dan kunnen we beginnen.'

19

HET DUITSE PROJECT

Interview 1

GEÏNTERVIEWDE: Mevrouw Petra Kluge (meisjesnaam: Rauschning)
DATUM/LOCATIE: 21 december 1996, Noord-Minneapolis, MN

V: Laten we beginnen met een paar simpele vragen, frau Kluge. Waar en wanneer bent u geboren?

A: Ik ben geboren op 14 augustus 1919 in München, Duitsland.

V: Bent u uw hele jeugd in München gebleven?

A: *Ja*, ik heb daar gewoond tot ik naar dit land ben gegaan.

V: Dus u was in München aan het begin van de oorlog, in september 1939?

A: Waar zou ik anders moeten zijn?

V: U was toen, hoe oud... twintig? Nee, sorry, eenentwintig.

A: *Ja*, net geworden.

V: Dus u was een jonge vrouw toen Hitler Polen binnenviel. Wat vond u daarvan?

A: [*geïnterviewde haalt schouders op*] De Führer moest doen wat hij niet laten kon.

V: Dus u keurde het goed.

A: Goedkeuren, afkeuren, het maakte niets uit. Wie was ik om die dingen in twijfel te trekken?

V: Was u bang?

A: Er was geen reden voor angst. Iedereen wist dat de Polen geen partij voor ons waren. En de Führer heroverde gewoon wat van Duitsland was. Hij dacht aan zijn volk, aan lebensraum...

V: Hij viel Polen binnen voor meer leefruimte.

A: *Ja*, voor de ariërs, dat klopt.

V: Dus in principe was u het met de oorlog eens.

A: *Ja*, dat zei ik al. *Natürlich*, als ik geweten had wat er daarna zou gebeuren, was ik dat misschien niet geweest... Maar ik was nog jong.

V: Wat vond u van de andere theorieën van Hit... de Führer?

A: Hoe bedoelt u?

V: Over de joden. Dat Duitsland eh... gezuiverd moest worden van joden.

A: *Judenrein.*

V: Ja.

A: Ik had het veel te druk om daar op te letten. Het ging mij niets aan.

V: Wat er met de joden gebeurde ging u niets aan?

A: *Ja*, voor mij persoonlijk betekende het niets. Ik kende geen joden.

V: Niet één?

A: *Ja*, nou misschien op het gymnasium, daar waren... Maar zij moesten al snel naar hun eigen scholen. Ze waren nogal op zichzelf. U weet wel, in hun tempels en hun... Hun wat al niet.

V: Maar in uw dagelijkse leven moet u toch joden tegen zijn gekomen. In het openbaar vervoer, in cafés, op straat...

A: *Nein, nein.* Heel weinig. Heel weinig. Misschien dat ik er in het begin een paar heb ontmoet zonder het te weten. Maar toen ze de ster moesten gaan dragen, *nein*, toen waren ze niet langer in de parken en treinen en zo.

V: En wat vond u daarvan?

A: Ik vond er niets van. Zoals ik al zei, ik had er geen last van. Misschien dat sommige dingen er makkelijker door werden...

V: Welke dingen? In welk opzicht?

A: [*haalt schouders op*] *Ach*, u weet wel. Niet zo druk meer. In de winkels, meer ruimte, meer voedsel voor ons Duitsers toen ze eenmaal naar hun eigen winkels moesten waar ze thuishoorden.

V: Ja, ja. Vond u dat eerlijk?

A: Eerlijk, oneerlijk, het maakte alles wat makkelijker. Je wist wie bij wie hoorde.

V: U vond het niet erg dat joden niet langer dingen in arische winkels mochten kopen, arische artsen mochten bezoeken, naar het theater konden gaan...

A: *Nein*. En ze vonden het zelf ook niet erg. Ze zijn graag bij hun eigen soort. En ze leden er ook niet onder, geloof mij maar. Ze konden nog steeds kopen wat ze wilden.

V: Hoe bedoelt u?

A: Ze hadden zo hun manieren. Ze hadden altijd hun manieren.

V: Ze hadden geld, bedoelt u?

A: *Ja, ja*, precies. Voor de oorlog, toen de Duitsers honger leden, toen we uren in de rij moesten staan voor een brood... Toen er geplunderd werd, ruiten werden ingegooid, mensen werden vermoord om een paar *pfennigs*... Zij konden gewoon binnen komen walsen en kopen wat ze wilden. Hun zakken zaten vol geld. Hun jassen waren afgezet met bont.

V: En tijdens de oorlog?

A: *Ach*, dat maakte voor hen geen verschil. Ze hadden nog steeds geld. Ze verstopten het. Begroeven het in hun kelders, in hun huizen, onder hun vloeren. U weet hoe ze zijn.

V: Hoe ze...

A: Achterbaks. De joden waren achterbaks. Ze wapperden niet meer met hun bankbiljetten onder onze neuzen, maar ze hadden ze wel. Ze hadden diamanten in de voering van hun jassen genaaid.

V: Maar, frau Kluge... Niet dat ik u tegen wil spreken, maar u zei dat u geen contact had met joden. Hoe wist u dan dat ze geld verstopten?

A: Dat wist iedereen.

V: Iedereen?

A: *Ja*, iedereen.

V: Maar, hoe wist iedereen dat dan?

A: Dat was gewoon zo. Het was een voldongen feit.

V: Ik neem aan dat u met iedereen arische Duitsers bedoelt?

A: *Ja*, Duitsers.

V: Hebben de Duitsers... Wist u wat er met de joden gebeurde als ze werden gedeporteerd?

A: *Nein, nein*. Ons werd niets verteld. Dat waren regeringszaken.

V: Dus u wist niets van de kampen?

A: Kampen?

V: De concentratiekampen. Waar de joden naartoe werden gedeporteerd.

A: Dat is allemaal propaganda.

V: Propaganda?!

A: Inderdaad, propaganda. *Ach*, er zullen vast wel een paar joden zijn gestorven. Maar door de oorlog. Door bommen en de kou en ziekte en honger. Net als de Duitsers.

V: Maar... Frau Kluge, de foto's dan, de...?

A: Propaganda. Zoals ik al zei. Leugens die na de oorlog door de geallieerden zijn verspreid.

V: Ja, ja... Oké, eh... Frau Kluge, misschien kunt u me iets meer vertellen over hoe uw leven er tijdens de oorlog uitzag. Wat staat u het meeste bij?

A: De rantsoenen. In het begin. En toen dat er helemaal geen voedsel meer was. We hadden honger. De kou. De luchtaanvallen. Afschuwelijk.

V: Wat deed u tijdens de oorlog? Had u een baan? Familie?

A: *Nein*, geen familie. Mijn moeder stierf in 1936 aan tuberculose. Toen iedereen behalve de joden doodging van de honger. Zij had geen medicijnen, terwijl zij in bontjassen liepen te paraderen.

V: En uw vader?

A: [*haalt schouders op*] Die heb ik nooit gekend. Hij is in de eerste oorlog gestorven.

V: U had geen eigen gezin? Geen man, geen...

A: *Nein. Ja*, er was wel een man. We zouden ons gaan verloven. Maar hij zat bij de Wehrmacht en is in Rusland gesneuveld. Bij de Wolga.

V: Dus u was alleen tijdens de oorlog.

A: *Ja, ja*, ik moest helemaal voor mezelf zorgen. Op mijn eigen benen staan tijdens die periode, het was erg moeilijk.

V: Wat deed u? Wat voor soort werk?

A: Ik werkte als telefoniste bij een centrale.

V: En verdiende u daarmee genoeg om rond te komen?

A: *Nein, nein*. Ik had amper genoeg om in leven te blijven. En met die rantsoenen... *Ach*, het was zo erg. De dingen die ik heb moeten doen om het hoofd boven water te houden.

V: Wat voor dingen?

A: Niets. Niets. Gewoon... Om het te kunnen redden. Dat is alles.

V: Hoe heeft u het dan kunnen redden?

A: Ik... Wat denkt u? In de rij staan wachten tussen alle anderen. Soms iets gestolen. Als er niets is om je maag mee te vullen...

V: U moet er wanhopig van zijn geworden.

A: *Ja*, *ja*, wanhopig, dat is het, nu begrijpt u me. Wat ik deed, moest ik doen.

V: En dat was?

A: Dat heb ik u al verteld. Niets. Maar. Anderen. Een stel andere mensen...

V: Welke andere mensen?

A: Het was een afschuwelijke tijd.

V: Wanhopig.

A: *Ja*, wanhopig. En die vrouw die ik kende...

V: Zij was een vriendin van u?

A: *Nein, nein.* Geen vriendin. Een kennis. Iemand die ik kende van mijn werk. Niet erg goed. Soms lunchten we samen. Niet erg vaak. Begrijpt u?

V: Ja. Hoe heette ze?

A: Dat ben ik vergeten. Dat ben ik vergeten.

V: Geeft niet, frau Kluge. Maar u zei net... Zij was ook wanhopig?

A: *Ja*. En zij, zij moest dus iets doen...

V: Wat was dat? Wat heeft ze gedaan?

A: Zij... Die vrouw, ze bedoelde het niet slecht. Maar ze was wanhopig, zoals u al zei, *nicht*? En ze had zo'n honger, terwijl de joden, zij hadden nog steeds geld. En zij, die vrouw, zij dacht, wat is er nou zo erg aan, begrijpt u? Zij wist dat er nog steeds een paar waren. Zich verstopten. Net zoals ze hun geld verstopten. Ze...

V: Neem me niet kwalijk dat ik u onderbreek, frau Kluge, maar waar was dit? Waar verborgen de joden zich?

A: Overal. De stad zat er vol mee. En die vrouw, zij wist dat er een paar in het gebouw naast dat van haar zaten. In de kelder. Dus ze...

V: Was dat in München?

A: *Ja*. Vlak bij waar ik woonde. In de, de buitenste ring, de...

V: De buitenwijk?

A: *Ja*, dat is correct, de buitenwijk. In de buitenste ring zaten er nog steeds een paar verborgen. Dus zij, die vrouw, zij ging naar hen toe.

V: Naar de joden?

A: *Ja*, *ja*, naar de joden. Ik was gewoon... U weet wel, zíj, zij zei tegen me, Petra, ik weet er een paar te zitten. In een kelder. Onder een trap, in een ruimte voor de opslag van aardappels, en zij hadden ooit een schoenenzaak, een heel grote schoenenzaak, veel winkels in de buurt van München dus ze moeten nog geld hebben en er was ook een beloning...

V: Een beloning voor het aangeven van joden?

A: *Ja, ja*, dat klopt, bij de Gestapo. Een grote som geld. Dus die wanhopige vrouw, die ging naar die kelder en ze zei tegen hen, joden, ik wil jullie niet aangeven. Ik heb niets tegen joden. Dus jullie geven me hetzelfde bedrag als de beloning en dan zal ik niets zeggen.

V: En hebben ze haar het geld gegeven?

A: *Ja*. Ze hadden diamanten. Kleintjes. Niet zo heel goed van kwaliteit. Het was een beetje teleurstellend. Maar ook een paar ringen. En oorbellen. Genaaid in de zomen van hun jassen.

V: Dus ze heeft hun diamanten meegenomen.

A: *Ja, natürlich*. Ze was wanhopig.

V: Ja, ik begrijp het. En ze heeft hen niet aangegeven?

A: *Nein*. Ze heeft die joden niet aangegeven. Ze zei tegen me, Petra, weet je, nu heb ik een beetje, in ieder geval voldoende om te eten. Nu kan ik voor mezelf zorgen. Ze had geen familie, niemand om voor haar te zorgen...

V: Dus ze nam de diamanten mee en heeft hen niet aangegeven.

A: *Ja. Nein*. Niet meteen.

V: Niet meteen.

A: Dat is correct. Niet onmiddellijk. Maar weet u, geld raakt op een gegeven moment op en al snel, al snel hadden ze niets meer om haar te geven, dat zeiden ze tenminste, hoewel ze natuurlijk wel meer hadden. Dus toen moest ze hen aangeven.

V: Voor de beloning.

A: Ja, precies. Ze is naar de Gestapo gegaan en ze heeft die beloning gekregen. En weet u wat hij zei?

V: Wie?

A: Die man van de Gestapo. Een kleine, dikke man zonder haar op zijn hoofd... Dat heeft zij me verteld.

V: Juist. En wat zei hij?

A: Hij zei, fräulein zus-en-zo, ik weet haar naam niet meer, fräulein, zei hij, het is heel goed wat u hebt gedaan. Voor uw land. Voor uw Führer en *vaterland*. Het doet me zeer veel deugd u dit geld te geven. En als u nog meer joden kent, zal ik u graag weer op deze manier belonen. Als u hen bij mij onder de aandacht brengt.

V: En... Heeft ze dat gedaan?

A: Wat gedaan?

V: Kende ze nog meer joden?

A: Nou, *ja*, ze zaten overal. In alle hoeken en gaten, dat zei ik al. Als luizen. Als, hoe noem je dat ook alweer, termieten.

V: Heeft ze hen ook aangegeven?

A: Ik... Ik... *Ach*, nou ja. Wie weet. Ik wilde dat soort dingen niet weten. Zoals ik al zei, ik had er niets mee te maken, *nicht*? En ik kende haar niet, weet u nog? Ik kende haar helemaal niet goed.

V: Maar wat denkt u? Denkt u dat ze andere joden heeft aangegeven?

A: Ik heb niet... Nou, *ja. Ja*. Wel. Ik bedoel, wat ik wil zeggen is dat ik denk dat ze dat gedaan heeft. *Ja*.

V: Voor het geld.

A: Ja, dat is correct. Ze... Misschien had ze wel medelijden met hen. Een beetje. Maar ze moest het toch doen.

V: Ach.

A: Ze was wanhopig.

V: Ja, dat zei u al... Frau Kluge, wat vindt u nu van wat zij gedaan heeft?

A: Ik? Waarom zou ik daar iets van moeten vinden? Ik vind niets. Ik heb niets gedaan om me voor te schamen!

V: Maar ik zei... Neem me niet kwalijk. Laat me het anders vragen: wat denkt u dat zíj vindt?

A: [*haalt schouders op*] Hoe moet ik dat weten? Ze is waarschijnlijk dood.

V: Maar als ze nog zou leven en u kon het haar vragen, wat denkt u dan dat ze zou zeggen? Denkt u dat ze zich schuldig zou voelen?

A: *Nein. Nein*. Niet schuldig. Waarom zou ze zich schuldig voelen? Waarom zou zij moeten verhongeren, terwijl de joden nog steeds geld hadden? Ze moest het hoofd boven water houden.

V: Ja, maar...

A: Ze had niemand. Niemand om voor haar te zorgen. Niemand om op haar te letten. Zij hadden elkaar. Zij hadden het geld. Terwijl zij een vrouw alleen was. Het is afschuwelijk om een vrouw alleen te zijn.

V: Ja, maar...

A: U zou dat toch moeten weten. U begrijpt wat ik bedoel.

V: Nou, tot op een bepaalde hoogte wel, maar...

A: En in die tijd. Zo'n afschuwelijke tijd. Dat kunt u zich niet voorstellen. U hebt geen idee hoe het is om het koud te hebben. Om honger te hebben. Ziek van de honger te zijn. Dat begrijpt u niet.

V: Dat is waar, maar...

A: *Und so. Das ist alles.* Dat is alles wat ik te zeggen heb.

V: Nog één ding, frau Kluge, als ik zo vrij mag zijn... U hebt me verteld hoe uw, eh... kennis er misschien over gedacht heeft. Maar vindt u, u persoonlijk, het erg wat er met de joden is gebeurd?

A: Ik? Ik kende hen niet eens. Ik kende geen joden. En ik vind het ook niet erg dat ik alleen maar gedaan heb wat ik moest doen. Want een vrouw alleen moet nou eenmaal goed op zichzelf letten op deze wereld.

20

Zodra het interview met frau Kluge afgelopen is, vluchten Trudy en Thomas zo snel als het ontmantelen van Thomas' apparatuur dat toestaat haar appartement uit. Feitelijk hebben ze er zo'n haast mee dat Trudy, die kijkt hoe Thomas met een snelheid die bijna komisch is kabels oprolt en statieven inklapt, bang is dat het frau Kluge opvalt en dat ze er aanstoot aan zal nemen. Niet dat Trudy zich bijzonder druk maakt over frau Kluges gevoelens, maar als de vrouw merkt hoe ze over haar denken, zou ze wel eens zo beledigd kunnen zijn dat ze haar getuigenis intrekt. Maar Trudy blijkt zich voor niets zorgen gemaakt te hebben, want frau Kluge lijkt hen net zo graag weg te willen hebben als zij willen gaan. Als ze vertrekken, zit de vrouw nog steeds op haar stoel. Ze kijkt naar een spelletjesprogramma op een kleine zwart-wittelevisie en negeert hen volkomen.

Trudy blijft bij de truck staan als Thomas de inhoud van zijn karretje daarin laadt, ogenschijnlijk om een oogje in het zeil te houden, maar feitelijk om haar verontschuldigingen aan hem, over wat ze zojuist gehoord hebben, te oefenen. Maar als hij klaar is en ze tegenover elkaar op de stoep staan, is het enige wat Trudy kan zeggen: 'Wauw.'

'Ja,' zegt Thomas. 'Wauw.'

Ze staan nogal onbeholpen in de kou en puffen als renpaarden wazige ademwolkjes, terwijl Trudy met één voet een beetje tegen een brok vieze sneeuw schopt. Terwijl zij met frau Kluge bezig waren, is het buiten avond geworden – iets wat Trudy altijd verbaast, hoe goed ze ook probeert zich daar op voor te bereiden. Ze werpt een blik op Thomas, probeert in het kwijnende oranje licht van de straatlantaarns zijn uitdrukking te peilen, maar hij staart over haar hoofd naar frau Kluges appartement. Zijn gezicht met dubbele kin staat grimmig, afwezig.

'Het spijt me, Thomas,' zegt Trudy. 'Het was heftig.'

'Geeft niets,' zegt hij. 'Ik had wel zoiets verwacht.'

Trudy kijkt fronsend omlaag naar haar laarzen. Maar we zijn niet allemaal zo, wil ze tegen hem zeggen. Echt niet. Er zijn ook goede Duitsers. In plaats daarvan geeft ze een flinke trap tegen de brok sneeuw, waardoor die over straat schiet. 'Ik kan wel een stevige borrel gebruiken,' zegt ze.

Thomas lacht. 'Ik ook.'

Trudy kijkt hem hoopvol aan. 'Zullen we er eentje gaan drinken? Ik ken hier vlakbij een tentje, Dinkytown, waar ze geweldige margarita's hebben...'

'Lijkt me leuk,' zegt Thomas, 'maar ik heb al andere plannen. Sorry.'

'O. Oké. Misschien de volgende keer.'

'Tuurlijk,' zegt hij. 'De volgende keer.'

Trudy blijft nog even treuzelen, wil iets zeggen om te bevestigen dát er een volgende keer zal zijn, dat Thomas haar nog een kans zal geven, dat hem laat weten dat ze het echt heel erg vindt. Maar ze weet niet hoe ze het onder woorden moet brengen, dus wappert ze uiteindelijk maar wat met haar hand in de lucht naast zijn elleboog: een soort kruising tussen een aanraking en een zwaai. 'Nogmaals bedankt,' zegt ze. 'Ik bel je snel.'

'Dag,' zegt Thomas.

Trudy zit in haar auto te wachten tot haar motor warm genoeg is en kijkt hoe Thomas in zijn truck klimt en ervandoor gaat. Hij toetert als hij de hoek omslaat: *tè-tè-tè-rè-tè, tè-tè.* Misschien moet hij echt ergens anders naartoe. Aan de andere kant, misschien wil hij gewoon zo snel mogelijk weg van Trudy en haar Duitse Project. Trudy kan het hem niet kwalijk nemen. Ze zucht en zet de auto in de eerste versnelling.

Ze heeft echt behoefte aan een borrel, niet zozeer vanwege de alcohol, maar om de slechte smaak over haar hielenlikken bij frau Kluge weg te spoelen, om terug te keren naar de normale wereld. Ze heeft geen zin om naar huis te gaan en in haar eentje een glas cognac te drinken. Ze verlangt naar gezelschap, maar is niet van plan om naar een kroeg te gaan om dat te zoeken. Er is op de wereld maar weinig minder sneu dan een vrouw van middelbare leeftijd die alleen op een barkruk zit. Ze neemt in gedachten de lijst van mogelijke borrelkandidaten door. Ten eerste is daar Ruth. Maar aangezien dit haar halve dag op de universiteit is, is zij waarschijnlijk al thuis met haar man aan het koken. Er zijn een paar collega's die Trudy zou kunnen bellen, maar dat zijn meer kennissen dan vrienden, en gesprekken met hen – ongetwijfeld over de laatste roddels op de campus – lijken momenteel zowel irrelevant als te veel gedoe. En los daarvan is er... Trudy knaagt op haar lip en neemt impulsief een beslissing. Misschien omdat haar schermutseling met frau Kluge voorafgaande aan het interview Trudy voor het eerst sinds lange tijd aan hem heeft doen denken. Maar wat ook de reden mag zijn: ze zal haar ex-man Roger een bezoekje gaan brengen.

Ze rijdt naar nummer 394 op Fifth Street, waar Rogers restaurant Le P'tit Lapin nog steeds gevestigd is, ondanks de omringende enorme steunpilaren van de verhoogde snelweg. Een droom die al in het hoofd van een of ander raadslid zat toen Trudy en Roger het restaurant kochten en die dat nu in permanente duisternis hult. Trudy moet een beetje glimlachen als ze de auto parkeert en over de gladde stoep naar de deur loopt. Gezien het succes van het restaurant kan Roger het zich ongetwijfeld veroorloven het te verplaatsen naar een betere buurt, maar dat hij dat niet gedaan heeft is typisch iets voor hem. Een dergelijke daad zou rieken naar pretentie en daar heeft Roger, zoals hij zelf zegt, een afschuwelijke hekel aan. Hij heeft altijd zijn neus opgehaald voor trends; terwijl de nieuwere eetgelegenheden in de stad prat gaan op geïmporteerde wandverlichting en gemarmerde muren die doen denken aan Italiaanse villa's, is Le P'tit nog net zo eenvoudig als in het begin. Het is een piepkleine ruimte – er passen hooguit veertig mensen in – en boven de ramen wapperen met roet bedekte driekleurige zonneschermen. De bakstenen muren binnen zijn witgeverfd en de verlichting is behoorlijk fel, zodat je kunt zien wat je eet. Van boven komt zachte Vivaldi-muziek van een strijkkwartet. Als Roger een gekke bui heeft wil hij wel eens een cd van Edith Piaf in de geluidsinstallatie stoppen, maar normaal gesproken is de muziek even ingehouden als het decor. Niets dat af kan leiden van *la cuisine*.

Het eetgedeelte is leeg op dit tijdstip, maar Trudy weet dat de chef-kok en de souschefs in de keuken staan te zweten en vloeken bij de voorbereidingen van het diner. Ze ziet een spichtige ober servetten in wijnglazen steken en vraagt hem Roger te laten weten dat ze er is. Dan blijft ze wachten bij de standaard met het afsprakenboek en kijkt een beetje treurig om zich heen. Niet te geloven dat ze hier tien jaar van haar volwassen leven als Rogers hulpje heeft doorgebracht! Trudy ziet bijna een doorschijnende versie van haar jongere ik voor zich: haar haar in een middenscheiding en naar achteren gebonden met een stukje touw, terwijl ze theelichtjes op de tafels zet. Het valt haar nu op dat die vervangen zijn door dikke glitterkaarsen. Rond de voet ervan is glinsterfolie gevouwen. Een kerstboom versierd met gekleurde strikken troont in de erker. Trudy verbaast zich over het vertoon van decemberkitsch, dat – absoluut niet Rogers idee – het werk moet zijn van Rogers huidige echtgenote Kimberly. Die op dit moment door de klapdeuren van de keuken snel in Trudy's richting komt klikklakken.

'Hé, hallo,' roept Kimberly. 'Wat een verrassing!'

'Ik hoop dat je het niet erg vindt dat ik zomaar binnen kom vallen...'

'Doe niet zo gék. Helemáál niet.' Kimberly buigt voorover om aan weerszijden van Trudy's gezicht in de lucht te kussen. Ze is een goed gecoiffeerde blondine van halverwege de dertig. Met haar porseleinen gelaatskleur en bijbehorende blauwe ogen lijkt ze zo op een pop, dat Trudy elke keer wanneer Kimberly met haar ogen knippert een klikje denkt te horen. Dat doet ze nu, heel snel: *klik klik klik*. Maar je moet de hersenen onder dat modebewust warrige haar niet onderschatten. Die zijn, zoals Trudy weet van de boedelscheiding, even meedogenloos en praktisch als een rekenmachine.

'Roger is in de wijnkelder,' zegt Kimberly. 'Er is iets misgegaan met de levering van de Merlot... Maar daar weet jij alles van.' Ze knipoogt. 'Dus hou ik je maar even gezelschap tot hij weer boven komt. Kan ik je iets te drinken aanbieden?'

'Graag,' zegt Trudy.

Ze lopen naar de bar, een kleine, met donker hout betimmerde ruimte waar de gordijnen de lucht van tientallen jaren sigarenrook uitwasemen. Trudy gaat op een kruk zitten en kijkt in de met lood omlijste spiegel, terwijl de jongere vrouw glazen neerzet. Als er geen leeftijdverschil van twintig jaar tussen hen had gezeten, zou je kunnen denken dat Trudy en Kimberly zussen waren.

'Rood of wit?' vraagt Kimberly. 'O, wat stom van me, je mag natuurlijk ook iets sterkers. Een wodkatonic, of een whiskey...'

'Rood is prima, dank je,' zegt Trudy.

Ze proeft de Bordeaux die Kimberly voor haar heeft ingeschonken. Chateau Souverain, een uitstekende wijngaard, een voortreffelijk jaar. In tegenstelling tot de meeste restaurateurs heeft Roger geen sommelier, hij selecteert de wijn liever zelf. Hij heeft er nog steeds kijk op.

Kimberly heeft Trudy's glas tot een centimeter onder de rand vol geschonken en staat nu haar eigen drankje klaar te maken: een Perrier met limoen. Ze werpt een blik in de spiegel en strijkt met de gelakte nagels van haar duim en wijsvinger over haar mondhoeken om korreltjes opgedroogde lippenstift te verwijderen. Dan loopt ze achter de bar vandaan om zich op de kruk naast Trudy te laten zakken.

'Zo,' zegt ze, terwijl ze haar benen over elkaar slaat en eersteklas bovenbenen gehuld in een glitterpanty onthult. 'Hoe ís het met je?'

Trudy knikt en werpt een steelse blik op de heupen, terwijl ze een grote teug van haar wijn neemt. Misschien was het toch niet zo'n goed idee om hiernaartoe te gaan. 'Prima,' zegt ze. 'Druk als altijd. Je kent het wel.'

'O, absoluut. Deze tijd van het jaar is het altijd een gékkenhuis, hè?' Kimberly slaakt een diepe zucht en trekt aan de puntjes van haar pony. 'Weet je, Trudy, ik moest pas nog aan je denken.'

'Echt?'

'Echt wel. Over hoe jaloers ik op je ben. Jullie vrijgezelle meiden hebben het maar gemakkelijk. Geen familie om voor te koken – Rogers héle familie komt met Kerstmis, zelfs die stokoude tante, dat geloof je toch niet? En geen gezeur van een oude brompot van een echtgenoot aan je hoofd... Maar vertél, nog nieuwe mannen in je leven?'

'Niet echt,' zegt Trudy.

Kimberly tuit haar lippen en buigt zich naar Trudy toe, waardoor ze Trudy een blik gunt in een bewonderenswaardig en sproeterig decolleté, genesteld in het zalmkleurige satijn van haar blouse. 'O, nee,' zegt ze. 'Het is niet áárdig om alle leuke dingen voor jezelf te houden. Er moet toch íémand zijn.'

Ze lacht verwachtingsvol naar Trudy, die nog een slok wijn neemt. 'Nou...' zegt ze, denkend aan Thomas.

'Ik wíst het! Mij hou je niet voor de gek met dat uitgestreken gezicht. Ik zag het meteen!' Kimberly geeft Trudy een meiden-onder-elkaar plaagstootje. 'Wie is het?' vraagt ze.

'O, het is niets serieus,' zegt Trudy. 'We hebben elkaar eigenlijk net ontmoet.'

'Nou doe je het weer, verdorie. Vooruit, vertél. Vertel me álles over hem.'

'Nou...'

Trudy wordt gered door het feit dat Roger dit moment uitkiest om zijn entree te maken. Ze schenkt hem een brede glimlach. Sinds hun trouwdag is ze niet meer zo blij geweest om hem te zien.

'Oeps!' zegt Kimberly vrolijk en ze ritst haar lippen dicht.

Roger beent naar Trudy en kust haar op beide wangen, het geschuur van zijn snor bezorgt haar de gebruikelijke rilling in haar nek. 'Ik had kunnen weten dat ik jullie in de bar zou kunnen vinden,' zegt hij.

Kimberly komt van haar kruk af en Roger schuift erop. 'Ik wil graag hetzelfde als zij, schat,' zegt hij tegen zijn vrouw. Bedankt.' Dan draait hij zich weer naar Trudy en slaat zich op de knieën. 'Zo!' zegt hij. 'Dit is een onverwacht genoegen. Hoe lang is het nou geleden?'

'Geen idee,' zegt Trudy. 'Te lang?'

'Volgens mij hebben we haar ongeveer acht maanden geleden voor het laatst gezien, schat,' zegt Kimberly van achter de bar. 'Weet je nog, we kwamen elkaar tegen bij Lunds?'

'O ja... Nou, dat is inderdaad te lang.' Roger lacht naar Trudy. 'Maar je ziet er geweldig uit.'

'Jij ook,' zegt Trudy, hoewel dat ietwat gelogen is. Net als zijn restaurant is Roger Trudy net zo vertrouwd als haar eigen huid. Maar hij is ook op een subtiele, verontrustende manier veranderd. Hij is nog steeds een grote kerel – het vrouwelijke bedienend personeel, waar ooit Kimberly toe behoorde, heeft nooit nagelaten hier opmerkingen over te maken, in zijn armspieren te knijpen en te kirren over zijn gelijkenis met een of ander stuk uit de reclame – maar zijn zwaartepunt is nu van zijn borst verschoven naar de reserveband om zijn middel. Zijn gezicht, vroeger zo gezond roze dat Trudy hem altijd plagend zei dat het leek alsof hij van marsepein was gemaakt, heeft nu de rode kleur die wijst op een hoge bloeddruk. En de onderkin is veel meer dan suggestief. 'Ik kan zien dat het je goed gaat,' kan Trudy niet nalaten te zeggen.

Roger kijkt haar aan en neemt een slokje van zijn wijn. 'Ik mag niet klagen, dank je,' antwoordt hij. Hij veegt zijn snor af aan de mouw van zijn witte koksbuis. 'Zo! Hoe gaat het met het lesgeven? Hoe is het, zoals ze dat zeggen, met de jeugd van tegenwoordig?'

'Even apathisch als drie luiaarden,' zegt Trudy. 'Maar je blijft altijd hopen dat er iets van wat je zegt tot ze doordringt.'

'O, vast... En verder? Nog uitstapjes buiten de wereld van de wetenschap?'

'Niet echt,' zegt Trudy. 'Ik doe een onderzoeksproject uit persoonlijke belangstelling, maar ik krijg daar geld voor van de universiteit, dus ik vermoed dat je dat als wetenschappelijk zou kunnen betitelen.'

'Tja, dat hangt ervan af. Waar gaat het over?'

Trudy neemt een grotere slok van haar wijn dan de bedoeling was en morst een beetje. Ze likt langs de zijkant van haar hand. 'Duitsers,' zegt ze. 'Ik interview Duitsers van de generatie van mijn moeder. Om erachter te komen hoe ze omgaan met wat ze tijdens de oorlog gedaan hebben.'

'Echt?' zegt Roger.

'Ja, nou, het is allemaal nog erg in de beginfase. Ik kom eigenlijk net van mijn eerste interview. En dat was... lastig. Maar ik dacht dat het interessant zou zijn – ik bedoel noodzakelijk – om iets over de oorlog te weten te komen van levende bronnen. Er is niet veel documentatie over de Duitse reactie, vooral niet uit de eerste hand, en voor het onderzoek naar deze periode zal het van onschatbare waarde zijn om...'

'Zeg, ik moet jullie nu alleen laten,' onderbreekt Kimberly. 'Trudy, súper om je weer te zien. Bel me, dan gaan we een keertje lunchen, oké? Dan kunnen we het hebben over... je weet wel. Waar we het over hadden voor deze grote gozer binnenkwam.' Ze kust Roger op zijn haar, geeft Trudy nog een laatste knipoog en vertrekt.

Trudy staart naar de antieke spoorwegklok boven de bar. 'Ik moet jou waarschijnlijk ook niet langer ophouden,' zegt ze.

'Nee, geeft niets,' antwoordt Roger. 'Ik heb nog wel even, aangenomen dat er in de keuken geen brandjes geblust hoeven te worden... Enfin. Lastig, zei je. In welk opzicht?'

'Wat?'

'Je interview.'

Trudy kijkt Roger fronsend aan. Is hij gewoon beleefd? Maar hij lijkt oprecht geïnteresseerd, dus ze staat op, loopt achter de bar, schenkt na

Rogers aanmoedigende geknik nog wat wijn in en keert terug naar haar kruk, waar ze het interview met frau Kluge tot in de details uit de doeken doet.

'Dat was het,' zegt Trudy als ze uitverteld is. Door het zwierige gebaar dat ze daarbij maakt, plenst er een plas wijn op de grond. 'Interview *eins. Kaputt.*' Ze zet haar glas voorzichtig op de onderzetter. Ze is een beetje aangeschoten.

'Dus ze gaf niet toe dat zij degene was die de joden heeft aangegeven,' zegt Roger.

'Niet rechtstreeks.'

'En je hebt haar er niet mee geconfronteerd.'

'Nou, nee. Maar. Het was duidelijk dat ze het over zichzelf had.'

'Ja, natuurlijk,' zegt Roger. 'Hmmm. Interessant.' Hij legt een elleboog op de bar en trekt aan zijn snor, terwijl hij Trudy met die bedrieglijk slaperige blik aanstaart waarvan ze weet dat die zijn grootste nieuwsgierigheid maskeert.

'Wat?' zegt Trudy.

'Niets. Er is niets.'

'Wat "er is niets". Er is niet niets. Niet als je me op die manier aankijkt. Wat is er?'

'Ik wil het er niet over hebben, Trudy.'

'Waarover? Vooruit, Roger. Voor de dag ermee.'

'Het verbaast me gewoon nog steeds, dat is alles.'

'Wat verbaast je?'

'Wat jij allemaal niet doet om niet in therapie te gaan.'

'Wat?' zegt Trudy. 'Waar héb je het over?'

Roger staart naar het plafond alsof hij de hemel om geduld smeekt. 'Het is mij een raadsel,' zegt hij, 'waarom jij zo veel tijd en energie steekt in dat project van je, terwijl je gewoon in therapie kunt gaan om je problemen op een normale manier aan te pakken en verder te gaan.'

'Ik doe,' zegt Trudy, elke woord uitspugend, 'empirisch onderzoek.'

'Voor wie? Zeg eens eerlijk. Voor de wetenschap? Of voor jezelf?'

'Wat maakt dat nou uit,' snauwt Trudy.

Rogers snor wijkt uiteen door een glimlach en Trudy's haren gaan recht overeind staan. Ze weet precies waar hij nu aan denkt: aan die ene therapiesessie, toen Trudy na afloop in de auto een hysterische giechelbui kreeg over de serieuze, klamme pogingen van de therapeut om contact tot stand te brengen – 'Goed, Roger, pak Trudy's handen vast, zo ja, en kijk diep in haar ziel en vertel haar precies hoe je over haar denkt' – en diens uitpuilende kikkerogen. Ze had geweigerd om nog een keer te gaan.

'Therapie is niet de oplossing voor alles, Roger,' zegt ze nu. 'Alleen omdat jij en Kimberly het doen, in groepjes samenkomen, jullie afzonderen in zweethokjes om je innerlijke dierlijke spirituele drijfveren of god weet wat te ontdekken...'

Rogers glimlach wordt nog breder. 'O, Trudy,' zegt hij.

'Sla niet zo'n medelijdende toon tegen me aan.'

'Ik heb geen medelijden met je,' zegt Roger vriendelijk. 'Ik probeer je te helpen. Begrijp je het dan niet, Trudy? Het heeft allemaal met je moeder te maken. Ik weet nog steeds niet wat je nu precies op haar aan te merken hebt, maar elke eerstejaars psychologie kan je vertellen wat de onderliggende pathologie is: je bent net als zij.'

Trudy is zó razend dat ze geen woord kan uitbrengen. Ze zit een tijdje onsamenhangend te sputteren en slaagt er dan eindelijk in voor de dag te komen met: 'O, ja?'

'Absoluut.'

Trudy laat zich van haar kruk af glijden. 'Nou, dat is ook precies wat ik zou verwachten van een eerstejaars psychologie,' zegt ze. Ze steekt haar hand uit naar haar glas om dat stoer achterover te slaan, maar haar hand trilt zo hevig, dat ze het weer neer moet zetten. Ze besluit Roger niet de voldoening te schenken om toe te kijken hoe zij haar jas dichtknoopt. 'Trouwens,' zegt ze, terwijl ze haar handtas van de grond graait, 'wat weet jij daar nou van? Je hebt mijn moeder nauwelijks gezien.'

'Natuurlijk niet,' zegt Roger poeslief. 'Dat mocht niet van jou. Maar op grond van de zeldzame keren dat ik haar wél heb gezien, zou ik zeggen dat de gelijkenis duidelijk is. Meer dan duidelijk. Treffend.'

'Is dat zo.'

'Ja, dat is zo.'

'Nou, niet dus. Ik lijk in de verste verte niet op mijn moeder.'

'Jee, dat is een interessante freudiaanse verspreking,' zegt Roger. 'Ze ís ver weg, afstandelijk. En jij ook. Ben je altijd geweest. Afstandelijk. Formeel. Kil. Dwangmatig schoon. Al die goede Duitse eigenschappen. Je weet wel.'

'Dat weet ik niet,' zegt Trudy, terwijl ze in de richting van de buitendeur stormt. 'Ik weet hier helemaal niets van. Het enige wat ik weet is dat jij nog steeds een opgeblazen klootzak bent. Je bent geen steek veranderd.'

'Jij ook niet,' zegt Roger, die achter haar aan loopt. 'Helaas.'

Hij doet met een sardonisch buiginkje de deur voor haar open en ontneemt daarmee Trudy de kans die in zijn gezicht dicht te knallen. 'Het was me weer een genoegen,' zegt hij.

'Loop naar de hel.' Trudy schiet langs hem heen en beent het trottoir af, de gladheid vervloekend die haar tot voorzichtigheid maant en haar grootse aftocht verijdelt.

En Roger verpest het nog meer, want als Trudy bij haar auto komt, hoort ze hem roepen: 'En, hé, Trudy, wat betreft dat Duitse Project? Ik weet niet waarom je überhaupt nog de moeite neemt. Natuurlijk zijn al die oude zuurkoolvreters nazi's! Wat had je dan verwacht?'

21

Tegen de tijd dat Trudy thuiskomt, is het helemaal donker en sneeuwt het een beetje, een paar vlokjes dwarrelen onzeker in het licht van de lamp met bewegingssensor boven haar garage. Op de grote ronde thermometer die is vastgemaakt aan de veranda van de buren is het zesentwintig graden onder nul. Maar Trudy merkt niets van de kou. Met haar nog steeds niet dichtgeknoopte jas stampt ze naar de voordeur en als ze haar sleutels uit haar zak schudt om die open te maken, zegt ze alles wat ze in Le P'tit tegen Roger had moeten zeggen tegen de ongeïnteresseerde voortuin. 'Net als mijn moeder,' mompelt ze narrig. 'Typisch Duits. Zuurkoolvreters! Wat weet hij daar nou van? Rund. Stomme Scandinaviër. Grote... domme... stijfkoppige... Viking!'

Ze zwaait de deur open en stapt naar binnen. Met boze rukjes trekt ze vinger voor vinger haar handschoenen uit. 'Geen wonder dat ik nooit hertrouwd ben!' zegt ze. Dan doet ze het licht aan en blijft stilstaan om haar keuken rond te kijken, zoals ze altijd doet als ze thuiskomt om zich ervan te verzekeren dat alles op zijn plaats staat. En dat is zo. Het is nog precies zoals Trudy het heeft achtergelaten; logisch, aangezien zij de laatste, de énige persoon is die hier geweest is. Op de vloer zijn de opschepperig glanzende sporen van een recente poetsbeurt te zien. Het aanrecht blinkt. De fluitketel – die Trudy elke zondag met een sponsje van staalwol polijst – glimt zo hevig, dat ze vanaf de andere kant van de kamer haar gezicht erin kan zien, uitgerekt en verkleind. Normaal gesproken zou dit Trudy deugd doen, haar huis en spullen in zo'n perfecte staat aantreffen.

Zo mooi en schoon.

Zo *nett und sauber*.

Trudy fronst en slaat haar armen over elkaar. Stampt een paar keer met de hak van haar laars op het linoleum. Dan gooit ze – met opzet –

haar sleutels op het aanrecht in plaats van ze aan het haakje bij de deur te hangen. Ze wringt zich uit haar jas en slingert die op een stoel. Haar handschoenen volgen: de ene landt op de tafel, de andere op de grond. Trudy stapt er bevallig overheen en loopt naar het gasfornuis, waar ze water opzet. Wachtend leunt ze tegen de koelkast en kijkt naar de moddersporen die haar laarzen op de tegels hebben achtergelaten. En als het water kookt, maakt ze een slordige mok thee. Ze slingert het gebruikte zakje in de richting van de gootsteen zonder te kijken waar het terechtkomt en negeert zorgvuldig de gemorste suikerkorreltjes. Ze laat het lepeltje op het fornuis liggen met de suikerpot zonder deksel ernaast, zodat de muizen – als die er al zijn – die kunnen plunderen.

Ze doet een stap achteruit en bekijkt de ruimte over de rand van haar mok. 'Zo dan,' zegt ze.

Dan trekt ze zich met haar thee terug in haar studeerkamer, voordat ze toe kan geven aan haar impuls om alles op te ruimen. Vanuit de gang trekt de rommel aan Trudy, de jas, handschoenen, suikerpot en vieze vloer berispen haar: waar hebben wij dit aan verdiend? Trudy doet de deur van haar studeerkamer dicht en loopt naar haar stereo. Ze zet haar mok op het bureau en gaat op haar hurken zitten om haar stapel cd's aan een grondig onderzoek te onderwerpen. Bach, Beethoven, Brahms, Mahler, Wagner. God nog aan toe, heeft ze echt alleen maar Duitse componisten? Uiteindelijk vindt Trudy een Oostenrijker begraven tussen de rest en vervangt een dartel Mozartconcert de symfonie in de cd-speler. Zo, dat is geregeld. Trudy loopt naar haar bank en laat zich erop vallen, met de muizen van haar handen tegen haar ogen gedrukt.

Wat had je dan verwacht? Misschien is het wel een terechte vraag die Roger stelde. Trudy weet het niet. Ze vindt het stom van zichzelf dat ze van tevoren niet stil heeft gestaan bij wat frau Kluge zou kunnen zeggen. Naïef in haar hoop – die ze voor het interview zelfs niet tegen zichzelf heeft uitgesproken – dat de vrouw zou bevestigen dat niet alle Duitsers zo slecht waren als mensen denken. Ze kunnen toch niet allemaal in hun hart een nazi zijn? Het is alsof Trudy haar hand onder een rotsblok heeft gestoken en iets heeft aangeraakt wat bedekt is met slijm. En nu zit ze zelf ook onder, is ze er altijd bedekt mee geweest; het kan er niet af gewassen worden, het komt van binnenuit.

Trudy zegt tegen zichzelf dat ze niet zo kinderachtig moet zijn. Ze gaat op haar rug liggen en staart wazig door het halfduister naar het raam en het huis daarachter. Langs de hele dakgoot is een snoer met gekleurde lichtjes opgehangen, of eigenlijk is het meer een buis waarin piepkleine lampjes in een waanzinnig tempo achter elkaar oplichten, als rennende mieren, om vervolgens te doven en in een geagiteerd ritme te gaan knipperen. Kon Trudy maar liegen tegen haar buren en hun vertellen dat ze epileptisch is en dat hun versieringen aanvallen veroorzaken en weggehaald moeten worden. Waarom moeten mensen toch zo'n circus maken van Kerstmis? Het zijn eigenlijk ellendige feestdagen, die Trudy altijd heeft doorgebracht op de boerderij, kaarsrecht zittend in haar zwarte kleren, terwijl Anna nog meer gevulde gans serveert, veel meer dan de twee vrouwen ooit op zouden kunnen. En dit jaar zal Trudy's kerst bestaan uit een bezoek aan de Barmhartige Samaritaan in New Heidelburg, waar ze tegenover haar moeders eeuwige zwijgen gelatinepudding op zal lepelen.

Trudy doet haar ogen dicht. Misschien moet ze gewoon met dat hele project ophouden. Waarom zou ze nog meer straf over zichzelf afroepen als ze haar handen al vol heeft aan Anna? Misschien is het beter om niet te gaan roeren in deze slangenkuil. Om geen slapende honden wakker te maken.

Het verleden is dood. Het verleden is dood en dat kan maar beter zo blijven.

De lichtjes kloppen in waanzinnige patronen op Trudy's oogleden. Ze slaat een arm over haar gezicht. Het concert is afgelopen en in de afwezigheid daarvan is het zo stil in huis, dat Trudy een klok in een andere kamer hoort tikken. Het herinnert haar aan het druppelende water in frau Kluges gootsteen.

Na een tijdje staat Trudy op, pakt haar mok van het bureau en loopt vermoeid terug naar de keuken. Ze giet de koude thee in de afvoer. Wast de mok en het lepeltje af en zet die in het afdruiprek. Gooit het theezakje weg, draait het deksel op de suikerpot en zet die in het kastje. Neemt het fornuis en het aanrecht af met een doekje. Hangt haar sleutels en jas op en stopt de handschoenen in de zakken.

Als alles op zijn plaats staat, doet Trudy het licht uit en loopt de trap op naar haar slaapkamer, waar ze haar laarzen uittrekt en met haar handen tussen haar opgetrokken benen op haar zij gaat liggen. Haar laatste bewuste gedachte, opgeroepen door het bleke parallellogram op de muur tegenover haar, is dat ze vergeten is de gordijnen dicht te doen. Maar de gestoorde lichtjes van de buren zijn hier in ieder geval niet te zien.

Trudy doezelt weg in een onrustige slaap. En droomt.

Ze zit in kleermakerszit op de grond in de woonkamer kerstcadeautjes in te pakken. Dat is een bizarre en zinloze onderneming, want afgezien van Ruth en Anna heeft Trudy niemand om cadeautjes aan te geven. Toch is ze omringd door kindercadeautjes: een hobbelpaard, een grote houten pop, een leger tinnen soldaatjes. Er is een eindeloze voorraad en als Trudy ze niet inpakt, blijven ze zich vermenigvuldigen en nemen haar huis over. Ze neemt een paar teugjes schnaps en steekt haar hand uit naar het volgende voorwerp: een geweer dat er zo echt uitziet, dat het Trudy verbaast dat er geen olie op haar handen achterblijft.

Ze zit te worstelen met een stukje plakband dat tussen haar duim en wijsvinger blijft plakken, als ze opeens gealarmeerd overeind schiet. Er klopt iets niet. Haar Brahms, Pianoconcert nr. 2, klinkt krasserig, alsof er een langspeelplaat opstaat in plaats van een cd. In de hoek is een kerstboom versierd met engelenhaar en opzichtige ballen uit de jaren veertig. En onder Trudy ligt niet een aftands oosters kleedje, maar haar moeders hoogpolige tapijt. Trudy laat zich weer zakken en schudt haar hoofd. Hoe kon ze zo dom zijn? Ze is helemaal niet in Minneapolis. Ze is op de boerderij. Maar... Als Jack dood is en Anna in de Barmhartige Samaritaan zit, wie is er dan in de keuken? Want Trudy hoort daar iemand rondlopen. En het gepiep van de koelkastdeur die open wordt gedaan.

Terwijl ze papiersnippers en gekrulde lintjes van haar knieën veegt, loopt Trudy nieuwsgierig naar de keuken. En daar, met zijn rug naar haar toe, ziet ze de Kerstman. Hij staat gebukt voor de oude koelkast tussen de spullen te graven. Wat hem niet aanstaat, gooit hij op de grond en wat hij lekker vindt, verorbert hij met zo veel smaak, dat zijn schouders ervan schudden.

Trudy is verontwaardigd. 'U hoort hier helemaal niet te zijn,' zegt ze. 'De Kerstman hoort 's nachts te komen, als de mensen slapen, weet u dat niet meer?'

De Kerstman draait zich om. Hij drinkt melk uit de fles, een gewoonte die zowel Trudy als Anna als onhygiënisch beschouwt. Door zijn rode mouw, afgezet met een vrolijk bontrandje, is zijn gezicht aan het oog onttrokken, maar Trudy ziet de adamsappel daaronder op en neer gaan.

Als de fles leeg is, gooit hij die door de keuken in de richting van de gootsteen. Maar hij mist en de fles valt op Anna's linoleum. Glas en druppels vliegen alle kanten op.

'Wegwezen,' zegt Trudy tegen hem met trillende stem. 'Mijn moeders huis uit.'

De Kerstman lacht vriendelijk. 'Mijn lieve kind,' zegt hij, 'je moeder vindt het niet erg. Zij heeft me namelijk zelf uitgenodigd.'

En dan, op de tonen van de eenzame hoorns van het tweede deel van het concert, begint de Kerstman aan een misplaatste striptease. Langzaam maakt hij de knopen van zijn jasje los. Als dat openspringt, wordt niet het kussen of de gewatteerde vulling die je zou verwachten zichtbaar, maar eten: een ham in een netje, een blikje sardientjes, een paar roggebroden. Met veel ceremonieel zet hij die een voor een op Anna's formica tafel. Dan maakt hij zijn riem los en begint zijn broekrits naar beneden te trekken.

'Hou daarmee op,' roept Trudy.

Maar de Kerstman negeert haar. Terwijl hij mee neuriet met Brahms, die nu op de verkeerde snelheid wordt afgedraaid waardoor de strijkers janken en piepen, duwt hij zijn broek naar beneden en schopt die uit. Daarvoor moet hij een nogal onbeholpen dansje doen, want hij heeft zijn glimmende zwarte laarzen nog aan. Al snel begrijpt Trudy waarom: onder het Kerstmannenpak draagt hij het grijze uniform van de *schutzstaffeln*, de SS.

Hij zwaait een stoel onder de tafel vandaan en gaat zitten. Zijn gezicht gaat nu verborgen onder de klep van zijn pet. Het licht weerkaatst van de twee adelaars op zijn onderscheiding.

Hij slaat op zijn knie. 'Kom maar zitten,' zegt hij, 'en vertel me eens: ben je dit jaar een braaf meisje geweest?'

'Nee,' zegt Trudy. 'Nee, nee, nee...'

Hij gooit zijn hoofd achterover. 'Ja?' zegt hij, alsof hij haar niet verstaan heeft. 'Goed. Dan zal ik je iets laten zien.'

Hij staat op en begint de knopen van deze broek ook los te maken.

‘Hou op,’ schreeuwt Trudy. ‘Ik wil het niet zien!’

Hij houdt zijn broek open en gaat in de houding staan. Hij draagt er niets onder en zijn onderbuik en schaamhaar zijn besmeurd met donker bloed. ‘Zie je wel, ik ben de Kerstman niet,’ zegt hij. ‘Ik ben Sint Nicolaas en ik kom als ik daar zin in heb.’

Anna en de obersturmführer

Weimar, 1942

22

Hij komt naar Anna toe op de dag van Mathildes dood, laat in de middag, en laat er geen gras over groeien. Dit is altijd een rustige tijd in de bakkerij, maar nu lijkt het abnormaal stil, alsof de burgers van Weimar het gevaar geroken hebben en zich verschansen achter hun vergrendelde deuren en verduisterde ramen. Feitelijk is het zó stil, dat Anna denkt dat ze haar ogen kan horen rollen in hun natte omhulsel, terwijl ze van de ene naar de andere kant kijkt, naar de deur en terug. Elke vezel in haar lichaam schreeuwt dat ze Trudie van de stapel zakken aan haar voeten moet pakken en wegrennen. Maar het kind gaat vast en zeker brullen als ze zo ruw wordt gewekt en als ze eenmaal over de drempel is, kan ze natuurlijk nergens naartoe.

Dus Anna dwingt zichzelf naar de deur te lopen, waar iemand opnieuw zo hard op staat de bonzen, dat de bel erboven klingelt. Als ze de grendel heeft verschoven, trekt ze zich terug achter de toonbank en grijpt met haar handen haar ellebogen vast in een poging het trillen ervan te verbergen. Misschien denken ze dat ze het koud heeft: een logische vergissing. Ze heeft sinds vanmorgen vroeg de ovens niet meer opgestookt en zelfs binnen de bakkerijmuren van een meter dik is haar ademhaling zichtbaar.

Maar als de officier binnenkomt, houdt Anna's gebibber op. Door de shock van de herkenning staat ze van doodsangst aan de grond genageld. Hij is degene die ze in de steengroeve heeft gezien met Hinkelmann en Blank toen ze de eerste keer brood ging verstoppen, de officier met de lichte ogen van wie ze aanvankelijk dacht dat hij blind was. Uit zijn onderscheidingen blijkt dat hij inderdaad een obersturmführer en geen *hauptsturmführer* of *sturmbannführer* is. Dankzij Gerhards koppelwerk kan Anna dat verschil zien. Vreemd genoeg lijkt deze obersturmführer alleen te zijn. Anna hoort althans buiten geen commotie, geen onsamenhangend geklets of gelach op de plek waar zijn kameraden geleund tegen de auto staan te wachten, rokend wellicht.

De obersturmführer loopt de winkel door. Het is een enorme man die een en al kracht uitstraalt, afgezien van zijn slappe kaaklijn: zijn gezicht desintegreert in zijn nek. Hij beweegt met dezelfde doelbewustheid die Anna zich herinnert uit de steengroeve, maar zijn manier van lopen is vreemd, bijna aanstellerig. Anna zal later ontdekken dat dat komt doordat zijn voeten disproportioneel klein zijn voor zijn lichaam, nauwelijks groter dan die van haar, waardoor hij soms over zijn eigen tenen struikelt.

Hij plant zijn gehandschoende handen op de toonbank en buigt zich voorover. 'Doet u de deur 's middags altijd op slot, fräulein?' vraagt hij. 'Zakelijk gezien niet bijster slim, lijkt me.' Dan grijnst hij, alsof hij zomaar een man is die met een mooi meisje flirt, haar plagend overhaalt hem een gratis snoepje te geven uit de vitrine. Door de uitdrukking transformeert zijn gezicht naar bijna knap, de opwaartse beweging van zijn wangspieren tilt het vlees van zijn pafferige kaaklijn. Er is iets mis mee, hoewel Anna het niet helemaal kan plaatsen.

Ze probeert de glimlach te beantwoorden. 'Ik stond net op het punt te gaan sluiten,' zegt ze. 'Ik ben bang dat we zo'n beetje door alles heen zijn. Altijd rond deze tijd, weet u. Maar...'

'Ik ben hier niet voor brood,' zegt de obersturmführer.

'O, natuurlijk! Neemt u me niet kwalijk. Voor een speciale klant als u kan ik vast iets aantrekkelijkers vinden. Ik heb achter nog een *linzertorte* staan en vers gebakken maanzaadcake.'

De obersturmführer kijkt Anna even onderzoekend aan. Op deze korte afstand lijken zijn ogen op die van een sledehond, de speldenknoppupillen in een kleurloze leegte omcirkeld met zwart. Anna voelt ze als kleine, koude gewichten op haar verhitte wangen. 'Uw zakenpartner, frau Staudt...'

Anna wringt haar handen in haar schort. 'Mijn bazin, bedoelt u?' ratelt ze. 'Die is er niet, ze is de middagbestellingen aan het bezorgen...'

De obersturmführer maakt een ongeduldig geluid en beent om de toonbank heen. Hij loopt zo dicht langs Anna, dat ze de wind in de vouwen van zijn overjas kan ruiken. Koude lucht, die nog meer sneeuw belooft. Hij werpt een blik in de keuken. 'Ze is geëxecuteerd,' zegt hij.

'Geëxecuteerd!' stamelt Anna. Ze heeft hier uren op geoefend, wetende hoe belangrijk het zou zijn om verbijsterd over te komen, en nu het zover is, merkt ze dat ze nauwelijks hoeft te doen alsof. Ze zoekt steun tegen de vitrine, haar adem vormt witte wolkjes. Ze hijgt bijna. 'Dat kan niet, herr obersturmführer, neem me niet kwalijk, maar dat moet een vergissing zijn!'

De blik van de obersturmführer daalt neer op Trudie, die nog steeds ligt te slapen op haar stapel zogenaamde dekens. Hij buigt om haar beter te kunnen zien, zet zijn handen op zijn knieën. 'Mooi meisje,' zegt hij. 'Van jou?'

'Alstublieft, herr obersturmführer, frau Staudt is een goed mens, absoluut loyaal. Ik heb haar nooit ook maar íéts ten nadele van de *partei* horen zeggen of zien doen, al die tijd dat ik hier werk niet! Waarom zou zij in hemelsnaam geëxecuteerd zijn?'

'Waarom vertel jij me dat niet?' zegt de obersturmführer afwezig.

'Hè, wat? Ik...? Het spijt me, maar ik begrijp het niet.'

Hij trekt zijn handschoenen uit en legt een vinger op Trudies wang. De dreumes beweegt even. 'Hoe oud is het kind?' vraagt hij. 'Een, anderhalf?'

'Een jaar en vier maanden,' fluistert Anna.

De obersturmführer knikt. Dan gaat hij rechtop staan en werpt een stralende blik op Anna, die beseft waarom deze grijns vals lijkt: hij wachtte er net iets te lang mee, als een slechte acteur die van achter het decor een aanwijzing toe gesist krijgt van de regisseur. 'Welnu,' zegt de obersturmführer, terwijl hij zijn handen ineenslaat alsof hij op het punt staat een lastige klus te klaren. 'Laten we geen tijd meer verspillen. Waarom vertel jij me niet hoe lang dit al gaande is?'

'Wat?' vraagt Anna. 'Ik begrijp niet wat u bedoelt.'

De obersturmführer trekt een overdreven pruilmondje van verbazing. 'O nee?' vraagt hij. 'Echt niet?'

De pezen in Anna's nek kraken als ze probeert haar hoofd te schudden.

'Weet jij niet, fräulein, dat jouw bazin de gevangenen in onze opvoedingsvoorziening te eten gaf, brood achterliet voor politieke gevangenen, asocialen, moordenaars?'

'Nee, ik wist niet...'

'Ik neem aan dat jouw onwetendheid tevens geldt voor de wapens die we in het bakkerijbusje onder het brood gevonden hebben?'

'Wapens? Hoe... Waar zou frau Staudt wapens vandaan moeten halen?'

'Tja, ik heb geen flauw idee,' zegt de obersturmführer, terwijl hij een stap in de richting van Anna zet. 'Maar jij wel, is het niet, fräulein? Net zoals je hebt geholpen ze in het busje te laden, net zoals je de hele nacht, elke nacht, hebt gewerkt om dat extra brood te maken. Kom op zeg, kijk me niet zo aan. Beledig mijn intelligentie niet door net te doen of je niet wist waar dat naartoe ging.'

'Ik wist dat het naar het kamp ging, maar frau Staudt zei tegen me dat het voor u was, voor de officieren. Ze was er zo trots op, zei dat het zo'n eer was om aan u te mogen leveren...' Anna begint te huilen. 'Ze heeft tegen me gelogen!' zegt ze snikkend.

De obersturmführer kijkt haar aan. 'Genoeg,' zegt hij.

Anna blijft snikken. 'Ze heeft me misbruikt. Ze dacht zeker dat ik idioot was!' jammert ze.

De obersturmführer beent naar Anna toe en pakt haar bij de kin vast; hij dwingt haar naar hem omhoog te kijken alsof ze een stout kind is. Dan stopt hij zijn duim in haar mond. Die zit vol eeltplekken en smaakt naar sigaretten. Anna kokhalst, haar ogen beginnen weer te tranen. Als hij de duim terugtrekt, probeert ze zijn gezicht te zien, zijn intenties in te schatten. De obersturmführer ademt gejaagd door zijn neus. Hij klampt zijn handen vast aan Anna's wangen, kneedt de huid, duwt zijn tong in haar mond.

Anna worstelt zich los. 'Alstublieft,' zegt ze.

De obersturmführer trekt een wenkbrauw op.

'Ik wil het kind niet wakker maken,' fluistert Anna. Maar ze wil hem ook niet meenemen naar haar bed in de kelder, waar Mathilde zo veel vijanden van het *reich* verborgen heeft gehouden, en daarom begint Anna in de richting van de trap te lopen. Ze denkt aan alle beloningen die ze heeft opgestreken met haar uiterlijk, dingen die ze als vanzelfsprekend is gaan beschouwen: complimenten, gefluit, mannen die zich op straat naar haar omdraaien, naar haar lachen, haar een plaats aanbieden in de tram, de beste spullen voor haar opzijzetten op de markt, ophanden zijnde huwelijksaanzoeken, bloemen. Ze zou ze allemaal stuk voor stuk inruilen om ervoor te zorgen dat deze obersturmführer nu achter haar aan de trap op loopt. Anna gedraagt zich met een primitieve doortraptheid waarvan ze niet wist dat ze die in zich had, een aangeboren kennis van het klassieke ruilhandelsysteem. Ze maant de obersturmführer zwijgend vooruit als ze de eerste trede beklimt, de tweede, terwijl haar adem trilt in haar longen.

Haar gebed wordt verhoord. Mathildes oude bed is niet bedoeld voor een dergelijke bestraffing: het matras forceert hen naar het midden en de vering kraakt onder hun gezamenlijke gewicht. De obersturmführer doet geen moeite zijn kleren uit te trekken, hij schudt alleen zijn overjas uit en rukt de knopen van zijn broek open. Hij gromt en hijst zich boven op haar, en Anna probeert haar eigen geluiden te verstommen door op de binnenkant van haar wang te bijten. Max was ook vaak ruw, nam haar onverwacht en gebruikte soms zijn tanden, maar hij was tenminste snel. Niets heeft Anna kunnen voorbereiden op dit brandende gevoel, dit aanhoudende inwendige geschuur. Ze concentreert zich op het opensperren van haar ogen naar het plafond, wetende dat als ze zichzelf toestaat te knipperen, de tranen opwellen en gaan stromen.

Als de obersturmführer eindelijk klaar is, zegt hij: 'Jij vindt het leuk om te kijken.'

'Pardon?' fluistert Anna.

'Je hebt je ogen opengehouden. Daar hou ik van.'

De obersturmführer gaat even op de rand van het bed zitten en staart naar de vloer: een man die een gewichtige beslissing neemt. Dan slaakt hij een zucht en zegt: 'Ik kom voortaan één keer per week om het brood te inventariseren. Ik kom zelf, ik zal niet iemand anders sturen. Begrepen?'

Anna buigt haar hoofd over haar wollen kousen, die ze langzaam omhoogtrekt over haar benen. 'Ja,' zegt ze. 'Ik begrijp het.'

23

De obersturmführer blijkt een man van zijn woord te zijn, een punctuele man. Hij komt elke donderdagavond, als de bakkerij gesloten is, en heeft vaak een kleinood bij zich: een reep Belgische chocolade, een sjaal, een lippenstift in een kleur die veel te fel is voor Anna. Ze stopt die dingen in een la van Mathildes bureau als hij vertrokken is. Maar de geschenken voor Trudie gebruikt ze wel: de blauwe deken van heel zachte lamswol die is afgezet met satijn, de warme rode jurk – de enige kleuren in de bakkerij.

Het is een routine geworden. De obersturmführer inventariseert vluchtig de productie van de bakkerij – die nu op vrijdagmorgen wordt opgehaald door een onderofficier – en ijsbeert door de keuken, terwijl Anna Trudie de verse melk geeft die hij meeneemt. Ze vermoedt dat die is aangelengd met een licht verdovend middel om het kind in slaap te brengen, maar het is tenminste echte melk, vet en voedzaam, niet de poederversie die Anna nu moet gebruiken voor het brood van de vaste klanten. Als Trudies oogleden zwaar beginnen te worden, brengt Anna haar naar haar bed in de kelder. Dan gaan zij en de obersturmführer de trap op naar boven. De zwaarte van de stilte geeft haar het gevoel onder water te zijn.

Onder hem op Mathildes bed, roerloos liggend om geen aanstoot te geven, maakt Anna er een spelletje van om het leven dat ze gehad zou hebben als de oorlog er niet was geweest, aan haar geestesoog voorbij te laten trekken. Ze is in de zonnige achtertuin van een huis aan de Rijn, het kind zit op haar hurken te kijken naar een fonkelende rij mieren op de grond, terwijl Anna de was ophangt, lakens die fris hangen te wapperen in de wind. Of: zacht wuivende gordijnen voor het raam van de kamer waar ze zit te ontbijten, het stadsverkeer pruttelt beneden op straat voorbij, haar man stopt een extra broodje in zijn zak en kust Anna voordat hij zich de deur uit haast. Misschien zijn dit uiteindelijk haar werkelijke levens. De grijze muren van de bakkerij, de scheuren in het plafond die Anna achter de schouders van de obersturmführer volgt. Misschien ligt ze in werkelijkheid ergens in een warm bed te slapen, woelend door de details van deze steeds terugkerende nachtmerrie, dit schrijnende bestaan dat zo'n slechte grap is geworden, dat ze soms denkt te zullen lachen tot ze haar keel met haar nagels eruit rukt.

Vaak praat de obersturmführer na afloop. Hij ergert zich aan zijn kleine, bedompte kantoor, aan de hoeveelheid papierwerk die hij voor zijn kiezen krijgt, aan de druk om een doorlopende productie af te dwingen bij de munitiefabriek en de steengroeve. Hij is gefrustreerd door het feit dat hij, omdat hij in het kamp woont, zich nooit echt schoon kan voelen. 'Het is niet dat ik in direct contact met hen sta,' legt hij uit, 'maar altijd maar die modder, en de joden hebben gewoon zo'n vieze lucht om zich heen hangen; ik zweer je dat die je kleren en je huid binnendringt.' Dat laatste weet Anna. Het zweet van de obersturmführer wasemt een geur uit die erg lijkt op rokend hout, maar dan vetter, machtiger, alsof hij alleen maar spek eet. Een geur waarvan, zonder dat ze dat wil, haar maag gaat knorren.

Maar hij lijkt zelden een reactie te verwachten, dus de eerste keer dat hij haar een directe vraag stelt, schrikt Anna. Het is een drukkende augustusavond, de lucht is schraal en bedompt. Mathildes slaapkamer is muf door de exercities van de obersturmführer en het stof van de vloerkleedjes. Het ruikt als een zolder die jaren afgesloten is geweest en misschien komt het daardoor dat Anna niet aan haar witgeverfde ontbijtkamer noch aan de zon in de tuin heeft liggen denken, maar aan iets koelers: kuieren over een brede laan met lindebomen, haar tenen warm en knellend in haar schoenen, vochtige haarstrengen die in haar nek blijven kleven. Ze ziet een café, gaat zitten aan een gietijzeren tafel in de schaduw, bevrijdt haar voeten uit haar pumps en bestelt een ijskoud drankje, iets met een schijfje citroen erin. Ze nipt eraan terwijl ze zonder ergens aan te denken naar de voorbijgangers staart.

De obersturmführer herhaalt zijn vraag, niet zonder een spoortje van ongeduld.

'Pardon?' zegt Anna.

Hij zucht geërgerd en strijkt met zijn duim over de zwangerschapsstriemen op Anna's zachte buik. 'Ik vroeg je hoe je in deze situatie terecht bent gekomen? Je hebt geen echtgenoot, je draagt geen ring.'

'De oorlog,' zegt Anna. 'Er was geen tijd meer voor.'

De obersturmführer knikt. 'Maar je komt uit een goed milieu, dat blijkt duidelijk uit je goede manieren. Hebben ze je niet opgevangen?'

'Mijn vader was het niet eens met mijn partner,' vertelt Anna hem. 'Hij heeft me het huis uit gezet. Frau Staudt heeft me kost en inwoning gegeven in ruil voor werk.'

'*Ach*, vaders,' zegt de obersturmführer. Hij kruist zijn armen achter zijn hoofd en lacht naar het plafond, dat verdwenen is in de donker wordende kamer. 'Vertel mij wat over vaders. Heb ik je ooit over die van mij verteld?'

Het is net of ze echte geliefden zijn, zoals ze liggen te kletsen. Straks biedt hij haar nog een sigaret aan. Een duizelingwekkend moment denkt Anna dat ze in de lach zal schieten.

De obersturmführer pulkt in zijn oor en bestudeert afwezig zijn vinger. 'Een stom mannetje,' zegt hij, 'een lul eigenlijk, een slappe dilettant die in zijn hele leven nog geen dag gewerkt heeft, maar wel altijd verschrikkelijk gewichtig liep te doen, alsof hij God zelf was. "Haal de krant voor me, Horst! Waar zijn mijn sigaren, Horst?" Hij sloeg mijn broer en mij altijd met een riem als we niet snel genoeg deden wat hij wilde.'

Horst? Anna beweegt haar lippen en proeft in stilte de voornaam van de obersturmführer. Het geeft een duister gevoel in de mond, een beetje stekelig. Dan beseft ze dat hij ligt te wachten tot ze wat zegt. Ze maakt een geluid in haar keel.

'Op een dag heb ik de riem van hem afgepakt,' gaat de obersturmführer verder. 'Ik moet een jaar of vijftien, zestien geweest zijn... Toen besefte hij pas hoe groot ik geworden was. Ik gooide de riem door de kamer en zei: "Kom op, dan, laten we vechten. Maar ik beloof u dat slechts een van ons weer opstaat en dat bent u niet." Daarna heeft hij me nooit meer aangeraakt.'

Anna werpt hem een zijdelingse blik toe.

'Er zaten nog stukjes ei in zijn snor van het ontbijt,' zegt de obersturmführer bespiegelend. Dan duwt hij haar benen weer uit elkaar.

'Misschien moeten we dat niet doen,' zegt Anna dapper. 'Mijn... maandstonde kan elk moment beginnen.'

En dat is waar, ze voelt de krampen. Haar baarmoeder is een grote onnozele vuist die zich, onwetend van wat er buiten allemaal gebeurt, in trage golven spant en ontspant.

De obersturmführer wacht een seconde en schenkt Anna dan zijn nepgrijns. 'Dan trek ik mijn kleren uit,' zegt hij.

Zonder het geschuur van de kamgaren broek over Anna's bovenbenen, zonder de knopen van het overhemd van de obersturmführer die in Anna's gezicht branden, is de beproeving minder pijnlijk dan normaal. Het gladde gevoel van huid op huid en de onverwachte briesjes choqueren Anna. Ze knippert met haar ogen in een poging het café uit haar dagdroom op te roepen, de blaadjes van de lindebomen die hun zilverkleurige onderkant laten zien; maar de obersturmführer, die haar aankijkt, stopt een hand tussen haar benen. IJverig stort hij zich op een gevoelig stukje en Anna's inwendige spieren trekken in spastische bewegingen samen. Er ontsnapt haar een kreetje. Dit hoort niet te gebeuren, dit is haar nog nooit gebeurd.

Uit de deuropening komt een beantwoordend gejammer: 'Mama?'

Nog steeds vastgepind draait Anna haar hoofd naar rechts en ziet Trudie staan, met haar handen in haar zij. Omdat Anna dit zo snel mogelijk achter de rug wilde hebben, heeft ze er niet goed op gelet dat het kind al haar melk op dronk. Ze had kunnen weten dat Trudie ongehoorzaam zou zijn en de trap op zou komen.

Ga naar beneden, probeert Anna te roepen. Maar voordat ze de noodzakelijke lucht in heeft kunnen ademen, zegt de obersturmführer: '*Scheisse*!' Zonder zich terug te trekken, buigt hij zich half over de rand van het bed naar beneden, grijpt een van zijn laarzen van de grond en slingert die naar Trudie. Met een plof komt die tegen de muur naast de deur en laat daar een zwarte veeg achter. Anna hoort de houten zolen van het kind snel en haperend de treden af klepperen. De obersturmführer gaat verder met waar hij mee bezig was. Als hij zich uit Anna trekt, ziet ze dat zijn schaamhaar en onderbuik besmeurd zijn met haar bloed.

In een onheilspellende stilte maakt de obersturmführer zichzelf schoon met een zakdoek en steekt die vervolgens uit naar Anna. Ze schudt haar hoofd. Hij vertrekt gehaast en slaat de deur achter zich dicht. Anna moet zijn laarzen pakken voordat ook zij afdaalt naar de bakkerij.

In de keuken kijkt ze of ze haar dochter ziet, terwijl ze de schoenpoets en borstel pakt die de obersturmführer voor haar heeft meegenomen, maar Trudie zit niet verstopt op de gebruikelijke plekjes. In plaats daarvan vindt Anna haar in de winkel, waar ze tussen de vitrine en de muur is gekropen. De obersturmführer staat met zijn vuisten in zijn zij voor het kind. Als hij zich over haar heen buigt, kruipt ze met grote ogen nog verder de hoek in.

'Waarom heb je je hier verstopt?' vraagt hij. 'Wil je niet zien wat ik voor je meegebracht heb?'

Terwijl Anna de laarzen gladwrijft, ziet ze Trudie haar hoofd schudden.

Uit zijn koffertje haalt de obersturmführer een paar rode kinderschoenen van echt leer. Hij zucht. 'Wat jammer,' zegt hij. 'Nou ja, dan moet ik hier maar een ander meisje voor zoeken.'

Het kind zegt niets, maar strekt haar hand uit naar de schoenen. Dan trekt ze die weer terug alsof ze zich eraan zou kunnen branden.

'Ik vraag me af of deze je passen,' zegt de obersturmführer, terwijl hij de schoentjes aan de veters voor Trudies ogen laat bungelen. 'Wat denk jij?'

Het kind knikt. De obersturmführer zet de schoenen op de grond en woelt door Trudies haar. Dan draait hij zich om naar Anna en wenkt haar met twee vingers. Zwijgend overhandigt ze hem de laarzen. Ze zijn hem drie maten te groot, weet Anna. Zijn mannelijke ijdelheid staat een publieke vertoning van zijn kinderlijke voeten niet toe.

'Volgende week,' zegt hij, terwijl hij overeind komt.

Als Anna de deur van het slot heeft gehaald en die weer achter hem vergrendelt, schuift ze het gordijn opzij om hem na te kijken. Ze kan hem nauwelijks onderscheiden: een donkere figuur in het donker. Elke keer als hij vertrekt, lijkt de avond zwarter dan hij is, iets compacts dat tegen de ramen drukt. Ze laat het gordijn vallen. 'Jij mag nooit naar boven komen als de man hier is, heb je dat begrepen?' zegt ze tegen Trudie.

'Maar mama...'

'Nooit! Omdat...' Anna zoekt naar een ingeving. 'Hij is Sint Nicolaas. Weet je nog wat ik je verteld heb over Sint Nicolaas? Hij vindt het niet leuk om gezien te worden.'

Trudie fronst. 'Maar het is toch geen Kerstmis?' zegt ze.

'Dat maakt niets uit. Sint Nicolaas heeft toverkracht, hij kan doen wat hij wil. Hij reist het hele jaar de wereld over, op zoek naar brave meisjes. En als je een stout meisje bent en probeert hem te zien, weet je wat er dan gebeurt?'

'Geen rode schoenen meer?' fluistert Trudie, terwijl ze ernaar staart.

Een vieze smaak maakt Anna's speeksel stroperig als gelei. Dit overkomt haar altijd, af en toe en schijnbaar zonder aanwijsbare reden. Het maakt niet uit hoe vaak ze haar keel schraapt, als ze wacht gaat het meestal vanzelf weg. Maar nu voelt ze het niet alleen in haar mond. Bedorven grijze gelei omhult haar als een vlies. Het zit onder haar huid, vanbinnen en vanbuiten, onzichtbaar en smerig.

'Dat klopt,' zegt ze tegen haar dochter. Huiverend wrijft ze met beide handen over haar armen, hoewel er geen greintje tocht te bekennen is. 'Geen melk meer. Geen rode schoenen meer.'

24

Anna komt heel veel te weten van de obersturmführer. Ten eerste dat hij na de daad aan één stuk door praat; een lekke kraan waaruit woorden stromen in plaats van water. Hieruit maakt ze op dat ofwel een hogere rang privégesprekken uitsluit, ofwel dat de leeftijdgenoten van de obersturmführer hem niet genoeg mogen om naar hem te luisteren.

Ze komt het verschil te weten tussen Hinkelmann en Blank, hoewel ze nooit helemaal in staat zal zijn die twee los van elkaar te zien. In haar hoofd blijven ze één enkele moordlustige halfgod, vals en gemeen, zorgeloos dood en verderf zaaiend. Maar Hinkelmann is de langere kerel, terwijl Blank de gedrongen bureaucraat is. Eerstgenoemde bleek zijn taak zo effectief uit te voeren, dat hij promotie heeft gemaakt en is overgeplaatst naar een kamp met de naam Mauthausen, waar een nog grotere steengroeve is.

Ze komt te weten dat de steengroeve wordt beschouwd als het ergste arbeidsonderdeel en dat de bewakers daarom, om oproerige ontevredenheid te voorkomen, om de twee weken gewisseld worden. De gevangenen noemen een van de soldaten van de huidige lichting Gretel vanwege zijn vrouwelijke bevalligheid, terwijl een ander bekendstaat als Spekbil om even voor de hand liggende redenen. Er wordt gefluisterd dat zij op een bepaalde manier bevriend zijn, hoewel daar geen enkel bewijs voor te vinden is. 'Hoe dan ook,' voegt de obersturmführer eraan toe, 'je neemt die geruchten nooit serieus, aangezien het of verzinsels zijn of pure kwaadsprekerij is.' Hij doet net of hij niet weet dat de gevangenen de bewakers bijnamen geven, hoewel dat in andere kampen misschien wel als verraad wordt beschouwd. 'Het is goed als ze het gevoel hebben een beetje macht te bezitten,' legt hij uit. 'Daardoor kunnen ze stoom afblazen, zodat ze geen andere, ernstiger dingen uithalen.'

Verder komt Anna te weten dat de obersturmführer voor de oorlog eerst telegrammen bezorgde en daarna bij de politie werkte. Dat hij tijdens de oorlog eerst aan het front vocht, waarbij hij onderscheiden werd voor dapperheid en de kraterachtige wond in zijn rechterschouder, en vervolgens in dienst kwam bij de *einsatzgruppen*, de mobiele doodseskaders van de SS in Polen. Uit zijn beschrijving van deze roemrijke tijd maakt zij op dat de joden daar als makke schapen naar hun liquidatie gingen. 'Hoe,' vraagt de obersturmführer retorisch, 'kun je voor een dergelijk ras respect opbrengen? Wij Duitsers hechten vanzelfsprekend veel waarde aan gehoorzaamheid, maar niet ten koste van dapperheid.'

Ze komt te weten dat de moeder van de obersturmführer ervandoor is gegaan met een handelsreiziger in pruiken, omdat ze de tirannie van zijn vader zat was, of misschien wel gewoon uit ontrouw. Dat de obersturmführer zijn vader, de verwoester van zijn jeugd, bij de Gestapo heeft aangegeven: hij zou herhaaldelijk seksuele gemeenschap met een joodse vrouw hebben gehad. Hoewel dat niet waar was, leverde het hem een langdurig verblijf in KZ Dachau op. Dat de *kommandant* van KZ Buchenwald, Koch, wel degelijk een joodse minnares heeft, maar niemand daar natuurlijk over durft te praten. Dat de obersturmführer soms wordt geplaagd door slapeloosheid als gevolg van de spanningen en tegenstrijdigheden van zijn werk en dat hij op die momenten alleen door warme melk met peper rust vindt.

Een groot deel van deze informatie gaat Anna's ene oor in en het andere weer uit, omdat ze er niets mee kan. De gevangenen profiteren er niet van en wat haar zelf betreft: aan wie zou ze het moeten vertellen en met welk doel? Wél onthoudt ze de benaming van de SS voor de misdaad die zij en Mathilde hebben gepleegd: *füttern des Feindes.* Een overtreding die, wat overduidelijk is gebleken, bestraft wordt met de dood. Iedere keer wanneer Anna brood naar de steengroeve brengt – elke woensdagavond – speelt de benaming van die overtreding door haar hoofd. Dat brood brengen is natuurlijk krankzinnig, gezien haar relatie met de obersturmführer. Maar waarom, denkt Anna als ze broodjes in de boomstam stopt, blijft ze het dan doen? In tegenstelling tot Mathilde kan het geen gesublimeerde zelfmoordneiging zijn. Als zij nu alleen was, zou dat misschien een aantrekkelijke optie zijn, maar ze heeft Trudie. Alles wat Anna doet, inclusief het dansen naar de pijpen van de obersturmführer, doet ze voor Trudie. Met uitzondering van deze speciale bestellingen; die zijn niet zozeer voor de gevangenen als wel een manier voor Anna om zichzelf ervan te overtuigen dat ze meer is dan een hoer, een bevlieging, een speeltje. Ze leggen een link met het recente verleden, dat weliswaar op tal van manieren onplezierig was, maar waarin ze zich in ieder geval menselijk voelde.

Dus geeft Anna Trudie elke woensdag een beetje van de verdovende melk van de obersturmführer die ze in de koelkast heeft bewaard en levert de speciale bestelling af bij de steengroeve, waarna ze zich terug haast naar de bakkerij om eten te maken voor het slaperige kind. Tot nu toe is alles volgens het boekje gegaan, maar deze woensdag is Anna laat. Ze is te lang bij de steengroeve blijven hangen, gehypnotiseerd door stom gemijmer bij het zien van de gevangenen. Tegen beter weten in hopend Max onder hen te bespeuren. En dus is het al donker als ze terugloopt door het bos en terwijl Anna rent, blijven die woorden maar door haar hoofd gaan: *füttern des Feindes, füttern des Feindes*, als de openingsmaten van een goed in het gehoor liggende wals, *An der schönen blauen Donau* of zo. In haar haast struikelt ze over een boomwortel, verdraait haar rechterenkel en valt voorover op de bosgrond.

En als ze dan uiteindelijk door de achterdeur van de bakkerij naar binnen strompelt en geruststellend roept naar haar dochter, ziet Anna tot haar afgrijzen dat de obersturmführer er is. Hij staat met over elkaar geslagen armen als een monoliet midden in de keuken, terwijl Trudie met een rood gezicht huilend in de hoek zit. Anna hinkt naar het kind en tilt haar op. Mijn god, is het al donderdag? Hoe heeft ze zo'n fatale vergissing kunnen maken? Het kan niet: frau Buchholz is vanmorgen nog geweest voor haar brood en dat doet ze altijd op woensdag, altijd, of zou ze haar schema hebben veranderd? Of heeft de obersturmführer impulsief besloten dat van hem te veranderen? Als het inderdaad woensdag is, wat doet hij dan hier?

Niet dat het ertoe doet, hij ís hier en staat onbewogen naar het moederlijke tafereeltje te kijken. 'Waar was je?' vraagt hij, als Trudies gekrijs is bedaard tot gesnuif en gehik.

'Ik?' zegt Anna schaapachtig. 'Ik was... Nou, het kind is ziek, ziet u, ze heeft buikpijn, ze klaagt er al de hele week over, dus ik... Ik ben naar de dokter gerend voor medicijnen.'

De obersturmführer neemt haar van top tot teen op. Zijn kritische blik op Anna's gescheurde jurk, haar geschramde en vieze handen, is stukken veelzeggender dan als hij ernaar gewezen of het aangeraakt had.

Blozend draait Anna zich van hem af om Trudie te helpen op haar stoel te klimmen. 'Ik ben gestruikeld en gevallen,' zegt ze. 'Ik had zo'n haast dat ik met mijn hak in een rooster bleef zitten en ik...' Omdat ze met haar rug naar hem toe staat, weet Anna pas dat de obersturmführer naar haar toe is komen lopen als ze zijn gehandschoende hand in haar nek voelt. Zijn glacévingers graven in de zachte holtes achter haar oren, waardoor Anna's armen meteen verlamd zijn. Ze hapt naar lucht.

'Ik tolereer niet dat er tegen me gelogen wordt,' zegt de obersturmführer, terwijl hij Anna als een puppy heen en weer schudt. Haar tanden slaan pijnlijk op elkaar. 'Ik tolereer geen leugens, Anna, hoor je me?'

'Ik... loog... niet...' stottert Anna tussen het schudden door. Ze trekt aan zijn hand, maar die zit aan haar nek gekluisterd. 'Ik ben... naar de dokter... geweest... Dat zweer ik!' In haar ooghoeken ziet Anna dat Trudie vanaf de tafel rustig toe zit te kijken en dat maakt haar meer van streek dan als het kind had zitten gillen.

De obersturmführer laat Anna los en ze wankelt. De gewonde enkel stuurt een pijnscheut omhoog. 'Naar boven,' zegt hij.

'Alstublieft... Mag ik haar in ieder geval de medicijnen geven... Een beetje melk...'

'Nu.' De obersturmführer grijpt Anna bij haar arm en dirigeert haar half duwend, half sjorrend in de richting van de trap.

'Niets aan de hand, konijntje,' roept ze achteromkijkend vrolijk naar Trudie. 'Blijf jij maar hier. Ik kom zo weer naar beneden...'

In Mathildes slaapkamer loopt Anna achteruit naar het raam. Ondanks de tijd van het jaar is het nog steeds bedrieglijk warm. De gordijnen hangen als zwachtels slap naar beneden en Anna zou zich er het liefst als een kind achter verstoppen. De obersturmführer doet de deur zacht en onontkoombaar dicht. 'Kleed je uit,' zegt hij.

'Alstublieft, herr obersturmführer, het kind is echt ziek, u hebt haar horen huilen toen u binnenkwam, ze...'

'Ik heb hier geen tijd voor,' zegt de obersturmführer. 'Je kleren.' Hij zwaait zijn vinger heen en weer en gaat op het bed zitten om te kijken naar de gehoorzamende Anna. In haar angstige onbeholpenheid heeft Anna moeite om haar jarretels los te maken. Als ze omhoog durft te kijken, zit de obersturmführer met de bekende gretige blik in zijn spookachtige ogen voorover geleund. Hij staart naar de rode afdrukken die de jarretels op haar bovenbenen hebben achtergelaten. Daar is hij dol op.

'Ik ben een drukbezet man,' zegt hij gemelijk. 'Het is al lastig genoeg om tijd vrij te maken om hier te komen. Als jij in de toekomst nog eens iets nodig hebt, vraag je het eerst aan mij, begrepen? Ik verwacht dat je altijd hier bent, wanneer ik je ook nodig heb.'

Anna knikt.

De obersturmführer schenkt haar een grijns: alles is vergeven, voorlopig. Hij trekt haar naar zich toe, met beide handen omvat hij haar borsten en laat ze los, omvat ze en laat ze weer los. 'Prachtig,' zegt hij, 'wat een heerlijke pronte borsten, precies zoals borsten moeten zijn.' Hij knijpt in een tepel en wrijft dan knipperend met zijn ogen zijn vingertoppen over elkaar. 'Wat is dit?' vraagt hij.

Anna bloost. Beneden is Trudie aan het huilen. Hoewel het kind al maanden de fles krijgt, reageert Anna's lichaam nog steeds op haar smeekbedes om eten. 'Het is melk,' mompelt ze.

'Wat?'

'Melk!' snauwt Anna. Ze voelt zich zo vernederd dat ze zich niet druk maakt over het feit of zijn toon er een van verrassing of walging was. Misschien gaat hij, als dat laatste het geval is, wel weg.

De obersturmführer lacht. 'Echt?' zegt hij. 'En het meisje is bijna twee. Nou, Anna, je hebt zojuist mijn avond een stuk makkelijker gemaakt: ik kan hier blijven eten. Twee vliegen in één klap slaan, zoals men zegt.'

Hij neemt haar tepel in zijn mond en zuigt er dunne straaltjes melk door. Anna doet haar ogen dicht en doet net of dit het kind is, gewoon het kind, maar het gevoel klopt niet, hij gebruikt zijn tong in plaats van zijn lippen en zijn stoppels prikken tegen haar huid. Haar handen, die in een instinctieve zoektocht naar zijn donkere hoofd omhoogschieten, belanden in ruw, kortgeknipt haar. Ze haakt ze achter haar rug in elkaar, terwijl ze wankelend op haar pijnlijke enkel naar evenwicht zoekt en naar de muur staart. Ze is vanavond nog iets te weten gekomen van de obersturmführer: ze zal niet meer naar de steengroeve gaan. Het is te gevaarlijk om er alleen al aan te denken. Ze heeft andere monden te voeden.

25

'Kom hier, Anna,' zegt de obersturmführer.

Anna gehoorzaamt. Ze staat voor hem, zoals gebruikelijk, en hij zit op de rand van Mathildes bed. Zo begint het altijd. Maar wat Anna nooit kan raden, is het middengedeelte of het einde. Soms neemt hij een platenspeler mee uit het kamp, legt daar een verboden jazzplaat op en beveelt haar op die muziek een striptease uit te voeren. 'Ach, geeft niets,' zegt hij dan, lachend om haar onhandige gedraai. Of hij beveelt haar op een stoel te gaan staan, naakt en geblinddoekt, terwijl hij om haar heen loopt en haar hier en daar aanraakt met zijn tanden of tong of knuppel. Hij heeft whiskey op haar hemdjurk gegoten en door de met drank doordrenkte stof heen aan haar gezogen. Ja, de obersturmführer is op zijn saaie, schooljongensachtige manier oneindig inventief. Heeft hij deze scenario's uit de verboden boeken in zijn vaders nachtkastje gehaald? Anna ziet de obersturmführer als adolescent voor zich, gebogen over dergelijke stof op de wc, de deur gebarricadeerd, zijn onderboek op zijn enkels, uitpuilende ogen. Ze voelt dezelfde kille walging als voor op de stoep kronkelende regenwormen na een regenbui. Nu wacht ze op een of andere hint die duidelijk maakt wat hij deze keer heeft bedacht.

Vanavond wil hij haar passief, hij wil dat ze stil blijft staan, zodat hij haar als deeg met zijn handen kan kneden. Zijn ademhaling wordt zwaarder als hij Anna's blouse uittrekt, haar rok losknoopt en de zijden kousen die hij voor haar gekocht heeft naar beneden stroopt. Anna verroert zich alleen om die van haar enkels te schoppen. Misschien gaat hij haar ermee vastbinden, net als die ene keer, en haalt dan een scheermes uit zijn zak om haar overal te gaan scheren: benen, armen, oksels, schaamstreek. Er kwamen ruwe stoppels voor terug, scherpe stekels die Anna aan de huid van een varken deden denken. Het heeft dagenlang gejeukt.

‘Til je armen boven je hoofd,’ commandeert de obersturmführer. ‘Draai je om. Als een ballerina. Wilde je als meisje geen ballerina worden? Vast wel, dat willen alle kleine meisjes. Ja, zo ja. Laat me je zien.’

Als de obersturmführer verdiept is in zo’n spelletje wordt zijn stem lager, zijn normaal gesproken zo kernachtige medeklinkers verzachten als chocolade die smelt in een pan. De toon doet Anna denken aan machtige, donkere cake, een veel te zoet dessert dat ze zonder te kunnen stoppen in haar mond zou proppen tot ze moet overgeven.

Hij trekt haar aan haar heupen naar zich toe en zet haar tussen zijn knieën. Anna kan het kreetje niet binnenhouden: zijn handen zijn, zoals altijd, ijskoud. Hij bijt zachtjes in het vlees boven haar navel en schudt daarbij zijn hoofd als een hond. Anna voelt hem grijnzen tegen haar buik. Maar als hij een vinger bij haar naar binnen schuift, klinisch als een dokter, en haar een paar centimeter van zich af duwt, zodat hij haar gezicht kan zien, is zijn uitdrukking ernstig.

‘Jij bent de meest gewillige vrouw die ik ooit gekend heb,’ zegt hij. ‘Het is alsof je een soort eeuwigdurende bron in je hebt... Hier.’ Hij buigt zijn vinger. Anna spant zich om niet te reageren met een geluid, een geknipper met haar ogen, een kromming van haar rug, een kreun. Ze verstijft haar ruggengraat tegen het instinctieve slap worden van haar hoofd.

Maar de obersturmführer weet het. ‘Ja, hier,’ zegt hij, ‘dit ene plekje, ruw als een kattentong. Dat vind je lekker, hè?’ Hij beweegt een vinger naar haar alsof hij een adjudant, een gevangene wenkt: ‘Kom.

Wat moet het toch raar zijn om een vrouw te zijn,’ zegt hij peinzend, terwijl hij zichzelf bevrijdt van zijn legeronderbroek en Anna op het bed trekt. ‘Arme vrouwen, alles van binnen verborgen, uit het zicht. Zie je,’ voegt hij eraan toe als hij grijnzend op haar gaat liggen, ‘ik ken je beter dan jij jezelf kent.’

Anna denkt dat hij gelijk heeft. En dat het waarschijnlijk op dit soort momenten is dat ze hem het meeste haat. Omdat hij haar berooft van haar eigen vertrouwde lichaam door het op zo’n manier te laten reageren, alsof het niet langer naar haar luistert.

Elke keer als hij vertrokken is en Trudie veilig in bed ligt, straft Anna haar verraderlijke lichaam met loogzeep en puimsteen. Ze vult het bad met water dat zo heet is dat haar huid, dat witte vel met zijn donkere sproeten dat de obersturmführer zo aantrekkelijk vindt, vast en zeker als het vel van een tomaat loslaat. In haar blootje gaat ze in de slaapkamer staan en slaat op haar gezicht, buik, dijbenen. Maar dit doet haar alleen maar denken aan andere handelingen waar de obersturmführer zo van geniet. Ze klauwt haar nagels tot bloedens toe in haar onderlip. Ze betast zichzelf tussen haar benen en bekijkt haar vingertoppen: droog wanneer zij het doet.

Een avond haalt Anna het naai-etui uit Mathildes bureau en gaat met een handspiegel tussen haar voeten naakt op de wc zitten. Ze stopt het puntje van de draad even in haar mond en steekt hem dan door het oog van de naald. Haar ogen beginnen al te tranen als ze zich voorstelt hoe ze die tegen dat uiterst tere vlees duwt, hoe scherp het zal zijn, hoe koud. Ondanks deze geestelijke repetitie is de werkelijkheid stukken pijnlijker dan ze zich had voorgesteld. Tranen spatten uit haar ogen en ze laat de naald los, hoort die met een zachte tik op de spiegel vallen. Ze is te laf, ze kan het niet. In plaats daarvan put ze voldoening uit de imaginaire reactie van de obersturmführer op het feit dat ze dichtgenaaid is. Op de onhandige zwarte steken in de donkerroze plooien.

Maar hij ontneemt haar zelfs deze armzalige troost met een verhaal dat hij haar op een avond in december vertelt, nadat hij is teruggekeerd van een reis die hem twee weken heeft belet de bakkerij te bezoeken. Anna weet niet waar hij is geweest, maar hij is wel erg onverzadigbaar nu hij zo lang van zijn pleziertjes heeft moeten afzien. Hij laat scheermesjes, sjaals, whiskey en andere speeltjes achterwege en neemt haar drie keer, telkens van achteren. Terwijl Anna zich met haar handpalmen schrap zet tegen de muur om te voorkomen dat haar hoofd er tegenaan knalt, vraagt ze zich af of deze voorliefde typerend is voor de obersturmführer of dat alle mannen een stiekeme voorkeur voor dit standje hebben – de vrouw anoniem, puur een achterkant, schommelende billen en een plukje haar, de man pompend als een hond.

Als hij in fysiek opzicht met haar klaar is, begint de obersturmführer weer te praten, alsof hij de draad van een gesprek weer oppakt. Anna is hier gewend aan geraakt; ze zou er zelfs blij mee moeten zijn, want het enige wat nu van haar verwacht wordt, is dat ze zich met haar hoofd op zijn borst tegen hem aan nestelt. Maar lieve god, het is zo saai! Geklaag over het melige eten, de trivia van zijn huiselijke beslommeringen – en dan met name de was: de obersturmführer is geobsedeerd door de witheid van zijn overhemden – verbolgen analyses over de onbeschaamde lach van zijn adjudant, enzovoort, enzovoort. Als Anna zich een voorstelling maakt van de hel, vermoedt ze dat die er precies zo uitziet: een grijze doos van een kamer waarin ze gevangen zit met deze man die aan één stuk door blijft praten.

Als de obersturmführer voldoende lijkt op te gaan in zijn eigen gepraat, doezelt Anna soms weg. Op andere momenten, zoals nu, maakt ze in gedachten een lijstje van de dingen die ze nog moet doen: Trudie eten geven, wassen, instoppen en voorliegen. Elke avond stelt het kind dezelfde vraag, ze maakt er een soort spelletje van: waar is tante Mathilde? Dan herhaalt Anna geduldig een versie van het verhaal dat ze ook aan de vaste klanten vertelt: Mathilde is tewerkgesteld in een eetzaal voor officieren in Hamburg. 'Er waren mannen bij de zee die wilden dat ze voor hen brood kwam maken,' legt Anna aan Trudie uit. Elke keer staart het kind dan naar het plafond, zegt 'o', wrijft haar dekentje tegen haar wang en valt in slaap. Zomaar.

Maar vanavond wordt Anna's lijstje onderbroken door een woord dat de obersturmführer een centimeter van haar oor uitspreekt: Auschwitz. Dus hij is in Polen geweest. De obersturmführer heeft het al eerder over Auschwitz gehad, aangezien hij de transporten van de gevangenen van Buchenwald naar dit grotere kamp heeft geregeld. (Hoeveel tijd dat niet kost! Tijd die aan andere, veel belangrijkere disciplinaire zaken besteed zou kunnen worden! Al die uren die gaan zitten in het bijhouden van de kampadministratie!) Anna is ook op de hoogte van Auschwitz door de geruchten die de condooms van de gevangenen bevatten. En dat moeten uiteraard geruchten zijn, want het is gewoon niet te geloven wat de gevangenen beweren. Joden die vanuit de treinen rechtstreeks de gaskamers, de crematoria, in marcheren? Zelfs de SS zou niet zo stom zijn om zo veel arbeidskrachten tijdens een oorlog te verspillen, vooral gezien de invasie van Moedertje Rusland. Nee, dit moet ontsproten zijn aan een brein dat door overwerk en honger krankzinnig is geworden. Dergelijke verhalen vloeien uit dergelijke omstandigheden voort, net zoals paddenstoelen uit een stapel mest ontspruiten. Niettemin zorgt de herhaling van dat woord er voor één keer voor dat Anna's aandacht wordt getrokken door de monoloog van de obersturmführer.

‘Neem me niet kwalijk, ik heb niet goed verstaan wat u zei,’ mompelt ze.

De obersturmführer is verrast, alsof een van de kussens heeft gesproken. Dan beweegt hij met een voldane blik zijn beschadigde schouder onder Anna’s hoofd, om haar een beetje dichterbij te duwen. Zijn geur – vlees, sigarettenrook en zijn *Kölnisch wasser*, 4711 – zweeft onder zijn arm vandaan. ‘Ik zei alleen,’ herhaalt hij, ‘dat het zo’n opsteker voor ons is geweest om Mengele aan het werk te zien. Voor onze eigen experimenten. Uiteraard zijn onze kerels voor het grootste deel bezig met het voorkomen van epidemieën, het beschermen van de gezonde mensen, in plaats van dat ze grote wetenschappelijke vooruitgang boeken. Wij hebben er alleen al het gereedschap niet voor. Maar we doen ons best, we roeien met de riemen die we hebben.’

‘En wat doen jullie dan precies?’ vraagt Anna.

‘O, het gebruikelijke. We proberen bijvoorbeeld een vaccin tegen tyfus te ontwikkelen, hoewel dat tot nu toe nog niet erg succesvol is geweest, want de meeste proefpersonen sterven. Maar we hebben wel enige vooruitgang geboekt in het genezen van homoseksualiteit – weet je wat dat is? Echt? Ik verbaas me voortdurend over jou, Anna! Nou, zoals ik al zei, de vooruitgang is erg klein, maar wellicht van betekenis op de lange duur. Er komt castratie bij kijken en dat soort dingen. En daarom was het, zoals ik al zei, zo leerzaam om Mengele aan het werk te zien, want op de dag dat wij in zijn laboratorium mochten komen, verrichtte hij een operatie aan de voortplantingsorganen.’

‘Van een homoseksueel?’ fluistert Anna.

De obersturmführer lacht. ‘Nee, voor Mengele stelt dat niets voor, dat is voor klungels zoals wij. Hij werkte aan een jodin, een voormalige prostituee. Hij naaide haar...’ De obersturmführer werpt een zijdelingse blik op Anna en schraapt zijn keel. ‘... vrouwelijke opening dicht. Wat gebeurt er als zij niet kan menstrueren? Verschrompelen de inwendige organen dan, houden ze op te functioneren? Fascinerend vooruitzicht. Onbruikbaar voor de bevolking in het algemeen, maar wetenschappelijk...’

Anna voelt haar maagspieren verkrampen. Het koude zweet breekt haar uit onder haar armen, in haar nek. Ze slaat haar hand voor haar mond alsof ze een boer onderdrukt. ‘Pardon,’ zegt ze.

'Natuurlijk. Hoe dan ook, dat is wat Mengele op de allereerste plaats is, een wetenschapper, misschien wel de meest waardevolle van het *reich*. Maar wat een chirurg moet hij als burger zijn geweest! Wij stonden met honderd anderen op de galerij en rond de tafel waren allemaal spiegels neergezet, zodat we het goed konden zien. Hij moet onder immense druk hebben gestaan. En die jodin bleef maar bewegen. Maar trilden Mengeles handen? Niet één keer! Gouden handjes, zo vlug als een kolibrie.'

Anna weet dat ze misselijk wordt. Ze gaat zitten, ademt oppervlakkig en staart naar de overloop. Ze focust haar blik op het lamplicht, dat als een scheve rechthoek op de vloer valt. Dan beweegt er een schaduw die de vlek verduistert. 'Trudie?' roept ze. 'Ga naar beneden.'

De schaduw beweegt niet.

Anna tuurt ernaar. Achter haar is de obersturmführer opgehouden met praten. Een slecht teken. Anna laat zich terugzakken op zijn beschadigde schouder, aangezien hij nog niet heeft aangegeven dat hij wil dat ze iets anders doet.

Ze begint de weg kwijt te raken, haalt zich dingen in haar hoofd, ziet schaduwen die er niet zijn. Zelfs de manier waarop ze nu slaapt is haar vreemd. Elke ochtend wordt ze wakker met een stijve nek en kan ze haar hoofd maar een klein stukje naar beide kanten draaien. Ze heeft op haar rug geslapen, met haar armen boven haar hoofd: een houding van laffe overgave.

Trudy, januari 1997

26

Slaapgebrek, heeft Trudy ontdekt, is een vorm van marteling. De nazi's wisten dat – natuurlijk. Een van de favoriete verhoormethoden van de Gestapo, geruislozer en minder smerig dan het uittrekken van vingernagels of het breken van botten, was het isoleren van gedetineerden in een ruimte waar het licht nooit werd gedoofd en waar ze een stroomstootje toegediend kregen als ze weg doezelden. Trudy denkt nu tot op bepaalde hoogte te kunnen begrijpen waarom mensen zo scheutig waren met informatie na slechts een paar dagen zo behandeld te zijn. Sinds het vervolg van haar project slaapt ze weinig en als ze dat wel doet, droomt ze vaak en vervelend. Dan is ze bijvoorbeeld gekrompen tot kinderformaat en verdwaald in een bos waar de oude stammen van bomen aan alle kanten boven haar uit torenen. Ze roept om hulp en is op zoek naar iets wat ze gedoemd is nooit te vinden. Of ze is een Berlijnse *hausfrau*, die van kamer naar kamer zwerft in een eindeloos grote, onverwarmde flat, wrijvend over haar armen en zich buigend om door ramen te turen in afwachting van iets afgrijselijks dat nooit komt. Trudy heeft altijd honger en is altijd verkleumd. Ze wordt woelend wakker en ziet dat ze de dekens op de grond heeft geschopt. En hoewel hij als zodanig niet meer zijn opwachting heeft gemaakt, heeft Trudy het gevoel dat ze ook van Sint Nicolaas heeft gedroomd. Hij is in de buurt, de officier; bureaucratische vernietiging beramend achter zijn bureau of een kippenpoot etend, een mond glimmend van het vet afvegend aan de mouw van zijn uniform.

Aangezien ze daadwerkelijk bang is voor haar dromen, is Trudy begonnen met het innemen van slaappillen om die op afstand te houden. Maar ze werken niet, ze houden haar ziekelijk alert. Zwetend en woelend ligt ze met grote ogen naar het plafond te staren tot ze, vlak voor de ochtendschemering, bezwijkt voor een troebele sluimering waaruit ze hevig schokkend wakker wordt met het gevoel aan het vallen te zijn. Als Trudy met een holle maag en haar eerste kop koffie van de dag over de keukentafel gebogen zit en ziet hoe de hemel van zwart naar grijs naar wit kleurt, blijft ze maar piekeren of het verstandig is om door te gaan met haar project. Elke keer zweert ze dat het interview van die middag het laatste zal zijn. Dan staat ze op en loopt naar haar studeerkamer, waar ze luistert naar een opname van Thomas Mann die in het Duits zijn roman *Lotte in Weimar* voorleest, terwijl zij de vragen voor die dag doorneemt. Ze kan het nu niet opgeven. Of het nu door mond-tot-mondreclame komt – frau Kluge die aan iedereen die het maar horen wilde heeft verteld over Trudy's luisterende oor en het chequeboek van de universiteit – of omdat ze haar advertenties hebben gezien: Trudy heeft meer respondenten dan ze aankan.

Toen ze aanvankelijk besloot ermee door te gaan, simpelweg om haar angst voor het interviewen te overwinnen, heeft Trudy ontdekt dat die benauwdheid ongegrond was: niet een van de geïnterviewden was zo erg als frau Kluge. De vrouwen leggen wat betreft het naziregime een relatieve onwetendheid aan de dag en betreuren de gevolgen ervan. Ze praten over bommen, over honger, over echtgenoten die zijn omgekomen of als een totaal ander iemand terugkeerden, verminkt of met geamputeerde ledematen of schimmig en onderhevig aan stemmingswisselingen, ziekte en ontberingen. De doorsnee grimmige verhalen. Dus Trudy's vertrouwen is verre van afgebrokkeld en juist met elk interview een stukje toegenomen. Blijkbaar heeft ze er talent voor. En hoewel Trudy haar vertrouwenwekkende manier van doen verafschuwt – haar blauwe ogen opensperren, haar blonde haar aanraken, haar hoge zwarte laarzen dragen, haar *stiefel* – put ze ook een wrange voldoening uit het succes ervan. En daar komt nog wat bij: soms, als ze wakker ligt en woelend wacht tot de slaap haar overvalt, moet Trudy met enige mate van voldoening en tot haar verbazing bekennen dat ze opgelucht is over haar genetische aanleg, dat ze in die nette huizen het gevoel krijgt thuis te komen. Zittend in die opgeruimde keukens die erg op die van haar lijken, ontdekt Trudy dingen waarvan ze niet wist dat ze die kwijt was geraakt: de smaak van *teewurst* op haar tong, het verrukkelijk sissende geluid van een vergeten Duits woord. En hoe afschuwelijk ze het ook van zichzelf vindt, Trudy merkt dat ze dorst naar complimenten van haar respondenten, naar hun verrukte kreten over haar taalbeheersing, naar hun prijzende woorden over haar uiterlijk en naar het feit dat ze haar behandelen als een van hun eigen *kinder* – hoewel die soms niet veel ouder zijn dan zij.

Mevrouw Rose-Grete Fischer, Trudy's zevende respondent, is een dergelijk geval. Ze verwelkomt Trudy en Thomas – die er godzijdank mee heeft ingestemd nog meer interviews te filmen en zelfs ietwat verbaasd klonk toen Trudy veronderstelde dat hij dat niet zou doen – in haar bungalow met opgewonden handgebaren. Terwijl Thomas tevreden mompelend over de open ruimte en de comfortabele leunstoelen zijn apparatuur opzet in de woonkamer, gaat Trudy met Rose-Grete in de keuken zitten en neemt hapjes van een plak *kaffeekuchen.* Ook dit is Trudy als vanzelfsprekend gaan beschouwen: de meeste geïnterviewden blijken een stuk gastvrijer dan frau Kluge. En hoewel Trudy niet veel durft te eten uit vrees in te dutten onder Thomas' warme lampen, neemt ze altijd een klein stukje om haar gastvrouwen niet te beledigen.

Vanuit haar ooghoek kijkt Rose-Grete Trudy bewonderend aan. 'Je bent een lieve meid,' zegt ze, 'dat je de tijd neemt om bij een oude vrouw op bezoek te gaan. Dat je geïnteresseerd bent in wat zij te zeggen heeft.'

Trudy lacht ietwat ongemakkelijk naar haar. Rose-Grete is een klein vrouwtje, een en al broze botten die door een huid met de textuur van een oude perzik steken. En hoewel ze met haar achtenzestig jaar nog steeds mooi is, geeft het ooglapje dat ze draagt haar een piraatachtige uitstraling. Trudy wil erg graag weten waarom ze dat op heeft, maar aangezien Rose-Grete er zelf niet over begint, is Trudy vastbesloten te doen of ze het ook niet gezien heeft. Maar het is wel moeilijk om niet te staren naar dat zwarte driehoekje, en als Trudy zich concentreert op Rose-Gretes andere oog, krijgt ze het gevoel dat haar blik onnatuurlijk en op een beledigende manier geforceerd is.

Ze eet nog een stukje cake en ontwijkt Rose-Gretes eenzijdige taxerende blik door rond te kijken in de keuken van de vrouw. Die is klein, maar vrolijk. Geelgeverfde muren en een tafel vol parafernalia van het weduwleven: een rieten mandje met fruit en medicijnflesjes, een vergrootglas, een stapeltje afschriften van de Sociale Dienst op het tafelzeil met zonnebloemen. De warmte uit de radiator onder het raam creëert een flikkerend waas waar Trudy huppende vogeltjes rond een voederbak in de achtertuin doorheen ziet.

Ze werpt een blik op de koelkast in de verwachting de onvermijdelijke familiefoto's te zien, maar ziet slechts een plaat van roestvrij staal met een paar butsjes in het midden. 'Heb je kinderen?' vraagt Trudy – een van de beste vragen, zo heeft ze ontdekt, om een verstandhouding te kweken.

Maar Rose-Grete heeft haar hoofd omgedraaid en kijkt de tuin in. 'Vind je mijn kleine vriendjes leuk?' zegt ze. 'Kijk, daar, die rode kardinaal, die dikke. Hij is mijn favoriet. Hij is belachelijk hebberig, duwt de andere vogels weg om bij de zaadjes te kunnen. Maar hij komt elke ochtend, slaat nooit een keer over. Vaak gaat hij op de vensterbank zitten. Soms denk ik dat hij weet wat ik denk.'

Ze buigt zich voorover en tikt op het glas. In een werveling van vleugels verspreiden de vogels zich in de lucht. 'Hopla!' zegt Rose-Grete lachend. Dan wendt ze zich tot Trudy. 'Je zult me wel gek vinden,' zegt ze. 'Maar ze vormen een aangenaam gezelschap, hoewel ze nogal wispelturig zijn. Het is niet gemakkelijk om in je eentje oud te worden.' Ze trekt een servet naar zich toe en strijkt die met haar handpalm glad. Trudy wacht.

'Ik heb wel kinderen,' zegt Rose-Grete tegen het servet. 'Twee zoons. Maar ze wonen ver weg en ze hebben geen zin meer om bij hun oude moeder op bezoek te gaan.'

'Wat jammer,' zegt Trudy, terwijl ze met een schuldgevoel aan Anna denkt, die ze sinds de kerstbeproeving in de Barmhartige Samaritaan twee weken geleden niet meer bezocht heeft.

'Ja, hè...?' Rose-Grete zucht en begint het servet te vouwen. 'Mijn oudste zoon belt af en toe: "Hoe voel je je, moeder? Ben je naar de dokter geweest? Wat heeft de dokter gezegd?" Maar ik weet dat hij dat alleen uit plichtsbesef doet. En de andere, Friedrich – Freddy – woont nu in Engeland en van hem hoor ik bijna nooit iets.'

'Vervelend.'

Rose-Grete kijkt Trudy verlegen aan en glimlacht. 'Ik heb altijd een meisje willen hebben,' zegt ze zacht. 'Met moeders en dochters is het anders, toch? Een band die je met zoons niet kunt hebben. Jij en je moeder, jullie hebben vast een hechte band.'

Trudy stort zich op de restanten van haar cake, duwt met de tanden van haar vork de kruimels op een hoopje. 'Mmmm,' zegt ze. Ze voelt Rose-Gretes oog branden.

Na een tijdje raakt de oudere vrouw Trudy's hand aan. Het voelt alsof er een bosje takken overheen strijkt. 'Ik heb je in verlegenheid gebracht,' zegt Rose-Grete. 'Maar je hoeft geen antwoord te geven. Ik zie zo wel dat je een goede dochter bent. Wil je nog een stukje cake?'

Trudy schudt haar hoofd. 'Ik krijg geen hap meer door mijn keel,' zegt ze – naar waarheid, aangezien haar keel opeens dichtgeknepen zit.

Rose-Grete duwt het blik met de *kaffeekuchen* naar Trudy toe. 'Alsjeblieft,' zegt ze. 'Anders moet ik het weggooien. Alsjeblieft,' zegt ze nog een keer.

Gehoorzaam snijdt Trudy een tweede plakje af.

HET DUITSE PROJECT
Interview 7

GEÏNTERVIEWDE: Mevrouw Rose-Grete Fischer (meisjesnaam: Rosalinde Margarethe Gürtner)
DATUM/LOCATIE: 11 januari 1997, Edina, MN

V: Ik ga beginnen met een paar simpele vragen, Rose-Grete, is dat goed?

A: Ja, prima.

V: Waar en wanneer ben je geboren?

A: Ik ben geboren in 1928, in een stad met de naam Lübben. Maar stad is eigenlijk te veel eer, want het was meer een dorp, een piepklein vlekje in de buurt van de grens met Polen. Gelegen in het Spreewald en met misschien niet meer dan vijfhonderd inwoners, erg arm. Voor het merendeel boeren en houthakkers, hoewel mijn ouders een kleine winkel bezaten, iets wat Amerikanen een *general store* zouden noemen... Zei je niet dat jouw eigen vader een boer was?

V: Ja, dat klopt... Rose-Grete, woonden jij en je familie in Lübben toen de oorlog uitbrak?

A: Ja, we hebben daar de hele oorlog gewoond. Ik ben in Lübben gebleven tot ik hiernaartoe verhuisde.

V: Kun je me vertellen wat je je herinnert van het begin van de oorlog?

A: Nou, het was voor ons anders dan voor de rest van Europa. Of in ieder geval voor de grote steden. Voor ons was er geen onmiddellijke... Hoe zeg je dat, impact? Wij kregen het in stukjes en beetjes mee. Sommige jonge mannen werden onder de wapens geroepen, natuurlijk. En de joden van het dorp... Maar omdat we zo'n kleine plaats waren, moesten we het grootste deel van wat er gebeurde uit kranten halen die uit andere steden werden gebracht en die meestal een week of twee oud waren. En geruchten.

V: Je had het over de joden in jouw dorp, Rose-Grete. Wat gebeurde er met hen?

A: In het begin... Nou ja, ik was nog maar elf toen de oorlog begon, weet je, ik had nog niet veel benul van alles. Het meeste ben ik te weten gekomen door achter deuren af te luisteren.

V: Herinner je je nog iets specifieks wat je gehoord hebt?

A: Alleen dat mijn ouders in die periode altijd ruzie hadden. Zachtjes, en als ze dachten dat de kinderen lagen te slapen, maar toch wisten we waar ze ruzie over maakten. Zij hadden de geruchten ook gehoord, over de nazi's en vooral over de *einsatzgruppen*, de speciale eenheden die als taak hadden alle joden weg te halen. Niemand wist wat er daarna met hen zou gebeuren en niemand stelde vragen. Iedereen was bang, snap je. Maar we wisten dat het niet iets goeds kon zijn. Dus sommige mensen in de stad verstopten de joden of hielpen hen ontsnappen naar het bos, waar partizanengroepen zaten.

Mijn vader wilde ook op die manier helpen. Hij was een godsdienstige man en hij vond het zondig wat de nazi's deden. Maar mijn moeder smeekte hem zich er niet mee te bemoeien. Nee, Peder, alsjeblieft, de kinderen, je moet aan de kinderen denken – ik hoor het haar nog zeggen.

V: Dus hij heeft geen joden verborgen of geholpen te ontsnappen.

A: Als hij gezien had wat er gebeurde als de *einsatzgruppen* kwamen, weet ik zeker dat hij dat gedaan zou hebben... Maar, nee. Uiteindelijk heeft hij het niet gedaan.

V: Wanneer kwamen de *einsatzgruppen* naar Lübben?

A: In... 1944, geloof ik. Ik was toen zestien jaar, dus het moet 1944 geweest zijn.

V: Kun je me vertellen wat je je daarvan herinnert?

A: Ik... Momentje, alsjeblieft. Het is niet makkelijk om daarover te praten.

V: Neem de tijd. Alle tijd die je nodig hebt.

A: Dank je. Je bent erg aardig.

[*lange pauze*]

A: Wat ik me als eerste herinner is dat veel mensen blij waren toen de *einsatzgruppen* kwamen. Ik weet nog dat ze langs de hoofdweg stonden en juichten en salueerden naar de nazi's. Zo! Volgens mij lag dat aan het feit dat er veel Polen in Lübben woonden, en de Polen haatten de joden net zo veel of nog meer dan wij Duitsers dat deden. Niet veel mensen weten dat, maar het is waar.

Hoe dan ook, ze kwamen, en een paar dagen later was ik... Enfin, mijn ouders hadden me om een boodschap gestuurd. Het was erg warm, dat weet ik nog. Het was eind juni, een prachtige zomerdag. Ik herinner me juist die hitte nog erg goed, omdat ik vele kilometers moest lopen naar een boerderij om wat eieren van ons te ruilen voor frambozen. Voor mijn moeder. Ze was zwanger en verlangde hevig naar frambozen, en wij hadden geen fruit in onze winkel. Maar we hadden wel kippen en dus ging ik op weg om eieren te ruilen voor de frambozen en wat vers brood. En ik...

Op de terugweg besloot ik een kortere weg door het bos te nemen. Omdat dat koeler was. Ik wist niet dat het verboden was om daar te komen. Ik wist niet wat ze deden. Ik wilde alleen maar uit de zon, het was zo warm en stoffig op de weg.

Dus ik liep door het bos met de frambozen en het brood voor mijn moeder en toen hoorde ik opeens *pop-pop-pop-pop-pop*, zo'n geluid als... Als van een zevenklapper. Maar het was geen zevenklapper, het waren pistoolschoten. En ik was zo jong en zo dom, ik liep op het geluid af naar een open plek en daar zag ik ze. De joden en de *einsatzgruppen*. De joden hadden zich uit moeten kleden en stonden langs de rand van een kuil. En de *einsatzgruppen* schoten ze in groepjes van vier of vijf neer.

Nou, ik schrok me werkelijk dood. Ik weet nog dat ik in eerste instantie meer ontzet was door het feit dat ze naakt waren, dan dat ze op deze manier werden... Werden afgeslacht. Behalve mijn moeder had ik nog nooit iemand naakt gezien en ik was... Ik was zo geschrokken en zo van slag. Ik weet nog dat ik dacht: waarom rennen ze niet weg? Je kunt beter in je rug geschoten worden tijdens het rennen dan dat je erop gaat staan wachten. En misschien dat het een of twee van hen zou lukken om bij de partizanen te komen... En dan die schande, vrouwen en kinderen naakt bij de mannen, ik had nog nooit zoiets gezien. Ik wilde ontzettend graag mijn handen voor mijn ogen slaan. Maar ik kon het niet. Ik bleef staan en staarde, terwijl zij aan het bidden waren – een aantal van hen – elkaars handen vasthielden en smeekten en huilden en doodgeschoten werden. De vrouwen en baby's tegelijk met de mannen. Niemand werd gespaard.

En toen zag ik een meisje dat ik kende. Niet erg goed, hoor, maar we hadden als kind met elkaar gespeeld. Ze heette Rebecca en hoewel ik haar al een tijd niet gesproken had, herkende ik haar aan dat typische gebaar van haar. Ze had krullend haar, prachtige donkere krullen, en als ze zenuwachtig was, draaide ze altijd één krul – zo – om haar vinger. Ik weet nog dat ze op school, als ze een beurt kreeg en het antwoord niet wist, altijd zo een krul rond haar vinger draaide.

Ze stond een beetje apart van de anderen, dicht bij mij, en ze was zeer rustig, hoewel er tranen over haar wangen stroomden en ze aan haar haar stond te draaien. En ik weet nog dat ik dacht, o, je denkt zulke stomme dingen op zulk soort momenten, dat ik iets dacht als: ik had vaker met haar moeten spelen of haar beter moeten leren kennen en nu is het te laat, of iets dergelijks, ik weet niet wat ik dacht. Maar toen draaide ze zich om en keek me aan, alsof ze me gehoord had, en ik was zo stom, ik weet niet wat me bezielde, maar ik dacht: het is zo warm, veel te warm om daar zo te staan zonder kleren aan, geen pet, niets. En ik stak het mandje met frambozen uit. Alsof, weet ik veel, ik die aan haar kon geven en die haar dorst een beetje zouden lessen voordat... Ik weet niet wat ik dacht.

Maar ze begon in mijn richting te lopen, heel langzaam, om niet opgemerkt te worden.

Maar ze werd wel opgemerkt. Een lid van de *einsatzgruppen*, die officier, zag haar en schreeuwde: *halt*! En dat deed ze. Ze stond gewoon stokstijf stil. Dat deed iedereen, want die officier riep nog een keer *halt!* en stak zijn hand omhoog. De anderen stopten met schieten en de officier keek naar Rebecca en zag waar ze naar keek en hij kwam naar mij toe wandelen. Echt wandelen, alsof hij in een winkelstraat liep en alle tijd van de wereld had.

Nou ja, ik had me moeten omdraaien en wegrennen, maar ook ik stond als aan de grond genageld. Ik had geen gevoel meer in mijn benen noch in de rest van mijn lichaam. Ik weet nog dat ik de mand liet vallen en dat het brood op de grond viel en de frambozen ook, en dat die wegrolden en tot stilstand kwamen naast zijn voeten die vlak voor me stonden, en dat zijn laarzen glommen als spiegels en ik er bijna mijn gezicht in kon zien.

'Hoe heet jij?' vroeg hij.

Nou, ik kon natuurlijk geen woord uitbrengen.

'Hoe heet jij?' vroeg hij nog een keer.

Toen keek ik omhoog in zijn gezicht. Hij was erg groot en lang, had ogen als van een wolf en was nogal in zijn nopjes met zichzelf. Terwijl alle anderen in hun hemd stonden, was hij volledig in uniform, hij droeg zelfs een pet waarvan de rand op een bepaalde manier was omgeslagen, zo. Maar ik zag dat hij transpireerde: er rolden grote druppels langs de zijkant van zijn gezicht.

'Wat doe jij hier, meisje?' vroeg hij me. 'Weet je niet dat je hier helemaal niet mag komen? Of ben je op een liefdevolle missie, een klein jodenminnend *Rotkäppchen* dat eten naar de joden brengt?'

Sommige andere leden van de *einsatzgruppen* lachten toen, *ha ha ha ha ha*, alsof dit het grappigste was wat ze ooit gehoord hadden. En dat beviel de officier helemaal niet. Hij was niet het soort man dat eraan gewend was uitgelachen te worden, vermoed ik, zelfs niet als hij het had uitgelokt. Hij haalde zijn pistool uit zijn riem en schoot in de lucht. Sommige vrouwen gilden, weet ik nog. Maar nog steeds deden ze geen enkele poging om weg te rennen.

De officier duwde zijn pistool onder mijn kin – ik weet nog precies hoe dat voelde, hoe koud het was, terwijl al het andere zo warm was. 'Hoe heet je, kleine jodenvriendin?' vroeg hij voor de derde keer.

En toen ik nog steeds geen woord over mijn lippen kon krijgen, maakte hij een walgend geluid en gebaarde naar een van zijn mannen die bij de auto stond. Hij riep iets naar hem wat ik me tot op de dag van vandaag niet herinner, misschien zei hij het te snel of kon ik niet helder nadenken. Maar hij moet iets gezegd hebben als 'breng de verbandtrommel', want daar kwam de man mee aanzetten. De officier haalde er iets uit en ik kon niet zien wat het was, behalve dat het glom, en hij deed het zo snel dat ik geen tijd had om te reageren.

Maar, hoe dan ook, wat hij uit de trommel haalde was een speld, en voordat ik ook maar iets kon doen duwde hij die in mijn rechteroog. Dat knapte, net als een druif, behalve dan dat het in tegenstelling tot een druif leegliep en er dus allemaal vocht over mijn gezicht stroomde, bloed en wat al niet meer. En uiteraard deed het pijn, de ergste pijn die je je voor kunt stellen, en ik sloeg mijn handen voor mijn oog en krijste. En de officier draaide zich naar Rebecca en schoot haar neer, en ook een paar van de andere vrouwen, *pang pang pang pang pang*, behalve dan dat ik me dat pas een minuut later realiseerde, omdat ik alleen maar pijn voelde en niet kon geloven dat dit me was overkomen – het ging zo snel – dat deze vreemde man mij in één tel blind had gemaakt en mijn gezicht had verminkt.

'*Ja*,' hoorde ik hem zeggen. 'Zo, dat zal je leren niet zo nieuwsgierig te zijn, mijn kleine jodenvriendinnetje. Hup, naar huis nu.' En ik hoorde zijn laarzen knarsen op de grond toen hij zich omdraaide en terugliep naar de auto.

Dus dat deed ik. Ik rende en rende en stopte pas toen ik thuis was, waar, zoals je je voor kunt stellen, mijn moeder gilde toen ze me zag en zij en mijn vader huilden en mijn jongere broer Günter wegstuurden om de dokter te halen... Maar natuurlijk was het al te laat. Hij kon niets meer doen. En weet je, het is vreemd, maar daarna hebben we het er nooit meer over gehad. We waren nog steeds zo bang. Nog erger dan eerst. Bang voor wat de nazi's zonder enige reden zouden kunnen doen wanneer ze daar zin in hadden.

Dus nu weet je wat er met mijn oog is gebeurd. Ik heb dit nog nooit aan iemand verteld... Omdat ik me er nog steeds zo voor schaam, snap je. Vaak denk ik dat het een passende straf is voor alle keren dat ik dat meisje had kunnen helpen vóór die afschuwelijke dag, of anderen had kunnen helpen ontsnappen naar het bos, of had kunnen verstoppen in de schuur zonder dat mijn ouders ervan wisten. Maar dat heb ik niet gedaan. Ik ben er blind voor geweest. En zoals de Bijbel zegt... Nou ja, ik denk gewoon dat het terecht is.

27

Later die avond staat Trudy onder de douche. Ze heeft de warmwater-kraan naar de hoogste stand gedraaid. Ze schrobt haar hele lichaam met een harde borstel en laat dan de stralen haar huid prikkelen. Deze gewoonte is voor haar na ieder interview een noodzaak geworden – dit, en het drinken van een groot glas cognac. Misschien dat ze zichzelf er vanavond twee toestaat, denkt Trudy, want het verhaal van Rose-Grete is wel bijzonder macaber geweest. Misschien dat de combinatie van drank en een pil eindelijk het gewenste effect zal hebben.

'Nooit zal slaap zijn zware ogen dicht doen vallen, nacht noch dage,' mompelt Trudy als ze de kraan dichtdraait en uit het bad stapt. Ze wipt een handdoek van het rek en begint zichzelf kordaat droog te wrijven. Dan vangt ze in haar ooghoeken een blik op van een beweging: het pompen van haar ellebogen in de passpiegel die aan de deur hangt. Ze draait zich ernaartoe, steekt haar hand uit en veegt een strook schoon in de wasem. Dan laat ze de handdoek vallen.

Ze heeft haar naakte lichaam al een behoorlijke tijd niet in zijn geheel gezien – niemand trouwens, wat dat betreft. Ze is gewend zichzelf in stukjes en beetjes te zien, de onderdelen die de meeste aandacht opeisen. Haar gezicht, als ze dat insmeert met crème. Haar scheenbenen, als ze de moeite neemt die te scheren. Haar haar, dat ze draagt in een korte no-nonsensestijl waarvoor ze het alleen vluchtig hoeft te kammen voordat ze haar huis verlaat. Het klopt dat Trudy nooit op haar gewicht heeft moeten letten, dat mensen altijd tegen haar gezegd hebben: ik durf te wedden dat jij zo iemand bent die alles kan eten zonder ook maar een grammetje aan te komen. Ze is ontsnapt aan de hangmatjes van zacht vlees die bungelen onder de bovenarmen van haar leeftijdgenotes, aan de vetrolletjes die boven hun tailleband opbollen en de bh-strepen die hun rug in tweeën delen. Trudy draagt maar zelden een bh. Maar het heeft ook nadelen, denkt

Trudy: ze begint het pezige uiterlijk te krijgen dat hoort bij dunne vrouwen van een bepaalde leeftijd. Als een ondervoede kip. En Trudy heeft zichzelf altijd beschouwd als een armzalig, mager type vrouw. Vrouwen horen zacht te zijn. Zoals Anna. Zoals Anna in bad, de glimmend witte huid en drijvende borsten met sproeten. Anna die een kous over een stevige dij trekt. Anna in haar slipje, de gulle rondingen van heupen en boezem. Verboden beelden, door een jongere Trudy van achter verscheidene deuren bijeengesprokkeld, van duurzame vrouwelijkheid.

Deze herinneringen wekken, net als haar naaktheid, bij Trudy nog steeds een onmiskenbare gêne op. Anna heeft haar namelijk bijgebracht – impliciet, aangezien ze nooit direct over dit soort dingen wilde spreken – dat nette mensen niet ongekleed rond dienen te lopen. Dat in bad gaan enkel en alleen bedoeld is om schoon te worden en dat je altijd een washandje moet gebruiken om te voorkomen dat huid op huid komt. Dat je zo snel mogelijk je kleren aan moet trekken als je eenmaal uit bad bent. Dat vrijen alleen ten dienste staat van de voorplanting en altijd in het donker moet geschieden. En dat je alleen naar vrouwelijke functies verwijst als dat absoluut noodzakelijk is, om medische redenen, en dan alleen in codetaal. *De Maandelijkse Bezoeker. De Vloek. De Verandering.* Het is een smerig, vernederend, geheimzinnig iets, dat vrouw-zijn. Glijmiddel en damesverband, rituelen die worden uitgevoerd op wc's en achter badkamerdeuren en die nooit, God verhoede, uitgesproken worden tegen de echtgenoot. Trudy kan zich niet voorstellen dat Anna ooit zo lang voor een spiegel heeft gestaan. Of iemand anders haar naakte lichaam heeft laten zien.

De schande.

En dan die schande, vrouwen en kinderen naakt bij de mannen, ik had nog nooit zoiets gezien.

Trudy kijkt naar zichzelf en probeert zich voor te stellen dat haar verschillende gebreken op klaarlichte dag voor iedereen te zien zouden zijn. Voor die *mannen.* Maar natuurlijk zou Trudy nooit in die positie terecht zijn gekomen. Zij zou veilig thuis hebben gezeten, in het dorp met de andere Duitsers, stilletjes bewegend achter geblindeerde ramen en gesloten deuren.

Een gemarmerde blos verschijnt op haar borst en hals, op een huid die al roze is van het hevige schrobben.

Haar bleke huid. Haar vaders huid. Haar melkwitte, doorschijnende, arische huid.

Trudy maakt een verstikt geluidje in haar keel.

Dan klinkt het schrille geluid van de telefoon; Trudy schrikt en grijpt haar ochtendjas. God nog aan toe, waar is ze mee bezig met dat gestaar naar zichzelf? Ze is nog verder heen dan ze dacht. Trudy ziet Anna's reactie op deze stommiteit voor zich, en dan die van Ruth, en dan die van haar studenten, en als ze naar haar slaapkamer rent en verdampende voetstappen achterlaat, glimlacht ze nog steeds om die laatste.

Ze pakt de hoorn van de haak als de telefoon voor de vijfde keer gaat. Waarschijnlijk is het Rose-Grete; Trudy heeft haar gevraagd te bellen als de nasleep van het interview traumatisch blijkt te zijn.

'Hallo,' zegt Trudy, terwijl ze zich in haar ochtendjas hijst. 'Rose-Grete? Hoe gaat het?'

Maar het is Rose-Grete niet. Het is Ancy Heligson, de directrice van de Barmhartige Samaritaan in New Heidelburg. Ze slaat de bekrompen beleefdheden over en komt meteen ter zake, haar toon is dringend. En voor Trudy, die haar ochtendjas stevig om zich heen slaat alsof de vrouw in de kamer is en haar kan zien, lijkt het alsof wat er gebeurd is haar schuld is, alsof ze Anna op de een of andere manier heeft opgeroepen, enkel en alleen door aan haar te denken. Of dat ze gestraft wordt omdat ze Anna's regels aangaande bescheidenheid heeft overtreden. Want het nieuws van de directrice is niet goed. Luisterend zoekt Trudy steun tegen het bureau. Ze sluit haar ogen.

28

En zo komt het dat Trudy de volgende morgen, een zondag waarop de meeste vrome inwoners van Minnesota in de kerk zitten, weer een bedevaartstocht maakt naar de Barmhartige Samaritaan in New Heidelburg. Ze bereikt het verzorgingstehuis in een recordtijd en parkeert onder het reclamebord. LATEN WIJ DE OUDEREN NIET VERGETEN, beveelt dat. JA, ZELFS Ú WORDT OUD!!! Normaal gesproken zou dit een wrange glimlach bij Trudy oproepen; het is alsof het personeel je ervan wil verzekeren dat het bezoeken van een geliefde hier een uiterst deprimerende ervaring is. Maar op het moment is ze niet in de stemming om ook maar iets grappig te vinden.

Trudy stormt door de schuifdeuren naar binnen, de onderkant van haar zwarte wollen jas bolt achter haar op, en slipt over het gladde linoleum naar de receptiebalie. 'Goedemorgen,' zegt ze tegen de verpleeghulp die erachter zit. 'Ik kom voor mevrouw Heligson.'

De verpleeghulp, die aan de telefoon zit, laat op geen enkele manier blijken dat ze van plan is haar gesprek te onderbreken. Trudy richt zich helemaal op en werpt het meisje haar meest dominante blik toe, de blik die ze in de collegezaal gebruikt om haar meest recalcitrante leerlingen te beteugelen. Het heeft weinig effect. De hulp, die ongeveer even oud is als Trudy's studenten en een lief blotebillengezicht heeft, werpt haar een verontschuldigende glimlach toe, maar blijft praten.

Trudy buigt zich over de balie heen en drukt op het knopje van de telefoon om de verbinding te verbreken.

'Hé!' zegt de verpleeghulp, terwijl haar mond protesterend openvalt. Maar dan slaat ze daar vliegensvlug haar hand met afgekloven nagels voor. 'O, mevrouw Swenson, neemt u me niet kwalijk, ik herkende u niet...'

'Haal mevrouw Heligson,' zegt Trudy. 'Nu. Meteen.'

De hulp springt overeind. 'Tuurlijk. Zeker weten.' Ze loopt achteruit in de richting van een deur waarop een bordje hangt met DIRECTIE en vlucht naar binnen. Door de dunne multiplex deur hoort Trudy de hoge opgewonden stem van de hulp en de lagere, langzame antwoorden van mevrouw Heligson. Trudy wacht en probeert oppervlakkig door haar mond te ademen om zo min mogelijk lysol, urine en flauwe geuren van gepureerd eten te ruiken. De ambulante inwoners van het verzorgingstehuis zitten hier, schuin onderuitgezakt op niet bij elkaar passende banken of opgesloten achter ijzeren dienbladen op rolstoelen. Onder normale omstandigheden zou Anna, die meer bij haar volle verstand is dan deze arme lege omhulsels, hier ook zitten; prikkend in haar middageten of met een vage ongeïnteresseerde blik starend door het venster naar de tweebaansweg. Maar ze is nergens te bekennen.

Eindelijk vliegt de deur van de directiekamer open en haast mevrouw Heligson zich naar buiten. De hulp, die achter haar aan hobbelt, neemt haar plek achter de balie weer in en begint met een van alle blaam gezuiverde, zakelijke uitstraling pillen over plastic bekertjes te verdelen. Maar daar trapt Trudy echt niet in. Ze weet dat het meisje erop gebrand is elke woord van deze confrontatie op te vangen en dat die nog maanden voor sappige gesprekken en analyses onder de verpleegkundigen zal zorgen.

Trudy loopt een stukje verder naar een hoek, waardoor de directrice niet anders kan dan van richting veranderen en haar volgen. Ze slaat haar armen over elkaar en kijkt met een borende blik hoe de vrouw schommelend naderbij komt. 'Waar is mijn moeder?' vraagt ze, als mevrouw Heligson bij haar staat.

'Ja, ik weet dat u kwaad bent, mevrouw Swenson, en dat neem ik u niet kwalijk. Maar laten we rustig blijven. Uw moeder is op haar kamer en het gaat prima met haar.'

Trudy snuift. 'Ik heb er nogal moeite mee om te geloven dat het príma met haar gaat. Hoe hebt u haar in godsnaam kunnen laten ontsnappen? Wat waren uw mensen aan het doen, naar praatprogramma's aan het kijken terwijl mijn zesenzeventigjarige moeder in haar nachtjapon over de snelweg zwierf?'

De mond van mevrouw Heligson trekt samen tot een knalroze streep. 'Nee hoor, niet alleen haar nachtjapon,' zegt ze. 'Ze had haar jas erover aan...' Dan, als Trudy haar met grote ogen van verbazing aankijkt, voegt ze er gehaast aan toe: 'Natúúrlijk hielden we haar goed in de gaten. We doen ons best om al onze oude mensen in de gaten te houden. Maar u moet begrijpen, uw moeder heeft hier nog steeds alles op een rijtje...' – mevrouw Heligson tikt tegen haar slaap – '... en als ze besluit om naar buiten te gaan, dan doet ze dat ook. In feite kunnen wij daar niet veel...'

'Wacht,' zegt Trudy. 'Wacht héél even. Moet ik hieruit opmaken dat dit niet voor het eerst was dat ze weg is gelopen?'

'Nou. Nou, nee. Het was de derde keer. Maar...'

'En u vond het niet nodig mij daarvan op de hoogte te brengen?' Trudy is zo perplex dat ze met haar handen wappert alsof ze een zwerm bijen van zich af slaat. 'Had u niet kunnen bellen? Of toen ik hier was, met de kerst...'

Mevrouw Heligson steekt haar hand op. 'Wacht even,' zegt ze. 'Ik heb u wel degelijk gebeld. Ik heb u een paar keer gebeld.'

Pas nu herinnert Trudy zich het knipperende rode lampje van haar antwoordapparaat, dat ze op het knopje heeft gedrukt om de berichten te bewaren zonder die af te luisteren en zichzelf plechtig beloofde dat te doen als ze minder interviews en meer nachtrust zou hebben.

'En wat de kerst betreft...' Mevrouw Heligson schudt haar hoofd. 'We hebben wel degelijk ons best gedaan haar binnen te houden,' zegt ze.

'Mevrouw Heligson,' zegt Trudy. Maar dan zwijgt ze om haar stem weer onder controle te krijgen. 'Mevrouw Heligson, kent u de term "strafbare verwaarlozing"?'

De directrice kruist gepikeerd haar armen onder haar buitensporige boezem. 'Ons valt niets te verwijten,' zegt ze stijfjes, 'en u zult in dit land niet één rechter vinden die daar anders over denkt. Uw moeder heeft vanaf het begin voor problemen gezorgd. Ze at niet, ze praatte niet, ze liep weg... Enfin. Zoals ik al aan de telefoon zei, we kunnen de verantwoordelijkheid voor haar gewoon niet meer dragen. Het spijt me zeer.'

Trudy kijkt haar boos aan. Mevrouw Heligson ziet er helemaal niet uit alsof het haar spijt. Sterker nog, ze oogt ontegenzeglijk zelfvoldaan. Daar zit een verhaal achter. Trudy weet dat mevrouw Heligson weet dat Trudy zich de tijd nog herinnert dat mevrouw Heligson nog gewoon

Ancy Fladager was, een van de negen Fladagers die in een woonwagen bij Deer Creek woonden. 'Die nietsnutten' noemde iedereen hen, 'die Ierse woonwagenbewoners'. En Trudy kan zich bovendien maar al te goed herinneren dat Ancy, die slechts één klas boven haar zat maar dertig centimeter groter was, haar op het speelplein in de modder duwde en haar rok afrukte, om te zien of Trudy – zoals beweerd werd – inderdaad een moedervlek in de vorm van een hakenkruis had. En dat ze, toen ze die niet vond, op Trudy spuugde en ervandoor ging, terwijl ze 'stomme zuurkoolvreter!' schreeuwde. Misschien is Anna wel helemaal niet weggelopen. Misschien heeft Ancy Heligson, die nu de mollige belichaming van het New Heidelburgse fatsoen is, een manier bedacht om Anna eindelijk de stad uit te gooien, net zoals een lichaam zichzelf probeert te bevrijden van vreemde stoffen.

'Ik zou mijn moeder hier nog niet laten blijven als u me ervoor betáálde,' laat Trudy mevrouw Heligson koeltjes weten. Sterker nog, ik neem haar nu meteen mee. Vandaag.'

'Tja, ik denk dat dat het beste is.'

'En voordat u té opgelucht wordt, mevrouw Heligson, laat ik u vertellen dat ik een klacht zal indienen bij de gezondheidsraad van de gemeente. En van de staat. De manier waarop u deze tent runt is schandalig. Oké, u zei dat mijn moeder in haar kamer is?'

Mevrouw Heligson slaagt erin te knikken, haar onderkinnen trillen van gekrenktheid.

'Dank u.' Trudy draait zich spoorslags om en beent in de richting van de Alzheimervleugel. Uiteraard lijdt Anna niet aan die ziekte, maar dit was de enige eenpersoonskamer die Trudy voor haar kon regelen. Het is de achterste kamer op de afdeling en de enige waarvan de deur niet is beplakt met ansichtkaarten, bijbelteksten en vage, onflatteuze polaroids van de bewoner. Er hangt alleen een eikkleurig naamkaartje: MEVR. JACK SCHLEMMER (ANNA). Trudy klopt, wacht even beleefd op een reactie waarvan ze weet dat die niet komt, en gaat naar binnen.

Dat het eerste wat Trudy ziet haar moeders rug is, verbaast haar niets: soms denkt ze dat de meest blijvende herinnering die ze na Anna's dood aan haar zal hebben, deze houding is. Ze trekt haar jas uit en legt die op het ziekenhuisbed. De kamer is een kleine grijze ruimte met muren van gasbetonblokken. De geur van desinfecterend middel kan die van de urine van de vorige bewoner niet echt verbloemen. Anna zit op een plastic stoel bij het raam en kijkt naar buiten: een door de hardnekkige wind kaal geschuurde akker. Maïsstoppels steken uit bevroren klompen aarde. Anna lijkt de enige scheidslijn te bestuderen: een hek. Ze laat niet merken dat ze Trudy heeft horen binnenkomen.

Trudy loopt naar haar moeder en hurkt naast de stoel, waar ze haar hand op legt. 'Ha, mama,' zegt ze. 'Hoe voel je je?'

Geen antwoord.

'Ik hoorde dat je de laatste tijd een paar avonturen hebt beleefd,' zegt Trudy, 'en de mensen hier behoorlijk aan het schrikken hebt gemaakt. De directrice zegt dat je drie keer bent weggelopen... is dat waar?'

Anna blijft uit het raam staren. Alleen een piepkleine trilling van haar neusvleugels laat zien dat ze überhaupt nog in leven is.

Trudy zucht. 'Vooruit, mama, zeg wat tegen me,' dringt ze aan. 'Hebben ze je slecht behandeld? Waarom heb je het gedaan? Het is behoorlijk dom... Besef je wel dat je dood had kunnen vriezen? Of...' Trudy zwijgt. 'Of misschien was dat juist je bedoeling,' zegt ze dan.

Blijkbaar is dit een antwoord waardig, want Anna draait haar hoofd om en werpt haar een verontwaardigde blik toe. 'Natuurlijk niet,' zegt ze, en ze kijkt weer voor zich. Dan voegt ze eraan toe: '*Du bist keine gute Tochter*.'

Trudy knippert met haar ogen. 'Wat? Wat zei je?'

'Je hebt me gehoord. Je bent geen goede dochter.' Anna schraapt haar keel. Haar stem is schor; doordat ze die nauwelijks gebruikt, neemt Trudy aan.

'Alleen een slechte dochter zou haar moeder op een plek als deze wegstoppen,' zegt Anna.

Trudy kijkt haar even aan en komt dan overeind. 'Wat jammer dat je er zo over denkt,' zegt ze droog, 'want je komt nu bij mij wonen.' Ze draait Anna haar rug toe en loopt de kamer door naar de kast, waar ze Anna's gebutste kastanjebruine koffer uit opdiept. Achter zich hoort ze iets schrapen als Anna opstaat uit haar stoel.

'Is dat waar?' vraagt Anna. 'Gaan we nu meteen weg? Vandaag?'

'Zodra ik je spullen heb ingepakt,' zegt Trudy, terwijl ze jurken, blouses en rokken in de koffer gooit. 'Ik heb gisteravond zitten bellen om te zoeken naar een plek waar je misschien gelukkiger zou kunnen zijn, maar niemand heeft op zo'n korte termijn plaats. Dus voorlopig zit je met mij opgescheept.'

'O,' zegt Anna. 'O, ik... Ik bedoel dat dat prima is.'

Trudy zet twee paar pumps boven op de kleren en overhandigt Anna haar laarzen. Als ze probeert om Anna's ochtendjas in de koffer te proppen, verschijnt mevrouw Heligson in de deuropening. Die is er misschien niet zo zeker meer van dat ze een rechtszaak zou winnen, want ze probeert het goed te maken. 'Zo, Anna,' zegt ze. Ze lijkt nogal van de wijs gebracht door de snelheid waarmee Trudy de kamer aan het ontmantelen is. 'Ik hoor dat je een tijdje bij je dochter gaat wonen. Wat heerlijk voor je!'

Anna werpt de vrouw een lange, kille blik toe, maar zegt niets. Mevrouw Heligson krijgt de rode kleur van het broekpak dat ze draagt; de blos stijgt vanuit haar hals naar haar bolle wangen.

'Kom, mama,' zegt Trudy, terwijl ze Anna in haar jas helpt. 'Knoop maar dicht. Het is koud buiten.' Ze weerhoudt zich ervan daar 'maar dat wist je al' aan toe te voegen als ze Anna bij haar elleboog vastpakt en haar de gang door leidt. Ze heeft geen zin om Anna nog meer te plagen. Sterker nog, Trudy voelt momenteel genegenheid voor Anna, aangezien het beslist een gevoel van triomf geeft om haar te redden, om als moeder en dochter langs de verpleeghulpen met uitpuilende ogen te paraderen, om Anna af te schermen van de bibberige oude handen die hen willen aanraken als ze langs lopen. De opluchting van het vertrek is zelfs zo groot, dat pas als de twee vrouwen in de auto zitten en het plaatsnaambord van New Heidelburg in de achteruitkijkspiegel kleiner wordt, Trudy zich realiseert dat ze een pyrrusoverwinning heeft behaald: haar moeder komt echt bij haar wonen.

Trudy werpt een zijdelingse blik op haar passagier. Misschien is Anna ook wel nerveus over deze regeling, want ze kijkt zorgelijk om zich heen naar het langstrekkende landschap. Niet dat er veel te zien is. Alles is wit: de lucht, de akkers. Na het kleine stadje Coates vouwt het landschap zich open tot een eindeloze reeks hectares die zo meedogenloos plat zijn, dat Trudy denkt dat ze de curve van de aarde aan de horizon kan zien. Het is net, denkt ze, alsof ze over het oppervlak van een oog rijdt. Wat was ook alweer die grap over emigrerende Scandinaviërs? O ja, dat ze net zolang over de wereldbol trokken tot ze een plek vonden die even ellendig was als die ze hadden achtergelaten. Trudy ziet voor zich hoe Anna in haar nachtpon en jas langs de kant van de weg scharrelt, haar voeten paars van de kou. Ze schudt haar hoofd.

De wind jaagt kronkelende, slaapopwekkende golven sneeuw over de snelweg, de verbindingsnaden tussen de wegdelen bonzen ritmisch onder de banden door met een geluid alsof de auto de weg verzwelgt. Verder verstrijken de kilometers in stilte. Trudy kan alleen maar onnozele dingen bedenken en elke keer als ze er daar een van probeert te uiten, lijkt haar mond op te drogen en gaan haar lippen met een zacht scheurend geluid uiteen, alsof ze uren heeft geslapen. Uiteraard verwacht ze niet dat Anna iets zegt, dus Trudy schrikt zich een hoedje als Anna opeens uitbarst alsof ze een gesprek hervat: 'Trek het je niet aan.'

Trudy moet alle mogelijke moeite doen om de auto weer in de juiste koers te krijgen, want die heeft ze zojuist naar de baan van de tegenliggers gestuurd. 'Waar heb je het over, mama?' vraagt ze.

'Over wat ik net heb gezegd. Dat je een slechte dochter bent. Ik meende het niet.'

'Het geeft niets.'

'Het geeft wél,' houdt Anna vol. 'Ik was gewoon boos. Dat tehuis. Er zijn geen woorden voor.'

Trudy haalt even haar aandacht van de weg om Anna een geforceerde glimlach toe te werpen. 'Het is goed, mama,' zegt ze. 'Laat maar.'

Anna oogt onzeker, maar na een tijdje knikt ze en leunt achterover tegen de hoofdsteun. De wallen onder haar ogen zien eruit als blauwe plekken, alsof iemand hardhandig zijn duimen in de tere huid daar heeft gedrukt.

Anna zit te dommelen tot ze Trudy's huis bereiken. Dan schiet ze, schijnbaar herboren, met een ruk overeind, stapt de auto uit, wimpelt Trudy's uitgestoken hand af en stampt zelf de verandatrap op. Trudy volgt met de koffer en treft haar moeder aan in de woonkamer, waar ze met grote ogen van belangstelling rond staat te staren. Ze is slechts één keer eerder in Trudy's huis geweest, tijdens de kleinschalige receptie na het huwelijk van Trudy en Roger meer dan dertig jaar geleden. Sinds die tijd hebben moeder en dochter elkaar – op aandringen van Trudy – altijd op de boerderij gezien. Nu staat Trudy als een vreemdeling bij haar eigen voordeur gespannen toe te kijken hoe Anna ronddwaalt en haar vingertoppen over de meubeloppervlakken laat glijden alsof ze die controleert op stof.

'Je zult wel moe zijn, mama,' zegt Trudy, hoewel Anna het afgelopen uur heeft geslapen. 'Zullen we naar boven gaan om je een beetje te installeren?'

'Nee, dank je, ik ben niet moe,' antwoordt Anna, terwijl ze voorover buigt om Trudy's pluimasperge te bekijken. Ze blaast op een van de varenbladen.

Trudy voelt dat ze bloost. Natuurlijk is ze een goede huisvrouw, maar vergeleken met Anna, *hausfrau* pur sang, valt ze in het niet. Ze ziet nu voor het eerst dat de aarde van de plant uitgedroogd is en dat hij verpot moet worden, dat een paar stofnesten – tot leven gewekt door de tocht van de openstaande deur – geanimeerd wervelen in een hoek. En dan zijn er nog de eigenaardigheden van het huis. Trudy, die er inmiddels aan gewend is, neemt zich telkens voor die te repareren, maar is daar nog steeds niet aan toegekomen. Dus zal ze Anna moeten waarschuwen voor de gasbrander die wel klikt, maar geen vlam vat en dus gevaarlijk gas uitstoot. Voor het feit dat de kranen boven de wastafel in de badkamer zijn omgedraaid, waardoor er dus warm water uit de koude kraan stroomt en vice versa.

Maar als Anna al iets fouts ontdekt, maakt ze er geen opmerking over. In plaats daarvan zwerft ze door het huis, staat nu eens hier stil om een litho te bestuderen, dan weer daar om de stof van de gordijnen tussen duim en wijsvinger te wrijven. En ze zegt nog steeds niets, totdat Trudy – die het zat is om achter haar aan te sloffen en besloten heeft de koffer naar boven te brengen – haar hoort roepen: 'Wat is dit allemaal?'

Trudy laat de koffer vallen en rent de trap af naar haar studeerkamer. 'O, niets, mama,' zegt ze, 'kijk maar niet naar die...'

Maar ze is te laat, want Anna staat gebogen over Trudy's bureau en kijkt met samengeknepen ogen naar de titels van de boeken daar. Haar lippen bewegen als ze die opleest: '*Frauen: Duitse vrouwen halen herinneringen op aan het Derde Rijk, De joodse bruid, Verhalen over de übermensch, Hitlers gewillige beulen.*'

Anna kijkt op naar Trudy, die een glimlach probeert die verdacht breed en schaapachtig lijkt, zelfs voor haar eigen gevoel. 'Lesmateriaal,' legt ze uit, 'voor een van mijn colleges.'

Anna's uitdrukking is niet te ontcijferen.

'Kom nou maar mee, mama,' zegt Trudy, 'dan laat ik je je kamer zien.'

Maar Anna heeft zich alweer naar de boeken gedraaid en aan haar vastberaden schouders ziet Trudy dat ze niet van plan is om ook maar een stap te verzetten. Trudy haalt haar schouders op en veinst desinteresse. 'Goed,' zegt ze tegen Anna's rug, 'ik ben boven als je zover bent.' Dan drentelt Trudy de kamer uit alsof de boeken en wat Anna daarvan vindt haar niets kunnen schelen.

Ze brengt de koffer naar de logeerkamer en begint Anna's kleren uit te pakken. Af en toe stopt ze daar even mee en legt de rammelende klerenhangers het zwijgen op om te kunnen luisteren. Lange tijd is het net zo stil in huis als wanneer Trudy er in haar eentje is, maar uiteindelijk hoort ze het trage gebons van Anna's rubberlaarzen die de trap opkomen.

Trudy loopt naar het bed en strijkt dekens glad die al strakgetrokken zijn en schudt kussens op die al bol staan. 'Nou, mama,' zegt ze als Anna binnenkomt. 'Wat vind je ervan?'

Anna zet een paar aarzelende stappen naar voren en staart naar de witte muren, de kale hardhouten vloer, de gele tulpen op het bureau en de sprei in dezelfde kleur, die Trudy over de schommelstoel heeft gedrapeerd om de verder zo kloostercelachtige ruimte wat op te vrolijken. 'Erg mooi,' zegt Anna.

Dan loopt ze naar de schommelstoel en laat zich op de krakende rotan zitting zakken. Ze schuift het gordijn opzij en kijkt door het raam naar het huis van de buren – die van de irritante kerstverlichting. Opeens schiet het Trudy te binnen dat die vaak te horen zijn als ze zich naar hartenlust grommend overgeven aan het liefdesspel. Je kunt hen dan ook zien, aangezien ze nogal nonchalant omgaan met het sluiten van de gordijnen. Soms heeft Trudy er zelfs naar staan kijken – een zwaaiend been hier en een op en neer gaand hoofd daar – met plezier en afkeer en een vreemd, ongemakkelijk déjà vu-gevoel. Naderhand walgt ze dan uiteraard van zichzelf. Maar er zit iets troostends in het begluren van dit schilfertje onstuimig leven, evenals in het feit dat de schommelende borsten en buik van de vrouw niet aantrekkelijker, zij het een stuk molliger, dan die van Trudy zijn.

Trudy schuift de lege koffer op de bodem van de kast en slaat op een bouwvakkersmanier haar handen samen. 'Zo!' zegt ze. 'Dat is dat. Maak het je gemakkelijk, mama. Als je iets nodig hebt, moet je het gewoon vragen. Ik laat je nu met rust.'

Ze is al bijna de kamer uit als achter haar Anna zegt: 'Trudy.'

Trudy staat stil. Draait zich dan om. Anna heeft het gordijn losgelaten en staart haar aan.

'Ja?'

'Die boeken,' zegt Anna. 'Die boeken beneden...'

'Dat vertelde ik je al, mama,' zegt Trudy. 'Dat is lesmateriaal. Voor mijn college.'

'O,' zegt Anna. 'En hoe heet dat dan, dat college?'

Trudy gaat de kamer weer in en sluit de deur. 'Het heet "De rol van vrouwen in nazi-Duitsland",' zegt ze.

'O,' zegt Anna weer.

Verder zegt ze niets, maar de manier waarop ze naar Trudy kijkt, bezorgt Trudy een brandend oerschaamtegevoel van het soort dat ze sinds haar jeugd niet meer meegemaakt heeft. Alsof ze betrapt is terwijl ze Anna in bad stond te begluren of in haar laden aan het snuffelen was.

Desalniettemin ondergaat ze Anna's onderzoekende blik gelaten en haar stem hapert niet als ze zegt: 'Moet ik hieruit opmaken dat je dat niet goedkeurt?'

Anna haalt lichtjes haar schouders op, alsof het haar om het even is. Maar de huid rond haar neusgaten is bleek geworden, wat altijd gebeurt als ze boos of van streek is. 'Je weet hoe ik over zulke dingen denk,' zegt ze.

'Ja, natuurlijk,' zegt Trudy, en ze declameert: 'Het verleden is dood, *nicht*? Het verleden is dood en dat kan maar beter zo blijven.'

Anna vouwt haar handen in haar schoot. 'Precies,' zegt ze.

Trudy kijkt naar haar. Iets aan de manier waarop ze zit is vertrouwd. En na een tijdje schiet het Trudy te binnen: als Anna vijftig jaar jonger was en het kindje Trudy op haar schoot had – en de vrolijke gele sprei achter haar er niet was – zou Anna kunnen poseren voor de foto in het gouden doosje dat nu in Trudy's eigen sokkenla verstopt ligt. Niet alleen is het verleden niet dood, het heeft hier zijn tenten opgeslagen.

Trudy ademt uit en wrijft in haar vermoeide ogen. 'Nou, mama,' zegt ze, 'als je het niet erg vindt, ga ik, ik heb nog een hoop werk te doen.' Ze vertrekt zonder op Anna's antwoord te wachten, als dat al komt, en ze loopt – de neiging onderdrukkend om een blik op de foto te werpen – naar de badkamer, waar ze een washandje nat maakt en tegen haar gezicht drukt. Het lijkt wel, denkt Trudy als ze zich op het deksel van de wc laat zakken, alsof haar hele volwassen leven een hallucinatie is geweest, een lange gang waar ze doorheen is gelopen om slechts tot de ontdekking te komen dat die rond is en haar terug leidt naar een deur die, als hij van het slot wordt gehaald, Anna onthult. Maar dit blijft niet zo, zegt Trudy tegen zichzelf terwijl het koude water van haar washandje in de richting van haar oren druppelt. Anna's verblijf hier is tijdelijk. Vroeg of laat zal een van de verzorgingstehuizen waar Trudy Anna's naam op de wachtlijst heeft laten zetten een kamer voor haar hebben. Trudy haalt het washandje van haar voorhoofd en gooit het naar de wastafel.

De deur gaat open.

'O, sorry,' zegt Anna, die zo snel terugdeinst dat het lijkt alsof ze Trudy met haar broek rond haar enkels heeft aangetroffen.

'Geeft niets,' antwoordt Trudy. Zonder op te staan, steekt ze haar hand langs het beschaamde gezicht van haar moeder en sluit de deur. Nog een klusje dat Trudy moet klaren: een slot op de deur zetten.

29

Omdat ze op Anna's eerste avond in haar huis extra gastvrij wil zijn, komt Trudy die avond vroeg haar studeerkamer uit om het eten klaar te maken. Dat is iets extravaganter dan haar gebruikelijke solitaire avondmaal: een omelet met kruiden en kaas, bouillon, een salade en een stokbrood dat Trudy in mooie stukjes snijdt om te verhullen dat het twee dagen oud is. En in plaats van dit staande aan het aanrecht of zittend achter haar bureau haastig naar binnen te schuiven – om des te sneller weer aan het werk te kunnen – dekt Trudy de tafel in de eetkamer en brengt ze, als ze Anna heeft geroepen en die is gaan zitten, alles op een dienblad binnen. Ze weet dat haar moeder dit zal merken en het zal waarderen. Anna is altijd onvermurwbaar geweest wat betreft de aankleding van het avondeten, zelfs op de boerderij: linnen servetten, placemats, brood in een mandje en sierlijke schaaltjes met augurken, altijd op dezelfde plek neergezet. En inderdaad, hoewel Anna geen compliment geeft – het hoort tenslotte zo; zo heeft ze Trudy toch ook opgevoed? – gaan haar zilveren ogen glimmen als ze het eten ziet en laat ze het zich goed smaken.

De twee vrouwen eten in stilte, Anna uit alleen mompelend haar goedkeuring over het eten. Trudy observeert haar heimelijk. Anna lijkt in ieder geval haar eetlust terug te hebben en dat is een opluchting. Misschien is ze wel nooit echt ziek geweest. Als je bedenkt wat ze in de Barmhartige Samaritaan voorgeschoteld kreeg, denkt Trudy, zou zij misschien ook liever haar eten via een infuus toegediend krijgen. Maar wat moet ze nu toch dóén met Anna? De sfeer rond de tafel is ijl op een manier die maar al te vertrouwd is, alsof de kaarsen die Trudy heeft aangestoken alle zuurstof uit de kamer zuigen. Anna dept haar bord met een stukje brood en steekt haar hand uit naar nog een stukje. Trudy, die haar in de gaten houdt, bedenkt dat zelfs de meest alledaagse handelingen die door mooie mensen worden uitgevoerd, gezegend lijken met gratie, simpelweg omdat ze er zo goed uitzien als ze het doen. Ze denkt ook aan frau Kluge en Rose-Grete en aan alle anderen die ze geïnterviewd heeft, en aan de foto in het gouden doosje boven en aan alle avonden waar ze zich doorheen zal moeten slaan waarop niets te zeggen is, of eigenlijk zo veel te zeggen is dat zij noch Anna dat ooit zullen zeggen. En haar omelet blijft gestold en smerig in haar keel steken.

Als Anna klaar is met eten, staat ze op en begint met de efficiëntie van een jarenlange gewoonte de tafel af te ruimen.

'Nee, mama, dat doe ik wel,' zegt Trudy. 'Dat hoef jij niet te doen.'

'Ik vind het niet erg,' zegt Anna. Dan kijkt ze omlaag. 'O, het spijt me, Trudy. Jij bent nog niet klaar.'

'Jawel,' zegt Trudy, terwijl zij ook opstaat. Ze steekt haar handen uit naar het bestek dat Anna vast heeft.

Anna klampt het tegen haar middel aan. 'Maar je hebt je eten nauwelijks aangeraakt,' zegt ze. 'Voel je je niet lekker?'

'Ik voel me prima,' zegt Trudy. 'Ik heb gewoon niet zo veel trek.'

Anna legt het bestek met een klap op het dienblad en zet Trudy's volle bord ernaast. 'Toch moet je wel eten,' zegt ze. 'Het is niet goed voor je om zo weinig te eten. Daarom ben je zo dun, Trudy. En zo bleek.' Met enige inspanning tilt ze het dienblad op en loopt ermee naar de keuken. Trudy, die haar nakijkt, wil roepen: laat de afwas maar staan, mama! Maar dan verandert ze van gedachten. Als Anna wil afwassen, laat haar dan maar. Als ze iets te doen heeft, voelt ze zich tenminste nuttig. En als Anna op die manier bezig is, is zij, Trudy, vrij om naar haar studeerkamer terug te keren.

Wat ze dan ook meteen doet. Ze trekt de deur achter zich dicht. Met een resoluut gebaar schuift ze haar stoel naar het bureau en beseft dan dat ze niet veel te doen heeft. Het is waar dat morgen het nieuwe semester begint, maar aangezien het de eerste dag is, zal Trudy alleen haar studenten begroeten en de syllabus uitdelen. En dat heeft ze vanmiddag al voorbereid. Trudy's blik valt op de tape van Rose-Gretes interview, die een paar centimeter verder op het vloeiblok ligt. Die zou ze kunnen transcriberen. Ze staat op, schuift hem in haar videoapparaat en steekt het snoer van de koptelefoon erin. Dan gaat ze met de koptelefoon als een stethoscoop om haar hals geslagen achter de computer zitten en luistert niet naar Rose-Gretes zwakke stem, maar naar water dat wegloopt uit de gootsteen in de keuken. Trudy doet haar ogen dicht en probeert uit Anna's voetstappen en het openen en sluiten van kastdeurtjes op te maken of ze alles op de goede plek terugzet.

Dan raakt Trudy's kin haar borstbeen en veert met een ruk terug. Ze is op haar stoel in slaap gesukkeld. Ze raadpleegt haar horloge en bevrijdt zich van de koptelefoon. Het is tien uur, ze kan naar bed; deze eerste lastige avond met Anna is voorbij. En misschien, denkt Trudy hoopvol, misschien wordt het vanaf nu alleen maar makkelijker, naarmate ze meer aan elkaar gewend raken.

Trudy doet de deur open en steekt haar hoofd om de hoek. Het is stil in huis. Ze inspecteert de keuken. Met uitzondering van de fluorescerende lichtstreep die boven het fornuis zoemt, is het donker. Het aanrecht glimt, de theedoek ligt er in drieën gevouwen op. Trudy moet hier enigszins wrang om lachen als ze geeuwend en dankbaar naar boven strompelt. Ze neemt niet de moeite haar tanden te poetsen, ze gaat meteen naar bed om zich tussen de lakens en dekens, die naar haar eigen haar ruiken, te nestelen. En te slapen.

Maar als ze daar eenmaal ligt, is de slaap vertrokken. 'Nee,' gromt Trudy, 'Nee, nee...'

Ze draait zich op haar linkerzij. Dan op haar rechter. Rolt op haar buik en begraaft haar gezicht in het kussen, hoewel ze weet dat dit zal resulteren in een stijve nek. Geeft niks, want het is tevergeefs. Uiteindelijk ligt Trudy toch weer in haar gebruikelijke slapeloze houding: plat op haar rug, haar handen als een autogordel om haar buik gehaakt en starend naar het plafond. Ze probeert niet naar de digitale wekker op het nachtkastje te kijken, maar ze kan er niets aan doen: 00:13, 01:46, 02:03, 03:01. Hoe komt het toch dat een nacht niet slapen zo'n paniek veroorzaakt, alsof Trudy met kostbaar geld smijt dat ze nooit meer terug zal krijgen?

Uiteindelijk gooit Trudy de dekens van zich af en draaft de trap af naar de keuken, waar ze de pot met pillen uit het kruidenrekje pakt – gealfabetiseerd onder de s van slaap, tussen de salie en de tijm. Ze schenkt een groot glas cognac in en spoelt een tablet weg. Haar gezicht vertrekt vanwege het brandende, kalkachtige restje in haar luchtpijp. Ze had dit niet willen doen, zich niet willen wagen aan deze combinatie met een college morgen – vooral niet op de eerste dag. Ondanks alle jaren dat ze nu lesgeeft, krijgt Trudy nog steeds plankenkoorts als ze denkt aan het betreden van die ondergrondse ruimte met al die op haar gerichte waakzame en nieuwsgierige ogen. *Hallo allemaal en welkom in onze prachtige bunker!* Staand bij het raam boven het aanrecht en starend naar de huizen en garages die zwart afsteken tegen een lucht die zo roze is als rauw vlees, dwingt Trudy zichzelf de rest van de cognac op te drinken.

Als het glas leeg is, spoelt Trudy het af en zet het in het afdruiprek. Dan sluipt ze weer naar boven. Als ze langs de logeerkamer loopt, staat ze even stil. Er komt geen geluid van binnen, geen streep licht onder de deur door. Natuurlijk niet; waarom wel? Maar dan hoort Trudy het weer, het geluid dat haar stil heeft laten staan: een onopvallend gekraak, en dan nog een keer, alsof iemand die op de rotanzitting van een schommelstoel zit heel langzaam beweegt om de anderen in het huishouden niet wakker te maken.

Trudy trekt een wenkbrauw op. Dan loopt ze op haar tenen naar haar slaapkamer. Dus ook Anna heeft moeite met slapen. Trudy is niet echt verbaasd: zo moeder, zo dochter. En aangezien de dochter blijkbaar zichzelf niet eens kan helpen, kan ze de moeder maar beter met rust laten.

Trudy klimt in haar eigen bed en trekt de dekens over haar gezicht. In de duistere tent meet ze haar hartslag, die gejaagd en bonkend is. Ook dit heeft iets vertrouwds, een flits van een herinnering: aan roerloos liggen onder een of andere ruwe stof – jute? meelzakken? – aan de vochtigheid van haar eigen gevangen adem, aan haar moeder die als van een afstand schel en gemaakt zegt: *goed zo, konijntje, ga maar lekker slapen, ik kom je halen als hij weer weg is.* Dan is de herinnering verdwenen, zwemt als een vis met een arrogante zwiep van zijn staart weg.

Trudy staart naar het katoen dat maar een paar centimeter van haar gezicht af is, hoewel ze het niet kan zien. In de andere kamer kraakt de stoel heen en weer. *Krak.* Stilte. *Krak.*

Ik val nooit in slaap, denkt Trudy.

Alsof ze een klap tegen haar hoofd heeft gekregen, zo plotsklaps glijdt ze weg.

Ze is aan het spelen in de achtertuin, achter het huis dat de bakkerij huisvest. Daar is ze naartoe verbannen. Haar moeder heeft haar opgedragen naar buiten te gaan en zichzelf te vermaken tot ze haar roept. 'Ga je *trog* maar schoonmaken, konijntje,' oppert Anna, terwijl ze Trudy haastig met een glas melk naar de deur leidt. Plichtsgetrouw haalt Trudy er de bezem achter vandaan en loopt naar de seringenstruik die haar *trog*, haar konijnenhol, verbergt: een speelruimte op kinderformaat waarin ze thee en *brötchen* serveert aan denkbeeldige gasten. Als ze zeker weet dat haar moeder niet kijkt, giet ze de melk in het gras. Die vindt ze niet lekker, hij is vet en er zitten klonten in. Dan begint ze de vloer van de *trog* schoon te vegen, die zij en Anna ijverig hebben platgestampt. Meestal vindt ze dit heerlijk. Maar hoewel het voorjaar is, is het vandaag vochtig en kil. De *trog* is modderig, waardoor er aarde aan de bezem blijft zitten en het niet echt leuk is om buiten te zijn.

Nadat ze een kwartier lang borstelharen door de modder heeft getrokken in een poging mooie krullen te maken, duwt Trudy de struik opzij en stapt uit de *trog*. Ze gaat ervoor staan en kijkt naar het huis. Het is een grijs huis van grijs pleisterwerk, het steil hellende dak steekt omhoog in een grijze lucht. Het begint te miezeren, mist die verdampt tot druppeltjes. Trudy kauwt op een vinger en schommelt met haar achterwerk heen en weer. Het zal toch echt niet de bedoeling van haar moeder zijn dat ze buiten blijft in deze nattigheid! Met de bezem achter zich aan slepend, beent Trudy naar de deur.

Maar op de drempel aarzelt ze. Boven staat een raam op een kier, het raam van tante Mathildes slaapkamerraam. Trudy weet dat Anna dat voor de frisse lucht doet. Van achter het verduisteringsgordijn komt haar moeders stem die geen woorden maar geluiden maakt: *nnnnff, nff, uff, nnnff!* Het klinkt als het zachte gejank van een slapende hond die droomt over een baasje dat hem schopt.

'Mama?' roept Trudy.

Het geluid houdt op. Trudy slingert de bezem weg en rent, zonder haar schoenen uit te trekken zoals Anna haar altijd heeft aangespoord te doen, de keuken in. Daar ziet ze niet haar moeder, maar Sint Nicolaas. Hij draagt een broek en een wit overhemd, en hij heeft Anna's geplooide schort om zijn middel geknoopt. Als Trudy binnen komt stormen, staat hij gebogen over de oven en haalt daar iets uit.

'Goh, hallo,' zegt hij, terwijl hij zich met een cakeblik in zijn handen omdraait. Hij zet dat op de houten werktafel en nestelt zich op een kruk. 'Ik ben net klaar met bakken,' zegt hij. 'Wil jij misschien een plakje van deze verrukkelijke cake?'

Trudy staart.

'Kom op,' zegt Sint Nicolaas, 'niet zo verlegen.' In zijn handen klappend begint hij te zingen:

'Backe, backe Kuchen!'
der Bäcker hat gerufen.
'Wer will guten Kuchen backen,
Der muss haben sieben Sachen:
Butter und Salz,
Zucker und Schmalz,
Milch und Mehl,
und Eier...'

Lachend houdt hij plotseling op. 'Er zitten allemaal van die goede dingen in,' zegt hij, 'boter en melk en eieren. Wil je niet een heel klein stukje proeven?'

Trudy schudt haar hoofd.

Sint Nicolaas maakt een *tsss*-geluid met zijn tong en trekt de andere kruk naast die van hem. Hij klopt erop. 'Ik ben het niet gewend dat mijn uitnodigingen worden afgeslagen,' zegt hij. 'Je hebt mijn gevoelens gekrenkt.'

Hij spreidt een hand over zijn hart en buigt zijn hoofd met een overdreven verdrietige uitdrukking op zijn gezicht naar Trudy. Zijn ogen lijken net kwarts met twee zwarte barstjes precies in het midden: de speldenknoppupillen, drijvende zwarte stippen.

Trudy probeert achteruit te lopen in de richting van de deur, maar haar benen willen niet gehoorzamen. Zij dragen haar naar Sint Nicolaas.

'Dat is beter,' zegt hij. 'Dat is stukken beter.'

Uit de zak van Anna's schort haalt hij een scheermesje en snijdt daarmee een plakje cake af. Het is goudkleurig en sponzig, en zonder dat ze het wil loopt Trudy het water in de mond door de onbekende suikerachtige geur. Sint Nicolaas steekt de plak uit in zijn blote hand. 'Pak maar,' zegt hij.

Trudy steekt haar hand ernaar uit. Terwijl ze dat doet, ziet ze één blauwe oogbal in de cake zitten. Sint Nicolaas heeft haar moeder in de oven gestopt en haar gebakken. Trudy wil schreeuwen; de huid rond haar mond doet pijn van het rekken, maar er komt geen geluid uit.

'Geen trek?' vraagt Sint Nicolaas. 'Wat jammer.' Hij haalt zijn schouders op, klapt de plak cake dan dubbel en propt die in zijn mond. 'Verrukkelijk!' zegt hij, en hij klapt in zijn handen om haar moeders kruimels af te vegen.

Anna en de obersturmführer

Berchtesgaden, 1943

30

Anna heeft eigenlijk nooit stilgestaan bij de manier waarop de obersturmführer zich van en naar het kamp beweegt. Voor haar verschijnt hij gewoon in de bakkerij, het ene moment is hij er niet en het andere eist hij alle aandacht op. Ze zou niet echt verbaasd zijn als ze te horen kreeg dat hij uit de lucht kwam vallen, uit een of andere donkere koets werd gezet of zich gewoon vanuit de grond materialiseerde; als een geheime afgezant van de Gebroeders Grimm uit de krochten daaronder omhoog getrokken werd.

In werkelijkheid is zijn koets een Mercedes, een glanzend zwarte dienstwagen die in Anna's ogen net zo lang is als de bakkerswinkel. Zelfs in het gedempte licht van deze bewolkte aprilochtend glimmen de zilverkleurige versieringen. Twee nazivlaggen wapperen op de motorkap. Als de obersturmführer Anna op de achterbank helpt, mag ze van zichzelf heel even genieten van de geur van goed onderhouden leer, schoenpoets, haarcrème en sigarettenrook. Heel even denkt ze aan Gerhard.

Dan bukt de obersturmführer zich en komt grommend naast haar zitten, de bank piept onder zijn gewicht. De jonge chauffeur sluit Anna's deur en rent om de wagen heen om de obersturmführer van dienst te zijn. Anna kan het haar van de chauffeur onder de puntige uniformpet niet zien, maar zijn gezicht is bloot en wimperloos, als dat van een roodharige. Anna vraagt zich af of hij ook reed toen de obersturmführer die middag voor het eerst naar haar toe kwam. En zou hij hier, in deze ijzeren cocon, alle avonden daarna hebben zitten niksen, rokend en turend naar de ramen van de bakkerij, zich de activiteiten van zijn baas binnen voor de geest halend? Hij kijkt uitdrukkingsloos door de voorruit, maar Anna denkt dat ze een glimp van wellustige belangstelling heeft gezien. Vol haat staart ze naar de kwetsbare holte tussen de pezen van zijn nek, net onder de schedel.

De chauffeur start de motor en manoeuvreert de auto langs de kuilen in de weg. Anna draait zich om en ziet de dikke grijze muren en de verduisterde etalage van de bakkerij uit het zicht verdwijnen. Heel even slaat de angst haar om het hart. Dan rijden ze langs de villa's in de buitenwijk van de stad en kijkt Anna reikhalzend naar de huizen van haar buren. Net als de bakkerij ogen die mistroostig en vervallen. Het huis van de Weisbadens ziet eruit alsof het al maanden niet bewoond wordt; spreeuwen vliegen in en uit een nest onder de dakgoot. Anna wordt overvallen door de zekerheid dat de stadsinwoners allemaal zijn geëvacueerd, dat zij en de obersturmführer en de chauffeur de enige mensen in Duitsland zijn. Ze begint zich wagenziek te voelen.

De obersturmführer besteedt nauwelijks aandacht aan haar. Hij is niet al te goed gehumeurd. Zijn koffertje ligt als een surrogaatbureaublad op zijn knieën en hij rommelt tussen zijn documenten; legt sommige opzij en krast op andere zo heftig zijn handtekening, dat de punt van zijn pen door het papier gaat. Hij tuit zijn lippen en stoot geïrriteerde *pffffs* uit. Hij kijkt boos door het zijraampje en knijpt vervolgens de bovenkant van zijn neus tussen duim en wijsvinger. Binnensmonds mompelt hij flarden van zinnen. Hij maakt de knopen van zijn uniformjasje los en schudt het uit. Dan vloekt hij. 'Ach, kijk nou toch,' zegt hij.

Anna weet niet zeker of hij het tegen haar heeft of tegen de chauffeur, maar ze kijkt toch maar. Op een van de manchetten van de obersturmführer zit een bruine schroeiplek.

'Het is een schande,' zegt de obersturmführer. 'Alfred Koch heeft me met de hand op het hart gezworen dat ze onberispelijke getuigschriften had. Wat is dat voor een wasvrouw, als ze niet eens met een strijkijzer kan omgaan? Wat jij, Karl?'

'Ik weet het niet, mijnheer,' zegt de chauffeur. Zijn stem is verrassend hees.

'Volgens mij heeft ze haar papieren vervalst, dat kan niet anders,' zegt de obersturmführer. Volgens mij is ze een jodin. Een joodse wasvrouw die geen overhemd kan strijken... Sta ik weer voor joker, hè, Karl?'

'Ik denk het wel, mijnheer,' zegt de chauffeur.

De obersturmführer brengt zijn manchet op ooghoogte en kijkt er met samengeknepen ogen naar. 'Jodin of niet, ze heeft haar laatste overhemd geruïneerd,' zegt hij. 'Alsof ik nog niet genoeg heb aan al dat papierwerk – alles in tweevoud, drievoud. Moet ik me nu ook nog gaan bezighouden met deze lullige huishoudelijke details? Waar haal ik de tijd vandaan om een andere wasvrouw te vinden?'

'Geen idee, mijnheer,' zegt de chauffeur.

Met korte, heftige gebaren rolt de obersturmführer zijn mouw op om de schroeiplek aan het oog te onttrekken. 'Misschien is ze wel een Poolse,' zegt hij nadenkend.

De chauffeur zegt niets. Afgezien van het geritsel van de papieren van de obersturmführer is het stil in de auto. Anna probeert zich het kantoor van de obersturmführer voor te stellen; ze reconstrueert het met de details die ze heeft opgevangen. Hij is een man met een spartaanse smaak. De kamer bevat zijn bureau, een stoel, een rij dossierkasten en een portret van de Führer. Ook is er een raam, zodat hij de gevangenen in de gaten kan houden. Op heldere dagen kan hij achter hen de lappendeken van akkers en heuvels zien waarin Weimar genesteld ligt. De ongelukkige wasvrouw met een keurige witte doek om haar hoofd moet voor zijn bureau gaan staan.

Maar hier hapert Anna's fantasie. Valt de wasvrouw op haar knieën en klampt ze zich met haar handen aan de laarzen van de obersturmführer vast, smeekt ze om genade? Of blijft ze met starre ogen staan en laat ze de straf gelaten over zich heen komen? Brengt de obersturmführer haar zelf naar de andere kant van het gebouw of laat hij dat door een ondergeschikte opknappen? Misschien heeft de wasvrouw nooit de binnenkant van zijn kantoor gezien, misschien is ze van een veldbed in de kelder van het logement van de obersturmführer gelicht en wankelend van de slaap naar buiten gevoerd.

Opeens is Anna zich bewust van de kronkelende snelheid van de auto en grijpt naar de hendel van het raampje aan de binnenkant van de deur.

'Wat is er?' vraagt de obersturmführer, terwijl hij haar fronsend aankijkt.

'Ik wil graag een beetje frisse lucht,' zegt Anna. 'Alstublieft.'

De obersturmführer zucht. 'Karl,' snauwt hij, en het raam zakt een paar centimeter naar beneden.

Anna heft haar gezicht naar de vlaag wind die plukken haar uit haar zorgvuldig gemaakte wrong losrukt. De wind is koud, maar lekker; de geur van vochtige aarde kondigt de komst van de lente aan. Dit doet Anna ergens aan denken, maar waaraan? Na een tijdje schiet het haar te binnen: ze weet nog hoe ze haar hand uit die van haar moeder losrukte om vooruit te rennen, springend door de plassen tussen de tegels op het pad, genietend van het gefladder van de linten in haar vlechten. Ze hoort haar moeder nog roepen: 'Stop, Anchen! Kleine meisjes horen niet te rennen op het kerkhof.'

Sinds haar moeders dood, meer dan tien jaar geleden, is Anna niet meer naar de kerk geweest. De *partei*, zo heeft Gerhard meermalen tegen haar gezegd, haalt zijn neus op voor dergelijke activiteiten, zulke blinde gehoorzaamheid aan de achterhaalde regels van het katholicisme. En zo is het gekomen dat Anna het haar van haar eigen dochter niet kan vlechten en met linten vast kan binden: op verzoek van de obersturmführer heeft Anna het kind toevertrouwd aan de zorgen van frau Buchholtz, de weduwe van de slager, en vergezelt zij op deze Goede Vrijdag de obersturmführer om een weekend in Berchtesgaden door te brengen.

Haar misselijkheid ebt weg en wordt vervangen door een gat in haar maag. In eerste instantie verwart Anna dat met honger, maar dan herkent ze het als een zenuwachtig voorgevoel. Ze is niet meer in de Alpen geweest sinds ze zelf nog een kind was. Het is Pasen 1943 en ze is al vijf jaar niet uit Weimar weg geweest.

31

Doordat er plotseling een eind komt aan de beweging schrikt Anna wakker. Voor haar gevoel heeft ze urenlang liggen dromen dat ze zich in een lift bevond die op en neer ging in een ijzeren kooi. Nu stapt ze uit de auto met het verwarrende gevoel dat ze zowel vier maanden terug in de tijd, als naar het zuiden is gereisd, omdat Berchtesgaden de indruk van een permanent kerstfeest wekt. De kille berglucht, die meer aan december dan aan april doet denken, sijpelt door Anna's jas en mantelpakje van tweed. Achter de ramen van de huizen gloeit kaarslicht. In gedachten breekt Anna een stuk van een Beiers dak en bijt erin om de smaak van peperkoek te proeven. Ze gaapt, hoest in de ijle lucht en gaapt dan huiverend opnieuw.

'Zeg, Anna,' zegt de obersturmführer. 'Ben je van plan mij hier de hele nacht in de kou te laten staan?' Zijn ijzige toon duidt op extreem ongenoegen. Door de lekke band die ze aan de voet van de bergen kregen, is zijn humeur er niet beter op geworden. Terwijl de chauffeur de tassen uit de achterbak haalt, duwt de obersturmführer Anna naar de ingang van het hotel. De hand tegen haar ruggengraat lijkt van ijzer.

De receptie is een stuk weelderiger dan je uit de sprookjesachtige buitenkant van het *gasthof* zou opmaken. Aan de muren hangen wandtapijten met jachttaferelen in rood, goud en groen, Anna's voeten schuifelen over oosterse tapijten. Twee mannen in het grijze uniform van de ss hangen in bewerkte houten stoelen voor een knappend haardvuur. Ze werpen de nieuwkomers een onderzoekende blik toe en buigen zich dan weer over hun schnaps. De vrouw die bij hen is, een beeldschone brunette van Anna's leeftijd, kijkt niet eens op.

De obersturmführer beent naar de balie en roept de hotelhouder, ene Brunhilde van middelbare leeftijd met opgerolde vlechten en een boezem waarop je een bord met *schnitzel* zou kunnen zetten. Anna is verdwaasd door de kleuren en de plotselinge warmte. Terwijl ze verkrampt staat te gapen, is ze getuige van een klein drama dat zich bij de deur voltrekt. Er is zojuist een andere officier, jong en met platte Oekraïense gelaatstrekken, binnen komen strompelen. Hij klampt zich vast aan een meisje dat haar tong in zijn oor heeft gestoken. Als hij de andere gasten ziet, duwt hij haar weg en zegt: 'Sssjjj. Sssjjjj.' Maar elke *sssjjj* gaat gepaard met rondspattend speeksel en hij begint te lachen.

Het meisje kan niet ouder zijn dan zestien, de scherpe vlakken van haar gezicht zijn gevlekt door de drank en ze draagt geen jas. De geplooide bovenkant van haar feestjurkje, dat veel te dun is voor deze hoogte en dit seizoen, glijdt van haar schouder. Ze geeft een klap op het achterste van de jonge officier.

'Hou daarmee op, vuile sloerie,' lalt hij. 'Gedraag je, anders krijg je een pak voor je billen.'

'*Bitte*,' zegt ze, en ze grijpt hem in zijn kruis, terwijl ze met een dronken doortraptheid om zich heen kijkt. Dan krijgt ze Anna in de gaten. 'Wat kijk je nou?' zegt ze. 'Heb ik wat van je aan?' Met een lang gezicht van preutse ontzetting wankelt ze naar Anna. 'Ik wist niet dat we in een klooster waren,' zegt ze. 'Vindt u het hier vies ruiken, zuster? Of hebt u gewoon een staaf in uw reet?'

'Echt, Gitta, je bent onverbeterlijk,' zegt de jonge officier en hij giechelt.

In drie passen is de obersturmführer bij het meisje, grijpt haar bij haar nekvel en dwingt haar in een stoel. Ze sputtert, worstelt om op te staan, maar hij duwt haar weer naar beneden. Dan pakt hij de jonge officier bij zijn elleboog en fluistert iets wat Anna niet kan verstaan. Het groepje bij het haardvuur kijkt gespannen toe.

Wat de obersturmführer ook gezegd heeft, het heeft het gewenste effect: in de hals van de jonge officier verschijnt een rode kleur die opstijgt tot aan zijn haargrens, als een glas dat vol wijn wordt geschonken. Als de obersturmführer hem loslaat, salueert hij en wankelt daar een beetje bij. Dan sleurt hij het klagende meisje mee naar buiten.

Een van de officieren bij het haardvuur zet zijn glaasje schnaps op tafel en applaudisseert. 'U hebt de vlekkeloze reputatie van de *schutzstaffeln* eigenhandig eer aan gedaan,' roept hij. 'Bravo.'

'Hou je kop, Dieter,' zegt de andere amicaal. Hij glimlacht naar de obersturmführer. 'Let maar niet op mijn vriend, hij heeft niet zo vaak de kans om zelf galant te zijn, weet u.'

Heel even kijkt de obersturmführer onzeker, alsof hij probeert te besluiten of deze opmerkingen welgemeend of vals bedoeld zijn. Dan schiet zijn kleurloze starende blik langs zijn broeders en strijkt neer op de hotelhouder. 'Wat is dit voor tent?' blaft hij. 'Kan iedereen hier zomaar binnenkomen?'

'Nee, mijnheer,' zegt Brunhilde hijgend. 'Ja, mijnheer. Wij bieden exclusief onderdak aan officieren...'

'En hun hoeren blijkbaar,' snauwt de obersturmführer. Ik kom hier al sinds 1933 en zulk gedrag heb ik nog nooit gezien. Het maakt het *reich* te schande.'

'Jawel, herr obersturmführer, mijnheer,' zegt de hotelhouder. '*Bitte...*'

'Ik vind het schandalig,' zegt de obersturmführer, 'dat mijn vrouw van zoiets getuige heeft moeten zijn.' Hij draait de hotelhouder zijn rug toe. '*Heil* Hitler,' zegt hij tegen de andere officieren, en dan: 'Kom, Anna.'

Gehoorzaam, met gebogen hoofd zoals het een goede echtgenote betaamt, loopt Anna achter de obersturmführer aan naar de trap. Pas als ze uit zijn tempo heeft opgemaakt dat hij zich niet zal omdraaien om haar te betrappen, zet ze achter zijn brede grijze rug grote ogen van verbijstering op.

32

De receptie van het *gasthof* mag dan een statig kasteel nabootsen, de slaapvertrekken zijn onomstotelijk *gemütlich*. Als de hotelhouder de vrolijk gekleurde deur van het slot haalt, blijkt daar een andere deur achter te zitten, waardoor Anna aan een adventkalender moet denken. Aangezien ze nu in de wereld van de obersturmführer is, gaat Anna er half van uit dat er eerder een bloederig tafereel achter schuilgaat dan het stukje chocolade dat ze als kind aantrof. In plaats daarvan ziet ze een kleine kamer die van een ongetrouwde tante zou kunnen zijn. De meubels zijn van robuust grenen, op het bed ligt een hoog opbollend, wit dekbed en de enige wandversiering is een merklap waarop een jongen in lederhosen en een meisje in dirndl hand in hand staan.

Anna loopt naar het raam en schuift het kanten gordijn opzij. Beneden mag de SS dan een hoge borst opzetten, hier geven ze duidelijk de voorkeur aan de geneugten van de kindertijd. Max zou een term van herr doktor Freud geleend hebben om het te omschrijven, denkt Anna, terwijl ze staart in de richting van de bergen, waarvan ze weet dat die er zijn, maar die ze niet kan zien. Wat was dat woord ook alweer? Schizofreen. Of misschien is Mathildes verklaring toepasselijker: 'Diep van binnen, Anna, zijn mannen allemaal baby's, het enige wat ze willen is aan een tiet sabbelen.'

'Jammer van die lekke band,' zegt de obersturmführer achter haar. 'Anders waren we hier niet in het donker aangekomen. Het uitzicht is ontzagwekkend.'

'Dat kan ik me voorstellen,' zegt Anna, zonder zich om te draaien.

'Heb je alles wat je nodig hebt?' vraagt hij. 'Ik zou wel eten kunnen laten brengen, maar rond deze tijd...'

'Nee, hoor, het is prima zo,' zegt Anna. Aangezien ze vanaf vanmorgen niets meer gegeten heeft, is ze het hongerstadium al voorbij. Ze heeft nu het gevoel alsof er een steen op haar maag ligt.

'We gaan morgen goed ontbijten,' verzekert de obersturmführer haar. 'Dat is hier nogal overdadig, als ik het me goed herinner.'

Zijn voetstappen kraken op de planken vloer en Anna zet zich schrap voor zijn aanraking, maar dan hoort ze het geluid van een deurklink en begrijpt ze dat hij naar de badkamer is gegaan. Ze ademt uit en pakt haar tas, die samen met die van de obersturmführer bij het bureau is neergezet. Anna graaft door haar daagse kleren naar de lingerie die eronder ligt. Hoe is de huidige gemoedsgesteldheid van de obersturmführer? Waar zou hij de voorkeur aan geven, de doorschijnende rode negligé, de jarretels? Alhoewel van alle spullen die hij voor haar meeneemt de kaartjes zijn verwijderd, wijst de snit ervan op een Franse herkomst. Ze is al lang geleden gestopt te proberen zich een beeld te vormen van de vorige eigenares ervan. De geborduurde kinderen kijken haar vanaf de muur lachend aan.

De deur van de badkamer gaat open en Anna draait zich met de bungelende jarretels in haar handen om. 'Welke...' begint ze, maar dan kan ze geen woord meer uitbrengen: de obersturmführer verschijnt in een geelgeruite pyjama.

Anna's gezichtsspieren maken overuren. Ze bijt op haar lip, maar het heeft geen zin. Een lachsalvo explodeert en hoe meer ze probeert het binnen te houden, hoe hulpelozer ze wordt. Ze lacht en lacht, en de spieren van haar middenrif, die niet gewend zijn aan dit zware werk, schrijnen alsof ze net heeft overgegeven. Het is een verrukkelijk gevoel.

Uiteindelijk krijgt ze de controle weer terug en laat ze haar handen zakken. Met een gekwetste uitdrukking op zijn gezicht stapt de obersturmführer uiterst waardig in het bed.

'Het spijt me,' zegt Anna. 'Echt, mijn excuses. Ik weet niet wat me bezielde.'

'Misschien is het de hoogte,' oppert de obersturmführer.

'Dat zal het zijn,' zegt Anna. Ze hoest in haar hand om een laatste giechel te smoren.

'Zou jij alsjeblieft...' De obersturmführer wijst met zijn kin naar de lamp.

'O, natuurlijk,' zegt Anna. 'Maar wilt u dat ik...' Ze houdt de lingerie omhoog.

'Nee, het is... Nee.'

Verbijsterd doet Anna het licht uit. Ze kleedt zich uit tot ze alleen haar bh en slip nog aan heeft; bescheiden kledingstukken die voor het gemak ontworpen zijn in plaats van om te verleiden. Dan gaat ze op het bed liggen en trekt het dekbed tot haar kin. De obersturmführer ligt stijfjes op zijn deel van het matras, zijn ledematen raken die van haar niet. Tussen hen in is een strook koele lucht.

Hij schuift naar haar toe en opnieuw verstijft Anna, maar hij drukt alleen een kus op haar wang. 'Welterusten,' zegt hij.

'Welterusten.'

Anna's ogen zijn aan het donker gewend geraakt, ze kan de contouren van het raam onderscheiden, een vage grijze rechthoek op de muur. Als de obersturmführer naar haar keek, zou hij haar zien glimlachen, dus ze draait zich op haar zij om het te verbergen. Ze vecht om wakker te blijven, want het is zalig om gerespecteerd als een echtgenote en zonder mishandeld te worden in dit brede bed te liggen. Daar moet ze even van genieten. Het is te mooi om waar te zijn, dat kan niet anders.

En dat is ook zo: een tijd later – het is niet te zeggen hoeveel – schrikt Anna met een ruk wakker doordat de obersturmführer van achteren tegen haar aanstoot en haar over het matras duwt. Anna moet de rand van het bed vastgrijpen om niet op de grond te vallen. Op een bepaald moment moet hij zijn pyjama uitgetrokken hebben, want zijn lichaamshaar raspt over haar huid. Hij steekt een hand onder haar bh-band en trekt, met de andere rukt hij aan haar slipje.

Anna blijft in de foetushouding liggen. Ze voelt zich een slak die, in de overtuiging dat buiten veilig was, zijn zachte kop uit zijn huisje heeft gestoken om die voor de zoveelste keer te stoten. Ze krult zich zowel mentaal als fysiek naar binnen. Als de obersturmführer een knie tussen de hare steekt, bedenkt ze hoe ontzettend vervelend het is om op zo'n manier gewekt te worden, bijna nog erger dan de regelmatige bezoekjes van de obersturmführer, want dit is zo onverwacht. Ik hoop dat hij opschiet, dan kunnen we weer gaan slapen, denkt ze. Ze draait zich op haar rug en maakt aanmoedigende geluidjes, schaart haar benen om zijn middel. De ademhaling van de obersturmführer versnelt. Hij pakt Anna's billen en tilt haar tegen zich aan, en dan worden haar kreten onvrijwillig.

Het is bijna ochtend. Vlak bij het raam begint een piepklein kerkklokje het uur te slaan. De obersturmführer stoot in een perfect, plechtig ritme. *Bong. Bong. Bong. Bong. Bong.* Hij maakt het fluitende geluid van een gans in Anna's oor, zoals hij altijd doet als hij bijna klaarkomt, maar deze keer zegt hij: 'Anna...!' Dan voelt ze het veelbetekenende straaltje, alsof ze inwendig gekieteld wordt. De obersturmführer stort trillend in.

Anna draait haar hoofd naar het raam en ontvangt haar eerste visuele bevestiging dat ze in de Alpen zijn: grijze en witte bergtoppen steken als de tanden van een zaag in de lucht. Ze wacht tot de obersturmführer van haar af rolt, maar hij blijft waar hij is, ligt als een dood voorwerp op haar, zijn gewicht drukt haar in het matras. Zijn zweet plakt aan hen, of is het dat van Anna? Anna kan niet goed inademen, ze weet niet of de hartslag die tegen haar ribben bonst van de obersturmführer of van haar is.

33

Halverwege de ochtend is het weer omgeslagen. Vanuit de eetzaal ziet Anna mistflarden over de bergen komen. Aanvankelijk blijven ze hangen rond de pieken, maar dan hullen ze heel Berchtesgaden in een compacte sluier. De obersturmführer is teleurgesteld: hij had zich verheugd op een stevige wandeling in de heuvels en een lunch onder de bomen, zoals Tristan en Isolde. Maar de omstandigheden staan picknicken noch een voettocht toe, dus na het ontbijt gaan ze terug naar hun kamer.

Anna zit boven op de billen van de obersturmführer op het bed. Hij ligt op zijn buik, zijn donkere hoofd is naar één kant op het kussen gedraaid. Hij heeft alleen zijn onderbroek aan. Zijn beschadigde schouder, vertelt hij aan Anna, reageert slecht op de kou en de vochtigheid. In het kamp heeft hij er vaak last van, maar hier is het nog stukken erger. 'Ik ben een menselijke barometer,' zegt hij quasi-zielig en met gedempte stem. Anna heeft niet genoeg lucht om te reageren. Het masseren van de spieren rond de wond, de taak die hij haar heeft opgedragen, is zwaar.

De obersturmführer staart treurig in de richting van het raam. De mist, een kolkende grijze massa, is zo dik dat je de kerk aan de overkant niet eens kunt zien. 'De goden zweren samen tegen ons, Anna,' zucht hij. 'En ik wilde je zo graag de paden laten zien. Vooral de tocht naar de Höhe Göll is schitterend.'

'Hummmm,' mompelt Anna. Ze is versuft, verkeert in een roes door al dat eten. Zoals de obersturmführer beloofd heeft, is het ontbijt hier een echt feestmaal. Eieren! Kaas! Yoghurt met muesli en, een klein wonder, jam! Haar overvolle maag kreunt. Zelfs de rug van de obersturmführer doet haar denken aan ongebakken brood. Zijn wond bij het rechterschouderblad is een krater ter grootte van een schoteltje. Het littekenweefsel is stijf en glimt, maar de huid eromheen is elastisch als deeg. Anna pakt het tussen duim en wijsvinger en kijkt gefascineerd toe hoe het daarna weer langzaam en rood geworden terug op zijn plek zakt. De obersturmführer is dik aan het worden.

'En de Berghof,' voegt de obersturmführer eraan toe. 'De Berghof en het Kehlsteinhaus, het toevluchtsoord van de Führer – een wonder, werkelijk waar!'

Hij kreunt en sluit zijn ogen als Anna een koppige spier te lijf gaat. 'Ik ben daar één keer geweest, in 1938, toen Koch en ik ontboden werden,' vervolgt hij. 'Wij van de SS verbleven uiteraard in hotel Zum Türken, alleen de allerhoogsten in rang mochten in het Kehlsteinhaus slapen. Maar het uitzicht ben ik nooit vergeten – je kon tot in Oostenrijk kijken! – en ook het terrein niet. Moet je je voorstellen, Anna. Tussen die onherbergzame bergtoppen heeft Bormann een Utopia gecreëerd als geschenk voor de Führer. Een kas, een paddenstoelenkwekerij, bijenkorven en volières. En likstenen voor de herten van de Führer.'

'Het klinkt nogal overdadig,' zegt Anna, niet in staat een zweem van sarcasme te vermijden.

'O, ja, het is onvoorstelbaar...' De obersturmführer grinnikt. 'Alleen de tocht ernaartoe is al een hele onderneming, een wonder van techniek. Eerst de rit de bergen op, over een ramp van een weg met zo'n beetje om de honderd meter een haarspeldbocht. En als de weg ophoudt, rij je regelrecht het hart van de Höhe Göll in en zoef je met een lift naar de top. Ik ben nooit erg dol geweest op grote hoogten, maar je had Kochs gezicht moeten zien, dat was groener dan groen, echt.' Hij lacht opnieuw.

'Kun je de berg in rijden?' vraagt Anna, zonder dat ze het wil geïntrigeerd.

'Bormann heeft opdracht gegeven een tunnel aan te leggen met behulp van dynamiet. Ingenieus...' De obersturmführer kijkt bedachtzaam. 'De arbeiders waren natuurlijk allemaal misdadigers,' zegt hij. 'Verkrachters en moordenaars. Maar ik moet toegeven dat ik best een beetje onder de indruk was – hoe die zich als geiten aan die berghellingen vastklampten. Een flink aantal heeft het niet overleefd, met die explosieven enzo. En als je van die hoogte omlaag kijkt, is het alsof je jezelf in de afgrond ziet storten, je je eigen dood voor ogen ziet... Hoe dan ook, ze werden goed behandeld. Er was zelfs een bioscoop waar ze naar films konden kijken als het werk er aan het eind van de dag op zat.'

Opeens verstijft de obersturmführer; tussen zijn opeengeklemde tanden zuigt hij lucht naar binnen. '*Achhh*,' zegt hij, niet zo hard!'

Anna moet zichzelf dwingen haar handen los te laten. 'Ik vind het walgelijk,' hoort ze zichzelf zeggen.

Na een korte stilte antwoordt de obersturmführer peinzend: 'Ja, ik denk dat je gelijk hebt. Behoorlijk decadent in een tijd waarin zelfs benzine tot nationale hulpbron is uitgeroepen – ja, het verdient geen schoonheidsprijs.'

Anna hervat haar werk, harder knedend dan echt nodig is. Haar haar zwiept aan weerskanten van haar gezicht.

'Onder ons gezegd,' zegt de obersturmführer, 'dit soort gedrag tiert welig binnen de hogere rangen van het *reich*, deze... ondermijnende decadentie. Het baart me zorgen. Het heeft Koch gecorrumpeerd, weet je.'

De obersturmführer buigt zijn armen naar achteren. Zijn ruggengraat knakt. 'Zelf ben ik ook geen lieverdje,' zegt hij, 'aan het front heb ik... Hoe dan ook, een bepaalde mate van baldadigheid is te verwachten, gezien ons veeleisende werk. Je zoekt geestelijke ontspanning in het fysieke. Maar je zou toch denken dat de *kommandant* zich niet tot zulk gedrag zou verlagen... Linkerschouder, alsjeblieft.'

Anna gehoorzaamt. De obersturmführer kreunt: 'Wat een *dummkopf*, die Koch! Dat hij syfilis heeft opgelopen: stom, maar begrijpelijk. Om het te willen verzwijgen: wie zou dat niet willen als hij in zijn schoenen stond? Ha! Frau Koch zou zijn kop eraf gehakt hebben als ze het wist. Om de vernietiging te bevelen van de artsen die hem behandelden: gewoon sporen uitwissen. Maar om het hele gebeuren op te schrijven! Onvergeeflijke stommiteit! De decadentie verdoofde zijn gedachteproces, begrijp je. Het onophoudelijke gefeest, de orgiën; precies dat soort ontaarde gedrag dat de zwakke punten van de Weimar Republiek blootlegde, waarvan je geneigd was te denken dat het *reich* dat zou uitroeien.'

Anna probeert zich de obersturmführer bij een orgie voor te stellen, maar dat lukt haar niet. Het ligt meer voor de hand dat hij zijn kunstjes van hoeren heeft geleerd. Bij een groepsactiviteit zou hij van een afstand toekijken, vermoedt ze.

De obersturmführer slaakt een zucht. 'Gelukkig heeft *kommandant* Pfister de boel beter in de hand. Hij heeft me echter wel administratieve taken gegeven, terwijl Koch de tijd van een plaatsvervangend *kommandant* nooit zou verspillen aan papierwerk! Het is niet zo dat ik echt terugverlang naar de begindagen, maar... zonder Koch zal ik nooit... meer dan een klein radertje in een grote machine zijn. Ik heb geen... uitmuntende kwaliteiten; ik doe mijn werk goed, maar... ik beschik niet over... de vereiste...'

Terwijl hij zoekt naar de woorden om zijn tekortkomingen te beschrijven – introspectie is deze man vreemd – denkt Anna dat ze het vuil tussen de radertjes van zijn eigen vreemde machinerie bijna kan horen knarsen. Ze heeft hem nog nooit zo in gedachten verzonken, kwetsbaar en dromerig gezien. Hoeveel concentratiekampgevangenen, hoeveel leden van het verzet zouden hun leven geven om de obersturmführer in zo'n gemoedstoestand in hun klauwen te krijgen? Anna's handen trillen op de krans van moedervlekken tussen zijn schouderbladen. Hoeveel mensen zou ze kunnen redden door een kogel door het midden van dit natuurlijke doelwit te jagen? Zijn pistool ligt binnen handbereik, op het bureau bij zijn dolk. Ze hoeft alleen maar naar de andere kant van de kamer te lopen.

Meteen denkt Anna aan alle redenen die dit onmogelijk maken. Ze zou gearresteerd worden. Er zouden represailles volgen; niet alleen haar eigen dood en die van Trudie, maar ook binnen het kamp. En zelfs als ze kon ontsnappen, zoals dat in sprookjes gebeurt, dan zou een andere officier gewoon de plek van de obersturmführer innemen. De rantsoenen en de spullen voor het brood, de reddingslijn waar zij en haar dochter als drenkelingen afhankelijk van zijn, zou doorgesneden worden. En in een eenvoudiger, meer pragmatisch opzicht: Anna heeft nog nooit een pistool afgevuurd, laat staan dat ze er ooit een heeft vastgehouden.

Toch schuilt er onder deze beweegredenen nog een andere. Walgelijk vindt Anna het, dat ze voor dit schepsel nog enig begrip kan opbrengen. Hoe is dat mogelijk? Maar de obersturmführer had die ochtend op de drempel van de eetzaal geaarzeld. Hij moest net als Anna het luide sarcastische gefluister hebben opgevangen van de officier die de avond ervoor had geapplaudisseerd voor zijn daadkracht: 'Kijk, onze held met zijn kleine... echtgenote.' Op dat moment heeft Anna heel even, toen ze het gezicht van de obersturmführer zag betrekken, een glimp van hem als kleine jongen opgevangen: behoedzaam, uitgelachen door zijn leeftijdgenoten, zonder ooit helemaal te begrijpen waarom. Vervolgens had hij een kil knikje gegeven en haar naar een tafel aan de andere kant van de zaal geleid.

De inwendige wanhoop over haar eigen lafheid, over haar tijdelijke medeleven met deze man, is zo groot dat het vergezeld lijkt te gaan van een geluid: een troosteloos inwendig gefluit. Ze buigt haar voorhoofd en raakt daar heel even de vlek van donkere stipjes op de rug van de obersturmführer mee aan.

Onder haar komt de obersturmführer opgewonden omhoog en draait zich om. Hij neemt haar handen in de zijne. 'Mijn masseuse,' zegt hij. 'Wat een sterke handen, zoals die van een pianist of een boerenmeid.'

'Dat komt door het kneden van al dat deeg,' zegt Anna.

Hij stopt een van haar vingers tussen zijn tanden en knabbelt eraan. 'En wat doe je toch verbazingwekkende dingen met deze kuise kleine handjes,' mompelt hij met volle mond. 'Je...'

Zonder ook maar een seconde na te denken, vraagt Anna tot haar eigen grote schrik: 'Hébt u een vrouw?'

De obersturmführer laat haar hand los en vloekt. Hij fronst in de richting van de merklap. Anna durft hem niet aan te kijken. In plaats daarvan staart ze naar beneden, naar de Y-vorm die haar benen maken, omdat ze nog steeds op zijn middel zit.

Na een tijdje snauwt hij: 'Ja, ik heb een vrouw. Een verwende, dikke, waardeloze vrouw die aan pleinvrees lijdt. Ze is al jaren het huis niet uit geweest. Ze woont bij haar moeder in Wartburg. Tevreden?'

'Ja,' fluistert Anna. Ze voelt de op haar gerichte blik van de obersturmführer meer dan dat ze die ziet. Dan steekt hij zijn wijsvinger onder haar kin en dwingt haar hem aan te kijken. Hij heeft haar verbazing verward met diepe teleurstelling, want hij schenkt haar een gulle en geruststellende glimlach. 'Maar ik had nooit verwacht iemand als jou tegen te komen,' zegt hij. 'Weet je, alleen door jou red ik het. Jouw reinheid, jouw normen – onze gedeelde normen – die tillen mij ver boven de vuiligheid uit waarmee ik elke dag omringd word.'

Hij pakt Anna's handen weer vast en schudt ze even. 'Jij bent mijn reddende engel,' zegt hij. 'Als jij er niet was geweest, zou ik immers in Kochs decadente gedrag meegegaan kunnen zijn en dan zou ik ook uit mijn functie ontheven zijn. Dan zouden we elkaar nooit tegen zijn gekomen, Anna! Daar moet ik vaak aan denken.'

'Ik ook,' zegt Anna, 'Ik ook.'

34

Zondagmiddag laat zet de obersturmführer Anna af voor de deur van de bakkerij. Pas als ze de wegrijdende auto na staat te kijken, bedenkt ze dat ze hem had kunnen vragen haar naar Trudie te brengen. Die gedachte was niet eens bij haar opgekomen; hoe minder mensen van de relatie met de obersturmführer af weten, hoe beter voor alle betrokkenen.

Het geeft niet. Het is een heerlijke, milde avond en de zon straalt zelfs bij het ondergaan nog wat warmte uit. Toch heeft Anna als ze zo loopt te sjokken zin om een potje te grienen. Ze is uitgeput door de onthullingen en nachtelijke eisen van de obersturmführer. In zijn dienstauto was ze er veel sneller geweest! Anna merkt dat ze zichzelf wel kan slaan vanwege die gedachte, maar toch kan ze die niet van zich afzetten. Ze zweert dat ze haar blik niet af zal wenden als ze dwangarbeiders tegenkomt, iedereen die een gele ster draagt, krijgt een stuk gebak uit haar handtas. Maar de straten zijn verlaten. Logisch, het is etenstijd en eerste paasdag.

En inderdaad, als Anna op de deur van de slagerij klopt, willen moeder Buchholtz en haar koters net gaan eten. De weduwe van de slager leidt Anna door de winkel naar de keuken, waar de kinderen rond de tafel zitten. Het geslurp en gekauw houden op zodra Anna binnenkomt; vol ontzag bekijken de kinderen het warme bobbelige tweed van haar reispakje.

'Mama!' roept Trudie. Ze is in een kinderstoel gepropt die veel te klein voor haar is en ze wurmt om eruit te komen.

'Even wachten, kleintje,' zegt Anna. Ze trekt een verontschuldigend gezicht naar frau Buchholz. 'Neem me niet kwalijk dat ik u stoor bij het eten,' zegt ze.

Frau Buchholz wendt haar ogen af. 'Geeft niets,' zegt ze tegen de hoek van de keuken. Haar handen dwalen naar het Moederkruis, dat op de tailleband van haar schort gespeld zit: haar beloning voor het produceren van zes kinderen voor het *reich*. Het zilver glimt alsof ze het elke dag poetst. Misschien doet ze dat ook wel.

Anna maakt Trudie los uit de stoel en plant een kus op de plek waar het haar naar twee kanten uitloopt in mooie vlechten. Ter voorbereiding van Trudies logeerpartij hier heeft Anna zorgvuldig de meest afgedragen kleren van het kind uitgezocht, alleen de meest versleten cadeaus van de obersturmführer. Desondanks is het verschil tussen Anna's dochter en de Buchholz-kinderen opvallend. Hoewel Trudie voor een tweeënhalfjarig meisje nogal spichtig is, heeft ze een gezonde kleur en glanzend haar, terwijl de polsgewrichten van het Buchholz-kroost schijnbaar elk moment door de huid heen kunnen breken. Hun ogen, die Anna over borden met brood besmeerd met reuzel aanstaren, lijken allemaal even diep verzonken en te groot.

Anna hijst Trudie op haar heup. 'Wat zeg je dan tegen frau Buchholz?' souffleert Anna haar.

'Dank u wel,' zegt het kind onverwacht plichtsgetrouw.

Frau Buchholz lacht en steekt haar tong uit. Voorover hangend in Anna's armen raakt Trudie die met het puntje van haar eigen tong.

'Ik hoop dat ze niet lastig is geweest,' zegt Anna.

'O, nee, helemaal niet,' zegt frau Buchholz. Als ze Anna voorgaat naar de gang worden de handen van de weduwe opnieuw naar de onderscheiding toe getrokken en beginnen die te strelen. 'En hebt u een goede reis gehad?' vraagt ze.

'O, ja,' zegt Anna, en ze begint vrolijk het verhaaltje af te draaien dat ze de hele terugreis uit Berchtesgaden heeft zitten oefenen. 'Mijn tante Hilde was opgewekt, hoewel ze klaagde over het voedselgebrek. Ik dacht dat de rantsoenen in Leipzig misschien groter waren, maar blijkbaar is het daar net zo erg als hier. Te veel om te sterven, te weinig om van te leven, zoals ze zeggen.'

Frau Buchholz schudt meelevend haar hoofd.

Anna, die weet dat ze te ver doorborduurt, maar daar niet mee kan ophouden, gaat verder: 'En de trein! Wat een afschuwelijke reis. Hoewel ik nog geluk heb gehad dat er überhaupt een plaatsje was, aangezien er tegenwoordig overal Wehrmacht is. Het zou onmogelijk zijn geweest met het kind. Ik heb de hele reis gestaan, we stonden op elkaar als sardientjes in een blik...'

Ze stokt. Het is vreemd, in aanwezigheid van de obersturmführer liegt Anna dat het gedrukt staat, maar tegenover deze vrouw begint ze te blozen. Zou frau Buchholz, die Anna's familie jarenlang van vlees heeft voorzien, weten dat Anna geen tante Hilde heeft? Anna vraagt zich af wie er allemaal nog meer de wachtende auto van de obersturmführer voor de bakkerij hebben zien staan. Frau Buchholz blijft maar friemelen aan het Moederkruis. Opeens ergert Anna zich daar dood aan. Ze maakt zich zo lang mogelijk en klemt haar kaken op elkaar.

Maar als frau Buchholz, wellicht uit het veld geslagen door Anna's stilzwijgen, haar voor het eerst recht in de ogen kijkt, snapt Anna dat de vrouw het niet alleen weet, maar dat ze doodsbang is. Er zit geen veroordeling in frau Buchholz's blik, alleen de angst dat Anna misschien iets verkeerds heeft bespeurd waar ze ongetwijfeld melding van zal maken, gezien haar goede connecties. Minachting is blijkbaar een luxe, net als suiker of echte koffie, die men zich in oorlogstijd niet kan veroorloven.

Anna vraagt zich af welke misdaden deze goede moeder gepleegd zou kunnen hebben. Handel op de zwarte markt misschien, om al die hongerige mondjes te voeden, of luisteren naar de radio-uitzendingen van de BBC. Ze legt haar hand op de arm van de vrouw. Frau Buchholzs huid schuift heen en weer over haar botten, als een kippennekje.

'Heel erg bedankt dat u op Trudie hebt willen passen,' zegt Anna. 'U krijgt deze week extra brood.'

'Graag gedaan, echt,' antwoordt frau Buchholz. Opnieuw kijkt ze alle kanten op, behalve naar Anna. Ze doet de deur open; haar opluchting over Anna's ophanden zijnde vertrek is zo tastbaar als zweet.

Als Anna, die er precies hetzelfde over denkt, over de drempel stapt, trekt Trudie haar duim uit haar mond. 'Heb je Sint Nicolaas gezien, mama?' piept ze. 'Wat heeft hij voor ons meegebracht?'

'Ssjj,' zegt Anna. 'Als je braaf en rustig bent, zal ik je voor het slapen een verhaaltje voorlezen.'

'Ik wil geen verhaaltje,' houdt het kind vol. 'Ik wil een konijntje. Sint Nicolaas zei dat ik een konijntje mocht.'

'Stil,' zegt Anna. 'Sssjjj.' Ze kijkt om naar frau Buchholz, die zich in het duister van haar winkel heeft teruggetrokken. Hoewel ze de slagersweduwe niet meer kan zien, kan Anna voelen dat ze staat te kijken, staat te luisteren.

'Laat me los, mama, je doet me pijn,' zegt Trudie, terwijl ze zich tegen Anna afzet. Ze schopt met haar voetjes tegen Anna's bovenbenen. 'Ik wil Sint Nicolaas,' jengelt ze.

Anna duwt het gezicht van het kind tegen haar schouder. Ze heeft zichzelf vaak voorgehouden dat ze het eigenlijk helemaal niet zo slecht getroffen heeft. Mannen met macht hebben sinds mensenheugenis minnaressen gehad en het is niet erg dat geen van de broodmagere vrouwen die de bakkerij bezoeken Anna recht in haar ogen kijken. Zij en Trudie zijn ten minste veilig op een warme plek en ze hebben te eten, en zij voorziet zowel legaal als illegaal in haar onderhoud, terwijl anderen op dit moment dood zijn, sterven, verhongeren, door de Gestapo de ogen uitgestoken en de teennagels uitgetrokken worden, werken met zware machines die hun vingers pletten, naakt in de regen staan, hun huilende kinderen uit hun armen worden gerukt, worden kaalgeschoren, worden doodgeschoten, in kuilen neerstorten. In feite is het jaloersmakend, Anna's prozaïsche regelingetje met de obersturmführer.

Maar Anna heeft één ding over het hoofd gezien. Ze heeft niet voorzien dat zijn aantasting van haar zou overspringen op het kind. 'Sint Nicolaas komt niet als je stout bent,' fluistert ze tegen Trudie. 'Weet je nog?'

Ze pakt het kind steviger vast. De deur van de slagerij knalt achter hen dicht.

Trudy, februari 1997

35

Op een ochtend halverwege februari schrikt Trudy met een ruk wakker en merkt dat haar kamer zich vult met de geur van vlees en iets zurigs. Anna, denkt ze. Voor de zoveelste keer is Anna in alle vroegte opgestaan om te gaan koken en schoonmaken. Zo te ruiken heeft Anna vandaag worstjes gebakken en is ze nu de ramen met azijn aan het schoonmaken. Zij is er heilig van overtuigd dat dat effectiever is dan de producten die je daarvoor in de winkel kunt kopen. Trudy trekt de lakens over haar gezicht en blijft rustig liggen, wachtend tot haar droom haar loslaat. Die lost nu langzaam op in het nuchtere daglicht, maar er blijft een flard hangen: Anna die in de bakkerswinkel een laars – wat vreemd, denkt Trudy – aan het poetsen is die op de toonbank staat. Haar ogen zijn donker, wat altijd zo is als ze op haar hoede is of zich zorgen maakt.

Na een tijdje zwaait Trudy haar benen over de rand van het bed en gaat zitten. Ze knippert een beetje daas voor zich uit en haar maag begint te knorren door de opstijgende etensgeur. Het feit dat Anna hier is ingetrokken, lijkt voor de buitenstaander misschien niet eens zo'n slecht idee. Anna doet alle mogelijke moeite om uit Trudy's buurt te blijven. Elke middag maakt ze een wandeling; zelfs onder de meest barre weersomstandigheden loopt ze haar vaste rondje om Lake Harriet. Soms maakt ze een langere tocht en komt dan terug met boodschappen voor het avondeten, die ze gekocht heeft van haar weduwepensioen. En als Trudy thuis is, blijft ze het merendeel van de tijd op haar kamer zitten om te lezen, uit het raam te kijken of te luisteren naar de kleine radio die Trudy voor haar gekocht heeft. Als Trudy met een arm vol vuile was of op weg naar haar eigen slaapkamer langs loopt, hoort ze uit Anna's kamer niets anders dan het zoetgevooisde gemompel van radiopresentatoren.

Maar hoewel Anna zich dus voor een groot deel onzichtbaar heeft gemaakt, is haar aanwezigheid op andere manieren wel degelijk merkbaar. Door de geuren van haar kook-, bak- en schoonmaakwerk als Trudy weg is bijvoorbeeld. Die verspreiden zich als een besmettelijke ziekte door het huis, subtiel en heimelijk als gas. Al vaak – één keer zelfs in de open lucht – heeft Trudy tot haar ontzetting gemerkt dat ze ook haar kleren en haar hebben aangetast. Als je bedenkt hoe Anna in haar huis is geïnfiltreerd, peinst Trudy gelaten, is het niet gek dat ze ook Trudy's dromen is binnengedrongen.

Maar er is niets aan te doen, aangezien de verzorgingstehuizen in de buurt nog steeds vol zitten – iets wat Trudy verbaast; zijn de oudjes in dit sombere jaargetijde niet vatbaarder voor Magere Hein? Ze gaat staan, maakt het bed op, kleedt zich aan en wast haar gezicht in de badkamer, waar het zo doordringend naar chloor ruikt dat ze een verschrikkelijke niesbui krijgt. Ze heeft geen tijd om te douchen, hoe graag ze dat ook zou willen. Ze is laat, over een half uur heeft ze al een afspraak met Thomas voor een interview. En daarna moet ze college geven. Trudy heeft echter verschrikkelijk veel behoefte aan koffie, dus ze rent de trap af naar de keuken en begint in de kastjes te rommelen. Natuurlijk staat het blik niet op zijn plaats op de plank. Anna, die er stellig van overtuigd is dat te veel cafeïne slecht is voor de ingewanden, heeft dat ergens verstopt en nogal nadrukkelijk vervangen door een doosje kamillethee.

Trudy zoekt in de onderkastjes – daar heeft Anna de koffie namelijk vorige week verstopt – en stoot daarbij haar hoofd. 'Au,' mompelt ze, terwijl ze gaat staan en een dreigende blik werpt op de pan waarin de worstjes in gestold vet naast elkaar liggen. 'Mama,' schreeuwt ze. 'Waar heb je de koffie gelaten?'

Als een antwoord uitblijft, knalt Trudy door de klapdeur naar de eetkamer. Geen Anna. In de woonkamer is ze ook niet. Zou ze al zijn gaan wandelen? Maar Anna's laarzen staan keurig naast elkaar op een stuk krantenpapier naast de kapstok, met de neuzen naar de muur.

Trudy kijkt in de kelderkast en in de wc beneden. Waar is ze? 'Mama?' roept ze. Ze spitst haar oren; ze hoort stemmen, maar die komen van de verkeerde kant. Trudy beent door de gang naar haar studeerkamer. 'Aha,' zegt ze, als ze de deur openzwaait.

Anna springt nerveus en betrapt op. Ze heeft een bus poetsmiddel en een doekje – een vierkant lapje dat uit een van Trudy's favoriete T-shirts geknipt is, ziet Trudy – in haar handen, waar ze zogenaamd Trudy's bureau mee heeft staan afnemen. En misschien is Anna daar ook daadwerkelijk mee begonnen, want Trudy's boeken liggen op een stapel op de vloer, het leer van het vloeiblok vertoont strepen schoonmaakmiddel en er hangt een synthetische citroengeur in de lucht. Maar op een bepaald moment is Anna ergens door afgeleid en was ze nieuwsgierig genoeg om het ingewikkelde videoapparaat te trotseren, want op de televisie achter haar vertelt Rose-Grete het verhaal van haar ontmoeting met de *einsatzgruppen.*

Trudy is verbijsterd. 'Wat doe je, mama?' vraagt ze, zo van haar stuk gebracht dat ze niet weet wat ze anders moet zeggen.

Anna grabbelt naar de afstandbediening, richt die op knopjes drukkend naar de video en begint ermee te schudden als er niets gebeurt.

'Laat mij maar,' zegt Trudy, en ze pakt het apparaat. Ze drukt op de pauzeknop en Rose-Grete verstart midden in de zin: 'En de officier draaide zich naar Rebecca en schoot haar neer, en ook een paar van de andere vrouwen.'

Anna kijkt Trudy schaapachtig aan. 'Het spijt me, Trudy,' zegt ze. Ik weet dat ik hier niet mag komen. Ik wilde gewoon...'

'Schoonmaken?' vult Trudy in.

Anna stopt het lapje trillend in haar zak. Trudy staat haar met bonkend hart aan te kijken, haar hoofd is opeens glashelder. In nog geen miljoen jaar had ze verwacht ooit nog eens zo'n kans te zullen krijgen en nu die voor het grijpen ligt, laat ze hem echt niet lopen. Maar ze moet heel voorzichtig zijn, ze moet Anna net zo behoedzaam benaderen als een jager die een onverwachte prooi bij een drinkplaats heeft gespot.

Ze knielt en zoekt nogal theatraal tussen de stapel boeken op de grond naar haar portfolio. 'Dus je hebt een van mijn respondenten gezien,' zegt ze. 'En, wat vind je ervan?'

'Respondenten?' herhaalt Anna.

Trudy trekt de portfolio uit het midden van de stapel. 'Voor mijn project,' legt ze uit. 'Ik interview Duitsers van jouw generatie over wat ze tijdens de oorlog gedaan hebben. En hoe ze daar nu over denken. Dit zijn de vragen, kijk maar.' Ze slaat de map open en steekt die uit, zodat

Anna de geschreven vragenlijst op de blocnote kan zien.

Anna deinst achteruit en loopt tegen het bureau aan. 'Is dit project voor je colleges?' vraagt ze.

'Nee, het was mijn eigen idee. Ik heb folders neergelegd en advertenties geplaatst, en daar zijn allemaal mensen op afgekomen die hun verhaal kwijt wilden. Het is verbazingwekkend hoe veel erover willen vertellen.' Ze lacht naar Anna en stopt de map in haar koffertje. 'Hé,' voegt ze eraan toe, alsof het haar nu ineens te binnen schiet, 'misschien wil jij ook wel meedoen.'

Anna werpt een blik op Rose-Grete en brengt een hand naar haar keel. 'Ik?' zegt ze. 'O, nee, dat kan ik echt niet.'

'Waarom niet, natuurlijk kun je dat wel, mama,' zegt Trudy, terwijl ze overeind komt. 'Het zou goed voor je zijn. Heel veel mensen vertellen me dat het zo'n opluchting is om eindelijk te kunnen praten over wat er toen gebeurd is. Het is louterend, zeggen ze, net als biechten.'

Strikt genomen is dat niet het geval. Sterker nog, Trudy kan alleen maar gissen naar de motieven van haar respondenten. Toch vermoedt ze dat dit voor sommigen – Rose-Grete bijvoorbeeld – wel degelijk opgaat.

Maar Anna schudt haar hoofd. 'Dat is niets voor mij, Trudy,' zegt ze. 'Ik heb niets te vertellen.'

'Nou, volgens mij wel hoor, mama,' zegt Trudy. 'Ik denk dat je heel veel te vertellen hebt.' Ze haalt even adem. 'Over de officier, bijvoorbeeld,' voegt ze er zachtjes aan toe.

Anna zwijgt als het graf. Trudy werpt een steelse blik op haar. Ze is lichtrood geworden, met uitzondering van het witte stukje rond haar opengesperde neusvleugels – het lijkt of ze daar nu een soort uitslag heeft. 'Ik heb geen idee waar je het over hebt,' zegt ze dan.

Trudy doet haar best om er onbewogen uit te blijven zien, maar ze voelt haar wenkbrauwen omhoog gaan. 'Echt niet?' vraagt ze.

'*Nein*. Ik heb geen flauw idee.'

De twee vrouwen staren elkaar aan. Trudy knijpt haar ogen samen. Anna staat te knijpen in de ceintuur van haar schort, maar steekt haar kin in de lucht. Geen van beiden wendt de ogen af.

Dan begint Trudy's horloge te piepen om aan te geven dat er een uur verstreken is. Ze vloekt binnensmonds.

Ze doet nog één poging. 'Alsjeblieft, mama,' zegt ze. 'Ik weet dat jij weet waar ik het over heb. Vertel me alsjeblieft over hem. Het zou zo ontzettend veel voor me betekenen.'

Maar de kans is verkeken, als die er überhaupt al geweest is, want Anna draait zich om en strijkt met haar hand over het vloeiblok om vervolgens fronsend naar haar handpalm te kijken, alsof die zwart van het stof is geworden. 'Er valt niets te vertellen,' zegt ze.

Trudy bijt op haar lip en bukt zich om haar koffertje op te pakken. 'Oké, mama,' zegt ze. 'Voorlopig heb je gewonnen. Ik moet gaan. Maar alsjeblieft. Denk erover na.'

Ze laat Anna in de studeerkamer achter en haast zich door het huis naar de kapstok, waar ze een gewatteerd vest, een jas en handschoenen aantrekt, een muts opdoet en een sjaal omslaat. Het zou zo'n enorme opluchting zijn – hoewel ze met geen mogelijkheid kan geloven dat er ooit zo'n dag zal komen – als ze naar buiten kon gaan zonder het gevoel te hebben zich te moeten wapenen voor de strijd. En deze voorzorgsmaatregelen zijn op dit moment extra vervelend, aangezien Trudy het koortsachtig warm heeft. Het aantrekken van haar laarzen geeft wat problemen. Ze trilt over haar hele lichaam.

Een geluid – het kraken van een vloerplank – doet haar opkijken in de richting van de studeerkamer. 'Mama?' roept Trudy, ogenblikkelijk absurd hoopvol: misschien is Anna van gedachten veranderd.

Maar dat is ze natuurlijk niet. Trudy rukt woest aan haar veters en trekt er een kapot. Ze denkt aan Anna die tijdens haar afwezigheid door het huis sluipt, en voelt tranen van woede in haar ogen prikken. Maar eigenlijk is ze bozer op zichzelf dan op Anna, want zij heeft deze kans, die haar in de schoot is geworpen, verpest. Ze heeft geprobeerd haar belangrijkste respondent te vermurwen en ze heeft gefaald.

Heel even overweegt Trudy het interview te laten voor wat het is en terug te gaan naar de studeerkamer om het nog een keer te proberen. Maar haar arbeidsethos staat dat niet toe. En ze is al zo laat. Terwijl ze zich de naam van haar respondent probeert te herinneren – Ralph? Rolf? Rudolph? zoiets – stapt Trudy de veranda op en moet de leuning vastgrijpen om niet uit te glijden. In één nacht is de wereld omgetoverd tot een ijsbaan. De trottoirs glimmen, ijspegels hangen aan takken en gevaarlijk laag hangende telefoondraden, de weg is een verblindende ijsvlakte. Met haar hand boven haar ogen tegen de schittering schaatst Trudy over het pad naar haar auto, maar ziet dan dat de deuren dichtgevroren zijn. Ze zal de achterklep moeten forceren en vanaf die kant in de auto moeten klimmen. Wat nog minstens een kwartier vertraging extra oplevert.

Trudy geeft een goedgemikte schop tegen de klomp sneeuw op het achterwiel en slaakt een kreet van pijn. Dan trekt ze zich vastklampend aan de heg vooruit en schuifelt terug naar het huis om een schroevendraaier te halen waarmee ze haar eigen auto kan openbreken. De ochtend is goed begonnen.

36

Het huis van haar respondent ligt in Tanglewood, een wijk die zo'n vijftien straten van die van Trudy af ligt. Tegen de tijd dat Trudy daar arriveert, is de auto voldoende ontdooid om haar een gênante vertoning te besparen: ze hoeft de auto niet op dezelfde manier te verlaten als waarop ze erin is geklommen. Trudy werpt een blik op het dashboardklokje als ze de motor afzet: twintig minuten te laat. Niet best, maar het had veel erger kunnen zijn. Als je bedenkt hoe verraderlijk de wegen zijn – op de radio werden mensen opgeroepen thuis te blijven als ze niet per se de deur uit hoefden en op bijna elke kruising was wel een ongeluk gebeurd – is het feitelijk gewoon een wonder, denkt Trudy, dat ze überhaupt hier is gekomen.

Thomas' witte truck staat bij de stoep en Trudy ziet dat hij zijn apparatuur al heeft uitgeladen en op haar staat te wachten. Ze baant zich zo snel mogelijk een weg naar hem toe, wat niet snel is gezien de gladheid en het feit dat haar gebroken veter haar tot een onhandig geschuifel dwingt om die ellendige laars überhaupt aan haar voet te houden. Trudy rolt met haar ogen en werpt haar armen in de lucht als een soort gebarentaal voor geïrriteerde hulpeloosheid, omdat ze denkt dat Thomas haar uit staat te lachen.

Maar als ze hem enigszins slippend bereikt, pakt Thomas haar niet alleen bij haar elleboog om te voorkomen dat ze valt, maar ook om haar achter de truck te trekken, zodat ze niet meer te zien zijn vanuit het huis van de respondent. De grimas op zijn ronde gezicht blijkt te wijzen op een bezorgdheid die totaal niet bij hem past. 'Ho,' zegt hij, 'staan blijven. Alles in orde?'

'Nou, zoals je ziet is het nogal een hectische ochtend geweest, maar met mij gaat het goed. Wat is er aan de hand?'

'Misschien is het niets,' zegt Thomas, terwijl hij zijn bandana recht trekt. 'Misschien ligt het gewoon aan mij. Maar...'

'Wat?'

Thomas dempt zijn stem, hoewel de respondent hem vanaf hier absoluut niet kan horen. 'Ik vermoed dat deze mijnheer wel eens voor problemen kan gaan zorgen,' zegt hij. 'Hij lijkt een beetje... boos.'

Trudy werpt automatisch een blik over haar schouder, maar de truck onttrekt het huis aan het zicht. Dit wordt niet haar eerste mannelijke respondent, ze heeft al ene mijnheer Pole gehad, een slager die niet bij de Wehrmacht heeft hoeven vechten omdat hij met zijn hand onder een hakmes was gekomen. En natuurlijk zijn sommige respondenten lastig geweest. Maar... 'Boos?' vraagt ze. 'Boos waarom? Omdat ik te laat ben?'

Thomas knikt. 'Hij is al vier keer naar buiten gekomen om te vragen waar je bleef. Kom maar even kijken.'

Samen lopen ze naar de hoek van de truck. En ja hoor, de respondent verschijnt op zijn veranda en blijft met zijn armen over elkaar geslagen staan, briesende wolkjes in de vrieslucht blazend.

'Zie je wel?' zegt Thomas vanuit zijn mondhoek. Hij wijst naar Trudy. 'Ze is er,' schreeuwt hij. 'Problemen met de ijzel. We komen eraan.'

Trudy zwaait en lacht naar de man. Dan draait ze zich om en wrijft in haar ogen. '*Wunderbar*,' mompelt ze. 'Daar zat ik op te wachten.'

Thomas kijkt haar bezorgd aan. 'Weet je zeker dat je het aankunt? Je ziet er een beetje...' Hij hapert tactvol en Trudy lacht. 'Ik weet hoe ik eruit zie, Thomas. Bedankt dat je te beleefd bent om het te zeggen. Nee, we doen het gewoon. Als... O god, hoe heet die man ook alweer?'

'Goldmann,' zegt Thomas.

'O, ja, Goldmann. Dat was me totaal ontschoten... Enfin, we hebben mijnheer Goldmann al lang genoeg laten wachten, vind je niet? Kom, we gaan.'

'Jawel mevrouw,' zegt Thomas.

Samen banen ze zich een weg over het bevroren pad naar het huis. Mijnheer Goldmann is in het huis verdwenen, maar heeft de deur op een kier laten staan, wat Trudy interpreteert als een uitnodiging om naar binnen te gaan. Ze loopt aarzelend de gang in en blijft daar gedesoriënteerd staan, na al dat geglitter buiten is ze nu stekeblind. 'Hallo?' roept Trudy. 'Mijnheer Goldmann? Neem me niet kwalijk dat ik u zo lang heb laten wachten. Maar u hebt in ieder geval mijn cameraman al ontmoet...'

'Inderdaad, daar heb ik meer dan genoeg tijd voor gehad,' bromt een lage stem ergens in de duistere gang. 'U bent zevenentwintig minuten te laat, doctor Swenson.'

Opeens doemt mijnheer Goldmann voor haar op en Trudy kijkt knipperend met haar ogen omhoog – en omhoog en omhoog, want hij is erg groot, nog groter zelfs dan Thomas, en zwaar gebouwd, met een groot, vierkant, nogal imposant hoofd dat bekroond wordt met tinkleurig haar. Zelfs als hij niet ongeduldig was, zou hij nog angstaanjagend zijn. Zijn gezicht kleurt rood, zijn uitdrukking is streng. Hij fixeert Trudy met een doordringende blik over de rand van een dubbelfocusbril. Het enige wat nog ontbreekt, denkt Trudy terwijl ze zijn geperste broek en mooie Schotse vest taxeert, is een glas Schotse whisky in zijn hand. Dan zou hij precies in het plaatje passen van een advocaat die de hele dag getuigen heeft uitgefoeterd en zich nu ontspant.

Maar uit het korte gesprek dat ze met hem gevoerd heeft, weet Trudy dat hij leraar is. Als ze achter hem aan het huis in loopt, besluit ze dit als troef te gebruiken voor het verbeteren van de verstandhouding. 'Hebt u me niet verteld dat u geschiedenis doceerde?' zegt ze, terwijl ze sloffend met haar losse laars haar best doet hem bij te houden. 'Nou, wat dat betreft kunnen we elkaar een hand geven. Wat is uw specialisme? Dat is waarschijnlijk veel breder dan dat van mij, ik ben namelijk gespecialiseerd in...'

Mijnheer Goldmann blijft staan en draait zich om. 'Daar ben ik volledig van op de hoogte,' buldert hij. 'Ik heb de universiteit gebeld om uw referenties na te trekken, doctor Swenson. Of moet ik misschien zeggen *frau doktor*?'

Trudy schenkt hem een zwak glimlachje. 'Zegt u maar Trudy,' zegt ze.

Mijnheer Goldmann trekt een wenkbrauw op. 'Om op uw vraag terug te komen, doctor Swenson, ik doceer niets meer,' zegt hij. 'Ik ben vorig jaar met pensioen gegaan.'

'O,' zegt Trudy.

Mijnheer Goldmann beent een enorme woonkamer met een Hitchcockachtige uitstraling in. Het hoge plafond en donkere lambrisering dempen het geluid. Hij pakt een kop en schotel van een lage tafel – het teer gebloemde aardewerk oogt verbazingwekkend misplaatst bij zo'n grote man – en gebaart met zijn lege hand naar de ruimte. 'Ik ga ervan uit dat dit geschikt is voor wat uw cameraman van plan is?' vraagt hij.

'O, ja,' zegt Trudy, hoewel ze Thomas hoort mopperen over het weinige licht en weet dat hij extra lampen neer zal moeten zetten.

Mijnheer Goldmann knikt, maar houdt Thomas scherp in de gaten terwijl hij slokjes van zijn thee neemt. Trudy's lege maag knort als dit haar herinnert aan de koffie die ze niet gehad heeft. Ze zou geen enkel bezwaar hebben tegen een mok met iets warms en melk en suiker. En misschien een croissantje of twee. Maar in tegenstelling tot haar vorige respondenten lijkt mijnheer Goldmann niet van zins haar iets te drinken aan te bieden, laat staan iets te eten.

'Hoe lang hebt u lesgegeven?' vraagt Trudy.

'Achtendertig jaar. Op een openbare school.'

'Dat is niet niks. Zei u dat u pas onlangs met pensioen bent gegaan? Dan zult u het wel missen.'

Voor het eerst verschijnt er een glimlach op mijnheer Goldmanns gezicht, hoewel die enigszins cynisch is. Rainer, schiet Trudy te binnen, hij heet Rainer. 'Eigenlijk mis ik het helemaal niet,' antwoordt hij. 'Ik vond mijn leerlingen uitermate teleurstellend. Hun gebrek aan intellectuele belangstelling was stuitend, het al dan niet aanwezige aangeboren verstand verpulverd door hun voorliefde voor de popcultuur. Hun hersenen verweekt door een eenzijdig dieet van televisie vanaf het moment dat ze in de baarmoeder zaten.'

Trudy doet haar best om beleefd te blijven kijken, maar ze merkt dat ze haar kaken op elkaar klemt ter verdediging van haar studenten. Het is waar dat zij er af en toe net zo over denkt, dat het merendeel van de gesprekken op de faculteit gaat over het rampzalige, handenwringende gebrek aan bereidwilligheid van de studenten, over hun luiheid en apathie. Die jeugd van tegenwoordig! Maar Trudy heeft haar studenten stiekem altijd het voordeel van de twijfel gegeven, aangezien ze ervan overtuigd is dat hun onverschilligheid een façade is, gecultiveerd als reactie op de Amerikaanse aversie tegen openlijk intellectueel vertoon. En achter dit met zichzelf bezig zijn, gaat zo'n rijk innerlijk leven verscholen! Je hoeft die energie alleen maar aan te boren. Ze zijn niet stom, ze hebben gewoon behoefte aan de juiste stimulatie. O, wat heeft Trudy een medelijden met de leerlingen van deze gemene en angstaanjagende man! Wie heeft hem in godsnaam een klaslokaal binnengelaten? Waarom is hij überhaupt leraar geworden als hij niet van kinderen houdt?

Enigszins geamuseerd kijkt mijnheer Goldmann toe hoe Trudy haar best doet haar zelfbeheersing niet te verliezen. 'Ik neem aan dat u het niet eens bent met mijn beoordeling, doctor Swenson,' zegt hij. 'U zet als een kip uw veren op.'

'Nou,' zegt Trudy. 'Nou, met alle respect...'

'Trudy.'

Met een ruk draait ze zich om. Thomas staat haar minzaam aan te kijken. 'We kunnen beginnen,' zegt hij.

'O. Juist. Ik zie het. Dank je.'

Trudy en mijnheer Goldmann gaan zitten op twee stoelen die schuin aan een brede eettafel zijn geplaatst. Thomas heeft er schermen omheen gezet om licht vast te houden en de illusie van intimiteit te scheppen. Trudy is blij met de hitte van de lampen, die een excuus voor haar rode wangen biedt. Bovendien is het best koud in dit grote, oude huis, iets waar mijnheer Goldmann in zijn vest ongevoelig voor lijkt te zijn.

Trudy forceert een glimlach als Thomas zich bukt om een microfoon ter grootte van een sprinkhaan aan de das van mijnheer Goldmann te bevestigen. 'Prima,' zegt ze kordaat. 'Bent u er klaar voor, mijnheer Goldmann?'

'Zeker.'

'Thomas?'

'Band... loopt.'

Trudy buigt zich naar voren. 'Kunt u me zeggen hoe u heet, alstublieft?'

'Mijn naam is Rainer Josef Goldmann en die was ook Rainer Josef Goldmann bij mijn geboorte, ik ben zesenzestig jaar, geboren in Berlijn. Als u het goedvindt wil ik een door mij geschreven verklaring voorlezen in plaats van de gebruikelijke vragen te beantwoorden.'

Trudy merkt dat Thomas zich roert, zijn hoofd even achter de camera weghaalt. Stond hij maar niet achter haar, dan kon ze een blik van verstandhouding met hem wisselen: wat nu? In plaats daarvan verstrengelt ze haar koude handen onder de tafel en zegt met een berustend maar akelig voorgevoel: 'Uiteraard. Ga uw gang.'

Uit het borstzakje van zijn vest haalt mijnheer Goldmann een vel papier tevoorschijn. Hij legt dat op de tafel en strijkt er met zijn vuist de vouwen uit. Hij drukt zijn goudgerande dubbelfocusbril wat steviger op zijn neus en kijkt Trudy over de rand ervan aan. Dan begint hij, met een door jarenlange ervaring voor de klas welluidende stem, voor te lezen.

HET DUITSE PROJECT
Interview 10

GEÏNTERVIEWDE: Mijnheer Rainer Josef Goldmann
DATUM/LOCATIE: 14 februari 1997, Minneapolis, MN
* op verzoek leest geïnterviewde een schriftelijke verklaring voor *

Je zult gedwongen zijn een badge te dragen. Je zult je kleine, in het rood geklede meisje met haar springende krullen en haarlint naar het verjaardagsfeestje van een ander kind brengen. Als je je jas uittrekt om het niet-joodse huis binnen te gaan, zal je badge samen met je jas in de kast verdwijnen. Later zul je, met je kind op je heup, achteruit deinzen naar de deur. Je weet dat de jarige het niet kwaad bedoelt, ze is zelf nog een kind. Maar je zult niet kunnen voorkomen dat je gezicht vertrekt als zij gilt: 'Waar is de ster? Waar is haar gele ster? Gisteren had ze hem nog! Ze moet hem op hebben, alle joden moeten de ster op hebben! Zorg dat ze hem op doet, mama!'

Je zult het horloge van je dode vader en de ring van je dode moeder ruilen voor een broodkorst, voor een paar pastinaken, voor een aardappel. Daarvoor zul je je moeten wagen in duistere, smerige straten die je doodsangst aanjoegen voordat ze deel gingen uitmaken van het getto en dat nu nog steeds doen. Je zult moeten onderhandelen met mannen met wie je nooit zou hebben gesproken voordat ze op de zwarte markt gingen werken, mannen die je zou ontlopen door de straat over te steken, wier hatelijke opmerkingen je zou proberen te negeren. Je zult je belachelijk voelen als je deze mannen benadert, jij, die het voor de oorlog verschrikkelijk vond om over de prijs van groente te steggelen. Je zult deze mannen smeken de erfstukken van je familie aan te nemen, en als ze die op de grond smijten en je uitjouwen, zul je huilen. En uiteindelijk zul je je door een van hen laten nemen tegen een zwarte muur – met je jas nog aan, die van hem stinkt naar viezigheid en zweet en zijn adem naar haring en goedkope wijn – want hij heeft tenslotte gelijk als hij zegt dat het horloge van je vader niet helemaal van goud, en dus niet een heel brood waard is. Dan zul je geen sieraden meer hebben om te ruilen en terwijl je je afvraagt waar de andere mensen die in jullie kamer wonen hun juwelen verstopt hebben, zul je zien hoe je dochter vermagert en sterft van de honger. Soms zul je ratten eten. Je zult dromen dat je overledenen opeet.

Je zult in het donker je eigen urine drinken uit je tot een kom gevormde handen. Je zult uitwerpselen ruiken en die op je benen voelen spetteren zonder te weten of die van je buurman zijn of van jezelf, of misschien afkomstig zijn uit die ene emmer die de Duitsers hebben gegeven en die twee dagen geleden al begon over te lopen. Je zult voelen dat je tong dikker wordt van de dorst, dat je adem zuur gaat ruiken, je jurk smerig wordt en je haar dof, en terwijl je wacht tot de deuren van de veewagon openrollen, zul je weten dat jouw kans om een goede indruk te maken, en daarmee je enige kans om te overleven, met elke verstrijkende stinkende minuut kleiner wordt.

Maar die kans zul je niet krijgen. Je zult geen toestemming krijgen om te smeken bij je beulen. Het zal je niet zijn toegestaan de latrines te bezoeken, ook al heb je een brandende pijn in je buik van de dysenterie. Het zal je niet gegund zijn je haar te behouden, het haar dat je gewassen, ingesmeerd, gekamd, gestyled, geborsteld en geknipt hebt en waar je je op dagen dat het regende of sneeuwde druk over hebt gemaakt. Ze zullen het afscheren met een bot scheermes, zodat je schedel prikt en je jezelf niet meer zou herkennen als je naar de gaskamer marcheert, je er net zo vreemd en lelijk uitziet als de mensen die je om je heen ziet, en je zult ergens begrijpen waarom de SS je zo lelijk vindt, je net zo overbodig en inwisselbaar acht als een stuk hout, en je zult je schamen voor je lelijkheid en ontzettend graag je gezicht willen bedekken.

Je zult niet weten hoe je je moet gedragen als ze je naakt door de deuren schuiven met een flintertje zeep en mondenvol leugens en klappen van hun stokken als je niet snel genoeg in de richting van je dood loopt. Het zal niets uitmaken of je lacht of huilt of bidt of zingt of de hand van een vreemde vastgrijpt voor troost als je met doodsangst naar de sproeikoppen boven je kijkt. Je zult niet bedacht zijn op de oplaaiende paniek, noch op het gegil, noch op het gestomp van mensen die je naar beneden duwen om op je te gaan staan in een instinctieve poging meer lucht te krijgen, ook al klimmen ze in feite in de richting van het gas. Je zult niet weten wat je als laatste zou willen denken noch in staat zijn iets te bedenken, en uiteindelijk doet dat er niet toe. Je zult deel uitmaken van een piramide van anonieme lijken die ze met harken uit de ruimte zullen vegen. Je zult zo stevig aan vreemden vastzitten, dat ze tussen jullie door moeten lopen en jullie met geweld van elkaar moeten scheiden.

En dan zullen ze je verbranden. Ze zullen je verbranden: jou, jouw lichaam, jouw eigen geliefde en gekmakende lichaam met zijn eigenaardigheden en moedervlekken, zijn zwakke knie en kromme duim, zijn littekens die elk een eigen verhaal hebben, het lichaam dat jij en anderen door kou en koorts hebben geloodst, het lichaam waarvan het spijsverteringsproces jouw inwendige dagelijkse ritme heeft geregeld, het lichaam dat je je hele leven hebt willen voeden en kleden en beschermen, het lichaam dat alleen je moeder en je minnaars beter kennen dan jijzelf. Ze zullen je brein verbranden: je hersenen met hun magnifieke netwerk van neuronen, waarin herinneringen en denkwijzen opgeslagen liggen, boeken die je hebt gelezen en bezienswaardigheden die je hebt bekeken, de lieve woorden die je voor anderen hebt gebruikt en jouw zelfbeeld als een individueel wezen, die onwrikbare essentie van jezelf die zo uiterst persoonlijk is dat die nooit onder woorden gebracht kan worden. Ze zullen je in de oven stoppen en ze zullen je verbranden, en het enige wat hen onderscheidt van de monsters uit de sprookjes van Grimm is dat zij je na afloop niet zullen opeten. In alle andere opzichten zijn ze monsters, monsters met de gezichten van zakenlieden en pestkoppen, fantasieloze en krankzinnige monsters. Ze zullen gapen als jij opstijgt in de schoorsteen.

[*Respondent zwijgt en vouwt verklaring op*]

Uiteraard is dit niet wat mij is overkomen. Dit is wat er gebeurd is met mijn tante Sarah, van wie ik ontzettend veel hield. Beter gezegd, dit is wat ik dénk dat haar is overkomen. Zeker weten zullen we het natuurlijk nooit. Je zult er nooit achter komen wat ze voelden, die miljoenen die geen overlevingskans kregen. Ik kan slechts speculeren. En zelfs ik, een jood – ja, ik ben een jood, doctor Swenson, en mijn hele familie is door de nazi's vermoord – zelfs ik kan me slechts een vage voorstelling maken van hoe het geweest moet zijn. Maar ik weet wel dat het op geen enkele manier goedgepraat kan worden. Dat er geen enkele verklaring bestaat voor wat de nazi's gedaan hebben, voor wat Duitse burgers hebben toegestaan en aangemoedigd.

Maar ja hoor: daar bent u. U hebt het lef om in mijn huis te gaan zitten, aan mijn tafel, met uw lampen en uw camera's en uw vragen en uw referenties. U hebt het lef om naar een of andere verklaring te zoeken. U hebt het lef om de verhalen van de beulen en degenen die hen hebben opgehitst op te nemen. U hebt het lef om het volk dat een heel ras heeft uitgemoord op de een of andere manier te willen verontschuldigen!

Pak uw spullen en verlaat mijn huis.

Wegwezen, zei ik. Nu.

Eruit, zei ik! Mijn huis uit!

37

Na deze rampzalige gebeurtenis zou Trudy het liefst heel lang in een heel donkere kamer gaan liggen. Maar dat kan natuurlijk niet: ze moet college geven. En ook al is het interview met mijnheer Goldmann op zijn zachtst gezegd afgekapt, Trudy moet zich nog steeds haasten om op tijd op de universiteit te zijn. Dus ze verlaat mijnheer Goldmanns huis onmiddellijk, zoals haar is opgedragen, en wacht op de veranda tot Thomas zijn spullen ingepakt heeft. Ze laat haar hoofd hangen als ze hem naar buiten hoort komen. Ze durft hem niet aan te kijken, bang om op zijn gezicht ook maar een spoortje van triomf aan te treffen.

Thomas raakt haar schouder aan. 'Gaat het?' vraagt hij.

'Niets aan de hand,' antwoordt Trudy, terwijl ze naar haar auto staart. 'Ik ben gewoon laat.' Ze begint de trap af te lopen. Thomas' karretje bonst achter haar de treden af.

'God, wat was dat afschuwelijk,' zegt hij. 'Ik had nooit gedacht...'

'Het spijt me, Thomas, maar ik moet echt gaan.'

'Trudy.'

'Ja?'

'Probeer het niet te zwaar op te nemen, wat hij zei. Het is jouw schuld niet.'

Trudy voelt het verraderlijke prikken van tranen in haar ogen. Ze versnelt haar pas tot ze bijna naar haar auto toe rént. Als ze het portier opent, steekt ze zonder om te kijken een hand omhoog ten afscheid en roept: 'Ik bel je later, oké?'

Met een zout gereutel rijdt ze weg van de stoep. Tijdens haar verblijf bij mijnheer Goldmann is de temperatuur gestegen; de wegen zijn nu veiliger, maar zitten wel verstopt met mensen die ergens gaan lunchen of uitgeslapen hebben en nu pas aan hun dag beginnen. Trudy rijdt als een waanzinnige, ze voegt in en uit, snijdt trucks en ramt op haar claxon zodra iemand te langzaam afslaat of treuzelt voor een groen verkeerslicht. 'Opschieten, opschieten!' schreeuwt ze, als ze terechtkomt in het vastgelopen verkeer op de brug over de Mississippi.

Ze zet haar auto schuin op haar eigen parkeerplek en rent onbeholpen door de ondergrondse gang van de afdeling Geschiedenis. *Bonk-pats, bonk-pats*: bij elke stap dreigt haar ongestrikte laars van haar voet te glijden. Als ze vlak bij de collegezaal is, hoort ze haar studenten kletsen. Hun stemmen zijn luider en levendiger dan tijdens welk college ook. Zonder twijfel zijn ze hoopvol de kans dat ze niet komt opdagen aan het bespreken. Trudy fronst en stormt de deur door. 'Het spijt me dat ik jullie teleur moet stellen, mensen,' zegt ze, 'maar hier ben ik dan.'

Na wat inschikkelijk gegrom wordt het stil als Trudy grimmig in de richting van de verhoging *bonkpatst*. Ze wurmt zich uit haar jas en sjaal en gooit die op een lege stoel op de eerste rij – er is iemand afwezig; wie heeft er besloten niet de moeite te nemen om vandaag naar het college te komen? Ze buigt zich over haar koffertje, klikt dat open en realiseert zich dan pas dat ze haar aantekeningen is vergeten. Het enige wat ze bij zich heeft is haar portfolio.

Trudy haalt haar handen door haar haar en kijkt opnieuw in het koffertje, alsof haar lesprogramma daardoor op magische wijze zal verschijnen. Als dat niet gebeurt, legt ze de portfolio op de lessenaar. Ze kan in ieder geval de indruk wekken dat ze zich heeft voorbereid.

Als ze het leren omslag openslaat, hoort ze gefluister en iets wat verdacht veel lijkt op gehinnik, en dan roept een grappenmaker: 'Zware ochtend, professor?'

'Inderdaad,' zegt Trudy. 'Bedankt, mijnheer Phillips, dat u voor de zoveelste keer gebruik heeft willen maken van uw talent om het voor de hand liggende vast te stellen.'

Ze draait zich om en strompelt naar het bord om een nieuw krijtje uit het bakje te pakken dat ze doormidden breekt. Ze wrijft haar duim over de ruwe rand als ze terugkeert naar het podium, terwijl ze zich probeert te herinneren welk college ze ook alweer zou geven.

'Vandaag...' zegt ze. Flintertjes krijt dwarrelen op de grond. Trudy schraapt haar keel en kijkt omlaag naar haar blocnote. GOLDMANN, RAINER JOSEF, staat er in haar eigen, nogal verkrampte handschrift. RESPONDENT GEB. 1931, BERLIJN...

Goldmann. Natuurlijk! Achteraf ligt het zo voor de hand. Trudy had moeten weten dat hij joods was. Maar hij heeft gereageerd op haar advertentie... Hij wist waar het project over gaat... Ze heeft zelfs met hem aan de telefoon gezeten! Hoe had ze dit in godsnaam kunnen voorzien?

Achterbaks. De joden waren achterbaks.

Trudy slaat haar portfolio dicht. 'Vandaag gaan we, naar aanleiding van de stof die ik jullie de vorige keer heb opgedragen te lezen, de eh... rol bespreken die Duitse vrouwen in het verzet hebben gespeeld...'

Nu hoort ze het wéér. Gehinnik, zeker weten. Trudy's hoofd schiet omhoog. Op de achterste rij – waarom moeten die corpsballen toch altijd achterin zitten? Denken ze dat ze daardoor onzichtbaar worden? – zitten de Snip en Snap van dit semester te gniffelen, hoogstwaarschijnlijk om een of andere grap ten koste van Trudy.

'Neem me niet kwalijk,' zegt Trudy. 'Is er iets wat de heren amusant vinden?'

Het stel kijkt op en vervolgens om zich heen, alsof Trudy het tegen iemand anders heeft. Dan kijken ze haar vol onschuld aan: 'Wie, wij?'

'Ja, jullie,' zegt ze. 'Als jullie iets grappig vinden, zou ik graag weten wat dat is.'

De jongens grijnzen, schuiven heen en weer en staren langs hun tafeltjes naar hun gigantische sneakers.

'Nou, komt er nog wat van?'

De overige studenten zitten met opgetrokken schouders roerloos op hun stoelen en durven de overtreders niet aan te kijken. Trudy slaat haar armen over elkaar en wacht.

Ten slotte mompelt Snip of Snap: 'Niets.'

'Niets,' herhaalt Trudy. 'Niets. Oké. Ik ben blij dat te horen. Want persoonlijk kan ik niets grappigs ontdekken aan de stof van vandaag. Maar jullie misschien wel? Of misschien doet het jullie zó weinig dat jullie kunnen giechelen om een of andere ballengrap, terwijl we het hier hebben over het feit dat mensen ooit gestorven zijn omdat ze probeerden te strijden tegen een monsterlijk tiranniek regime? Hun leven hebben gegeven voor de vrijheid die jullie zo klakkeloos als vanzelfsprekend beschouwen? Is dat het? Doet het jullie zó weinig?'

Trudy kijkt de zaal door. Niet één student durft haar recht aan te kijken. Sommigen zitten met openhangende mond achterovergeleund te krassen in hun schrift en zijn zo de belichaming van mijnheer Goldmanns theorie over de verweekte herseninhoud. Het feit dat hij wel eens gelijk zou kunnen hebben, maakt Trudy kwader dan ooit. 'Nou?' zegt ze.

Opnieuw richt ze zich tot Snip en Snap, die gegeneerd zitten te grijnzen. Dan knipoogt een van hen naar Trudy en zegt: 'Hé, professor, kop op. Het is Valentijnsdag, wist u dat niet? Tijd voor liefde en zo.'

Dit ontlokt wat verstikt gegiechel. Valentijnsdag. Dat verklaart de overdaad aan rode truien in de zaal, de teddybeer die een satijnen hart vasthoudt op het tafeltje van een meisje, de hartvormige chocolaatjes waar de studenten op zitten te kauwen. Trudy grijpt de randen van de lessenaar vast. 'Ach, ja,' zegt ze. 'Valentijnsdag. Dat is waar ook. En weet een van jullie toevallig wat er op Valentijnsdag in, laten we zeggen 1943 gebeurde? In Duitsland? Ik kan jullie verzekeren dat dat van een ietwat andere orde was. Mensen van jullie leeftijd zaten niet in een collegezaal met hun pluchen beestjes en hartjes. Die gingen dood. Sommigen omdat ze betrapt waren tijdens verzetsdaden en door de Gestapo werden opgehangen. Met pianosnaren. Aan vleeshaken. Anderen stierven tijdens luchtaanvallen en aan de griep; de griep waar jullie allemaal tegen ingeënt kunnen worden. Kunnen jullie je dat voorstellen? Doodgaan aan de gríép? Of wat dacht je van sterven van de kou? Of van de honger, misschien kunnen jullie je dat wel voorstellen. Hoe zou het zijn om zelfs geen brood te hebben, laat staan chocolade? Wisten jullie dat er in 1943 in Duitsland kinderen waren die nog nooit chocolade hadden gepróéfd? Die niet eens wisten wat chocolade wás?'

Ze kijkt de studenten boos aan. 'Nou? Wisten jullie dat?'

Het blijft volkomen stil. Dan mompelt iemand: 'U hoeft niet zo te eh... schreeuwen.'

'O, is dat zo?' vraagt Trudy. 'Dank u. Dank u voor die wijze raad. Maar ik krijg de indruk dat er geen andere manier is om jullie uit die genotzuchtige verdoofde toestand te schudden, om het tot jullie botte hersens door te laten dringen dat dit niet zomaar iets is wat ik jullie in een geschiedenisboek laat lezen. Dit is écht gebeurd. Dit is iets wat échte mensen is overkomen. En laten we de Duitsers even vergeten. Laten we stilstaan bij de joden. Bij wat de Duitsers de joden allemaal hebben aangedaan. Wisten jullie dat toen de Amerikanen en de Russen de concentratiekampen bevrijdden, ze daar mensen van jullie lengte aantroffen die minder dan dertig kilo wogen? *Dertig kilo.* De helft van wat sommige van jullie wegen. En hun maag was zo gekrompen, zo klein geworden door jarenlange uithongering, dat toen de soldaten probeerden aardig te zijn en hun vlees en soep en kaas en, jawel, chocolade te eten gaven, ze stierven. Ze stierven omdat ze een chocoladereep hadden gegeten. Kunnen jullie je dat voorstellen? Iemand? Denk daar maar eens aan als je weer eens naar de kantine gaat – naar de sportschool – en je moet kiezen tussen yoghurt en een salade, omdat je zo nodig moet lijnen...'

Trudy stokt. Vlak voor het podium hoorde ze een verstikt geluidje. Het kwam uit de mond van een aardig, vlijtig meisje dat altijd op de eerste rij zit. Ze staart Trudy met ogen vol tranen aan. De andere studenten kijken haar als door de bliksem getroffen met uitpuilende ogen aan of staren naar de grond.

Trudy draait zich om en legt het krijtje, dat inmiddels een stompje is geworden, terug in het bakje. Dan pakt ze haar portfolio, haar jas en haar sjaal. 'Dat was het voor vandaag,' zegt ze.

Met alle waardigheid die haar losse laars haar toestaat, loopt ze de zaal uit. Ze is zich er maar al te goed van bewust dat ze vol verbijsterd ongeloof wordt nagestaard. Zachtjes trekt ze de deur achter zich dicht.

38

Het is vroeg op de avond als Trudy terugkeert naar het huis van mijnheer Goldmann. De lucht boven haar hoofd is donkerblauw en gaat in het westen over in een lichter blauw dat zo puur is dat het lijkt te trillen. Een cadeau, die kleur die ongewoon is voor winterse avonden in Minnesota en waarvan de helderheid het gebrek aan warmte lijkt te compenseren. Het doet Trudy, die naast haar auto blijft staan, denken aan een schilderij van Maxfield Parrish. Ook het geel van de ramen in de huizen hier is als dat van een Parrish. Trudy werpt een blik op de ramen van mijnheer Goldmann, die donker zijn. Misschien is hij niet thuis. Dit vooruitzicht lucht haar zo op, dat ze zichzelf dwingt het pad en de veranda op te lopen zonder er verder nog over na te denken.

Ze heeft een schaal met *latkes* bij zich. Het recept daarvoor heeft ze losgepeuterd van de eigenaar van Murray's Deli en ze heeft de hele middag staan bakken. In Trudy's ogen zijn de *latkes* net aardappelpannenkoekjes – of hun Duitse neefjes, *kartoffelkuchen* – maar wat weet zij ervan. Hoe dan ook, ze lijken best goed gelukt: knapperig en bruin, vol uien, boter en stukjes peterselie. Ze heeft er zelfs een potje zure room bij gedaan.

Ze houdt de pyrex schaal onhandig onder een arm, terwijl ze de ijzeren sleutel omdraait om de bel te laten rinkelen. Het daaropvolgende tinachtige geklingel is hard genoeg om een hond in het huis ernaast in woest geblaf te doen uitbarsten, maar mijnheer Goldmann is nergens te bekennen. Trudy wil het nog een keer proberen, maar trekt haar hand dan terug. Eén keer is wel genoeg. Ze zet de *latkes* op de deurmat en zit in haar tas rommelen op zoek naar een stukje papier en een pen om er een briefje bij te schrijven als ze het schuifelende geluid van pantoffelvoeten naderbij hoort komen.

'Ja,' gromt mijnheer Goldmann. 'Wat wilt u... O. U bent het.'

Trudy probeert te glimlachen. 'Ik ben het,' beaamt ze.

Lange tijd staat mijnheer Goldmann haar alleen maar aan te kijken. Dan zegt hij: 'U hebt mij gestoord bij het eten,' en wil de deur dichtdoen.

'Wacht even,' zegt Trudy. 'Alstublieft.' Ze schuift haar handtas over haar schouder, zodat ze voorover kan buigen om de latkes op te tillen. De tas valt open en spuugt zijn inhoud over de planken: pennen, lippenbalsem, een rammelend flesje ibuprofen, munten die stuiteren en in hoekjes rollen. 'O, god,' zegt Trudy.

Ze valt op haar knieën en scharrelt de rotzooi weer bij elkaar. Ze durft niet omhoog te kijken naar mijnheer Goldmann; ze kan zijn ongenoegen voelen als was het een koude tochtvlaag. Zijn pantoffels, leren slippers bedrukt met zijn monogram, blijven op precies dezelfde plek in de deuropening staan als Trudy erlangs kruipt.

Als ze alles weer in haar tas heeft gestopt, komt Trudy overeind en tilt de schaal op. Die steekt ze naar voren. 'Voor u,' zegt ze.

Mijnheer Goldmann trekt een wenkbrauw omhoog. Hij ziet er anders uit, denkt Trudy. Hij heeft zijn dubbelfocusbril niet op. Daardoor is hij iets minder intimiderend. Maar zijn zwijgen is ontmoedigend genoeg.

'Alstublieft,' zegt Trudy nog een keer. 'Ik heb ze voor u gemaakt. Hoewel ik u wel moet waarschuwen dat ze niet koosjer zijn. Daarvoor had ik niet de juiste keukenspullen...'

'Dat doet er niet toe, doctor Swenson,' zegt mijnheer Goldmann, 'aangezien ik niet belijdend ben. Ik ben alleen in naam joods.'

'O,' zegt Trudy.

Mijnheer Goldmann werpt een steelse blik op Trudy's geschenk. 'Wat is het?'

'Het zijn *latkes*.'

Hij buigt zich over de schaal en snuift wantrouwend. 'Ze zien eruit als aardappelpannenkoekjes,' zegt hij.

'Nou, dat zijn ze in wezen ook. *Latkes* zijn in feite aardappelpannenkoekjes.'

'Ach.' Mijnheer Goldmann gaat met zijn handen in de zakken van zijn vest weer rechtop staan. Trudy verplaatst haar gewicht van de ene op de andere voet, wachtend tot hij iets anders zegt of in ieder geval de schaal aanpakt. Als hij dat niet doet, buigt ze zich opnieuw voorover om die op de mat te zetten. 'Neem me niet kwalijk dat ik u gestoord heb,' zegt ze. 'Ik laat deze gewoon hier. U mag de schaal houden.'

'Doctor Swenson.'

'Ja?'

Mijnheer Goldmann zucht. 'U kunt net zo goed mee naar binnen komen,' zegt hij. 'En neem die...' Hij gebaart naar de pannenkoekjes.

'*Latkes*.'

'Ja, neem die *latkes* maar mee. Mijn eten is nu ongetwijfeld toch al koud, dus ik denk dat het geen kwaad kan om er wat koude aardappels bij te zetten.' Hij draait zich om en loopt het huis in. Weer laat hij alleen de deur openstaan om aan te geven dat Trudy hem moet volgen.

Dat doet ze dus maar. Ze moet spurten om hem bij te houden als hij door de eetkamer beent, de plek van het eerdere debacle, en vervolgens door een lange smalle gang die uitkomt in een keuken. Het is hier iets warmer, zij het een heel klein beetje. De tochtvlagen, de grote en kille afmetingen van de ruimte en het hoge tinnen plafond doen Trudy denken aan de boerderij. Ook het oude gasfornuis uit de jaren vijftig en de gigantische koelkast met zijn ronde hoeken lijken op die in de boerderij. De muren hebben nog hun originele crisisgroene kleur. Uit een andere kamer klinkt het zachte detonerende geluid van een symfonie van Beethoven.

Trudy kijkt rond op zoek naar een plek om de *latkes* neer te zetten.

'Zet ze maar op tafel,' zegt mijnheer Goldmann.

Trudy zet de schaal naast een glas melk en een half opgegeten plak gebakken vlees. Er staat ook een – niet aangestoken – kaars in een tinnen houder, en op het geruite tafelzeil waaiert een stapel foto's uit een geopende envelop die mijnheer Goldmann blijkbaar net heeft zitten bekijken. Trudy móét er wel naar kijken. 'Zijn die van uw familie?'

'Mijn dochter en kleindochter.'

'Mag ik?'

Mijnheer Goldmann zegt niets, wat Trudy opvat als een stilzwijgende toestemming om de bovenste foto te bekijken. Tegen een achtergrond van palmbomen lacht een kleine vrouw met donker krullend haar naar de camera. Ze houdt een mooi kind tegen haar middel geklemd. Mijnheer Goldmann staat een stukje bij hen vandaan. Ze dragen allemaal Mickey-Mouse-oren, ook mijnheer Goldmann. Hij lijkt zich niet op zijn gemak te voelen.

'Disney World,' legt hij ietwat overbodig uit. 'Daar zijn we onlangs geweest. Ze wonen er vlakbij. Een afgrijselijk oord, maar mijn kleindochter vindt het er geweldig.'

'Dat zie ik. Wat een prachtig meisje, zeg. Hoe heet ze?'

'Hannah, naar mijn overleden vrouw. Die twaalf jaar geleden aan kanker is gestorven; een afschuwelijke, pijnlijke dood die ik nog geen ss'er toe zou wensen. De ironie wil dat ze aan het eind net zo mager was als in het kamp, vel over been, en geen haar meer op haar hoofd had. Doctor Swenson...'

Trudy kijkt op. Mijnheer Goldmann staat stijfjes naast zijn stoel met een hand op de rugleuning, alsof hij poseert voor een portret.

'Ja?'

'Waarom bent u hier?'

'Mijnheer Goldmann...'

'Rainer. Aangezien u het om de een of andere reden gepast vond om mijn huis een tweede keer binnen te vallen, kunt u me net zo goed tutoyeren en me bij mijn voornaam noemen, vindt u niet?'

Trudy's gezicht staat in brand. 'Oké. Rainer. En noem mij dan alsjeblieft Trudy. Hoe dan ook, ik ben gewoon gekomen...' Ze schudt haar hoofd.

'Ga verder.'

'Het leek me een goed idee. Om de *latkes* te brengen, bedoel ik. Op de een of andere manier verkeerde ik in de misplaatste veronderstelling dat die als een soort zoenoffer zouden kunnen dienen, om wat er eerder vandaag gebeurd is een soort van eh... recht te zetten, om... Enfin. Het was gewoon dom. Niemand zal ooit het leed dat jou en je familie is aangedaan kunnen compenseren. Ik al helemaal niet.'

Trudy haakt haar tas wat steviger om haar schouder. 'Maar bedankt dat je me binnen hebt gelaten,' zegt ze. 'Ik zal je nu met rust laten.' Snel loopt ze de keuken uit, mijnheer Goldmann met zijn hand aan de stoel achterlatend. Ze is bijna bij de voordeur, zichzelf verwensend – hoe heeft ze zo stom kunnen zijn – als ze hem hoort roepen: 'Doctor Swenson.'

Trudy draait zich om. Mijnheer Goldmann staat aan het eind van de gang.

'Trudy,' zegt ze. 'Alsjeblieft.'

'Goed dan. Trudy. Heb je al gegeten?'

'Eh, nee, maar...'

'Mooi, dan wil je misschien wel een hapje mee-eten.'

'Nou, ik... Ja, dat lijkt me heerlijk. Sterker nog, ik voel me vereerd.'

Mijnheer Goldmann lijkt even van zijn stuk gebracht. Dan knikt hij. 'Ga zitten,' zegt hij. 'Ik zal het eten hiernaartoe brengen.'

'O, nee,' zegt Trudy. 'Doe geen moeite. De keuken is prima...'

Maar hij beent al weg, dus Trudy trekt haar jas uit, doet haar sjaal af en legt ze samen op een stoel naast de eetkamertafel. Ze trekt er een andere stoel bij en gaat behoedzaam op het puntje zitten. Aangezien ze eerder vandaag geen kans heeft gezien om goed om zich heen te kijken, doet ze dat nu. Donker behang met kleine, smaakvolle decoraties, een dressoir waarin het gebloemde servies uitgestald staat, verbleekte oosterse kleedjes. In de erker staat een kleinere tafel met een schaakbord erop, de stukken staan in slagorde opgesteld. Er hangen geen gordijnen voor de erkerramen; op mooie dagen moet het schaakbord in zonlicht baden. Trudy ziet voor zich hoe mijnheer Goldmann zit te spelen, hoe hij voorover buigt om een paard te verzetten en dan achterover leunt om te peinzen over die positie, terwijl het licht glinstert op de grijze haren van zijn pols en weerkaatst van zijn horloge.

Hij komt terug met een dienblad waar hij twee borden met vlees, worteltjes en erwtjes, en Trudy's *latkes* vanaf tilt. De aanstellerige randjes zien er opgesmukt uit, denkt Trudy, naast de eenvoudige vrijgezellenmaaltijd van mijnheer Goldmann.

Hij gaat tegenover Trudy zitten en pakt zijn mes en vork. '*Guten appetit*,' zegt hij.

Trudy kijkt hem bedachtzaam aan. Zit er een vleugje ironie in zijn glimlach? '*Bon appétit*,' antwoordt ze, en ze maakt een proostend gebaar met haar melk.

Mijnheer Goldmann begint te eten. Hij gaat daar zó in op, dat hij het voeren van een gesprek lijkt te willen ontmoedigen, dus Trudy weet wat haar te doen staat. Ze zaagt in haar vlees en probeert daarbij te voorkomen dat haar bord gaat schuiven. Ze prikt een stukje aan haar vork en wil dat naar haar mond brengen, als haar hand halverwege in de lucht blijft hangen: de muziek van Beethoven, die Trudy bijna vergeten was, stopt en begint opnieuw, hetzelfde stuk. Het is het tweede deel van de Zevende Symfonie en Trudy heeft dat, met de vlugge, gekwelde mineurtonen van de strijkers, altijd als de essentie van rouw beschouwd. Mijnheer Goldmann heeft blijkbaar op de herhaalknop gedrukt.

Hij kijkt op en wijst met zijn mes naar Trudy, die het opvalt dat zijn horloge precies is zoals ze zich dat had voorgesteld. Simpel, duurzaam. En zijn grote, vierkante hand is inderdaad bedekt met zilvergrijs haar dat even dik is als dat op zijn hoofd.

'Is er iets mis met het eten?' vraagt hij.

Trudy kauwt en slikt met moeite haar hapje door. Het vlees heeft te lang in de oven gestaan, het is zo taai en pezig dat het bijna niet te eten is. 'Nee, helemaal niet,' zegt ze. 'Het is heerlijk.'

Mijnheer Goldmann gromt en richt zijn aandacht weer op zijn eten. 'Eet het dan maar lekker op,' zegt hij.

Dat doet Trudy. Het bestek tikt en schraapt over de borden.

Anna en de obersturmführer

Weimar, 1943-1945

39

‘Maar waar neem je ons mee naartoe, Horst?’

‘Stel geen vragen. Stap nou maar gewoon in.’

Anna blijft tegenstribbelen, ze weigert de veilige duisternis van de bakkerij op te geven voor de auto van de obersturmführer, die een paar meter verder stationair staat te draaien. Ze is zó bang, dat de bloedvaten in haar hersenen moeten zijn samengetrokken tot draden, want ze ziet de met een hakenkruis versierde Mercedes en de grimmig kijkende obersturmführer als een tweedimensionale trompe-l’oeil.

‘Maar Horst...’ Ze werpt een blik op Karl de chauffeur, die het portier openhoudt en schijnbaar doof is voor deze onbetamelijke scène tussen zijn baas en diens minnares. ‘Maar herr obersturmführer, het is midden op de dag. De bakkerij...’

‘De bakkerij is nu gesloten. Ik verklaar die hierbij voor gesloten. Je stelt mijn geduld op de proef, Anna.’

‘Maar...’

‘Stap in.’

Anna helpt Trudie de auto van de obersturmführer in. Wat heeft ze in hemelsnaam gedaan? Is ze niet enthousiast genoeg geweest in bed, heeft ze de laarzen van de obersturmführer niet goed gepoetst, heeft Trudie hem op zijn zenuwen gewerkt, heeft ze op de een of andere manier bevestigd dat ze ooit eten naar de gevangenen heeft gebracht? Dit is niet zoals het zou moeten gaan; mensen verdwijnen midden in de nacht, niet midden op de dag. *Nacht und Nebel.* De voelsprieten van Anna’s instinct, die zorgvuldig zijn afgesteld om op elke stemmingswisseling van de obersturmführer te kunnen anticiperen, trillen van de inspanning, maar vangen niets op. Hij gedraagt zich als een militair, zijn gezicht is onbewogen.

Anna zou wel willen bidden, maar dat heeft ze al zo lang niet meer gedaan, dat de enige woorden die haar te binnen schieten *o mijn God* zijn. Ze draait zich om, om een laatste blik op de bakkerij te werpen. Die lijkt nu een glimmend mekka, *o mijn God o mijn God*, een oase van alles wat haar dierbaar is, *o mijn God o mijn God alstublieft*, inclusief de gescheurde muren. De auto glijdt weg.

Trudie bekijkt met grote nieuwsgierige ogen de binnenkant van de auto. Ze wipt op haar stoel, schopt met haar hakken tegen het leer. 'Wat is dit, mama?' vraagt ze. 'Is het voor wasgoed?'

'Nee,' vertelt de obersturmführer haar plechtig. 'Er zit eten in en het is een verrassing voor je moeder.' Hij overhandigt Anna een picknickmand, een rieten relikwie uit een andere, zorgelozer tijd. 'Verrassing,' zegt hij. 'Ben je verrast?'

Anna sluit haar ogen. 'Dat kun je wel zeggen,' zegt ze.

'Van harte gefeliciteerd met je verjaardag,' zegt de obersturmführer. Een tel later herinnert hij zich dat hij moet grijnzen.

'Gefeliciteerd, mama! Ben je echt jarig?'

'Nou eh, ja,' zegt Anna. 'Ik geloof van wel.'

'Ik dacht dat je het wel leuk zou vinden om te gaan picknicken,' zegt de obersturmführer.

Anna telt de dagen: het is inderdaad de tweede augustus. Ze is drieëntwintig jaar geworden. Ze produceert een zwakke glimlach voor de obersturmführer, die met een zelfgenoegzame blik een tikje op haar knie geeft. Heeft ze hem ooit verteld wanneer ze jarig is? Zo ja, dan is dat iets wat ze lang geleden terloops heeft gedaan. Hij moet óf over een bovennatuurlijk goed geheugen beschikken óf moeite hebben gedaan om haar geboortebewijs op te zoeken. Nu ze hem van zijn kwetsbaarste kant heeft gezien, eraan gewend is geraakt om hem door een lens van spot te bekijken, is Anna slordig geworden. Ze moet nooit vergeten hoe slim hij is. Ze moet hem nooit onderschatten.

Karl rijdt door de kuilen in de wegen van Weimar. Trudie is stil en zit met grote ogen te kijken, onder de indruk van de snelheid van de auto. In alle drie de jaren van haar leven is dit voor het eerst dat het kind in een auto zit, realiseert Anna zich. Maar als ze in de buurt van het Park an der Ilm komen, herstelt Trudie zich. Ze springt op de stoel en drukt haar gezicht tegen het raam. 'Mama,' zegt ze, wijzend naar een groep gevangenen die de weg opnieuw aan het bestraten is, 'waarom hebben die rare meneren pyjama's aan?'

'Hou je mond, Trudie,' sist Anna. 'Ga zitten!'

Ze werpt een steelse blik op de obersturmführer. Die is de laatste tijd opmerkingen gaan maken over de ongehoorzaamheid van het kind. Hij zit recht voor zich uit te staren, zijn ogen zijn wit van het reflecterende licht. Hij raakt nu regelmatig in dit soort vreemde trances, en op die momenten ziet hij er net zo uit als in de ontbijtzaal in Berchtesgaden: met afhangende schouders en naar beneden getrokken mondhoeken. Als een apparaat waarvan de stekker niet in het stopcontact is gestoken. Maar hij komt altijd onverwacht weer bij zinnen en is dan meestal kwaad, alsof hij vermoedt dat hij iets belangrijks heeft gemist.

Vandaag lijkt hij echter redelijk kalm. Als hij uit zijn trance komt, pakt hij slechts de picknickmand en een tas, en marcheert het park in. Trudie haast zich achter hem aan. Anna volgt de twee in een wat rustiger tempo. Karl, de trouwe etalagepop, blijft bij de Mercedes. Zodra de obersturmführer de auto de rug heeft toegekeerd, dwarrelt er grijze rook door het raampje van de bestuurder.

De lucht is wit van de nevel en het ruikt kleverig, naar vloeibaar hars en vruchten van zijdeplanten die in de hitte openspringen om hun zaden te verspreiden. In het hoge gras gonst het van de insecten. Anna verwacht dat de obersturmführer de schaduw van Goethes *gartenhaus* of een van de paviljoenen op zal zoeken, maar hij loopt door in de richting van het water. Ze wisselt een vragende blik met het standbeeld van Shakespeare dat de nazi's zwartgeverfd hebben. Ooit heeft de dichter aller dichters hier in het park grazende schapen mogen aanschouwen, maar die zijn al tijden geleden getransformeerd tot draadjesvlees op de eettafels van Weimar.

De obersturmführer en zijn kudde nemen het er daarentegen goed van. De picknickmand, die onder een boom vlak bij de rivieroever wordt geopend, bevat champagne, ham, aalbessenjam, door condens beslagen bruine flessen met het zware bier dat de obersturmführer zo lekker vindt, sardientjes, augurken en brood. Anna verbaast zich nogmaals over de onschuldige stoffen plaid en de slimme zakjes voor het bestek en de wijnglazen. Ze heeft weinig trek, maar de obersturmführer en Trudie eten vol overgave. Het gesmak van lippen en het gelik aan vingers wordt vergezeld door Brahms' Pianoconcert nr. 2, dat opklinkt uit de platenspeler die de attente obersturmführer in de tas heeft meegenomen. Het is een draagbaar antiek exemplaar, waar je muziek aan kunt ontlokken door een hendel over te halen. De trotse hoorns uit het eerste deel wellen krakerig uit zijn keel op.

Na de maaltijd loopt de obersturmführer zich uitrekkend naar de oever van de rivier, gaat daar zitten en laat zijn voeten in de stroom bungelen. Anna ziet voor zich hoe de zwarte haartjes daarop onder water golven – een vreemd soort zeewier. De obersturmführer heft zijn gezicht naar de zon en maakt met zijn hand schokkende beweginkjes op de maat van de muziek. Als het pianoconcert aanzwelt, begint hij mee te zingen. Hij springt overeind om wild zwaaiend met zijn armen te gaan dirigeren. Trudie staart hem met open mond aan. De obersturmführer doet net of hij haar niet ziet. Als het tempo een hoogtepunt bereikt, laat hij zich plechtstatig voorover in het water vallen. Snuivend en proestend als een paard komt hij weer boven. Trudie gilt van de pret. De obersturmführer crawlt naar haar toe. Het kind klimt op zijn rug en hij draagt haar stampend en hinnikend de rivier in.

Terwijl ze toekijkt, versnippert Anna grassprietjes op haar schoot. Nu en dan vindt ze nog steeds soelaas in haar simpele dagdroom: de wandeling over de brede avenue, het vertoeven met een koel drankje onder de bomen op een terras. En tijdens de lange avondsessies met de obersturmführer in Mathildes slaapkamer heeft Anna die fantasie geleidelijk verder ontwikkeld: na het café duwen Anna en haar echtgenoot de kinderwagen met hun dochter terug naar hun hotel. Ze hebben een bescheiden kamer met een donkere lambrisering en zware overgordijnen die in lagen voor kanten gordijnen zijn gedrapeerd. Het meisje is in bad geweest en wordt in bed gelegd voor haar middagslaapje. Ze zullen een uur rusten en opgefrist wakker worden voor het avondeten. Anna blijft in haar slipje treuzelen bij het raam en schudt talkpoeder op haar huid. Ze staart naar de lindebomen en de rustige straat buiten, terwijl haar echtgenoot zijn kleren opvouwt en de lakens terugslaat om te gaan slapen.

Het duistere, kleine vertrek in haar verbeelding is zo levensecht, dat Anna zich afvraagt of ze als meisje niet in een vergelijkbare ruimte heeft gelogeerd, of ze ooit het kind kan zijn geweest dat luisterde hoe haar ouders de routine van de namiddag doorliepen. Hoe dan ook, herinnering of zelfbedacht, het beeld is er altijd voor haar als ze het nodig heeft, troostend en alledaags. Maar nu realiseert ze zich dat de echtgenoot op een bepaald moment de obersturmführer is geworden. Zijn gezicht blijft onduidelijk, maar ze kent het gegrom waarmee hij zich op het matras laat vallen, weet dat bij de kleren die op de stoel in de kamer zijn gegooid een ss-uniform zit, dat het zijn kleine voeten zijn die krampachtig onder de koele lakens bewegen als hij droomt.

Anna drukt haar vingers tegen haar mond. De wilgen hangen treurig in het gras. De obersturmführer schreeuwt en Trudie spettert en gilt. Het kind ligt wild zwaaiend in de rivier met de hand van de obersturmführer onder haar ronde buikje.

'Wil je haar er alsjeblieft uithalen, Horst?' roept Anna. 'Ze is te jong om te leren zwemmen.'

'Onzin,' zegt hij. 'Kinderen zijn geboren zwemmers. Het zijn net kikkervisjes. Ze leren het in de baarmoeder.' En als om dit kracht bij te zetten, pakt hij het kind bij haar armen en slingert haar in de Ilm. Ze slaat wild met haar armen en spuugt water uit.

'Alsjeblieft!' zegt Anna.

'Oké, oké.' De obersturmführer waadt naar de oever. 'Kom eruit,' draagt hij het kind op. 'Je hebt je moeder gehoord.'

Trudie plonst het riet in, gillend dat hij haar moet pakken, maar als ze beseft dat hij geen aandacht meer voor haar heeft, blijft ze staan en staart gehypnotiseerd naar haar ondergedompelde voeten. Misschien zwemmen er wel visjes rond haar tenen.

De obersturmführer komt met zijn transparant geworden witte overhemd bij Anna staan en haalt zijn handen door zijn haar, waardoor er een regen van druppeltjes op haar jurk valt.

'Niet doen,' zegt ze.

Hij laat zich grinnikend naast haar neerzakken. 'Wat een zuur gezicht bij mijn jarige meisje! Is dat omdat je geen taart hebt gekregen?' vraagt hij. 'Ik kon je toch moeilijk vragen je eigen taart te bakken. Dan zou het geen verrassing meer zijn geweest.'

'Ik ben volmaakt tevreden zonder taart,' zegt Anna tegen hem.

De obersturmführer gaat op zijn rug liggen, kruist zijn armen onder zijn hoofd en kijkt met samengeknepen ogen naar de bladerkroon van de boom. Schaduwvlekjes kruipen over zijn gezicht. 'Moet je horen,' zegt hij, 'dat prachtige andante. Ik heb Brahms altijd mooier gevonden dan Bach. Bach is zo berekenend... Enfin, er is vast iets anders wat je zou willen hebben. Wat zou je willen, Anna?' Speels plukt hij aan haar rok. 'Vooruit, niet zo verlegen. Een diamant? Parfum, misschien? Een parelsnoer voor die prachtige hals?' Hij drukt een vinger op het plekje van Anna's keel waar haar hartslag voelbaar is.

Anna slikt. In het leven hierna, áls daar al ooit sprake van zal zijn, zal ze zwaar moeten boeten voor haar intimiteit met deze man. Maar tijdens dit leven kan ze er misschien maar beter het beste van maken. 'Er is wel iets,' mompelt ze.

'Ik wist het!'

'Horst,' zegt ze, en ze legt een hand op die van hem. 'Het is een beetje raar, maar wat ik echt graag zou willen...'

'Nou?'

'Zou je... Ik wil heel graag dat je de levens van drieëntwintig gevangenen spaart. Dat zijn er toch niet zo veel? Eén voor elk jaar dat ik geleefd heb.'

De grijns van de obersturmführer wordt breder, dan begint hij te lachen. 'Wat heb jij toch een vreemd gevoel voor humor!'

Anna rukt de zoveelste grasspriet los.

De obersturmführer gaat rechtop zitten. 'Je meent het serieus,' zegt hij.

Anna zegt niets.

'Kijk eens,' zegt de obersturmführer. 'Voel hier eens aan.' Hij pakt Anna's hand en legt die op de biceps van zijn rechterarm. De spieren bollen op onder de huid, als een volwassen ratelslang gekronkeld om het bot. 'Weet jij hoe ik zo sterk ben geworden?' vraagt hij. 'Door het hanteren van het machinegeweer. Bij de *einsatzgruppen*. Joden neermaaien.'

Anna trekt haar hand los en veegt haar groene vingers af aan haar rok.

'Zo,' zegt de obersturmführer. Hij grijpt zo plotseling naar zijn pistool dat Anna de luchtstroom van de beweging langs haar huid voelt strijken. Haar oren suizen van de knal. Ze bedekt ze en gilt. De obersturmführer leegt het pistoolmagazijn in de Ilm, vijf kogels in totaal. Blauwe rook hangt als een vinnige nevel boven het water.

'Gezien?' zegt de obersturmführer, terwijl hij zijn pistool op het gras smijt.

Anna springt overeind en schreeuwt haar dochters naam. Trudie rent naar hen toe en Anna bukt zich om haar op te vangen. Hij schoot zomaar, zonder eerst even te kijken. Het kind had wel geraakt kunnen worden...

Ze draait zich om, om dat tegen de obersturmführer te zeggen, maar hij is alweer weggelopen. Hij staat met hangende mondhoeken wezenloos naar de rivier te staren. Dan fronst hij zijn voorhoofd. 'Wat kan ik je nog meer aanbieden?' vraagt hij op een kille formele toon. 'Misschien zou je graag willen dat ik ontslag neem? Mezelf aangeef als een verrader? Nee, ik weet het al, we gaan naar Engeland. Vakantie vieren op de witte kliffen van Dover. Zou je dat fijner vinden, Anna?'

Anna drukt Trudie tegen haar middel. 'Nee,' zegt ze. 'Nee, nee. Zo is het goed, Horst. Zo is het goed.'

De obersturmführer trekt een wenkbrauw op, zijn borst gaat zwoegend op en neer. Brahms is bij het laatste deel aanbeland: legato als een slaapliedje.

40

De obersturmführer verslapt. Hij vloekt. Ter compensatie begint hij erop los te beuken. Anna grijpt de lakens vast en slaat haar benen om zijn billen, soms lukt het om hem zo klaar te laten komen. Maar deze keer niet. Ze voelt hem verschrompelen. Na een tijdje glijdt hij uit haar weg. Hij laat zich boven op haar vallen, zijn gejaagde ademhaling stormt in haar oor. Dan duwt hij zich met een plotselinge beweging van het bed af.

Hij stormt naakt door de kamer, zijn slappe penis bungelt heen en weer. Onder andere omstandigheden zou dit een komisch gezicht zijn geweest, maar nu niet. Anna kan hem trouwens nauwelijks zien: het verduisteringsgordijn, dat hij zelfs overdag per se dicht wil hebben, haalt bijna al het licht weg. Het is donker in de kamer, benauwend. Hoe vaak Anna het beddengoed – dat inmiddels meer uit gaten dan uit stof bestaat – ook wast, het blijft de zure lucht van nachtmerries en geslachtsgemeenschap uitwasemen. Ze zuigt kleine teugjes lucht door haar mond naar binnen. De geur doet haar denken aan het sap in een pot augurken. Haar maag knort.

Ze weet wat er nu gaat komen, maar toch krimpt ze ineen als de obersturmführer tegen de muur slaat. Hij heeft zichzelf pijn gedaan; hij strekt en schudt zijn hand, terwijl hij er ietwat verontwaardigd naar kijkt. Alsof de hand hem beledigd heeft. Toch weerhoudt dit hem er niet van om zich op zijn hielen om te draaien en met diezelfde vuist op het bureau te rammen. De waskom en waskan trillen geschrokken tegen elkaar aan.

'Wat is er?' vraagt Anna zacht.

'Niets,' mompelt de obersturmführer. 'Niets!' schreeuwt hij.

Maar Anna weet wel beter. Dit is al eerder gebeurd. Het komt steeds vaker voor nu het er voor de Wehrmacht elke dag slechter uit gaat zien.

Sterker nog, het is Anna opgevallen dat er een direct verband bestaat tussen de impotentie van de nazi's en die van de obersturmführer zelf. Het eerste incident was in januari, vlak na het bombardement van de kogellagerfabriek in Schweinfurt. De landing van de geallieerden in Normandië leidde tot nog meer gebreken en woedeaanvallen. En in juli, toen Frankrijk begon te wankelen, kon de obersturmführer drie weken lang helemaal niets klaarspelen. En Anna had wel verwacht dat hij er vandaag ook niets van terecht zou brengen, want zij heeft de afgelopen twee nachten met Trudie ineengedoken in de kelder gezeten, terwijl het gedoofde peertje aan zijn draadje heen en weer bungelde en stukken pleisterwerk om hen heen vielen. Het is de Spitfires niet te doen om de stad Weimar.

Hoewel ze weet dat het de obersturmführer nog bozer zal maken, krimpt Anna in elkaar als hij terug naar het bed stampt. Uit ervaring weet ze dat ze de gevolgen van zijn falen met angst en beven tegemoet moet zien. Op dat soort momenten wordt hij niet alleen gewelddadig, maar moet hij haar ook vernederen om aan zijn gerief te komen. De perverse handelingen waaraan hij haar onderwerpt worden steeds gruwelijker. Haar spieren verkrampen bij de herinnering aan zijn brute binnendringen van lichaamsopeningen die daar niet voor bedoeld zijn, de inwendige scheuren, het vernederende propvolle gevoel en de behoefte haar darmen te legen.

De obersturmführer werpt zich op het bed. 'Waar waren we gebleven,' zegt hij. 'Ik heb niet veel tijd meer.'

'Komt het door de luchtaanvallen?' waagt Anna. Als ze hem maar aan de praat kan houden. 'Hebben ze het kamp geraakt?'

'Geraakt? Vernietigd kun je beter zeggen. De gevangenen renden als idioten naar het bos, ook al stond dat in vuur en vlam. En die stomme Oekraïense bewakers schoten alle kanten op. Dat stelletje hysterische trutten raakte mijn eigen mannen. Je zou haast denken dat ze nog nooit een geweer hadden vastgehouden. Die Slaven zijn imbecielen, nog erger dan de Polen. Waarom we dat hele zootje niet gewoon liquideren is mij een raadsel.' Hij grijpt Anna bij haar schouder.

'Was er veel andere schade?' houdt Anna vol.

De obersturmführer snuift. 'O, nee hoor, niet veel, als je het wapentuig van de Wilhelm Gustloff, de radiofabriek, de steengroeve en de politieke afdeling niet meetelt. De archieven, het papierwerk van al die jaren! Ik weet niet waar de bommenwerpers hun informatie vandaan hadden, maar het was allemaal verdomde precies.'

Anna denkt aan de fotorolletjes in hun rubberen verpakking onder de platte steen bij de steengroeve. 'Wat afschuwelijk,' zegt ze tegen de obersturmführer, terwijl ze een bedroefd gezicht trekt. 'Maar ik weet zeker dat je het allemaal weer recht kunt zetten. Je bent zo slim, je...'

'Doe niet zo irritant, Anna,' snauwt de obersturmführer. 'Als ik behoefte heb aan een opgewekt gesprek, vraag ik er wel om.' Hij duwt Anna's hoofd naar beneden.

Zij slaakt een zucht van verlichting: dus dit wordt het. Het had erger kunnen zijn. Mechanisch neemt ze hem in haar mond. Ze is suf van het gebrek aan slaap. Het beeld wordt grijs. Ze staat voor de besteklade, maar kan zich niet meer herinneren waarom ze die open heeft geschoven. Als ze tegen Trudie praat, vergeet ze vaak halverwege de zin wat ze wilde zeggen. En ze tolt van de honger. Waarom heeft ze in godsnaam de jam, het brood of zelfs het bier van de verjaardagspicknick van vorig jaar af kunnen slaan? En die ham, die vette roze ham. Wat ze nu niet zou doen voor een flintertje daarvan! Ze zou daar niet achteloos op kauwen en het dan doorslikken. Nee, ze zou het als tabak in haar wang stoppen en het vlees uitzuigen tot het laatste restje van de zoutige smaak verdwenen was.

De handen van de obersturmführer vallen langs zijn lichaam naar beneden. Zoals gewoonlijk is hij tegen de kussens aan gaan zitten om te kijken. Zijn ogen glanzen in de kunstmatige duisternis. Van zijn gezicht valt niets af te lezen, hij zou net zo goed in de rij voor een loket kunnen staan. Zijn kin, een druipende lap vet, loopt over in halskwabben en lellen. Hij heeft geen gebrek aan voeding, hij niet. Waar haalt hij het eten, al dat eten vandaan, nu zelfs de zwarte markt ter ziele is? En waarom brengt hij niets meer voor haar mee? Anna heeft voortdurend een zeurende hoofdpijn. Haar oogkassen bonzen van de honger. Ze heeft het altijd koud, hoe warm het buiten ook is. 's Nachts strijkt ze met haar handen over haar lichaam en inventariseert de nieuwe holtes en uitsteeksels. Haar buik is een dal dat omringd wordt door ribben en heupen schaambeenderen. De stukjes spons die ze ooit inbracht voor de bezoekjes van de obersturmführer zijn overbodig geworden: ze menstrueert al maanden niet meer. Stel dat het nooit meer terugkomt? Anna kijkt vol haat naar de witte vetrollen boven het schaamhaar van de obersturmführer.

De obersturmführer is nog steeds halfstok, plakkerig en buigzaam. Zelfs zijn geur maakt Anna's maag aan het knorren, zijn zweet dat ruikt naar gerookt spek, de vochtige oogballen, leemachtig als paddenstoelen. Ze bevrijdt haar handen om als een melkmeisje aan hem te trekken, hem dieper in haar mond te duwen. Ze heeft geleerd niet te kokhalzen. Als ze dat wel doet, corrigeert hij haar met een scherpe tik van zijn knokkels op haar schedel. Ze ziet varkenskarbonaadjes voor zich. Lamskoteletten. Kalfsvlees. Afgelopen week ontdekte Anna dat het slot van de voordeur was geforceerd en de etalageruit van de bakkerij aan diggelen lag. De dieven hebben natuurlijk niets gevonden, er is niets te vinden. Als de onderofficier van het kamp haar spullen brengt, iets wat tegenwoordig eerder uitzondering dan regel is, zijn die van de allerbelabberdste kwaliteit: karig zout, geen gist en rijksmeel dat wemelt van de maden. Wat denken ze eigenlijk, die vrouwen die Anna met lege handen – afgezien van de nutteloze bonnenboekjes – naar huis moet sturen? Zien ze dan niet dat Anna zelf ook sterft van de honger, dat áls ze al brood maakt dat naar het kind gaat? Wie van hen zou er ingebroken hebben?

De obersturmführer kreunt. Zijn ogen zijn nu dicht en zijn ademhaling is gejaagd. Goed. Goed. Dan is het misschien bijna voorbij. Anna schudt haar arm om de kramp in haar elleboog weg te krijgen en zet zich weer aan haar taak. Ze hoort Trudie zingen in de achtertuin: *Backe backe Kuchen, der Bäcker hat gerufen... Butter und Salz, Zucker und Schmalz...* Het enige wat Anna ervan weerhoudt het kind een tik te verkopen, is stilstaan bij het feit dat die arme Trudie niet eens weet wat suiker en reuzel zijn, laat staan cake. *Milch und Mehl, und Eier machen den Kuchen gel.* Ja, melk en eieren, denkt Anna. *Sauerbraten.* Leverworst. *Bratwurst.* Konijn. Trudies huisdier, een langharige angora die de obersturmführer vorige maand uit de fokkerij van het kamp voor haar heeft meegenomen, is het enige wat bij de inbraak is ontvreemd. Gelukkig maar, denkt Anna, want de verleiding om het dier zelf op te eten was over een paar dagen vast te groot geworden.

Eindelijk begint de obersturmführer te stoten. Anna's kaken doen pijn van de inspanning ze opengesperd te houden. *Mettwurst. Bockwurst.* Niet bijten, niet bijten! Haar wangen zijn nat van de tranen, haar kin van het spuug. Ze veegt die met haar vuist schoon voordat ze verdergaat.

'Een beetje sneller,' zegt de obersturmführer. 'Ach, ja daar ja daar ja daar...'

Hij begraaft zijn nagels in Anna's schedel en maakt een sissend geluid.

Weisswurst, denkt Anna. Of beter nog, *blutwurst*. O, ja, *blutwurst*.

41

Oktober 1944. Een tintelende herfst met ijskoude nachten. Vanuit het oosten en vanuit het westen komen de Russen en Amerikanen steeds dichterbij, als de scharen van een gigantische krab persen ze het *vaterland* steeds verder tussen zich samen, en Anna zit naar de obersturmführer te kijken. Ze kijkt altijd naar de obersturmführer, telkens als hij in de buurt is, en als hij dat niet is, denkt ze voortdurend aan hem. Als een tiener die voor het eerst verliefd is, kan ze niet anders dan elk woord dat hij zegt, elke nuance, elke polsbeweging analyseren. Uiteraard is dat deels een overlevingstactiek: hoe meer Anna van hem en hoe hij haar ziet weet, hoe veiliger ze is. Toch zou ze graag een cirkelzaag pakken om de bovenkant van haar schedel af te zagen, haar hersens eruit te lepelen en die tegen de muur te kwakken.

Ze is nu al tweeënhalf jaar zijn minnares, langer dan haar vriendschap met Mathilde heeft geduurd en meer dan twee keer de tijd die haar met Max gegund was. En in sommige opzichten kent Anna de obersturmführer beter dan ze ooit iemand gekend heeft. Ze kent zijn ijdelheid, weet hoe fanatiek hij is wat betreft zijn laarzen en zijn uniform, hoe hij zijn donkere haar kamt met Mathildes borstels, terwijl hij zijn glimlach oefent in de spiegel boven het bureau in de slaapkamer. Ze weet dat zijn uiterlijk van doorslaggevend belang voor hem is, omdat zijn onberispelijke façade hem veel verder heeft gebracht dan welke ware leiderschapskwaliteit ook. Ze weet dat hij zichzelf niet als een monster beschouwt, dat als de dag des oordeels aan mocht breken en hij rekenschap af moet leggen voor zijn oneindige hoeveelheid misdaden, hij oprecht perplex zou staan. Voor de obersturmführer is zijn moorddadige werk gewoon een baan, die bij tijd en wijle weliswaar veeleisend is, maar ook macht en aanzien oplevert. Niet dat hij hier veel bij stilstaat. De weinige keren dat hij aan zelfreflectie doet, haalt hij zijn schouders op en zucht, omdat dat sowieso een veel te lastige klus is.

Toch is de obersturmführer in andere opzichten een raadsel voor Anna, een vat vol tegenstellingen. Bijvoorbeeld het feit dat hij de verwrongen zuiveringsprincipes van de *partei* zo'n warm hart toedraagt: puur bedrog. Hij is getrouwd, zoals dat van alle kopstukken in de SS geëist wordt, maar toch heeft hij haar, Anna, en lijkt hij om haar te geven. Of niet? Hier peinst Anna over terwijl ze naar hem zit te kijken en probeert de laatste puzzelstukjes van hem op hun plek te krijgen. Geeft hij om haar of dient ze slechts om zijn lusten te bevredigen? Zou de obersturmführer zijn voet in haar nek zetten en haar door haar hoofd schieten als ze het daar naar gemaakt had? Zal hij dat sowieso doen als het allemaal afgelopen is? Anna probeert zichzelf door de ogen van de obersturmführer te zien, van achter de omlijsting van botten en bleke ramen waardoorheen hij de wereld beschouwt. Misschien als het voor hem zelf een kwestie van overleven wordt, als hij het bevel krijgt al het bewijsmateriaal voor oprukkende troepen te vernietigen, misschien dat de obersturmführer dan zijn genegenheid voor Anna de kop in kan drukken met het gemak waarmee hij een kraan dichtdraait.

Nu, op de avond van Allerheiligen, bekijkt Anna de obersturmführer vanaf de andere kant van de tafel, waaraan zij en hij en Trudie zitten te eten. Waarschijnlijk is deze omgeving een stuk bescheidener dan die waarin de obersturmführer gewend is te dineren, maar Anna heeft geprobeerd het zo mooi mogelijk te maken door een laken over de bemeelde houten planken uit te spreiden en midden op de tafel kaarsen neer te zetten. Dat heeft ze allemaal gedaan om te laten zien hoe blij ze is met het eten dat de obersturmführer heeft meegebracht na haar smeekbedes dat zij en het kind feitelijk doodgaan van de honger. En Anna is oprecht dankbaar voor het hertenvlees, dat weliswaar meer bot dan vlees bevat, maar voedzaam genoeg is om haar ogen vol tranen te laten schieten. En ook voor de aardappels, de suikerbieten die ze heeft gekookt en in plakjes op een schaal heeft gelegd, de linzen en – een wonder – het handjevol gedroogde erwten.

Nu haar honger eindelijk gestild is, probeert Anna zich los te rukken uit haar verdoofde toestand – ze is dit verzadigde gevoel totaal ontwend – om het observeren van de obersturmführer te hervatten. Ondanks het feit dat hij twee keer zo groot is als zij, heeft hij iets minder gegeten; hij heeft zelfs een paar kleine aardappels op zijn bord laten liggen. Hij zit met tot aan zijn ellebogen opgerolde hemdsmouwen – zijn uniformjasje hangt aan een haakje aan de deur – achterovergeleund op twee poten van zijn stoel met het kind te praten. Hij en Trudie zijn samen een verhaaltje aan het verzinnen, een of andere fabel over een konijnenfamilie die woont in een *trog* in de buurt. De obersturmführer zit nogal serieus te knikken, terwijl Trudie maar door ratelt. Hij onderbreekt haar alleen om af en toe een vraag te stellen, en Anna bedenkt wat voor indruk zij met zijn drieën zouden maken op iemand die toevallig naar binnen gluurde: een gelukkig gezinnetje – inderdaad gelukkiger dan de meesten in deze tijden, gezien de aanwezigheid van de kostwinner – dat geniet van de maaltijd.

'... Maar je hebt het helemaal niet over vader konijn gehad,' zegt de obersturmführer. 'En dat kan echt niet. Hoe heet hij?'

'Raad maar,' zegt Trudie.

'*Ach*, daar ben ik niet slim genoeg voor. Zeg het maar.'

'Nee, raad maar, je moet raden,' houdt het kind vol.

'Peder.'

'Nee.'

'Dieter,' zegt de obersturmführer.

Trudie schudt haar hoofd heen en weer, haar vlechten vliegen alle kanten op.

De obersturmführer heft verslagen zijn handen ten hemel. 'Ik geef het op,' zegt hij. 'Hoe heet hij?'

'Horst!' schreeuwt Trudie. Ze zit verschrikkelijk te giechelen als de poten van de stoel van de obersturmführer weer op de grond klappen. 'Horst?' zegt hij, uiterste verbazing veinzend.

'Ja,' juicht Trudie. 'Ja, ja, jouw naam, wat mama tegen je zegt!'

Ze gilt en kronkelt als de obersturmführer haar uit haar stoel plukt en haar, op zo'n beetje dezelfde manier als hij daarnet het stuk hertenvlees naar binnen heeft gedragen, over zijn schouder gooit. 'Dat is erg slim,' zegt hij tegen haar, 'heel erg slim. En weet je wat er met slimme meisjes gebeurt die de namen van andere mensen stelen?'

'Nee, wat?'

'Die moeten linea recta naar bed,' zegt de obersturmführer.

'Néé,' jammert Trudie. 'Mag ik alsjeblieft nog even opblijven, ik zal braaf zijn, alsjeblieft...'

De obersturmführer zet haar zonder veel omhaal op de grond. 'Genoeg. Het is laat. Je valt in slaap voordat je er erg in hebt.' Hij geeft een tik tegen Trudies rug en draait zich om. 'Anna,' zegt hij.

Anna staat op en pakt Trudie bij haar hand.

'Mag ik een verhaaltje?' bedelt het kind.

'Dat heb je al gehad,' laat Anna haar weten. 'Kom nu maar mee.'

Terwijl hij de tafel aan een grondig onderzoek onderwerpt, rekt de obersturmführer zich uitgebreid uit en laat een boer. 'Je kunt de afwas laten staan,' zegt hij met zachte stem tegen Anna als ze langs hem heen loopt. 'Ik ben boven.'

Anna doet er zo lang mogelijk over om Trudie naar bed te brengen. Ze wast het gezicht van het kind, maakt haar vlechten los en borstelt haar haar, controleert haar nagels en kijkt zelfs achter haar oren, maar uiteindelijk ligt Trudie gapend op haar bed in de kelder en is er niets meer wat ze kan doen. Anna drukt haar lippen op Trudies voorhoofd voordat ze aan het touwtje trekt om het licht uit te doen. 'Goed zo, konijntje, ga maar lekker slapen.'

Dan loopt Anna met een zwaar gemoed van het eten en de angst langzaam de twee trappen op naar Mathildes slaapkamer. De obersturmführer staat bij het raam, hoewel er niets te zien is omdat hij het verduisteringsgordijn heeft dichtgetrokken. Ook heeft hij de kerosinelamp op het nachtkastje aangestoken.

Hij zegt niets, maar draait zijn hoofd om en staart naar Anna, wat zij opvat als een teken dat ze zich uit moet kleden. Als ze naakt is, gaat ze met klapperende tanden op het bed liggen. Ze heeft het kacheltje op de badkamer niet aangestoken en de warmte uit de keuken is niet tot hier doorgedrongen. Haar adem is zichtbaar in de ijskoude lucht.

Ze wacht af, maar de obersturmführer blijft zwijgen. Hij kijkt haar alleen over een schouder aan, dus Anna wil de tot op de draad versleten deken aan het voeteneinde van het bed pakken.

'Niet doen,' zegt de obersturmführer. Hij draait zich naar haar om en Anna ziet dat zijn gulp openstaat. Ze vangt door de opening van zijn onderbroek een glimp op van een plukje donker haar, van het trieste slappe vlees. Hij heeft het zelf geprobeerd, maar zonder resultaat.

Zonder zich schijnbaar bewust te zijn van de potentiële gêne hierover, komt de obersturmführer nonchalant naar het bed toe lopen. Hij gaat naast Anna staan en kijkt naar haar. 'Heb je genoeg gegeten?' vraagt hij.

Anna knikt.

'Weet je het zeker? Niets meer te klagen?'

Anna schudt haar hoofd.

'Goed,' zegt de obersturmführer. 'Prima. Want ik zou het verschrikkelijk vinden om jou op wat voor manier dan ook tekort te doen, Anna.' Hij begint zijn riem los te trekken, maar houdt daar dan opeens weer mee op. Hij haalt zijn pistool uit de holster en houdt dat even peinzend in zijn hand. Dan begint hij ermee over Anna's ribben te strijken. De loop hobbelt van de ene rib naar de andere alsof hij een xylofoon bespeelt. 'Je bent inderdaad nogal dun,' constateert de obersturmführer. 'Vermoedelijk klaag je daarom ook zo over de kou, je hebt te weinig vet... Heb je het koud, Anna?'

Anna houdt haar ogen op die van hem gericht. Zijn blik is beleefd, bezorgd. Hij is op zijn gevaarlijkst als hij zo is. Ze schudt opnieuw haar hoofd.

De obersturmführer glimlacht, er verschijnen rimpeltjes bij zijn ooghoeken. 'Je moet niet tegen me liegen,' zegt hij. 'Ik zie toch dat je het koud hebt.' Hij sleept de luger over Anna's armen omhoog, over haar borstbeen, rond haar tepels, onder de ronding van haar borsten, over haar buik. In het kielzog van het metaal verschijnt kippenvel.

'Zie je wel?' zegt de obersturmführer, terwijl hij zich voorover buigt om over de piepkleine bobbeltjes te blazen. 'Je hebt het wél koud. Maar ik vergeef je de leugen. Ik weet dat je het alleen maar zei om mij een plezier te doen. Toch?'

Het pistool blijft snuffelend, heen en weer zwaaiend als de staart van een kat, hangen op de bovenkant van Anna's dij. 'Jij bent zo totaal anders dan alle andere vrouwen die ik in dit opzicht heb gekend,' voegt de obersturmführer eraan toe. 'Altijd. Alleen. Mij. Een plezier. Willen. Doen.'

Zijn toon is dromerig, afwezig. Eindelijk kijkt hij eens een keer niet naar Anna's gezicht. In plaats daarvan staart hij naar de luger, die hij bij elk woord verder tussen haar benen heeft geduwd. Anna voelt niets. Ze heeft zich van zichzelf losgemaakt; ze is zo uit zichzelf getreden dat ze niet in staat is een van haar gebruikelijke troostrijke dagdromen op te roepen. Ze zweeft boven het bed als de bruid op een schilderij dat ze een keer gezien heeft en dat sinds die tijd allang geclassificeerd is als het ontaarde werk van een jood. Chagall, zo heette de schilder.

'En ik weet waar ik jou een plezier mee kan doen,' gaat de obersturmführer verder. Het klinkt nog steeds alsof hij het tegen zichzelf heeft. 'Dit. Dit. Daar. Dat vind je fijn, hè? Nee, zeg maar niets. Ik zie het gewoon. Ik ga hiermee door tot je klaarkomt. En ook niet doen alsof. Je weet dat ik dat meteen door heb.'

Er verstrijken een paar minuten in doodse stilte, afgezien van de zwoegende ademhaling van de obersturmführer en het snellere ritme van die van Anna zelf.

'Zo,' zegt hij, knedend met zijn vrije hand. 'Zo. Zo...'

Op het hoogtepunt haalt hij de trekker over. 'Pang!' zegt hij.

Anna slaakt een gil en ligt trillend naar het plafond te kijken.

De obersturmführer laat het pistool uit haar glijden en gooit het de kamer in. Hij klimt op het bed en knielt boven Anna. 'Pang,' herhaalt hij. Alleen doet hij deze keer met zijn duim en wijsvinger een pistool na. Hij buigt zich over Anna heen en kijkt haar onderzoekend aan. Dan gooit hij zijn hoofd achterover en brult van het lachen. 'Je gezicht,' zegt hij happend naar adem, als hij weer in staat is te praten. 'Die blik op je gezicht!' Hij wrijft de tranen uit zijn ogen. 'Dacht je nou echt dat hij geladen was? Dat dacht je echt, hè? Mijn arme, domme meisje.'

En op de een of andere manier moet hij door Anna's uitdrukking of door het gedoe met het pistool, of door een combinatie van dit alles, opgewonden zijn geraakt, want de obersturmführer is nu paraat. Opeens is hij ernstig en begint gehaast zijn broek naar beneden te trekken.

'Ik zou nooit...' zegt hij, terwijl hij bij Anna binnendringt, '... nooit een... geladen pistool... gebruiken... niet tegen jou... jij gaat zelf... drie, vier keer... achter elkaar... af als een pistool... als een raket... Een man... krijgt daardoor... het gevoel... een god te zijn... Als Eisele... dit wist... die zelfvoldane... lul... met al zijn opschepperij... over opgelegde... impotentie... Hij moest eens weten... Anna... Als hij... jou kende... zou hij... wel... beter! weten!'

De obersturmführer schreeuwt en trekt aan Anna's haar. Hij valt hijgend voorover. Als hij weer op adem is gekomen, krabbelt hij van haar af en pakt zijn broek van de grond. 'Jij bent mijn redding,' mompelt hij, 'jij hebt me gered... *Ach*, wat is dat nou?'

Er is iets met een klap uit zijn broekzak gevallen. De obersturmführer komt terug naar het bed en drukt het op Anna's buik. Ze verstijft: wat het ook is, het is gemaakt van metaal en ijskoud.

'Dit wil ik je al maanden geven,' zegt de obersturmführer. 'Stom dat ik het ben vergeten.' Hij raapt zijn luger op uit de hoek en loopt naar de deur. 'Ik denk dat ik op mijn oude dag vergeetachtig begin te worden, hè Anna?' voegt hij eraan toe. Lachend trekt hij de deur achter zich dicht, zijn goede humeur is weer terug.

Als ze hem beneden in de keuken met borden tekeer hoort gaan – ook zijn eetlust is blijkbaar post coïtum opgewekt – gaat Anna voorzichtig en met een vertrekkend gezicht van de pijn overeind zitten. Ze kijkt naar het laken onder haar, dat besmeurd is met olie van het pistool van de obersturmführer. Ze zal het koken en schrobben, wassen en uitwringen, maar ze vermoedt dat ze het er nergens mee uit zal krijgen, niet met loog, niet met zout en niet met chloor. Geen enkele baedeker voor de huisvrouw of overgeleverde vrouwenwijsheid hebben haar kunnen voorbereiden op het verwijderen van zo'n soort vlek.

Anna pakt het voorwerp dat de obersturmführer op haar buik heeft achtergelaten en laat het door haar handen glijden. Het is een klein gouden doosje met het symbool van het *reich* erop; zo'n plat soort doosje waar je sigaretten in stopt. Maar als Anna het opendoet, ziet ze er een foto in zitten, een portret van haarzelf en Trudie en de obersturmführer. Gemaakt, herinnert Anna zich nu, tijdens het verrassingsuitje op haar drieëntwintigste verjaardag, in het Park an der Ilm. Toen ze gegeten hadden en terug waren gelopen naar de Mercedes.

Nog immer naakt en krampachtig rillend buigt Anna zich over de foto. Ze houdt hem vlak voor haar gezicht en knijpt haar ogen samen in het zwakke licht van de kerosinelamp. Op het portret staat de obersturmführer met zijn hand op haar schouder achter haar. Zij zit en heeft Trudie op haar schoot. Is dit een nonchalante pose? Bezitterig? Trots? De rand van zijn pet verbergt zijn gezicht, dus daar is niets op te lezen.

Wat betekent het, dit geschenk? Zou de obersturmführer dan toch echt om haar geven? Of is het louter een snuisterij, iets wat hij aan elk meisje dat hij als minnares had genomen, gegeven zou kunnen hebben? Zijn redding, hij heeft gezegd dat Anna zijn redding is. Hij heeft gezegd dat hij haar nooit iets aan zal doen. Of niet? Anna probeert zich zijn monoloog van een paar minuten geleden te herinneren. Nee, hij heeft gezegd dat hij nooit een geladen pistool tegen haar zou gebruiken. Iets totaal anders. Hij heeft geen enkele belofte gedaan en Anna is er niets mee opgeschoten. Ze begrijpt hem niet beter dan toen hij kwam eten, of in vergelijking met een paar maanden geleden.

Anna trekt een deken om haar schouders en strompelt naar het bureau, waar ze het doosje op zet – opengeklapt voor het geval de obersturmführer weer terugkomt. Ze staart naar zijn beeltenis. Bestaat zij buiten het bed überhaupt voor hem? Buiten de bakkerij? De stijve geüniformeerde persoon zegt haar niets. Misschien, denkt Anna, dat als je de obersturmführer net zo kon openklappen als dit doosje waar zijn evenbeeld in zit, en een lipje losmaakte om zijn gezicht opzij te klappen, dat je dan alleen een donkere ruimte zou vinden. Dat er niets achter zat. Helemaal niets.

42

Als Mathilde nog geleefd had, zou ze ontsteld zijn door de staat waarin haar geliefde bakkerij verkeert. De betengeling is bloot komen te liggen op plekken waar het pleisterwerk er tijdens luchtbombardementen uit is gevallen en de gebroken ruit is betimmerd met de planken van een uit elkaar gehaald krat. Het portret van de Führer, dat de obersturmführer voor Anna heeft meegenomen om achter de toonbank op te hangen, heeft het eveneens zwaar te verduren gehad: een schuine barst in het glas deelt het gezicht van de leider in tweeën, waardoor hij twee kanten tegelijk op lijkt te kijken. De blaadjes van de kalender doen al tijden dienst als toiletpapier; het begin van 1945 is al door de leiding van de wc getrokken.

De vluchtelingen zijn er erger aan toe dan hun tijdelijke toevluchtsoord. Als de kelder en de keuken bezet zijn, slapen ze in hun tot op de draad versleten jassen op de vloer tussen plassen gesmolten sneeuw en vullen de bakkerij met de stank van natte wol en ongewassen lichamen. Anna is de hele dag bezig met het verzorgen van de bezoekers en het voorkomen dat Trudie bij hen in de buurt komt.

Aanvankelijk was het een opluchting dat het meisje vermaakt werd. Een oudere heer, een voormalige onderwijzer, was begonnen Trudie het alfabet bij te brengen. Maar toen ze Trudie op een middag riep en zij niet reageerde, vond ze haar na een panische zoektocht een stuk verder op de weg, waar een vrouw haar omklemde en schreeuwde: 'Ze is van mij! Je hebt haar van mij afgepakt!' Ze vocht met de kracht van een dementerende toen Anna Trudie uit haar armen loswrikte.

De vluchtelingen uit Dresden zijn echter het ergst, met hun starende ogen en verbrande plekken in hun haar. Soms moet Anna plukken van hun haar opvegen die ze als een slangenhuid op de grond hebben laten vallen.

Toch is Anna blij met haar miserabele gezelschap. Deze mensen weten niets van haar, ze werpen haar geen vernietigende blikken toe en maken geen rotopmerkingen. Ze beschouwen haar puur als een bron van brood, verband of onderdak. Anna speelt veel liever de rol van gastvrouw dan die van de hoer van de obersturmführer. Ze mist de vluchtelingen als de obersturmführer ten tonele verschijnt en hen wegstuurt, de koude februariavond in. Hij vindt het verschrikkelijk om zo harteloos over te komen, legt hij aan Anna uit, maar hij kan zich gewoon niet ontspannen te midden van zo'n chaos. Hij geeft de voorkeur aan het gezelschap van zijn kleine geadopteerde gezinnetje.

Op een avond staat Anna in de winkel en sorteert de spullen van de vluchtelingen op stapels. Het is verbijsterend wat ze hebben willen geven in ruil voor onderdak. Op de toonbank en de vloer liggen stapels opgeofferde spullen. Alle gouden sieraden zijn opgeslagen in een van de kisten van de obersturmführer. Een andere is gereserveerd voor zilverwaren. In een opbergkist van de Wehrmacht gaan diverse waardevolle spullen, zoals potten, pannen, bontjes en het incidentele oosterse kleedje. De obersturmführer heeft Anna opgedragen foto's uit hun kostbare lijstjes te halen, maar niet gezegd dat ze die weg moest gooien. Soms, als ze niet kan slapen, verspilt Anna een kaars om te kijken naar de stijf poserende echtparen op hun huwelijksdag, de groepjes kinderen, de oude vrijster met een kat op haar schoot.

'En dit?' vraagt ze nu, terwijl ze een wandkleedje omhoog houdt zodat de obersturmführer dat kan inspecteren. 'Het brokaat lijkt van goud, maar ik kan het in dit licht niet goed zien.'

Hij haalt zijn schouders op. 'Beoordeel dat zelf maar,' zegt hij. Hij wordt afgeleid door Trudie, die hij leert marcheren. 'Hup, een,' zegt hij. 'Hup, twee. Hup, twee-drie-vier.'

Anna strijkt met haar vinger over de stof. Zelfs in het gierige licht van de stormlamp die de obersturmführer uit het kamp heeft meegenomen, glimt die. Ze vouwt het kleedje op en legt het in de Wehrmachtkist, boven op een lap zijde waarin ze een kristallen karaf heeft gewikkeld. De obersturmführer is gek op kristal. Voor de zoveelste keer vraagt Anna zich af wat hij met deze oorlogsbuit doet. Wat heeft hij eraan als voedsel het enige betaalmiddel is en daar zo'n tekort aan bestaat? Erfstukken kun je tenslotte niet opeten.

‘Hup, hup, hup,’ zegt de obersturmführer tegen Trudie. ‘En nu draaien. Nee, niet zo. Kijk, zo.’ Hij marcheert door de kamer, zijn laarzen dreunen op de grond. Hij keert op zijn hielen, loopt in paradepas terug naar Trudie en klakt zijn hakken tegen elkaar. ‘Heil Hitler!’ zegt hij salu-erend.

‘Heil Hitler,’ zegt het meisje, terwijl ze het gebaar nadoet.

De obersturmführer buigt zich voorover om met een vinger haar neus aan te raken. ‘Heel goed,’ zegt hij. ‘Nu jij.’

‘Hup, hup, hup,’ zegt Trudie, terwijl ze door de bakkerij stampt. Ondanks het voedselgebrek blijft ze maar groeien. Haar benen, die net zo dun zijn als die van haar vader, lijken op die van een ooievaar.

Anna, die naar haar staat te kijken, moet ineens aan de tovenaarsleerling denken. Ze kan dit spelletje niet langer aanzien. ‘Weet je, Horst, dat mensen de vreemdste dingen ruilen voor eten?’ zegt ze luidkeels. ‘Van de week nog probeerde een vrouw mij haar schnauzer te geven. Wat dacht ze dat ik daarmee zou doen?’ Ze lacht. ‘Ach, ik had hem natuurlijk op kunnen eten.’

Haar tactiek werkt niet. De obersturmführer luistert niet. ‘Til je voeten op,’ beveelt hij. ‘Buig je arm bij je elleboog. Hup! Hup! Hup!’

Trudie schiet heen en weer voor de obersturmführer. ‘Dat is beter,’ zegt hij, ‘veel beter. Zo ben je een goede soldaat.’ Applaudisserend barst hij uit in het Horst-Wessel-Lied:

Die Fahne hoch!
Die Reihen fest geschlossen!
SA marschiert
Mit ruhig festem Schritt
Es schau’n auf’s Hakenkreuz voll Hoffnung schon Millionen
Der Tag für Freiheit
Und für Brot bricht an.

‘Zo is het wel weer genoeg voor vanavond,’ roept Anna. ‘Het is allang bedtijd geweest.’

Maar de obersturmführer is nu echt gegrepen. Hij tikt met zijn voet het ritme op de grond en zingt met zijn gebrekkige baritonstem. Dan breekt zijn stem, zijn gezicht verkrampt, alsof hij een wind probeert binnen te houden, en Anna ziet tot haar verbazing dat er tranen in zijn kleurloze ogen springen. Hij staat op het punt in huilen uit te barsten.

De messen hoog!
Het lemmet scherp geslepen
om te snijden
in het joodse vlees
Het joodse bloed zal vloeien door de goten
Op elke hoek wappert de Hitlervlag...

'Horst,' zegt Anna, 'ik denk niet dat...'

De obersturmführer draait zich naar haar om. 'HOU nou eens even je kop!' brult hij. 'HOU nou eens voor één keer in je godverdommese leven gewoon! Je! Kop!'

Trudie staat van schrik stokstijf stil, staart hem aan en begint dan te jammeren.

'Hou daarmee op!' schreeuwt de obersturmführer. Hij heft zijn hand en mept het kind in haar gezicht. Tollend valt ze op de vloer. De obersturmführer haalt diezelfde hand door zijn haar en begint murmelend te ijsberen.

Anna duwt zich langs hem heen en valt op haar knieën naast haar dochter. Trudie ligt roerloos en Anna weet zeker dat de obersturmführer het tere nekje heeft gebroken. Maar dan zuigt het meisje lucht in haar longen en laat dat jammerend weer naar buiten komen. Anna tilt haar op haar schoot en wiegt haar.

'En laat die trut haar bek houden,' schreeuwt de obersturmführer boven haar. Hij draait om zijn as en veegt een arm over de toonbank. Anna buigt zich over Trudie heen en probeert haar te beschermen tegen de regen van sieraden, tafelzilver, kandelaars en porselein.

'Jezus christus, ze is nog erger dan de sirene van het luchtalarm,' tiert de obersturmführer. 'Van alle verwende... ongehoorzame... Wat moet een man vandaag de dag doen voor een beetje rust? Gewoon één seconde geen gezeik aan zijn kop!'

'Ssjj,' zegt Anna tegen Trudie, terwijl ze het gezicht van het meisje vastpakt om met haar handen de schade op te nemen. Een wang is al opgezet en uit een snee, die is veroorzaakt door de doodskopring van de obersturmführer, komt bloed. Maar hij lijkt niets gebroken te hebben en haar tanden zijn ook nog heel. 'Ssjj, stil maar.'

Trudie probeert haar snikken in te slikken. De laarzen van de obersturmführer bewegen een paar centimeter voor Anna's neus heen en weer. Daaronder versplintert en knerpt glas. Een jonge, nog ingelijste bruid lacht tussen de scherven door naar Anna.

Het valt àl uiteen, denkt Anna, die zich een gedicht herinnert dat Max ooit aan haar heeft voorgelezen. Het midden houdt geen stand. Pas als de obersturmführer naar haar uithaalt, beseft ze dat ze die woorden hardop heeft uitgesproken.

'Wat?' zegt hij. Hij grijpt de vlecht in haar nek en sleurt Anna overeind. 'Wat zei je? Waarom zei je dat?'

Anna gilt het uit van de pijn. Ze slaat naar zijn handen; als hij nog iets harder trekt, komt haar haar er met wortel en al uit. 'Niets,' snikt ze, 'het was niets, een stom gedicht, het betekent niets!'

De greep van de obersturmführer verslapt een beetje, maar hij blijft de vlecht stevig vasthouden als hij zijn pistool uit de holster haalt. Hij probeert de veiligheidspin eraf te friemelen. Dat is ontzettend lastig met één hand. Hij laat hem bijna vallen en vloekt. 'Het zou voor ons allemaal,' zegt hij, 'misschien beter zijn, de beste oplossing voor ons allemaal, als ik...'

De tijd vertraagt tot het gewatteerde tempo van een droom. Boven het gesuis in haar oren uit hoort Anna de klik van de veiligheidspin die naar achteren wordt getrokken. Ze zal het hem niet makkelijk maken, ze zal vechten, ze zal zo hard mogelijk in zijn arm bijten...

Maar dan laat de obersturmführer haar haar los. Hij kijkt verwilderd rond in de bakkerij. Zijn mond hangt open alsof hij een hersenbloeding heeft gehad. Weer is zijn stekker eruit getrokken. 'Nee,' zegt hij. 'Misschien komt het goed. Misschien kan het nog steeds goed komen.'

Anna doet haar ogen dicht. 'Natuurlijk,' fluistert ze, en ze raakt zijn mouw aan.

De obersturmführer kijkt omlaag naar haar hand. Zijn mond vertrekt. 'Ruim de rotzooi op,' snauwt hij, terwijl hij zijn pistool terug laat glijden in de holster. Hij strijkt zijn uniformjasje glad en trekt zijn overjas aan. In het schijnsel van de lamp neemt zijn schaduw op de muur monsterlijke proporties aan. 'Het is een schande. Jij bent een schande.

Ik heb het helemaal gehad met jullie. Blèren, jammeren, ondankbaar! Ik heb gewoon zin om helemaal niet meer terug te komen.'

'Alsjeblieft,' zegt Anna, hoewel ze niet precies weet waar ze om smeekt. Een deel van haar juicht, jubelt: jeminee, godzijdank! Maar als de obersturmführer hen in de steek laat, hebben Trudie en zij geen andere keus dan zich aan te sluiten bij de rangen van de berooiden. 'Alsjeblieft, Horst, ga niet boos weg...'

Hij werpt een fletse blik in haar richting. De deur knalt achter hem dicht.

Anna zoekt om zich heen naar Trudie, die met haar duim in haar mond in de hoek staat. 'Kom, konijntje,' zegt Anna. 'Naar boven en naar bed. Ik kom zo met een beetje ijs voor je gezicht. Dat is vast lekker, toch?'

Het meisje geeft geen teken dat ze het gehoord heeft. Anna wil haar schouders pakken om haar om te draaien. Trudie deinst achteruit.

'Het spijt me,' fluistert Anna. 'Het spijt me, kleintje.'

Trudie glipt onder haar armen door en loopt naar de trap. Anna kijkt haar na. Dan knielt ze op de grond om te redden wat er te redden valt uit de puinhoop die de obersturmführer met zijn woede-uitbarsting heeft veroorzaakt. Ze veegt alles op een hoop. Haar losgeraakte vlecht zwaait als het touw van een galg over een schouder. Haar schedel doet pijn. De tand van een vork prikt in haar wijsvinger. Anna gaat op haar hurken zitten en zuigt aan de gewonde vinger. Ze geniet van het zout uit haar eigen bloed. Ze heeft al twee dagen niet gegeten. 'Wat moet er van ons worden?' vraagt ze zich hardop af.

Als antwoord wordt er op de deur geklopt. Anna staat op om die open te doen. Maar dan bukt ze en rommelt door de oorlogsbuit van de vluchtelingen tot ze een kandelaar vindt die groot genoeg is om op een kerkaltaar te hebben gestaan. Misschien is dat ooit ook wel zo geweest. Ze verstopt die tussen de plooien van haar rok als ze de klink naar beneden drukt. Ze heeft de vernederingen van de afgelopen drie jaar niet doorstaan om nu door de obersturmführer gedood te worden. Als ze de deur opendoet en de koude cirkel van een pistoolloop tegen haar voorhoofd gedrukt krijgt, zal ze hem de kop inslaan. Maar misschien komt hij terug om zijn excuses aan te bieden, om haar nog een kans te geven?

Dat is niet zo: als Anna de deur opendoet met de kandelaar als wapen hoort ze alleen een zachte stem. 'Neemt u ons niet kwalijk,' zegt die, 'dat we u op dit tijdstip lastigvallen, maar hebt u misschien wat te eten voor een moeder en haar vier uitgehongerde kinderen? Of anders misschien onderdak voor de nacht...?'

43

Als maart 1945 roerend met zijn staart afscheid neemt, leggen de overgebleven bewoners van Weimar zich neer bij een directe confrontatie met hun vijand. 'Het is met ons gedaan,' fluisteren ze, 'alles is verloren, het kan elke dag afgelopen zijn.' Gefluisterd wordt ook dat de Amerikaanse infanterie al nabije steden als Eisenach en Ehrfurt in handen heeft. Dat ze de huizen plunderen en in brand steken, de vrouwen verkrachten, nog erger zijn dan de Russen. Het is voor Duitse burgers verboden hun huis te verlaten. Het stampende geratel van de artillerie dreunt nog meer pleisterwerk uit de plafonds van de bakkerij. Schrikachtig en met lege, starende ogen dirigeren SS'ers rijen gevangen door de straten, op weg naar het station. Maar Anna zou ook zonder deze voorbodes geweten hebben dat de boel begint af te brokkelen. Ze heeft de obersturmführer, haar persoonlijke oorlogsbarometer, al anderhalve maand niet gezien.

Toch begint Anna pas op de eerste april te vermoeden hoe nabij het eind is. Omdat Pasen dit jaar abnormaal vroeg valt, is het dan toevallig ook eerste paasdag. Anna vindt het samenvallen van de dag om grappen uit te halen met Pasen zeer toepasselijk. Ze kan weinig geduld opbrengen voor mensen die nog steeds geloven in een eventuele wederopstanding. Ze is de vloer van de bakkerij aan het dweilen – de eerste keer dat ze dat kan doen na het vertrek van de laatste paar trieste vluchtelingen – als ze het gebrul van motoren boven haar hoofd hoort. 'Ren naar de kelder, Trudie,' roept Anna, terwijl ze nog een boog op het beton schoon zwiept. Ze is niet overbezorgd; ze heeft geleerd onderscheid te maken tussen het geluid van lichte verkenningsvliegtuigen en het zwaardere gebrul van bommenwerpers, en dit klinkt als het eerste. De aanvallen zijn een regelmatig terugkerend verschijnsel geworden, door het geloei van de sirenes worden de dagen en nachten op hun kop gezet: luchtalarm, alles veilig, luchtalarm, alles veilig. Anna luistert naar het geklepper van Trudies schoenen die aangeven dat het meisje haar gehoorzaamd heeft. Gerustgesteld buigt ze zich voorover om de dweil boven de emmer uit te wringen. Dan schiet ze overeind en morst vies water op de vloer. Er klopt iets niet. De sirenes hebben helemaal niet geloeid.

Als Anna naar de deur loopt om te gaan kijken wat er aan de hand is, vliegt die open en slaat haar bijna achterover. Een van haar vroegere klanten, frau Hochmeier, stormt de bakkerij in. Ze draagt een belachelijk hoedje, ongetwijfeld voor de paasmis. Het bosje zijden viooltjes daarop bungelt schuin voorover.

Frau Hochmeier staat voorovergebogen op adem te komen en wappert dan een stukje papier voor Anna's gezicht heen en weer. 'Wat is dit?' gilt ze. 'Die berichten uit de lucht, wat betekenen die?'

Anna pakt het blaadje uit haar handen en strijkt het glad op de toonbank. Haar beheersing van het Engels, dat ze zo lang geleden op het gymnasium heeft geleerd, is op zijn best zwak te noemen. Maar ze kan de betekenis van de woorden in grote lijnen ontcijferen en als ze het blaadje omdraait, ziet ze de vertaling in het Duits. Schoolse types, die Amerikanen.

'Burgers van Thüringen,' leest Anna hardop voor. 'Als gevolg van gruweldaden in het concentratiekamp Buchenwald en door het naziregime in het algemeen, zijn er in uw omgeving vijandelijkheden op komst. Wees voorbereid u vreedzaam over te geven aan het leger van de Verenigde Staten van Amerika.'

Frau Hochmeier staart voor zich uit. 'Is dat alles?' vraagt ze.

Anna vouwt het papiertje op. Ergens vlakbij ratelt geweervuur als poffende maïskorrels. De aankondiging van ophanden zijnde vijandelijkheden, denkt Anna, is ietwat aan de late kant. 'Ja,' antwoordt ze. 'Meer staat er niet.'

Frau Hochmeier knikt stoïcijns. Dan gilt ze: 'Het is afgelopen! Ze gaan ons vermoorden, ze gaan ons stuk voor stuk neerknallen!'

Anna is nooit erg gesteld geweest op frau Hochmeier. De afgelopen jaren is zij een van degenen geweest die Anna kille, veroordelende blikken toewierp, alsof Anna een besmettelijke zedeloosheid onder de leden had. Maar op dit moment heeft Anna een beetje medelijden met haar. De diepgelovige vrouw, die ooit knap was, ziet er nu uit als een krankzinnige bij wie de slapeloze nachten in de plooien van het gezicht zijn gekerfd. Maar ja, iedereen ziet er nu anders uit.

'Beheerst u zich,' draagt Anna haar met zachte stem op. 'Mijn dochter is beneden.'

'Maar wat moeten we doen, Anna?' vraagt frau Hochmeier. 'Wat ga jij doen?'

Anna haalt haar schouders op. 'Wachten, denk ik,' antwoordt ze. 'Wat moet ik anders?'

Frau Hochmeier deinst achteruit. 'Ik ga vluchten,' zegt ze. 'Ik zou vluchten als ik jou was. Vooral als ik jou was.'

Als ze vertrokken is, vergrendelt Anna de deur en schuift de verduisteringsgordijnen dicht. Na enig nadenken haalt ze een stoel uit de keuken en schuift die onder de deurklink. Maar als ze deze knullige voorzorgsmaatregelen bekijkt, moet ze om zichzelf lachen. Ze gedraagt zich als een idioot, net als frau Hochmeier. Als de Amerikanen binnen willen komen, dan komen ze binnen. En het heeft geen zin om te vluchten, want ze kan nergens heen.

Maar het wachten is zenuwslopend, want wat moet ze in de tussentijd doen? Halverwege de middag kan Anna niets meer bedenken om de uren zinvol te besteden. De bakkerij is schoon en het kind ligt in de kelder haar middagdutje te doen naast de enige overgebleven vluchteling: een manicuurster uit Wiesbaden met een hardnekkige hoest. De vrouw heeft Anna verzekerd dat haar keel geïrriteerd is door de rook die ze tijdens een bombardement heeft ingeademd en dat ze dus niet lijdt aan een zeer besmettelijke tyfus of longontsteking. Anna is er niet van overtuigd dat haar gast de waarheid spreekt, maar er is niets aan te doen. Trudie heeft haar rust hard nodig, ze heeft de laatste tijd een wazige, starende blik in haar ogen die Anna helemaal niet aanstaat, en los van de schuilplaats die Anna in een van de keukenkastjes voor het meisje heeft ingericht voor wanneer de vijandelijke tanks arriveren, is de kelder de veiligste plek voor Trudie.

Anna heeft net weer afleiding gevonden in het zetten van thee – die ze weet te onttrekken aan reeds doorweekte, al drie keer eerder gebruikte blaadjes – als ze zo schrikt van de roffel op de deur, dat ze de theepot uit haar handen laat vallen. Ze geeft zichzelf een uitbrander als ze hurkt om de stukken bij elkaar te rapen: stomme Anna, laat je toch niet zo opfokken door de zoveelste vluchteling! Of misschien is het wel een deserteur van de Wehrmacht, een van onze meelijkwekkend jonge jongens, die beschroomd uit het bos op de Ettersberg is geslopen om bij Anna te bedelen om wat zij dan ook kan missen: meelsoep, een korst brood. Wie haar bezoeker ook is, het is in ieder geval een volhouder. De knop onder de grendel draait heen en weer. Anna neemt een deegroller mee naar de deur, hopend dat ze niet gedwongen zal worden die te gebruiken. 'Ik kom, ik kom,' roept ze.

Als ze ziet dat haar ongeduldige gast de obersturmführer is, laat Anna een geïrriteerd *pffft!* ontsnappen en draait hem haar rug toe. Ze pakt de bezem en begint de kleinere stukjes aardewerk op te vegen. 'Ik dacht dat je ons in de steek had gelaten,' zegt ze. 'Heb je iets te eten? Wat dan ook... bloem, linzen?'

'Nee,' zegt de obersturmführer. 'Hou daarmee op. Ik heb geen tijd om naar jouw huishoudelijke werkzaamheden te kijken.'

Anna gooit de scherven in de vuilnisemmer. 'Maar ik vermoed dat je wel tijd hebt om naar boven te gaan,' zegt ze op een trillende, vitterige toon. 'O ja, daar is altijd tijd voor. Nou, dan heb ik nieuws voor je: je zult me moeten dragen. Ik heb geen fut meer om die trap te beklimmen. Weet je hoe lang het geleden is dat ik heb gegeten? Nou? De hele stad is belegerd, we sterven van de honger en zijn doodsbang, terwijl jij daarboven prinsheerlijk veilig zit te zijn en je volpropt met... Met god weet wat... Jij...'

'Als u klaar bent met die woede-uitbarsting, Anna,' onderbreekt de obersturmführer, 'zou u dan misschien zo vriendelijk willen zijn om even te luisteren naar wat ik te zeggen heb?'

Anna schrikt zo van zijn overdreven hoffelijke toon en het gebruik van het formele *sie*, dat ze meteen haar zelfbeheersing terugvindt. Ze klampt zich vast aan de rand van de gootsteen tot haar knokkels net zo wit als het porselein zijn. Dan kijkt ze hem aan alsof ze 'ga door' wil zeggen, maar wordt dan nog meer van haar stuk gebracht door wat ze ziet: de obersturmführer is in burger. Hij draagt een opgelapte broek en een slecht zittend jasje, de kleren van een venter of een dokwerker. Zijn kaken zijn grauw van de stoppels. Heel even is Anna geamuseerd om dit armzalige, smerige kostuum, deze krenking van zijn ijdelheid. Wat zal hij razend zijn! Dan wordt haar aandacht afgeleid door een bruine vlek op zijn hemd. Het lijkt op een soort saus: jus of mosterd. Ze zou er graag aan willen likken.

'Het is nu bijna afgelopen,' vertelt de obersturmführer haar. 'Pfister heeft opdracht gegeven het kamp volledig te evacueren. Als dat gebeurd is, zal het vernietigd worden...' Hij knipt met zijn vingers onder Anna's neus. 'Luister je, Anna? Opletten.'

Anna probeert een beleefd belangstellend gezicht te trekken.

'Het is de bedoeling dat ik met de andere afgevaardigden afreis naar het zuiden, om te zorgen dat het grootste transport in KZ Dachau aankomt,' vervolgt de obersturmführer. 'Ze hebben daar grotere penitentiaire faciliteiten. We moeten morgenochtend vertrekken, voor het licht wordt.'

'Maar wij dan,' begint Anna te protesteren, 'ik, het kind...'

De obersturmführer legt haar met een gebaar van zijn wijsvinger het zwijgen op. 'Ik heb echter besloten om eerder weg te gaan,' zegt hij. 'Nu. En in plaats van naar Dachau ga ik naar München en van daar naar Portugal, waar ik aan boord van een schip naar Argentinië zal stappen.'

Anna's blik keert terug naar de sausvlek op zijn hemd. Argentinië. Het idee alleen al staat net zo ver van haar af als het klaslokaal waarin ze het ooit op de kaart heeft moeten aanwijzen.

'Je vindt me een lafaard,' zegt de obersturmführer chagrijnig. 'Maar volhouden heeft geen zin, Anna. We hebben de oorlog verloren, onze zaak ligt aan diggelen. Je had gelijk toen je zei dat alles uiteenvalt, en in een dergelijke situatie is het ieder voor zich, toch?'

De obersturmführer zwijgt en wacht op een antwoord, maar als dat uitblijft gaat hij verder: 'Jij gaat met mij mee, als mijn echtgenote. Ik heb de papieren al.' Hij klopt op het borstzakje van zijn versleten jasje. Na een tijdje produceert hij een kopie van zijn oude grijns. 'Maar er is nog iets anders,' zegt hij. 'We kunnen het meisje niet meenemen.'

Anna's hoofd schiet omhoog. 'Wat zeg je nou?'

'Ik kon geen papieren voor haar krijgen. Maar het is sowieso onmogelijk. Gebruik je hersens, Anna! We moeten voorzichtig zijn. We moeten grenzen oversteken, er zullen vragen gesteld worden. Zij zou ons verraden. Ik heb geregeld dat ze overgeplaatst kan worden naar een *lebensborn*-programma in München. De kerel die daar de leiding heeft is een oude vriend die bij me in het krijt staat. Hij zal goed op haar letten. Er kan haar daar niets gebeuren.'

Ze kijken elkaar recht in de ogen, Anna vol ongeloof, de obersturmführer smekend. Het is stil in de keuken, afgezien van het getik van de regen, het gehoest van de manicuurster en een ver gerommel dat onweer of het gedreun van artillerie kan zijn.

'We hebben geen tijd te verliezen,' zegt de obersturmführer, die Anna's zwijgen opvat als instemming. 'Je hebt een paar minuten om te pakken. Een kleine tas per persoon...'

'Nee,' zegt Anna.

'Wat?'

'Nee.'

'Ik geef toe dat het geen ideale oplossing is, Anna. Maar ze is daar veiliger dan wanneer jullie allebei hier zouden blijven.'

'Nee, zei ik.'

De obersturmführer zet een stap in haar richting en Anna deinst achteruit, krimpt ineen voor de klap die ze verwacht. Hij gaat echter op zijn knieën voor haar voeten zitten en pakt haar handen vast in een groteske parodie op een huwelijksaanzoek. 'Wees nou redelijk,' smeekt hij. 'Wat ga je doen als de Amerikanen hier komen? Dat kan elk moment gebeuren, echt. Weet je wat Amerikanen met kinderen doen? Ze rijden met hun tanks over hen heen, steken hen lek met bajonetten. Ik weet het, ik heb de ooggetuigenverslagen gelezen. Kom op, ga naar boven en pak...'

'Nee,' schreeuwt Anna. 'Nee, nee!' Ze slaat hem. Behalve zijn hoofd buigen, doet hij geen poging zichzelf te beschermen. Anna timmert met haar vuisten op zijn schedel. Zij grijpt zijn donkere haar vast, dat ruw als staalwol is, en trekt er uit volle macht aan.

De obersturmführer omklemt Anna's middel en trekt haar tegen zich aan. Ze kan zijn warme, natte gezicht door haar jurk heen voelen. Ze slaat op zijn hoofd, probeert het weg te duwen. Hij ondergaat het gelaten.

Na een tijdje stopt Anna net zo abrupt als ze ermee begonnen is; ze heeft gewoon geen kracht meer. Ze staat met gesloten ogen te wankelen in de omhelzing van de obersturmführer. Haar handen liggen stil op zijn haar. Langzaam trekt de obersturmführer zijn armen terug en staat op. Van zijn slapen sijpelt zweet naar zijn kaken.

'Voor de laatste keer,' zegt hij, 'ga je met me mee of niet?'

Anna schudt haar hoofd: 'Nee.'

'Na alles wat ik voor jou gedaan heb,' zegt de obersturmführer. 'Na al die geschenken die ik voor jou en het kind heb meegebracht. Ik heb jullie te eten gegeven, ik heb jullie beschermd, terwijl ik je meteen die eerste dag had moeten neerschieten. Ik had je al lang geleden om zeep moeten helpen...'

Hij klopt op zijn heup, waar zijn holster meestal hangt. Omdat hij die niet vindt, rukt hij zijn hemd uit zijn broekband. 'Misschien moet ik het nu doen,' zegt hij.

'Doe maar!' schreeuwt Anna. 'Doe het maar.'

Maar ze weten allebei dat de obersturmführer bluft. Zijn hand trilt zo hevig, dat hij het wapen niet onder zijn riem uit kan trekken. Hij laat het hemd over zijn behaarde pens vallen en verbergt zo het kleine kromzwaardvormige litteken dat het gevolg is van een hondenbeet uit zijn jeugd. Anna kent zijn lichaam beter dan haar eigen lijf.

'Ik dacht dat ik je kende,' zegt de obersturmführer. 'Ik hield zelfs van je. Nu kom ik erachter dat ik je helemaal niet ken.'

'Maar ik ken jou wel,' vertelt Anna hem. 'Ik heb jouw ware aard altijd gekend.'

De obersturmführer kijkt Anna een tijdje met zijn spookachtige ogen aan. Dan klakt hij zijn hakken tegen elkaar, maakt op militaire wijze rechtsomkeert en loopt naar de deur. Onderweg struikelt hij over zijn eigen kleine voeten en valt voorover. Het is de eerste en enige keer dat Anna de obersturmführer gewone schoenen zal zien dragen.

Hij weet zijn val te stuiten door zich aan de deurstijl vast te grijpen. 'Goed dan,' zegt hij. 'Het zij zo. Ik wens je succes. Je zult het nodig hebben, dat kan ik je verzekeren.' Hij doet de deur open en blijft met zijn hand op de knop stilstaan. 'Maar we zouden samen een goed leven hebben gehad,' voegt hij eraan toe. 'Ik zou je van alle gemakken hebben voorzien, weet je.'

Anna ziet hem door het met vliegen bespikkelde raam boven de gootsteen steeds kleiner worden. De avond is groen en waterig, de bomen druppelen condens op het onbedekte hoofd van de obersturmführer. Als hij in een auto geklommen is die erg lijkt op het bestelbusje van de bakkerij, blijft hij zitten en kijkt lange tijd naar de bakkerij. Dan start hij de motor en rijdt weg.

Trudy, maart 1997

44

Al vanaf begin maart gedraagt Anna zich vreemd, hoewel Trudy dat in eerste instantie niet eens merkt. Pas achteraf realiseert ze zich dat haar moeders wandelingen rond het meer steeds langer worden. Dat Anna soms wat gehavend terugkeert, met verward haar door het plastic regenkapje en een lege, starende blik in haar ogen. Dat ze het huis obsessief en met een verbazingwekkende grondigheid schoonmaakt. Ze klopt de kleedjes, schrobt de muren met water en chloor, wast aan één stuk door de lakens en hangt die – aangezien ze Trudy's droger veracht, maar buiten geen waslijn heeft – uit het raam van haar slaapkamer te drogen als witte capitulatievlaggen. Trudy is weliswaar enigszins uit het veld geslagen door Anna's fanatisme, maar schudt het van zich af door het op de grote schoonmaak te schuiven waar Anna de boerderij ook altijd aan onderwierp. Het houdt Anna in ieder geval bezig.

Maar tegen het eind van de maand, als de paasdecoraties achter de ramen van de buren verschijnen en de krokussen hun paarse kopjes door vieze hoopjes sneeuw steken, begint Anna te bakken. Ze bakt in alle ernst en dat de stukken ervanaf vliegen. Ze begint 's morgens al voor het licht is en gaat tot laat in de avond door. Ze bakt in opperste en zwijgzame concentratie. Ze bakt alsof iemand haar onder schot houdt, alsof haar leven afhangt van de hoeveelheid die ze produceert, en ze begint met brood. Bruin brood, wit brood, gemarmerd brood, roggebrood. Brood na brood haalt ze uit de oven en legt die op het aanrecht, de tafel en de vensterbanken om af te koelen. Bakplaten vol *brötchen*, genoeg om een leger te voeden. En dan begint ze met gebak. *Eissplittertorte* en *erdbeertorte. Honigkuchen, käsekuchen, napfkuchen, pflaumenkuchen. Windbeutel.* Aan de lopende band komt dit alles de keuken uit. De koelkast en voorraadkasten raken in zo'n hoog tempo gevuld, dat Trudy ertoe overgaat het gebak midden in de nacht ingepakt achter te laten voor de deuren van haar buren. Desondanks blijft Anna, wit van het meel, druk doende in de keuken. Stukjes deeg zitten aan haar wangen geplakt en maken klitten in haar haar. Uit niets blijkt dat ze ermee op zal houden. En Trudy, die duizelig is van de suiker en een rijmpje dat maar door haar hoofd blijft spoken – *'Backe, backe Kuchen!' der Bäcker hat gerufen. 'Backe, backe Kuchen!' der Bäcker hat gerufen* – begint zich af te vragen of het in feite niet Anna's bedoeling is haar het huis uit te jagen. Of haar gek te maken.

Dat is tenminste waar ze over klaagt als ze op een avond met Rainer in diens eetkamer zit te prikken in Anna's laatste baksel: een *kirschtorte*. Ze hebben al een kip verorberd die ze – op voorstel van Trudy, die zich maar al te goed het taaie vlees herinnert van de eerste avond dat ze hier was – hebben gekocht bij Lunds op Fiftieth Street. Een maaltijd waar Trudy zeer aan toe was, aangezien zij en Rainer voorafgaand daaraan drie rondjes om Lake Harriet hebben gelopen. Rainer staat op deze stimulerende gezondheidswandelingen. 'Mensen zijn tenslotte dieren,' buldert hij Trudy's bezwaren weg, 'en door jezelf lichaamsbeweging te ontzeggen, negeer je een basisbehoefte.' Dus als hij stug voor haar uit beent, dribbelt ze hijgend over de glibberige paadjes achter hem aan en focust zich op zijn gleufhoed als richtingaanwijzer. Jammer, denkt ze, dat tegenwoordig niet meer mannen een hoed dragen.

Nu pakt Rainer de karaf met Grand Marnier en houdt die boven Trudy's glas.

'Nee, dank je,' zegt Trudy.

Rainer vult haar glas en snijdt voor zichzelf nog een tweede punt kersentaart. 'Misschien overdrijf je een beetje,' zegt hij, terugkerend naar het onderwerp van gesprek. 'Misschien vindt je moeder het gewoon fijn om te bakken.'

'Nou, ja, dat is wel zo...' Trudy kruipt in elkaar op haar stoel. 'Maar dit is anders. Het heeft iets... bezetens, alsof ze zich voorbereidt op een ramp. Ze is duidelijk ergens door van haar stuk gebracht.'

Rainer haalt zijn schouders op. 'Als dat zo is, moet je haar met rust laten. Dat bakken heeft ongetwijfeld een kalmerend effect op haar. Ze biedt haar problemen op een ouderwetse manier het hoofd, door ontkenning en fysieke inspanning. Zou je liever hebben dat ze zat te vegeteren op haar kamer, zoals zo veel ouderen doen?'

'Nee,' zegt Trudy.

'Nou dan.'

'Maar...'

'Wij krijgen zo in ieder geval goed te eten,' zegt Rainer. Hij valt aan op zijn dessert, zet zijn vork in het gebak. Trudy kijkt omlaag naar haar taartpunt. De kersenvulling ligt als een plas gestold bloed onder de korst. Trudy doet haar ogen dicht en richt haar aandacht op de muziek die Rainer heeft uitgekozen: het Pianoconcert nr. 2 van Brahms, haar favoriet. Maar in plaats van een brok in haar keel veroorzaken de plechtige hoorns vanavond een koude rilling over Trudy's rug, alsmede een vreemd, zeurderig gevoel dat ze iets heel belangrijks is vergeten.

Rainer legt verbaasd zijn bestek neer. 'Wat is er met jou aan de hand?' vraagt hij. 'Meestal eet je als een wolf.'

Trudy wrijft over haar armen waar onder haar trui kippenvel de kop heeft opgestoken. 'Ik heb gewoon niet zo'n trek, denk ik,' zegt ze.

'Wat zonde,' zegt Rainer, en hij trekt Trudy's bordje naar zich toe. Hij doorboort een kers en het sap spuit eruit. Trudy kijkt de andere kant op.

'Heb je een vervelende dag gehad?' vraagt Rainer.

'Niet vervelender dan anders. Vanmorgen heb ik uiteraard college gegeven. De studenten waren allemaal verkouden, ze hoestten en niesten, de bacillen vlogen alle kanten op – o, neem me niet kwalijk, ik vergat dat je allergisch was voor leerlingen. Je wilt dit helemaal niet horen.'

'Klopt. Dat wil ik niet. Wil je me alsjeblieft de suiker aangeven?'

Trudy gehoorzaamt en Rainer strooit een mooie piramide op de restanten van de zich toegeëigende taart van Trudy.

'Daarna heb ik geluncht op de faculteit en toen had ik een interview. Met iemand die geboren is in jouw oude woonplaats, trouwens. Ene mevrouw Appelkind uit Berlijn.'

Rainer gromt slechts en blijft maar gulzig door eten. Het is vanzelfsprekend een heikel onderwerp, Trudy's project. Maar ze ziet niet in waarom ze er niet over zou mogen praten. Het is tenslotte belangrijk voor haar. En hij heeft gevraagd hoe haar dag was.

Dus Trudy gaat gewoon door. 'Je had die vrouw moeten zien, Rainer. Tonnetje rond. Ze heeft het hele gesprek zitten eten, zelfs voor de camera. Ze had zo'n rood gezicht dat ik bang was dat ze een hartaanval zou krijgen. En ze had inderdaad een hoge bloeddruk, vertelde ze me, maar ze zei dat ze sinds de oorlog altijd bang is geweest niet genoeg te eten te krijgen... Luister je wel naar me?'

Rainer geeft geen antwoord. Hij zit gebogen over zijn gebak als een konijn te kauwen. De druifvormige spieren langs zijn kaaklijn verdwijnen en verschijnen met het opeenklemmen van zijn kaken. Als hij klaar is, schuift hij zijn bord aan de kant en kijkt Trudy met samengeknepen ogen aan. Trudy zet zich schrap voor een kleinerende opmerking, of in ieder geval voor de vraag waarom ze toch in hemelsnaam steeds over dat projectje van haar begint, aangezien het hem echt totaal niet interesseert.

Maar in plaats daarvan vraagt Rainer: 'Waarom draag jij altijd zwarte kleren?'

Trudy plukt aan de mouw van haar coltrui. 'Dit? Je moet je bril schoonmaken. Dit is donkerblauw.'

'Donkerblauw, zwart, grijs, dat maakt niets uit. Je ziet eruit als een wandelende blauwe plek.'

'Ik hou van donkere kleuren,' kaatst Trudy terug. 'Ze verlenen me een bepaald raffinement.'

Rainer haalt zijn neus op en vult zijn glas. 'Vrouwen moeten lichte kleuren dragen,' stelt hij. 'Roze, bijvoorbeeld. Of fuchsia. Je bent niet totaal onaantrekkelijk, ondanks het feit dat je koppig en twistziek bent, en het staat je gewoon niet, dat voortdurend in de rouw lopen.'

Is dit Rainers manier om een compliment te maken? Trudy trekt haar wenkbrauwen op en neemt een slokje van haar likeur.

Rainer leunt achterover op zijn stoel en schuift zijn handen over zijn buik in elkaar, terwijl hij haar onderzoekend aankijkt. 'Waar ik zo benieuwd naar ben,' zegt hij, 'is hoe het komt dat jij zo bent.'

'Pardon?'

'Jouw manier van doen, je kleding, je houding. Het is alsof je je ergens voor schaamt en onzichtbaar wilt zijn.'

Van schrik begint Trudy te giechelen en draait haar kin met een ruk in de richting van het raam, waarachter het is gaan sneeuwen, hoewel het te donker is om dat te zien.

'Als dat zo was en ik echt in de menigte op wilde gaan,' zegt ze bijdehand, 'dan zou ik wit dragen.'

Rainer wuift dit ongeduldig weg. 'Waar schaam jij je zo voor?' vraagt hij.

Trudy's lach ebt weg. 'Dit is een absurd gesprek,' laat ze hem weten. 'En saai.'

'Dat vind ik niet,' zegt Rainer. 'Ik begin het steeds interessanter te vinden. Ik vind jou nou echt een vertegenwoordiger van die grote bevolkingsgroep die vindt dat zelfbewustzijn het hoogst haalbare is. Dus ik herhaal, doctor Swenson. Vertel me eens. Hoe komt het dat je zo bent?'

Trudy rolt met haar ogen. 'Die vraag is een intelligente man als jij onwaardig,' zegt ze. 'Je weet dat die onmogelijk te beantwoorden is. De variabelen zijn oneindig: opvoeding, genen, bepalende gebeurtenissen tijdens de jeugd en volwassenheid, god mag weten wat allemaal nog meer...'

Rainer proost met zijn glas. 'Een moedige poging de vraag te ontwijken,' zegt hij, 'en in bepaalde kringen misschien wel acceptabel. Maar geheel bezijden de waarheid. Voer voor psychologen. Ik trap daar echt niet in. Jij trouwens ook niet, het is in tegenspraak met je eigen theorie, of in ieder geval met de reden waarom je deze interviews doet, zoals je zelf bekend hebt. Proberen te achterhalen door welke factoren de Duitsers zich gedroegen zoals ze zich gedroegen. Uiteraard ben ik daar niet in geïnteresseerd. Wat mij wél interesseert is waarom jij zo in hen geïnteresseerd bent.'

'Dat heb ik je vertéld,' zegt Trudy vermoeid en vinnig. 'Denk jij nou echt dat mijn intellectuele nieuwsgierigheid net zo beperkt is als die van mijn studenten? Wat ik doe, zal van onschatbare waarde zijn voor de studie van de hedendaagse Duitse geschiedenis...'

'Ook dat is niet waar. Of, beter gezegd, ik trek de validiteit van jouw uiteindelijke bijdrage niet in twijfel, maar u draait om de hete brij heen, doctor Swenson. Wat is de werkelijke reden achter jouw dwangneurose? Dit project is jou zo dierbaar, dat die vast en zeker persoonlijk is. Misschien houdt het op de een of andere manier verband met jouw Duitse moeder wier uitstekende banket wij verorberen...?'

Trudy schuift haar stoel naar achteren. 'Ik ga naar huis,' zegt ze. 'Bedankt voor de heerlijke avond.'

Rainer glimlacht naar haar. 'Ja, ja. Dus jij mag het huis van een vreemde binnendringen en het vanzelfsprekend vinden dat hij al zijn geheimen opdreunt, maar het is beneden jouw waardigheid om hetzelfde te doen, is dat het?'

‘Ik heb er meer dan genoeg van,’ snauwt Trudy, en ze staat op om te vertrekken.

Maar Rainer buigt zich naar voren, pakt haar pols en pint die vast op de tafel. ‘Wacht even, doctor Swenson,’ zegt hij met fonkelende ogen. ‘Nog niet weggaan. Alsjeblieft, ga nog even zitten.’

Trudy kijkt hem boos aan.

‘Alsjeblieft,’ herhaalt Rainer, en hij wijst naar haar stoel.

Trudy gaat zitten.

‘Dat is beter,’ zegt Rainer, terwijl hij haar arm loslaat. ‘Je moet je niet zo snel beledigd voelen.’ Hij tilt zijn glas op, slaat zijn hand eromheen en laat de amberkleurige vloeistof peinzend ronddraaien. ‘Het is waar,’ zegt hij, ‘dat ik dat project van jou in vele opzichten ondoordacht vind. Ten eerste omdat de Duitsers mogen praten over wat ze gedaan hebben: dat is fout. Waarom zou hen de zuivering van het geweten die met het biechten gepaard gaat, zijn toegestaan? Dat is net zoiets als overspel plegen: de schuldige partij zou moeten leven met het besef van wat hij heeft aangericht, in plaats van zijn wandaden te bekennen en zijn geweten te sussen, terwijl hij de onschuldige ander kwetst. Dat zou een zeer bijzondere martelmethode zijn, subtiel maar levenslang. De straf moet passen bij de misdaad – hoewel natuurlijk heel veel Duitsers, als we dat als onvoorwaardelijk opvatten, veel strenger gestraft zouden moeten worden.’

Trudy zit te schuiven in haar stoel. ‘Ja, maar...’

Rainer laat zijn grote handpalm zien. ‘Bovendíén,’ buldert hij, ‘zou ik zelfs als ik het moreel gerechtvaardigd vond om dergelijke bekentenissen uit te lokken, jouw project als kwetsend beschouwen door de naïviteit ervan. Het is een uitvloeisel van het Amerikaanse idee dat het op de een of andere manier aantrekkelijk is om de vuile was buiten te hangen. Je ziet deze ideologie overal om je heen: in praatprogramma’s, bij dj’s die mensen aanmoedigen te bellen om te jammeren en te klagen en korstjes los te peuteren. Jullie zijn zo’n jong en kinderlijk land. Dat denkt maar dat wonden uit het verleden beter begrepen kunnen worden door erin rond te woelen en de oorzaken ervan te analyseren. Jullie hebben nog veel te weinig inzicht om te begrijpen dat een wond alleen kan helen als je die met rust laat. Om als het ware geen slapende honden wakker te maken in plaats van die enthousiast een schop te geven, zoals jij doet.’

Trudy, die laaiend is, zou hem er graag op willen wijzen dat dit niet alleen oneerlijk is, maar ook belachelijk: Rainer is net zo geassimileerd als ieder ander. Hij woont al tientallen jaren in dit land, hij heeft hier de kost verdiend, zijn leerlingen onderwezen, een gezin gesticht... 'Jij rijdt verdomme in een Buick!' barst ze uit.

Rainer negeert dit. Hij fronst naar zijn glas, dat hij ronddraait op de onderzetter. 'Toch moet ik bekennen,' zegt hij tegen het glas, 'dat ik bewondering had voor jouw lef toen je je hier de eerste keer naar binnen werkte. Onbezonnen en koppig, dat wel, maar dapper. Want ik heb mijn verhaal nog nooit aan iemand kunnen vertellen. Niet aan mijn vrouw, niet aan mijn dochter, en zelfs niet aan een vreemde in de kroeg. Aan niemand. En toen de universiteit belde om te vragen of ik mee wilde doen met dat andere onderzoek, het Nagedachtenisproject...' Hij glimlacht gespannen naar het glas. 'Andere joden vertellen ook hun verhaal, zei ik tegen mezelf, waarom zou jij het dan niet doen? Maar... ik kon het niet. Ik kon mezelf er gewoonweg niet toe brengen. Toen zag ik jouw flyer en ik dacht: nu beginnen zelfs de Duitsers te praten.'

Rainer leegt zijn glas en zet het met een klap op tafel. 'Dus heb ik jou gebeld,' zegt hij, 'en een rotstreek met je uitgehaald. Wreed en laf. Daar schaam ik me nu voor.'

Trudy kijkt hem aan. Hij zit stijf en kaarsrecht, een Pruisische houding.

'En toch ben je teruggekomen,' zegt Rainer. 'Ik heb me vaak afgevraagd waarom. De enige conclusie die ik kan trekken, is dat je een ware masochist bent, iemand die het graag zwaar heeft.' Hij staart Trudy over de rand van zijn bril aan.

Trudy buigt haar hoofd om haar pols te bekijken, die ze onder de tafel over haar broek heeft zitten wrijven. De huid die Rainers vingers hebben omklemd tintelt, alsof die sliep en net wakker begint te worden. Ze glimlacht er stiekem naar. 'Ik denk dat dat klopt,' zegt ze.

45

Als Trudy later die avond, de openingsmaten van het stuk van Brahms neuriënd, door de achterdeur naar binnen stapt, is ze aangenaam verrast haar moeder niet in de keuken aan te treffen. Wat een fijne avond is dit uiteindelijk geworden! Wel moet ze toegeven dat de resultaten van Anna's verrichtingen van de middag alle horizontale oppervlakken innemen. Prachtig gedecoreerde cakes en taarten staan te stikken onder lagen plasticfolie. Een iets recenter product, een *Scharzwalder kirschtorte*, wacht een zelfde behandeling op het fornuis. Maar blijkbaar is Anna gezwicht voor ofwel uitputting ofwel gezond verstand, want ze is nergens te bekennen. Ze moet haar schort op een fatsoenlijk tijdstip hebben uitgetrokken, denkt Trudy, en voor de verandering eens als een normaal mens op tijd naar bed zijn gegaan.

De *Scharzwalder kirschtorte* zal bederven als die tot morgenochtend zo blijft staan, dus Trudy scheurt een flink stuk plasticfolie af en drapeert dat over de taart. De zware, misselijkmakende geur van chocoladeglazuur die opstijgt, doet Trudy denken aan afgelikte huid. Maar zelfs dat kan haar goede humeur niet bederven. Nu de taart naar behoren is beschermd, doet Trudy het licht uit en loopt, nog steeds zachtjes neuriënd, door de gang naar haar studeerkamer. Ze wil naar het interview met Rainer kijken. Of beter gezegd, niet de hele band afspelen, maar die er gewoon in stoppen en hem op pauze zetten, zodat ze hem nog even kan zien en welterusten kan zeggen voordat ze naar bed gaat.

Maar iemand is haar voor geweest, want in Trudy's studeerkamer zit Anna ineengedoken op de bank en staart door de kamer naar Rainer op de televisie. Ze heeft een onvervalste uitdrukking van afgrijzen op haar gezicht. Daardoor, en door haar lange witte nachtpon en het feit dat ze haar haar in een vlecht achter haar rug heeft hangen, doet ze Trudy zowel denken aan de vrouw van Blauwbaard – hoe moet die kersverse bruid hebben gekeken toen ze de verboden deur opende en de afgehakte hoofden van haar nieuwsgierige voorgangsters zag – als aan een kind dat naar een verhaal luistert dat te huiveringwekkend is om waar te zijn.

Trudy laat zich tegen de deurstijl zakken; ze is opeens doodmoe. Dan loopt ze de kamer in en gaat zachtjes naast haar moeder op de bank zitten. 'O, mama,' zegt ze, terwijl ze haar ogen sluit. 'Wat moeten we toch met jou?'

Ze voelt dat Anna langs haar heen reikt naar de afstandsbediening. Anna moet dit vaker gedaan hebben, want nadat Rainer gezegd heeft 'ze zullen je brein verbranden: je hersenen met hun magnifieke netwerk van neuronen,' begeeft zijn stem het. Trudy doet haar ogen open en kijkt naar zijn grote, vierkante, nogal blozende gezicht op het scherm. Zijn bril is halverwege zijn neus gegleden en zijn mond staat open. Hij zou kunnen gapen of een menukaart aan het lezen kunnen zijn.

Anna grijpt zich vast aan de kussens van de bank om zichzelf overeind te duwen. 'Nogmaals sorry, Trudy,' zegt ze. 'Ik ga naar bed.'

'Het geeft niet, mama. Blijf gerust zitten.' Trudy zucht en masseert haar ogen. Dan zegt ze: 'Vind je niet dat het tijd wordt om er een streep onder te zetten? Ben je het niet zat, mama? Ben je het niet spuugzat? Ik in ieder geval wel. Waarom vertel je me niet gewoon over hem.'

In haar ooghoeken ziet ze Anna's handen – klein, ruw, eeltig, het enige van haar wat niet beeldschoon is – verstijven op de bank. 'Wie? Ik weet niet waar je...'

'O, hou toch op, mama. Kom nou niet weer met dat smoesje...' Trudy gebaart naar de bevroren Rainer. 'Om de een of andere reden wil je ontzettend graag deze banden bekijken. En volgens mij is dat niet alleen omdat je wilt weten wat er tijdens de oorlog met de anderen is gebeurd. Het is een soort boetedoening, hè? Een straf. Maar het schuldgevoel zal nooit verdwijnen, tenzij je erover praat. Vertel het me dus maar, mama. Vertel me over de officier.'

Anna duwt zich van de bank en loopt in de richting van de duistere veiligheid van de gang. 'Hou er nou eens over op, Trudy,' zegt ze. 'Het is absurd. Ik wil er niets van weten. Ik ga naar bed.'

Trudy springt overeind, spurt Anna voorbij en gaat voor haar staan. Ze trekt de deur dicht en leunt er tegenaan. 'Nog even niet,' zegt Trudy. 'Niet voordat je mij iets over hem verteld hebt.'

Anna slaat haar armen over elkaar en in het gedempte licht van de televisie ziet Trudy haar koppig opeengeklemde kaken. Maar Trudy houdt vol: 'Omdat ik me hem herinner, mama. Ik herínner me hem, snap je dat dan niet...?' Haar stem, een octaaf lager dan normaal, trilt; ze is bijna in tranen. 'Ik dróóm over hem,' zegt ze. 'Een grote kerel met onderkinnen en donker haar en heel lichte ogen. Noemt zichzelf Sint Nicolaas. En hij heeft altijd een uniform aan – volgens mij heeft hij een redelijk hoge rang. Een *hauptsturmführer*? *Sturmbannführer*? Een *obersturmführer* misschien...'

'Hou je mond,' zegt Anna. 'Je weet niets.'

'Ja, dat is een ding wat zeker is,' kaatst Trudy terug. 'En wiens schuld is dat? Je hebt het me nooit willen vertellen. Ik heb mijn hele leven naar hem gevraagd en je hebt me met lege handen laten staan. Dus wat was hij, mama? Wie was die man van wie jij de minnares was?'

'Hou je mond,' herhaalt Anna, iets luider nu. Haar accent is zwaarder, zoals altijd als ze van streek is. 'Ik weet niet hoe je je zulke dingen in je hoofd hebt kunnen halen, maar...'

'Omdat ik erbíj was, mama. Ik heb dingen gezíén. Ik herínner het me. En wat ik graag wil weten is: hoe kón je het doen?'

Anna ademt zwaar nu, ze snuift als een stier lucht door haar neusgaten. Trudy voelt het, warme en vochtige lucht strijkt over haar wangen.

'O, verstandelijk kan ik het wel begrijpen,' gaat Trudy verder. 'Het oude liedje over desperate tijden die vragen om desperate maatregelen... Ik weet dat het zo was. Ik heb het tientallen jaren bestudeerd, alle onderzoeksverslagen gelezen...'

'Onderzoeksverslagen,' schimpt Anna. 'Je zou het nooit begrijpen. *Du kannst nicht.*'

'Wél waar, wél als je het me uit zou leggen. Hélp me het te begrijpen, mama! Heeft hij je gedwongen? Wat waren de omstandigheden? Vertel me hoe het was, zodat ik kan begríjpen, in het diepst van mijn hart, waarom je met zo'n man samen kon zijn!'

'Ik wil het er niet over hebben,' zegt Anna. Ze steekt haar hand langs Trudy uit naar de deurklink. Trudy legt haar hand eroverheen.

'Of misschien heeft hij je helemaal niet gedwongen,' gaat ze verder. 'Of misschien wel in het begin, maar ben je daarna... Gesteld op hem geraakt. Praat je er daarom nooit over, mama? Heb je daarom die foto al die jaren bewaard?'

Anna's arm valt omlaag. 'Welke foto?' zegt ze.

'Van jou en hem,' zegt Trudy triomfantelijk. 'En ik, op jouw schoot. Hij lag in jouw kast op de boerderij. En nu heb ik hem boven in mijn sokkenla.'

Anna kijkt doodsbang. 'Die,' fluistert ze.

'Ja, die. Als jong meisje wist ik al van het bestaan ervan. En waarom zou je hem anders al die tijd bewaard hebben als je niets om hem gaf? Als je niet van hem hield...'

Anna buigt zich voorover en slaat Trudy keihard in haar gezicht.

Verbijsterd hapt Trudy naar lucht. Maar voordat ze weer op adem kan komen, komt Anna een stap dichterbij en pakt haar bij haar kin, dwingt Trudy haar aan te kijken, net als ze dat deed toen Trudy klein was. 'Hoe dúrf je zoiets te zeggen,' sist Anna. 'Nu moet je eens goed naar me luisteren. Ik zeg je dit één keer: ik heb het voor jou gedaan, Trudy. Alles wat ik ooit gedaan heb, heb ik allemaal voor jou gedaan.'

Anna staart Trudy nog een tijd lang recht in haar ogen. Dan laat ze haar los. 'En dat is alles wat ik hierover te zeggen heb,' zegt ze. 'Ik heb die tijd achter me gelaten, de deur dichtgeslagen, en ik zal die nooit meer opendoen. Zelfs niet voor jou. En als je me nu wilt excuseren. Ik ga naar bed.'

Anna steekt opnieuw haar hand uit naar de klink en deze keer doet de verdoofde Trudy een stap opzij om haar langs te laten. Ze wrijft over de pijnlijke plek die Anna's vingers hebben achtergelaten en hoort Anna de trap op lopen, zo langzaam als een koningin.

Alles wat ik ooit gedaan heb, heb ik allemaal voor jou gedaan.

'Oké,' zegt Trudy. Ze kijkt rond in de donkere studeerkamer en lacht even hopeloos. Want wat kun je daar nu tegenin brengen?

Dan neemt schuldgevoel in hoog tempo de lege plek van de schok in. Het is een verpletterend iets waarvan het voelbare gewicht Trudy de adem beneemt. Ze rent de trap op achter haar moeder aan en blijft voor Anna's gesloten deur staan. Daarachter is het stil.

'Mama,' roept Trudy. Ze klopt op de deur. 'Mama?'

Geen antwoord.

'Het spijt me, mama,' zegt Trudy.

Stilte.

Trudy slaat haar armen om zich heen en wacht. 'Heb je me gehoord, mama? Ik zei dat het me speet...'

Uiteindelijk sjokt Trudy de overloop over naar haar eigen kamer, waar ze op de rand van haar bed gaat zitten. Aarzelend brengt ze in het duister haar handen naar haar gezicht. Haar wangen schrijnen en zijn gezwollen op de plekken waar Anna haar heeft vastgepakt. En nat.

46

En er komt een moment dat Trudy in slaap moet zijn gevallen, want nadat ze eerst op haar rug heeft gelegen en zich daarna als een hondje oprolt op haar zij, ziet ze dit:

Ze zit in kleermakerszit op de vloer van de bakkerij, die in een soort vluchtelingencentrum is veranderd. Er liggen bergen koffers, reistassen en stapels jassen. In sommige daarvan liggen slapende mensen gerold. Anderen zitten vlak bij haar heen en weer te wiegen, te staren naar de kapotte muren of te fluisteren tegen kinderen met wie Trudy niet mag spelen. Bij Anna in de keuken zijn er nog meer. Ze helpen haar bij het koken van verbandgaas of delen kopjes water uit. Trudy is niet bang voor de vreemdelingen; ook het vreemde beeld van de op de grond liggende volwassenen jaagt haar geen angst aan. De bezoekers zorgen voor een vakantiegevoel in de bakkerij. Zelfs het stof dat ze laten opwarrelen en dat in smalle lichtbundels tussen de platen voor het raam ronddraait, lijkt iets feestelijks te hebben.

Dan knipt de oude kale onderwijzer zijn vingers voor Trudy's gezicht. 'Opletten, kind,' beveelt hij. 'Zeg mij na: *eins, zwei, drei*.'

Trudy schuift heen en weer om wat lekkerder te gaan zitten. Het beton is vochtig en niet aardig voor haar kinderbillen, en ze zit er al een hele tijd. '*Eins, zwei, drei*,' zegt ze.

'Nee, nee, nee. *Eins, zwei, drei. Vier, fünf, sechs.*'

'*Eins, zwei, drei. Vier, fünf, sechs,*' herhaalt Trudy. Ze kijkt verwachtingsvol naar de oude schoolmeester, hopend op een complimentje. Ze wil deze vreemde man een plezier doen.

Maar hij tuit walgend zijn lippen. 'Je concentreert je niet,' vertelt hij haar. 'Je kunt maar beter leren het goed te doen, kind. Anders...' Langzaam draait hij zijn hoofd naar links, en de aangetaste huid, een rauw en vocht afscheidend roze dat een van zijn ogen heeft verzegeld, verschijnt als een vernielde maan in beeld. 'Wil je zo eindigen?' vraagt hij. 'Nee? Dan moet je het nog een keer doen, maar nu goed. *Ein, zwei, drei, vier...*'

Met een schokkend bovenlijf als voorbode van tranen begint Trudy nogmaals de cijfers op te zeggen. Maar de oude schoolmeester luistert niet meer. Hij krabbelt overeind, zijn geruïneerde gezicht staat wezenloos. Overal om Trudy heen is beweging en geroezemoes: de andere vluchtelingen doen hetzelfde. Want Sint Nicolaas is gearriveerd. Hij staat in de houding in de deuropening en inspecteert het groezelige stelletje.

In tegenstelling tot de anderen springt Trudy niet overeind. In plaats daarvan duwt ze zich met haar hielen over de vloer naar achteren en probeert zich te verstoppen tussen het woud van benen als Sint Nicolaas de bakkerij binnen stampt. Ze weet dat hij haar zoekt.

'Vooruit! Opstaan,' roept hij. 'Ingerukt mars.'

Gehoorzaam en met neergeslagen ogen vormen hun vluchtelingen een cirkel om Sint Nicolaas. Dan marcheren ze langs hem heen, terwijl hij in zijn handen klapt en zingt:

Backe, backe Kuchen!
der Bäcker hat gerufen.
Wer will guten Kuchen backen,
Der muss haben sieben Sachen:
Butter und Salz, Zucker und Schmalz...

Opeens loopt Trudy zelf ook tussen de vluchtelingen. Ze sjokken langs Sint Nicolaas in een vertwijfeld ritme, sloom en log als circusolifanten. En dan zijn ze opeens allemaal verdwenen en marcheert Trudy in haar eentje. Dit verbaast haar niets: Sint Nicolaas bezit zo veel bijzondere krachten, logisch dat hij mensen laat verdwijnen.

'*... und Eier machen den Kuchen gel*,' zingt hij, terwijl hij met de punt van zijn glanzende laars de maat tikt. '*Backe, backe Kuchen! der Bäcker hat gerufen.* Hup! Hup! Hup! Het vaandel hoog, de rijen hecht gesloten. SA marcheert met rustig vaste tred...'

'Zo is het wel weer genoeg voor vanavond,' hoort Trudy haar moeder roepen. 'Het is allang bedtijd geweest.'

Trudy draait haar hoofd met een ruk naar haar moeder. Anna staat achter de toonbank en wrijft over haar armen.

Sint Nicolaas negeert haar. 'Nee, niet zo,' vaart hij uit tegen Trudy. 'Kijk. Zo.' Hij marcheert in paradepas door de kamer, zijn laarzen dreunen op de grond. Hij keert op zijn hielen en loopt terug naar Trudy. Hij is zo hoog als een boom. Ze laat haar hoofd achterover zakken als hij vlak bij haar is en ziet zijn kamgaren kruis, de pompende spieren van zijn bovenbenen onder de stof.

'Nu jij,' zegt hij, en hij begint de maat weer aan te geven.

De messen hoog!
Het lemmet scherp geslepen
om te snijden
in het joodse vlees
Het joodse bloed zal vloeien door de goten
Op elke hoek wappert de Hitlervlag...

'Horst,' zegt Anna, 'ik denk niet dat...'

Trudy kijkt in de richting van haar moeder. Anna staat achter de toonbank en bekijkt het tafereel met een sombere, zorgelijke blik.

Sint Nicolaas draait zich naar haar om. 'HOU nou eens even je kop!' brult hij. 'HOU nou eens voor één keer in je godverdommese leven gewoon! Je! Kop!'

Dan draait hij zich met een ruk om en slaat Trudy met de rug van zijn hand in haar gezicht. Tollend en met suizende oren valt ze op de grond. Ze voelt de klap van zijn hand niet. Haar rechterwang is van haar voorhoofd tot haar kin verdoofd.

De glimmende laarzen van Sint Nicolaas passeren op een paar centimeter van haar neus. Trudy hoort hem boven haar hoofd iets onverstaanbaars schreeuwen en daarna hoort ze Anna's gegil. Ze probeert te bewegen, maar het beton onder haar trekt harder dan de zwaartekracht.

'Jij bent een schande. Ik heb het helemaal gehad met jullie,' schreeuwt Sint Nicolaas. 'Blèren, jammeren, ondankbaar! Ik heb veel zin om helemaal niet meer terug te komen.'

En dan gebeurt er iets heel raars, het plafond moet opengegaan zijn, of misschien de hemel wel, want het regent kostbaarheden: vorken en horloges en ringen en broches. In een vermorzelende, kletterende kakofonie vallen ze om Trudy heen. Maar niet één voorwerp raakt haar, want Anna is er, zit over haar heen gebogen, beschermt Trudy in haar armen.

Maar Trudy is doodsbang en wil zich loswurmen uit haar moeders beschermende omhelzing. Haar maag keert om van het gewicht van Anna's huid, en van haar geur. Want Anna ruikt niet naar zichzelf, niet scherp als selderie onder meel en eerlijk zweet. Ze ruikt naar spekvet, naar vis die begint te rotten. Ze ruikt als Sint Nicolaas. Ze ruikt als de man.

47

Rainer is sneller bij de deur dan je zou mogen verwachten, als je bedenkt dat het bijna drie uur 's nachts is. Trudy is echter niet verbaasd; ze weet dat hij, net als zij, last heeft van slapeloosheid. Hij is zo gekleed als een man op dit uur kan zijn, zonder zich echt aangekleed te hebben: in pyjama met ochtendjas en zijn pantoffels met monogram. Hij heeft zelfs zijn dubbelfocusbril op, alsof hij zo'n inbreuk verwachtte. Het enige wat erop wijst dat Trudy hem gestoord heeft, is zijn haar, dat als een hanenkam recht overeind op zijn kruin staat, en een ietwat verwilderde blik in zijn ogen. Daardoor realiseert Trudy zich te laat dat Rainer, gezien zijn verleden, vast meer dan anderen schrikt als er midden in de nacht op zijn deur gebonsd wordt.

'Jee, Trudy,' zegt hij. Hij buigt zijn hoofd om haar over zijn brillenglazen aan te kijken, alsof hij zeker wil weten dat ze er is. Dan zet hij zijn bril af en laat die in de zak van zijn ochtendjas glijden. In zijn andere hand houdt hij een paperback vast, een thriller van John Le Carré. 'Mijn god,' zegt hij. 'Wat is er met je gezicht gebeurd?'

Trudy schudt haar hoofd. 'Het is niets.'

'Het ziet er niet uit als niets,' zegt Rainer fronsend. 'Daar moet je echt wat ijs op doen. Wie heeft dat gedaan? Wat is er aan de hand?'

Zijn bezorgdheid maakt Trudy verlegen. Ze begraaft haar teen tussen de borstelharen van de welkomstmat. 'Het spijt me dat ik je zo laat nog lastigval,' mompelt ze.

'Doe niet zo raar. Kom binnen. Wat er ook gebeurd is, je kunt het me net zo goed binnen vertellen.'

Als Trudy zich niet verroert en naar haar laarzen blijft staren, pakt Rainer haar arm vast. 'Alle warmte gaat naar buiten,' zegt hij.

Hij loopt met Trudy naar de woonkamer en gebaart dat ze op de bank moet gaan zitten. Maar Trudy blijft staan. Ze hijgt een beetje – van de kou en de haast waarmee ze hiernaartoe is gekomen, en van de angst voor wat ze wil gaan zeggen. En de enige manier om het te zeggen, is het zeggen. Rainer staat haar afwachtend aan te kijken. Trudy legt een ijskoude hand op haar borstbeen.

'Ik ben niet wie jij denkt dat ik ben,' zegt ze snel. 'Ik ben niet gewoon een Duitse. Ik ben de dochter van een nazi-officier. Een ss'er. Zo. Nu weet je het.'

Rainer kijkt omlaag naar het boek dat hij nog steeds in zijn hand heeft.

'Ik heb dat nog nooit aan iemand verteld,' zegt Trudy. 'Zelfs mijn exman weet het niet. En...' Ze begraaft haar gezicht in haar handen. 'Ik schaam me zo,' huilt ze. 'Zo verschrikkelijk. Ik voel me mijn hele leven al zo... besmet.'

Rainer zegt niets, maar na een tijdje voelt Trudy dat hij haar bij haar schouder pakt. Hij dirigeert haar naar een stoel. 'Blijf hier,' zegt hij.

Hij verdwijnt in de gang. Trudy leunt uitgeput achterover. Hoewel de leunstoel koud is, straalt hij een geruststellende mannelijke geur uit, van koel leer en was en een vleugje van Rainers aftershave.

Rainer komt terug met een theepot en twee mokken op een dienblad. Hij zet dat op een bijzettafeltje en knipt een schemerlamp aan. De schaduwen springen op en trekken zich een stuk terug. Ze laten een kleine cirkel boterachtig licht achter.

Rainer tikt op Trudy's knie en geeft haar een mok en twee aspirines. 'Neem die in,' zegt hij. 'Dan wordt je wang hopelijk wat minder dik.'

Trudy gehoorzaamt en slikt de tabletten met een mondvol darjeeling door. Het brandt, niet alleen omdat de thee zo heet is, maar ook door wat Rainer er, samen met de honing en citroen, bij heeft gedaan – iets veel sterkers. De alcohol smaakt nergens naar, maar Trudy voelt een verschroeiend spoor door haar keel naar haar slokdarm trekken. Ze hoest en laat de mok zakken.

'Alles,' beveelt Rainer.

Trudy trotseert nog een slok en gaat wat rechter zitten. 'Wat ís dit?' vraagt ze. 'Schnaps?'

Rainer maakt een ongeduldig huppekee-gebaar met zijn hoofd. Als Trudy haar mok heeft leeggedronken, giet hij die nog een keer vol en schenkt er voor zichzelf ook een in. Maar in plaats van die leeg te drinken, zit hij met zijn voeten stevig op het kleedje geplant de mok heen en weer in zijn handen te draaien en staart ernaar. 'Ik ga je een verhaaltje vertellen,' zegt hij. Dan zwijgt hij weer.

Trudy wacht af. Dit is voor het eerst dat ze hier is zonder dat er muziek op de achtergrond klinkt. Daardoor is het in huis immens, triest stil. Ze hoort *whummm* als de koelkast aanslaat en voelt een tochtvlaag langs haar benen.

Het is alsof Rainer hierdoor een zetje in zijn rug krijgt, want hij slaakt een zucht en neemt een slokje thee. 'In november 1938,' zegt hij, 'toen ik zeven jaar oud was, werd mijn vader gearresteerd. Ik weet niet waarom. Het gebeurde tijdens de Kristallnacht, dus het zou heel goed kunnen dat er geen reden voor was. Misschien was hij gewoon op de verkeerde tijd op de verkeerde plaats. Wat ik wél weet is dat hij naar Buchenwald werd gedeporteerd – net als al die andere stakkers die aangehouden waren – en als staatsvijand vastgehouden werd. Mijn moeder ontving een bericht dat daarop neerkwam. Ze klampte zich vast aan de hoop dat mijn vader snel terug zou komen, net als veel anderen in vergelijkbare omstandigheden. En er werden inderdaad enkele gevangenen vrijgelaten, alleen verkeerden die in een ietwat andere conditie dan op het moment dat ze in hechtenis waren genomen. Mijn vader hoorde daar niet bij. In 1940 ontving mijn moeder een ander bericht. Daarin stond dat hij aan tyfus was overleden en dat ze geen begrafenis hoefde te regelen, omdat de staat zich al van het hoogst besmettelijke lichaam had ontdaan.

Tegen die tijd wist iedereen met een beetje gezond verstand natuurlijk wel welke kant het voor de joden op zou gaan, dus mijn moeder besloot dat wij, mijn jongere broer Hansi en ik, onder moesten duiken. We moesten bij haar komen zitten en toen vertelde ze ons dat wij U-boten zouden worden – joden met arische papieren – en dat we moesten doen of we de ouderloze neefjes van een christelijke dame waren die vlak bij de Kurfürstendamm woonde. Dat was in het centrum van Berlijn, dus we zouden een tijdje grote jongens zijn; we moesten ons als kleine mannen gedragen en mochten niet bang zijn. Ze deed haar best om het als een avontuur te laten klinken en ik vond het, als negenjarige die dol was op avonturenverhalen, inderdaad een opwindend vooruitzicht, vooral omdat *mutti* ons verzekerde dat het slechts tijdelijk zou zijn.

Maar de werkelijkheid was natuurlijk heel anders. Om wat voor reden dan ook was mijn moeder niet in staat om bij ons te blijven. Ze moest werken om onze weldoenster te betalen en misschien woonde ze wel in een gehuurde kamer in een andere deel van de stad. Ik weet het niet. Hoe dan ook, op een morgen in 1940 werden Hansi en ik weggehaald uit het huis in Grunewald, waar we geboren waren, en naar het appartement van frau Potz gebracht, een oudere gepensioneerde schooljuf die we tante moesten noemen. Daar liet mijn moeder ons achter, met betraande beloften om ons zo snel als ze kon te komen bezoeken. Ik laat het aan jou over om je voor te stellen hoe moeilijk dat afscheid was. Omdat ik *mutti*'s aansporing om mijn broertje het goede voorbeeld te geven goed in mijn oren geknoopt had, huilde ik niet, maar Hansi, die vier was, klampte zich snikkend vast aan haar benen. Desondanks ging ze bij ons weg en probeerde frau Potz ons zo goed mogelijk te troosten. Maar omdat ze zelf geen kinderen had en die alleen kende van het lesgeven, was ze niet erg lief. Ze knuffelde en kuste ons niet zoals we gewend waren, en Hansi en ik moesten zo veel mogelijk steun bij elkaar zoeken.

Ik moet toegeven dat er goed voor ons gezorgd werd. Naast het geld dat mijn moeder kon afdragen – hoeveel dat ook was – ontving frau Potz als weduwe uit de Eerste Wereldoorlog een fiks pensioen en de flat was, achteraf gezien, behoorlijk luxueus. Maar ik zag het allemaal met kinderogen en veel dingen in dat huis joegen me op die onlogische kinderlijke manier angst aan. Op mij hebben de grote kille kamers met glanzend gepoetste vloeren waar we niet op mochten rennen, een onuitwisbare indruk gemaakt. Het meubilair was log en donker en bekleed met prikkende stof, zoals paardenhaar. En alles rook naar mottenballen. En in de gang was een klok waar een geelogige uil op zat die elk uur kraste en met zijn vleugels klapperde. Van dat soort dingen kreeg ik nachtmerries.

Bovendien konden Hansi en ik de flat niet uit; we mochten niet meer naar school en ook wandelen door de dierentuin was verboden. In die tijd wemelde het in Berlijn van de jodenvangers: corrupte types die het op zich hadden genomen alle overgebleven joden op te sporen en die tegen een beloning – geld, of extra voedselbonnen, of stempels op hun ausweis – aan te geven bij de Gestapo. Dus wilde frau Potz niet het risico nemen ons naar buiten te laten gaan. 's Morgens kregen we les van haar en 's middags, als zij in de ellenlange rijen voor voedsel ging staan, moesten Hansi en ik ons zelf vermaken. Het was verboden te rennen of te zingen of te praten, of welk geluid dan ook te maken, we mochten zelfs niet door de ramen kijken. Het was de bedoeling dat we rustig gingen lezen of tekenen tot ze terugkwam.

Uiteraard was dat veel te veel gevraagd van twee levenslustige jongetjes die hun tuin in Grünewald misten en ooit een eigen pony hadden gehad, en natuurlijk overtraden we die regels zodra frau Potz vertrok om boodschappen te doen. Op het moment dat ik de lift naar beneden hoorde gaan, sleepte ik een van die afschuwelijke paardenharen stoelen naar het raam en hielp Hansi naast me erop te klimmen, zodat we naar de straat konden kijken. En er was altijd iets interessants te zien. De flat lag recht tegenover de Kurfürstendamm, de belangrijkste winkelstraat in Berlijn, en ik herinner me dames die van alles droegen, van de laatste mode tot jassen van *zellwolle* en houten schoenen die hetzelfde geluid maakten als paardenhoeven. Jongens van mijn leeftijd hingen rond en sprongen als apen op tramwagons tot de conducteurs hen wegjoegen. Je zag bruinhemden en soldaten met geweren, er was altijd wel iets aan de hand. Natuurlijk waren we doodsbang voor de soldaten; elke keer als er een in onze richting keek, doken we naar beneden. Maar ik moet bekennen dat ik ook gefascineerd was door hun glimmende geweren en laarzen. Soms liep ik tot Frau Potz weer terugkwam rond te rennen met een bezemsteel en schoot op denkbeeldige binnendringers.

Hoe dan ook, het 's middags naar de straat kijken werd een ritueel, en toen we op een winterse dag in 1942 voor het raam stonden, zagen Hansi en ik onze moeder aan de overkant van de straat. Ze schuifelde vooruit in een lange rij joden, van wie sommigen de gele ster droegen en anderen niet. Zij niet. Maar het was wel duidelijk dat ze was aangehouden en dat haar papieren niet in orde waren, want ze werd samen met de anderen naar het treinstation gedirigeerd.

Het was de eerste keer sinds twee jaar dat ik haar weer zag.

En Hansi, die toen nog maar zes was, raakte door het dolle heen. "*Mutti*," gilde hij wijzend, "daar loopt *mutti*!" En hij liet zich van de stoel glijden en rende de flat uit.

Ik ging achter hem aan en nam de trap in plaats van de lift, die oud en traag was. Maar toen ik bij de uitgang van het gebouw kwam, rende Hansi de straat al over. Auto's kwamen met piepende remmen tot stilstand, iedereen op de stoep draaide zich om om te kijken. "*Mutti*," schreeuwde hij. "*Mutti!*" En hij rende naar haar toe en ging naast haar lopen, trok aan haar jurk – ondanks de kou droeg ze geen jas – en stak zijn armen omhoog om opgetild en geknuffeld te worden.

In eerste instantie deed mijn moeder net of ze hem niet hoorde. Ze sloeg zijn handen van zich af en bleef recht voor zich uit kijkend doorlopen. Maar dat werkte natuurlijk niet, dus uiteindelijk bleef ze staan en zei tegen Hansi: "Ga naar binnen, jongetje. Zo vat je nog kou."

"*Mutti*," zei Hansi weer, en hij sloeg zijn armen om haar heen, begroef zijn gezicht in haar buik. Ik stond in de deuropening toe te kijken en zag mijn moeder wanhopig om zich heen kijken, fluisterend tegen Hansi en pogend hem van zich los te maken. Maar dat lukte haar niet en ze hield de rij op, en toen kwam een van de soldaten naar haar toe, een grote, dikke man in een overjas, en zei tegen haar: "Is dit jouw kind?"

"Nee," zei mijn moeder, "nee, hij is niet van mij," en het lukte haar eindelijk om Hansi van zich af te duwen en ze liep weer verder. Maar hij bleef jammerend naast haar dribbelen. "*Mutti*, kijk dan naar me, *mutti*, til me op!" tot de soldaat hem wegtrok. Hij pakte ook mijn moeders arm en draaide haar om, zodat ze naar mijn broertje moest kijken.

"Hij lijkt je wel degelijk te kennen," zei de soldaat. "Weet je zeker dat hij niet van jou is?"

"Ja, ja," zei mijn moeder, die probeerde te glimlachen, hoewel haar ogen inmiddels vol tranen stonden. "Hij zal me wel verwarren met iemand anders."

De soldaat leek hier over na te denken. Hij stond met zijn benen ver uit elkaar en – dat zal ik nooit vergeten – groef met een vinger in zijn mond alsof daar nog wat eten te vinden was. Toen zei hij: "Ik begrijp het. Dat verwarren van identiteit gebeurt voortdurend, vooral onder joden. Nou, als hij dan niet van jou is, vind je het vast niet erg als ik dit doe..." En hij trok zijn luger en schoot Hansi in zijn hoofd.

Natuurlijk werd er gegild, mijn moeder het hardst van allemaal, en mensen verdrongen elkaar om weg te komen bij het lichaam van mijn broertje, dat in een steeds groter wordende plas bloed op straat lag met mijn moeder op haar knieën ernaast. Maar ik, ik...'

Rainer kijkt naar zijn mok thee en zet die dan op de grond. 'Ik bleef daar gewoon staan toekijken. Ik stond daar terwijl de soldaat mijn moeder schopte en haar vervolgens aan haar haar overeind trok en meesleurde, en ik stond daar terwijl de joden weer begonnen te lopen en de overige mensen op straat verder gingen met waar ze mee bezig waren alsof er niets was gebeurd, terwijl het lichaam van mijn dode broertje tussen paardenpoep en oude kranten in de goot lag. Ik stond daar maar, begrijp je, niet alleen vanwege de schok en het ongeloof over wat ik had gezien, maar ook omdat ik voor het eerst van mijn leven begreep hoe het was om je zo te schamen dat je dood wilde.

Want ik had genoeg tijd gehad om Hansi tegen te houden toen hij de flat uit wilde rennen. En zelfs daarna had ik de straat op kunnen lopen en hem bij mijn moeder vandaan kunnen lokken. Hij adoreerde mij, hij zou naar me geluisterd hebben. Maar ik deed niets, en ik had bewust besloten niets te doen terwijl het allemaal gaande was. Omdat ik boos was op mijn moeder. Ik was boos omdat ze haar belofte om ons te komen bezoeken had gebroken en ons in de steek had gelaten. Dus ik deed met opzet niets en heb op die manier de dood van hen beiden veroorzaakt...'

Rainer buigt zijn hoofd. Hij blijft zo even zitten en staart naar het tapijt. Dan wendt hij zich tot Trudy. 'Dus je ziet,' zegt hij zacht, 'we schamen ons allemaal wel op de een of andere manier. Wie van ons is niet besmet door het verleden?'

Zonder op een antwoord te wachten staat hij op. Trudy staart naar zijn pantoffels, terwijl ze haar tranen met de rug van haar hand afveegt. Dan kijkt ze omhoog naar Rainer. Zijn gezicht is in duisternis gehuld, maar zijn ogen glimmen als kwikzilver. De stilte hangt veelbetekenend tussen hen in.

Rainer steekt zijn handen uit. 'Kom,' zegt hij.

Trudy legt haar handen in die van hem en hij trekt haar overeind. Dan lopen ze met zijn tweeën, verbonden door hun handen en door een onuitgesproken eensgezindheid, de trap op naar zijn slaapkamer en doen de deur achter zich dicht.

Anna en Jack

Weimar 1945

48

Hoewel voor de Duitsers *stunde null* is aangebroken en zij de tektonische platen van hun leven in nieuwe, onherkenbare patronen schuiven, gaat de natuur gewoon door met zijn voorjaarsvertoon. Sterker nog, Anna moet toegeven dat ze nog nooit zo'n mooie maand mei heeft meegemaakt. Het keukenraam van de bakkerij biedt uitzicht op kersenbomen en seringen die zo beladen zijn met bloesems, dat hun takken de grond raken. De lucht erboven is zo blauw dat die geglazuurd lijkt en een fris, gestaag briesje laat de nieuwe blaadjes dwarrelen met het geluid van een kolkende branding. Een fantasievolle waarnemer zou wellicht veronderstellen dat de wereld van de ene op de andere dag is schoongewassen, dat zelfs het weer zijn goedkeuring over de gebeurtenissen van de afgelopen weken toont: de zelfmoord van de Führer, de Duitse overgave, het eind van de oorlog.

Maar Anna heeft elk vleugje bevlogenheid verloren, als ze dat ooit al gehad heeft, en voor haar is deze prachtige middag een persoonlijke belediging, een vuile streek om haar te sussen en te laten denken dat alles nu goed komt. Ze weet wel beter. Ze heeft zo veel afschuwelijke dingen zien gebeuren op stralende dagen. Zou ze de zwoele lucht, die hemel met die gloeiende, gebrandschilderde strepen op de eerste avond dat ze naar de steengroeve ging moeten vergeten? Of iets van recentere datum, de gevangene die langs de winkeletalage werd gedirigeerd op weg naar het treinstation. Dat die op zijn mond werd geramd met een knuppel omdat hij niet snel genoeg liep en toen hurkte om heimelijk zijn tanden tussen de nieuwe tulpen uit te vissen. Dat gebeurde op een prachtige middag die erg veel op deze leek.

Anna is niet de enige die geplaagd wordt door dergelijke beelden; in hun constante gesmeek om aandacht ellebogen deze hardnekkige verschijningen zich langs de realiteit. Ze heeft anderen gezien, inwoners van Weimar net zo goed als Amerikaanse soldaten, die op het midden van de weg als een klok stilstonden en niet naar iets voor hun ogen staarden, maar naar iets wat zich voor hun geestesoog afspeelde. De wetenschap dat zij niet de enige is, biedt echter weinig troost en dit jubelende voorjaarsvertoon is niet te vertrouwen. Het leven is een geglazuurde taart gemaakt van wormen.

Ze draait zich om, om het kleverige deeg van haar handen te wassen. In tegenspraak met de geruchten over verkrachting en opengereten kinderen hebben de Amerikanen in ieder geval bewezen fatsoenlijke, ja zelfs gulle bezetters te zijn. Ze zijn ook gulzig. Na jaren van voedsel uit blik hebben ze een onstilbare eetlust naar alles wat vers is. Vandaar de zakken meel die als een soort loopgraafversterking tegen de muur van de keuken opgestapeld staan. US ARMY NINTH INFANTRY staat er op de opbollende jute gestempeld. En wat voor meel! Fijn als stof op de vingertoppen, zeven om insecten of stenen eruit te halen is niet nodig. Anna is nu al dagen aan het bakken, al vanaf het moment dat de eerste soldaat bukte om onder het witte laken door te lopen dat Anna uit Mathildes slaapkamerraam had gehangen en de bakkerij betrad. '*Hey, we've got bread!*' had Anna hem horen roepen in de kelder, waar zij met Trudy ineengedoken zat. 'We hunkeren naar brood, fräulein, maak wat vers brood voor ons!' Zelfs zonder te slapen was Anna niet in staat om aan de continue vraag te voldoen.

Nu schuift Anna met de houten spatel een stel broden uit de oven en laat die op de werktafel glijden. Ze trekt haar neus op als ze de geur van gist ruikt; die warme, zware lucht die haar zo doet denken aan de flarden die op de wc van haar eigen huid af kwamen na een bezoek van de obersturmführer. Maar de impulsen van haar maag zijn sterker dan haar weerzin en opeens zit haar mond vol bitter vocht. Anna kan niet meer wachten tot het brood is afgekoeld, breekt er een open en begint plukjes dampend deeg naar binnen te proppen.

Ze heeft de soldaat, die in de deuropening naar haar staat te kijken, niet onmiddellijk in de gaten. Maar als ze in haar ooghoeken iets ziet bewegen, stamelt ze 'o!' en slikt het laatste stukje met moeite door.

Ze veegt haar gezicht schoon met haar schort en glimlacht verontschuldigend. 'U liet me schrikken,' zegt ze in haar eigen taal. Ze klopt op haar borstbeen om een snel kloppend hart aan te duiden.

'Kan ik u helpen?' vraagt ze dan in het Engels, een zin die ze sinds de komst van de Amerikanen heeft geperfectioneerd.

De Ami loopt de keuken in. Zijn hoofd draait als een geschutskoepel alle kanten op. Anna probeert hem te plaatsen. Heeft ze hem al eerder gezien? Ja. Hoewel alle Ami's verrukt zijn van Trudie, met haar opgestoken vlechten en sprookjeskleren, herinnert Anna zich dat deze kerel het wel heel erg te pakken had. Hij heeft een keer chocolade voor Trudie meegebracht, dat Anna voor haar verborgen houdt uit angst dat het veel te machtig is voor Trudies gekrompen maag. Ook heeft hij Trudie een keer een plakje kauwgom gegeven waar alle Amerikanen verslaafd aan lijken te zijn. Trudie stopte dat meteen in haar mond en slikte het door, waardoor Anna bang was dat de ingewanden van het meisje voor altijd aan elkaar zouden blijven kleven.

'Kan ik u helpen?' herhaalt Anna, terwijl ze zich afvraagt of hij gekomen is om met het meisje te spelen. 'Ik heb versgebakken brood...'

De soldaat blijft naar haar toe lopen. Hij stoot met zijn heup tegen de werktafel en Anna begrijpt dat hij stomdronken is. De zoete verschaalde lucht van whisky, half vlees en half fruit, hangt in walmen om hem heen. Anna kijkt om zich heen of ze iets ziet wat ze als een wapen kan gebruiken – een pot, de deegroller. Dan ziet ze dat de Ami huilt, een spier onder een van zijn ogen stuiptrekt, waardoor het lijkt alsof hij naar haar knipoogt. Hij is nog maar een jongen, dat arme ding, veel te jong om het bloedbad van de Europese slagvelden te kunnen verwerken. Hij zoekt gewoon troost, een vrouwelijke hand, een sussende vrouwenstem.

Anna is zo door deze gedachten in beslag genomen, dat ze totaal overrompeld wordt als de soldaat haar met één slingerbeweging tegen de werktafel aan kwakt. Hij frommelt aan haar blouse; de versleten stof scheurt rochelend open. Knopen springen eraf en stuiteren op de grond.

Anna probeert te schreeuwen, maar de Ami is haar zelfs in zijn beschonken toestand te snel af. Hij draait haar arm achter haar rug en dwingt haar, met zijn andere hand om haar keel, plat op haar buik op de tafel te gaan liggen. Anna's hoofd knalt tegen het hout. Door een wolk dwarrelende confetti ziet ze vlak naast zich een dampend, naar gist geurend brood.

De Ami duwt nu haar rok omhoog. '*Kraut bitch*,' zegt hij. 'Dit wil je hè, *kraut bitch*? Dit wil je, hè? Hè? Hè?'

De felle vlekjes voor Anna's ogen verspreiden zich en worden donker. Haar handen, die onder haar vastgepind liggen, zijn verdoofd en tintelen. Maar ook als dat niet zo was, zou ze die niet verroeren. Waarom zou ze vechten? Of het nu deze jongen is of de obersturmführer, uiteindelijk komt het allemaal op hetzelfde neer. Ze hoort de klaterende triller van een vogel in de boom achter het raam, die steeds zwakker wordt. Ook zij is tanende, begint haar bewustzijn te verliezen. Ze is dankbaar. Zo is het beter...

Dan wordt het gewicht van de Ami van Anna af getrokken en stroomt er lucht in haar brandende keel. Ze stikt er bijna in als ze rochelend haar longen vol zuigt. Achter haar klinkt geschreeuw, aanzwellend en wegebbend als golven op het strand. Anna grijpt de tafel vast en wacht tot de duizeligheid wegtrekt of haar overspoelt.

Hij trekt weg. Anna gaat rechtop zitten en draait zich om. Ze ziet dat haar aanvaller in bedwang wordt gehouden door een andere, oudere soldaat. Ook hem heeft Anna eerder gezien. In tegenstelling tot de anderen, die zich rond haar verdringen om te flirten en te jennen, is deze Ami veel bedeesder van aard. Houdt zich altijd op de achtergrond tot hij aan de beurt is. Een stille man, een aparte man. Nu is hij echter behoorlijk spraakzaam; hij schudt Anna's aanrander door elkaar en schreeuwt in zijn gezicht. De jongere Ami kwijlt een beetje en Anna realiseert zich dat hij al die tijd kauwgom is blijven kauwen.

Hij wil ook per se zijn zegje doen: als de oudere soldaat hem loslaat, wrijft hij over zijn mond en mompelt. Anna, die zich inspant om hem te verstaan, hoort hem zeggen '...Buchenwald.' Vervuld van haat steekt hij zijn vinger naar haar uit. '*They asked for it*,' zegt hij.

De oudere Ami, die deze opmerking gelaten over zich heen laat komen, duwt de jongere in de richting van de deur. Anna's aanrander werpt haar nog een laatste vernietigende blik toe, maar maakt zich stilletjes uit de voeten. Blijkbaar heeft hij een lagere rang en moet hij bevelen opvolgen.

De overblijvende soldaat richt zich tot Anna. Tot haar verbazing spreekt hij haar in haar eigen taal aan, zij het met een vreemd papperig accent, waardoor hij klinkt alsof hij een hazenlip heeft. Bovendien praat hij zo hard, dat hij wel moet denken dat ze doof is. 'Gaat het?' schreeuwt hij.

Hij brengt zijn gezicht nogal dicht bij dat van Anna. Het is vriendelijk, maar niet knap. Zijn huid is afschuwelijk; vreemd bobbelig, alsof er havermoutpap onder zit, en zijn ogen zijn klein en donker en knipperen als die van een schildpad. Anna kijkt de andere kant op.

'Hebt u een dokter nodig?' schreeuwt hij.

Deze Ami doet haar aan iemand denken, maar aan wie? Even later schiet het Anna te binnen: natuurlijk, *hauptsturmführer* Von Schöner. De Amerikaan heeft dezelfde droeve uitstraling als Gerhards oude vriend, de gebeten-hond-hopeloosheid van een man wiens uiterlijk hem ertoe heeft veroordeeld mooie vrouwen van ver te bekijken. Toch kan Anna de belangstelling van de Ami net zo met zekerheid van hem af voelen stralen als ze de corresponderende hartslag in zijn keel kan zien. Weer zo een! Ze zou het liefst met haar gescheurde nagels haar gezicht openrijten, alles is beter dan ooit weer dit soort aandacht in de ogen van een man opwekken.

Maar hij heeft haar wel gered, dus Anna veronderstelt dat ze zich dankbaar moet gedragen. Ze slikt pijnlijk en schudt haar hoofd. 'Geen dokter,' krast ze.

'Zeker weten?' De Ami heft een hand alsof hij de kneuzingen rond Anna's hals wil gaan aanraken. Anna deinst achteruit.

'Ik zal u geen pijn doen,' schreeuwt hij. Hij tikt met zijn duim tegen zijn borst. 'Ik ben Jack,' gaat hij verder. 'Luitenant Jack Schlemmer. Maak u geen zorgen over die knul, fräulein. Dat is geregeld. Hij zal u niet meer lastigvallen. Begrijpt u me?' De Ami knikt hevig, probeert via aanmoediging een positieve reactie te ontlokken. Zijn kleine, troebele ogen zijn jongensachtig gretig. 'Weet u zeker dat het gaat?'

Anna probeert 'ja' en 'dank u wel' te zeggen, maar haar brandende keel, die nu opzwelt, staat dat niet toe, dus begint zij ook maar te knikken. Even staan ze tegelijkertijd met hun hoofd op en neer te wippen. De Ami lijkt nog iets te willen zeggen, maar neemt uiteindelijk genoegen met een klopje in de lucht naast Anna's schouder en draait zich om, om te vertrekken.

Als de bel boven de winkeldeur zijn vertrek heeft bevestigd, laat Anna zich op haar knieën vallen om de broden te redden die tijdens de worsteling op de grond zijn gevallen. Ze veegt ze af met haar schort en zet ze als een regiment in het gelid op de tafel. Dan staat ze op en loopt wankelend door de achterdeur naar het gras. Nu komt de klap pas: haar benen trillen en dreigen het te begeven. Haar hals bonst. Ze legt haar hand erop en leunt tegen de muur van de bakkerij voor steun. Ze staart over de achtertuin. De vogel is stil geworden. De middagzon hangt als een gouden net verward tussen de bomen.

Lastig, heeft de Amerikaan gezegd, hij zal u niet meer lastig vallen. Wat een vreemde uitdrukking! Vliegen zijn lastig. Zoemende muggen als je in bed ligt. Of een rekensom. Maar de interacties tussen de seksen? Het is inderdaad nogal naïef van de Ami om het zo te omschrijven. Anna bedenkt dat, als ze de grotten van de eerste holbewoners zou kunnen bezoeken, ze daar tekeningen zou vinden die niet in musea en geschiedenisboeken zijn opgenomen. Er zouden taferelen te zien zijn van rituele agressie en onderdrukking, met bloed geverfd en besmeurd met opgedroogd sperma. De rites tussen mannen en vrouwen zijn heel wat anders dan lastig; ze zijn eeuwenoud en verrot tot op het bot.

49

Ze lopen, Anna en Trudie. Anna met de hand van het meisje geklemd in die van haar. Ze lopen door de straten van Weimar met de andere stadsbewoners, met iedereen die de stad tijdens de laatste krankzinnige dagen voorafgaand aan *stunde null* niet in paniek ontvlucht is. Ze lopen zo snel ze kunnen, wat in feite niet erg snel is, aangezien ze een ondervoed, hologig stelletje vormen, van wie velen slecht passende schoenen aan hebben of op sokken lopen. Maar de Ami's, die met hun getrokken geweren tussen hen door joggen, werken opzwepend. Net als hun collega's, die met een stalen gezicht op de truck zitten die naast hen mee hobbelt over straat. Vanmorgen vroeg waren er overal in de stad invallen. Kelders en zolders werden doorzocht, mensen werden achter de ontbijttafel, uit hun bed en hun badkamer weggehaald, meegesleurd aan hun haar of overgehaald door middel van geweerschoten als ze weerstand boden. En dus lopen ze nu, Anna en Trudie; tussen de andere vrouwen en kinderen en oude mannen die niet gesneuveld of weggeroepen zijn.

De groep is groter dan Anna verwacht zou hebben, het aantal mensen loopt in de honderden. Ze heeft ergens opgevangen dat alle burgers die niet voor het leger werkten naar provincies in het zuiden zijn geëvacueerd. Het verbaast Anna niet dat zij mocht blijven. Door de obersturmführer van dienst te zijn, heeft ze immers haar militaire plicht vervuld? Maar ze weet niet zeker hoe de anderen door de mazen van het net zijn gekropen. Misschien dat de machtige machinerie van het *reich*, toen die in zijn laatste dagen knarsend tot stilstand kwam, wel wat anders aan zijn hoofd had dan de kleine afsplinterende deeltjes die nu belichaamd worden door degenen die haar omringen.

Ze lopen met gebogen hoofd in gehoorzame rijen. Ze passeren herenhuizen die ooit imposant waren en bekende winkelpuien die door granaten verwoest zijn. Hoewel het miezert, en ondanks het feit dat de Ami's de Duitsers toestemming hebben gegeven de rommel op te gaan ruimen, stijgen er uit stapels stenen nog steeds rookpluimen op. Er ligt een dameshoed tussen de puinhopen. De achterkant van een piano is vermorzeld door vallend puin, de toetsen liggen verspreid over het trottoir. Toch durft niemand te kijken naar deze grimmige taferelen of een buurman of -vrouw aan te stoten om fluisterend commentaar te leveren op de vernielingen. Ze strompelen stuk voor stuk verder, met neergeslagen ogen, ingekapseld in hun eigen stilte. De Amerikanen mogen dan geen SS'ers zijn, die hun geweren waarschijnlijk inmiddels wel wat fanatieker zouden gebruiken, maar ze zijn ook niet meer de vriendelijke bezetters die de inwoners van Weimar de afgelopen twee weken hebben leren kennen. Om onverklaarbare reden zijn ze opeens vijandig geworden, en als je nu kameraadschappelijk ging doen, zou je god weet welke straf over jezelf afroepen.

Maar als Anna vlakbij frau Buchholtz met haar kroost ziet schuifelen, baant ze zich toch een weg naar haar toe. 'Wat is er aan de hand?' vraagt ze murmelend vanuit een mondhoek aan de slagersweduwe. 'Waar brengen ze ons heen, weet u dat? Waarom doen ze dit?'

Frau Buchholtz werpt haar een samengeknepen zijdelingse blik toe, zuigt haar lippen naar binnen en schudt heel licht met haar hoofd. Haar ogen glijden naar de soldaten in de truck, die hun wapens op de Duitsers gericht houden. Dan beweegt ze zich met haar kinderen bij de roekeloze Anna vandaan.

'Ik heb honger, mama,' fluistert Trudie. 'Hoe ver is het nog?'

'Dat weet ik niet, kleintje,' zegt Anna.

Ze gaat op haar tenen staan om de Ami te zoeken die ze het beste kent: herr luitenant Jack Schlemmer. Uiteindelijk ziet ze hem tussen de soldaten op de truck zitten. Hij is degene die vanmorgen naar de bakkerij kwam, net toen Anna een bordje meelpap voor Trudie neerzette. Anna had amper tijd om te registreren dat hij zijn helm met dat rare netje op had, voordat de anderen hen weg kwamen halen. Anna dacht dat hij was gekomen om te kijken hoe het met haar was na de aanranding gisteren. Ze had een dankwoordje in het Engels voorbereid. Nu betrapt ze hem erop dat hij naar haar zit te staren, maar als Anna zijn blik vangt, verbreekt hij het contact door zijn hoofd opzij te draaien.

Ze bereiken het treinstation. Speculaties golven door de menigte. Zullen ze in de goederenwagons geladen worden die op het spoor staan? Maar de Amerikanen wijzen schreeuwend en gebarend met hun geweren een andere kant op. Iedereen slaat links af, een brede geplaveide laan op die de stad uit leidt. Hiervandaan buigt een aantal wegen verschillende kanten op, maar tot haar schrik ziet Anna dat de Amerikanen hen in de richting van het bos op de Ettersberg dirigeren. Zij is niet de enige die dat beseft. Er stijgt een gekerm op in de menigte. 'Ze brengen ons naar het bos,' jammert een vrouw, 'ze gaan ons allemaal vermoorden!'

Er wordt gegild en gebeden. Sommige Duitsers rennen weg. Ze worden snel weer opgepakt en in de rij gedreven door de Amerikanen.

'Ze gaan ons neerschieten,' beweert een andere trillende stem vol overtuiging. 'Ze gaan ons in een rij neerzetten en neerknallen...'

'Hou je kop!' zegt iemand. 'Daar hebben we niets aan.'

'Maar ze gaan...'

'Kop dicht!'

Een van de Amerikanen op de truck gaat staan en ontgrendelt zijn geweer. Het staccato machinegeweersalvo ontlokt meer gegil en sommige kinderen beginnen te huilen. Maar als het besef doorbreekt dat de kogels gericht waren op de laaghangende wolken in plaats van op menselijke doelwitten, keert de rust weer. Uiteindelijk zijn alleen het geschuifel van de voeten over de gladde straatstenen en het prehistorische gekreun van een tank in de verte te horen. Een oudere man, die vlak bij Anna loopt, begint het Onze Vader te prevelen. Trudie trekt aan Anna's arm. Ze loopt stilletjes te huilen, haar nieuwe gewoonte. 'Mijn voeten doen pijn, mama,' fluistert ze.

Het meisje is veel te zwaar om te dragen. Toch hijst Anna Trudie op haar heup. Ze zal zo doorlopen zolang ze het volhoudt. Misschien is het wel niet zo ver meer, de plek waar de Amerikanen hen heen brengen. Anna heeft zo haar vermoedens. Ze sjokken een steile helling met aan weerszijden donkere dennenbomen op. Een druilerige mist vervormt de geluiden: het geknars van de versnellingsbak van de truck zou een meter of vijf bij hen vandaan kunnen zijn. Het begint te regenen. Het is alsof Anna haar ongemak van een afstand registreert. Ze bedenkt hoe vreemd het is om over deze weg te lopen in plaats van zich een weg te banen door de bramenstruiken erlangs: haar gebruikelijk route naar de steengroeve. Dat is vast en zeker de plek waar de Amerikanen hen heen willen brengen als er inderdaad sprake is van een massa-executie. Maar als ze langs de plek lopen waar Mathilde is gestorven en, een stukje verder, ook het onverharde pad naar de steengroeve links laten liggen, voelt Anna niets: geen vreugde, geen opluchting. Het is net alsof ze boven zichzelf zweeft, zichzelf gadeslaat.

Het bevel om te stoppen komt zo uit de lucht vallen, dat de mensen in hun haast te gehoorzamen tegen elkaar op botsen. De man die heeft lopen bidden, komt met zijn kruk op Anna's voet en verontschuldigt zich. Hij mist een van zijn onderbenen vanaf de knie en zijn opgelapte broek is netjes over de stomp vastgespeld. Hij is niet zo oud als Anna in eerste instantie dacht, waarschijnlijk ergens in de dertig. De inwoners van Weimar foeteren en werken met hun ellebogen als de Amerikanen hen dichter bij elkaar drijven. De soldaten springen van de truck, worden donkere figuren die in de duisternis samensmelten. Trudie huivert, het is koud hier op de berg. De vlechten van het meisje zijn losgeraakt en plukjes nat haar zitten als komma's tegen haar wangen geplakt.

Het is harder gaan regenen en die regen gaat nu vergezeld van wind. De mist is voldoende opgetrokken om Anna te laten zien dat ze bij de ingang van het kamp zijn aangekomen. Ze maakt zich gehaast los van de muur waar ze tegenaan heeft staan leunen. In het cement staat gebeiteld RECHT ODER UNRECHT MEIN VATERLAND. Het ijzeren hek onder de poort draagt een ietwat ander, onheilspellender motto: JEDEM DAS SEINE! En wat, vraagt Anna zich af terwijl ze toekijkt hoe de Amerikanen mensen in rijen neerzetten, mag dat zijne dan zijn?

Twee soldaten duwen het zware binnenhek open en nemen aan weerszijden daarvan plaats. Een andere Amerikaan, een tonronde man met een rits strepen op zijn uniform, beent naar de poort. Terwijl hij de angstige menigte kwaad aankijkt, houdt hij een korte toespraak. Hij gebaart in de richting van het crematorium, waarvan de schoorsteen nog net tussen de bomen door zichtbaar is. Anna, die haar best doet het verhaal te vertalen, heeft het gevoel dat ze hier eerder is geweest. Op een bepaalde manier is dat ook zo. Op grond van de beschrijvingen van de obersturmführer heeft ze zich vaak een beeld gevormd van het kamp, zag ze hem met zijn adjudant en honden door de straten patrouilleren, heeft ze de gevangenen naar het brandende bos zien vluchten. Door de mist komt langzaam en ziekmakend vettig een uiterst bekende geur sijpelen: die van een rokend kampvuur waarop spek wordt gebakken.

De Amerikaanse officier besluit zijn redevoering met een licht walgend zenuwtrekje rond zijn mond. Heel even verwacht Anna dat hij gaat spugen. In plaats daarvan maakt hij een kappend handgebaar en dan beginnen de soldaten de inwoners van Weimar in de richting van het hek te duwen.

Hoewel het onduidelijk is of de Amerikanen van plan zijn hen af te slachten dan wel gevangen te zetten, verzetten de Duitsers zich. Vrouwen stribbelen tegen en houden hun kinderen achter hun rug. Sommigen proberen te ontsnappen. De Amerikanen zijn niet onder de indruk en gebruiken hun vuisten en geweerkolven om de gevangenen terug te drijven. Anna, die vooraan staat, heeft moeite haar evenwicht te bewaren. Ze schreeuwt tegen Trudie dat ze haar stevig vast moet houden. De man met het geamputeerde been ligt op de grond en strekt zijn hand uit naar de kruk die onder hem is weggeschopt. Iemand trapt op zijn hand en hij gilt het uit van de pijn.

Een soldaat sleurt de eerste vrouw het kamp binnen. Ze zet haar hakken in de grond, klampt zich vast aan de stijlen van het hek en zwaait haar hoofd van de ene naar de andere kant. Dan ziet ze Anna, die ziet dat het frau Hochmeier is.

'Wacht,' krijst frau Hochmeier. Met haar vrije hand grijpt ze de arm van de soldaat vast. 'Wacht, kijk. Zij, daar, kijk.'

De verbaasde soldaat kijkt haar kant op. De mensen die het dichtst bij het hek staan, merken dat er mogelijk iets is wat voor afleiding kan zorgen en worden wat rustiger. En frau Hochmeier maakt gebruik van die pauze. 'Waarom zouden jullie ons gevangen zetten?' schreeuwt ze. 'Wij hebben niets misdaan. Wij deden gewoon wat ons werd opgedragen, als fatsoenlijke burgers. Jullie moeten criminelen als zij opsluiten, die vrouw daar. Zij is een SS-hoer!' Frau Hochmeier wijst naar Anna. 'Terwijl wij allemaal in de ellende zaten en honger leden om onze kinderen te eten te geven, sliep zij met een SS-officier. Ik heb het zelf gezien, wij hebben het allemaal gezien!'

'Het is waar, het klopt,' roept frau Buchholz. 'Ik heb het met mijn eigen ogen gezien. Zet haar met dat kind in het kamp en laat ons met rust.'

Er wordt geschreeuwd: 'Hoer! Hoer!' De soldaat kijkt verbijsterd. Frau Hochmeier legt haar wijsvinger bij wijze van Hitlers snor onder haar neus en marcheert op haar plek. Dan wijst ze opnieuw naar Anna en wiegt met haar heupen. 'Dat kind dat ze vasthoudt, is een ss-bastaard,' krijst ze.

Iemand in de menigte begint hysterisch hinnikend te lachen. Een kluit aarde raakt Anna's arm. De kreupele man, die weer overeind is gekomen, maakt zich met zijn kruk snel uit de voeten.

Anna staat daar en drukt het gezicht van haar dochter tegen haar buik. Ze zou frau Hochmeier kunnen uitschelden, zich kunnen verdedigen door haar met gelijke munt terug te betalen. Ook zij doet dit alleen maar om haar kind te beschermen. Maar ze is verlamd door de overtuiging dat protesteren geen zin heeft. Ze is simpelweg van de ene nachtmerrie in de andere beland.

Twee Amerikanen werken zich door de menigte naar voren en gaan aan weerszijden van Anna staan. Aanvankelijk denkt ze dat ze dit doen om haar te beschermen, maar dan beginnen ze haar met Trudie onder luid gejuich in de richting van het hek te duwen. Als ze langs frau Hochmeier worden gedirigeerd, deinst die verschrikt achteruit en krimpt ineen, alsof Anna zowel gewelddadig als volstrekt zedeloos is, alsof Anna haar zal gaan slaan.

Anna kijkt de andere kant op. Ook biedt ze geen weerstand aan de handen die haar vastgrijpen. Ze concentreert zich op het vasthouden van Trudie en het bewaren van haar evenwicht. Ze zou graag de taal van de soldaten goed genoeg beheersen om hun te kunnen vertellen dat het niet nodig is haar te dwingen. Ze is lichtvoetig en helder van geest, ze zou van opluchting kunnen zingen. Ergens heeft ze, op een geheim plekje binnen in haar, gebeden om dit moment van boetedoening, deze straf.

Als ze onder de poort door lopen, dringt iemand anders zich met zijn schouders door de menigte: de Amerikaan die gisteren een eind maakte aan de aanranding. Onder zijn helm zit zijn voorhoofd vol rimpels. 'Vertrouw me,' zegt hij tegen Anna in zijn pappige Duits. Dan tilt hij Trudie uit Anna's armen.

Het meisje slaakt een schrille kreet en strekt haar armpjes uit naar Anna. Anna buigt zich naar haar dochter, maar de soldaten houden haar tegen. Een van hen schreeuwt tegen herr luitenant Schlemmer, die zijn grip op het schoppende, gillende kind verstevigt.

'Hé,' zegt hij in zijn eigen taal, 'dit is niets voor een kind.'

Hij wendt zich tot Anna. 'Er zal u hierbinnen niets gebeuren,' schreeuwt hij in het Duits. 'Maar het is geen plek voor uw dochter. Ik zal me over haar ontfermen.'

Ondanks zijn knullige accent begrijpt Anna hem. Ze heeft één enkele seconde om haar dankbaarheid met haar ogen over te brengen. Dan wordt Anna, terwijl ze het gejammer van Trudie achter zich hoort, samen met frau Hochmeier en alle anderen door het hek van *konzentrationslager* Buchenwald geduwd.

50

Laat die avond brengt herr luitenant Schlemmer Trudie terug naar de bakkerij, waar Anna op een kruk achter de toonbank in het niets zit te staren.

'Het gaat goed met haar,' zegt de Ami, terwijl hij het meisje naar voren duwt zodat Anna haar kan zien. 'Het gaat goed... Ziet u wel?'

En hoewel Trudies vlechten eruit zijn gehaald en haar gezicht onder de vieze vegen zit – het ziet eruit als modder, maar is waarschijnlijk chocolade – lijkt ze de gebeurtenissen van die ochtend inderdaad vergeten te zijn. Sterker nog, ze is vrolijker dan ze in maanden geweest is. Ze zwaait de arm van de luitenant hoog de lucht in en gaat er als een aapje aan hangen, terwijl ze iets over *tootsie pops* mompelt.

Anna's starende blik gaat van haar dochter naar het raam, de muren. Haar vieze handen liggen roerloos op haar schoot.

De Ami staat haar met knipperende ogen aan te kijken. 'Waar slaapt Trudie?' vraagt hij ten slotte. 'Ik zal haar naar bed brengen.'

Dit wekt Anna uit haar lethargie. Ze wil niet dat hij boven rond gaat neuzen, nieuwsgierige blikken werpt in hun privévertrekken en ziet hoe zij en het meisje geleefd hebben. Dat hij Mathildes slaapkamer binnengaat met het bevlekte en doorgezakte bed. 'Dank u, maar dat doe ik zelf wel,' zegt ze.

Maar Trudie trekt haar nieuwe vriend al de winkel uit. 'Deze kant op,' zegt ze, 'hierheen, naar tantes kamer, kom maar met me mee.'

Anna volgt de twee tot onder aan de trap en blijft daar met over elkaar geslagen armen en samengeknepen ogen staan luisteren. Ze hoort alleen de zware, luide stem van de Ami vermengd met het sopraangebabbel van het meisje. En na een tijdje is het stil. Dan geratel en het geluid van water dat door de wc wordt getrokken. Vervolgens het geneurie van de luitenant die de trap af komt joggen. Gehaast loopt Anna terug naar haar kruk.

De Ami loopt de winkel binnen en blijft stilstaan als hij haar gezichtsuitdrukking ziet. Hij buigt zijn hoofd en wrijft met de binnenkant van zijn pols over zijn borstelhaar. '*Are you okay?*' vraagt hij.

Okay? Wat betekent dat *okay?* Anna knikt snel met haar hoofd, ze wil niets liever dan verlost zijn van zijn serieuze goedbedoelde aanwezigheid, dat hij weggaat.

'Als ik zo vrij mag zijn, fräulein,' zegt hij. 'Kom naar boven. Ik heb...'

Wat hij verder nog zegt ontgaat Anna. Met gebalde vuisten is ze van haar kruk gekomen. Natuurlijk is ze dankbaar dat hij zo goed voor het kind heeft gezorgd, maar dit gaat te ver. Dus ook hij gaat ervan uit dat zij haar waardering op een fysieke manier zal uiten, hè? Juist hij, met zijn serieuze, havermoutachtige gezicht, zijn trieste vrijgezellenogen die haar nu glimmend en vol hoop en medelijden aankijken. 'Hoe durft u,' zegt ze met een zachte, trillende stem.

De Ami bloost. 'Nee, nee, u begrijpt me verkeerd,' zegt hij. 'Mijn fout. Ik drukte me niet goed uit. Ik heb... Ik heb niet veel ervaring met vrouwen. Ik heb gewoon een bad voor u vol laten lopen. Ik dacht dat u zich misschien wel graag wilde wassen, na...' Hij maakt een klungelig gebaar in Anna's richting om haar gehavende jurk, de kluiten modder aan haar schoenen en haar smerige gezicht aan te duiden. 'Alstublieft,' zegt hij. 'Het zal u goed doen.'

Anna blijft waar ze is en kijkt hem taxerend aan. Hij is inmiddels zo rood, dat het lijkt alsof hij verbrand is. Toch wijst alles in zijn houding op zwijgende koppigheid. Als ze zijn aanbod afwijst, wordt hij misschien vervelend, net als de rest. Als ze instemt, laat hij haar misschien met rust. Ze schiet langs hem heen en loopt de trap op.

Het bad is bijna tot aan de rand toe gevuld en van het rimpelende wateroppervlak stijgt stoom op. Anna geeft er met de zijkant van haar hand een klap op, waardoor er een golf over de rand klettert. Hoe kan hij zich zo familiair opstellen, zo bezitterig. Wat een bemoeizucht! Toch heeft hij haar hierboven maar mooi in de val gelokt. En wat moet ze anders doen? Anna trekt haar vieze kleren uit en stapt in het bad. Ze sist van de pijn door de temperatuur. Ze duikt helemaal onder en komt weer boven. Druipend gaat ze zitten en staart naar de muur. Ze hoeft niet moeilijk te gaan doen met zeep. De stank van de lijken die ze heeft begraven, raakt ze toch nooit kwijt, hoe hard ze ook schrobt. Die zit in haar. Die zal blijven kleven in haar neusgaten en haar strot zolang ze leeft.

Na een tijdje wordt er aarzelend op de deur geklopt. 'Fräulein? Fräulein Anna?' De deur gaat op een kier open. 'Is alles in orde? Ik dacht dat u misschien...' Herr luitenant Schlemmer schuift schuchter zijwaarts de badkamer in en houdt zijn ogen opvallend van Anna's naaktheid afgewend. 'Ja, eh, u zit hier nu al zo lang en ik hoorde maar niets,' zegt hij. 'Ik was bang dat u misschien...'

Anna draait zich naar hem toe, haar gezicht is vlekkerig en vertrokken van schaamte. 'Ga weg,' sist ze. 'Ga weg en laat me met rust.'

De Ami negeert dit. Hij stapt over de plassen op de grond en gaat op de rand van het bad zitten, terwijl hij nog steeds alle kanten behalve de hare op kijkt en zich niets aantrekt van de steeds groter wordende natte plek op zijn luitenantsbroek. Hij strekt zijn hand langs Anna om zeep te pakken. 'Alstublieft,' zegt hij opnieuw. 'Laat me.'

Hij zeept Anna's haar in; eerst nog wat aarzelend, maar dan steeds zelfverzekerder. Hij haalt een kan en spoelt het een, twee keer uit. Zijn vingers gaan liefdevol, als die van een moeder, te werk. Anna geeft zich met een gebogen hoofd gewonnen. Tranen glijden onder haar stekende oogleden vandaan in het afkoelende water. Ze houdt haar ogen al die tijd gesloten.

Een maand later trouwen ze, in een kantoor in het *rathaus* dat de Ami's gebruiken voor administratieve doeleinden. Het barokke meubilair van deze voormalige regeringszetel is al lang geleden weggesleept door wanhopige inwoners van Weimar en tot brandhout gehakt. Het is vervangen door archiefkasten en opvouwbare tafels en stoelen. De kamers zitten vol mannen in olijfkleurig linnen; hun voetstappen echoën door de leeggehaalde gangen.

Jack draagt zijn uniform, Anna, de junibruid, een schone doordeweekse jurk. Trudie, die met wiebelende benen op een stoel in de hoek de plechtigheden vol belangstelling volgt, heeft haar minst verstelde dirndl aan. Het volle zonlicht van een zomerse middag valt door de vieze ramen in een schuine baan op het echtpaar, waardoor ze met samengeknepen ogen naar de aalmoezenier moeten kijken die de ceremonie voltrekt. Hij trekt voortdurend aan zijn oorlelletje. De haastig gemompelde sacramenten worden onderbroken door het geschreeuw van soldaten buiten – *Hey, got a cigarette? Hey, sarge*, waar moet ik dit neerzetten? – en het geknars van schakelende trucks op het plein.

Binnen een paar minuten zijn ze man en vrouw. Na een snel glas bier op de basis zal Anna de schamele bezittingen van haar en Trudie inpakken en haar intrek nemen in een logement vlak bij Jacks kazerne. Hij heeft zijn ontslag uit militaire dienst al aangevraagd, heeft hij haar verteld; als tolk staat hij bijna boven aan de lijst. Ze zullen niet langer dan vier maanden hoeven wachten, belooft hij Anna. Dan zullen ze aan boord gaan van een schip naar Amerika.

51

En wat neemt Anna mee uit Duitsland? Niets. Behalve:

Een week voordat ze Weimar verruilt voor haar nieuwe thuisland, draagt Anna de zorg voor het kind over aan een Rode Kruiszuster en keert terug naar de bakkerij. Het is begin september, maar net zo warm als in de zomer: windstil, een witte lucht en boomtakken die berustend slap hangen. Een trieste middag, op de een of andere manier. Beteuterd, alsof het weer zich ervan bewust is dat het zich onfatsoenlijk gedraagt, maar de overtuiging mist om van seizoen te wisselen.

De deur van de winkel zit niet op slot. Anna duwt hem open en stapt naar binnen. Ze is hier niet meer geweest sinds ze drie maanden geleden verhuisd is naar het logement in de buurt van haar nieuwe echtgenoot. Wrijvend over haar armen loopt ze door de kamers. Het is koel hier tussen die dikke muren.

Kruimels, knopen, stof. Muizenkeutels. Anna probeert iets te voelen, maar dat lukt haar niet. Op deze plek waar ze de belangrijkste momenten van haar leven heeft meegemaakt! Ze somt elke gebeurtenis binnensmonds op als ze op de plek staat waar die zich heeft afgespeeld. *Hier heb ik mijn dochter gebaard. Hier is ze gedoopt. Hier zat Mathilde, op de rand van dit bad.* Anna legt haar hand op het porselein. Het is koud, roept niets op. *Hier, in deze kelder, heeft Mathilde hen verstopt, mensen die er veel erger aan toe waren dan ik. Hoeveel van hen zouden er nog in leven zijn?* Anna kijkt naar het verlaten veldbed, de vieze lakens die erbij liggen alsof iemand er net tussenuit is gestapt, en ze verbaast zich over het feit dat ze hier ooit geslapen heeft. *Hier heb ik wakker gelegen en aan Max gedacht. Er is een moment geweest dat hij hier in dit huis gelopen heeft, misschien wel tegen de toonbank heeft geleund. Aan de werktafel heeft gezeten en een kop thee heeft gedronken.*

Ze voelt nog steeds niets.

Hier stond ik toen hij voor het eerst kwam. En hier, in Mathildes slaapkamer, de schommelstoel waar hij zijn uniform op neerlegde. Hier de borstels waarmee hij zijn donkere haar gladstreek, de spiegel waar hij in glimlachte. Hier de hoek waar hij me in liet staan, naakt en met mijn ogen gesloten, terwijl hij naar me toe liep. Zijn adem op mijn schouderbladen, in mijn haar. Met mijn rug naar hem toe, maar toch wetend dat hij stond te grijnzen.

Dit bed hier.

Waarom is ze teruggekomen? Wat heeft het in hemelsnaam voor zin om te proberen herinneringen op te roepen, voor de laatste keer, herinneringen aan dingen die beter vergeten kunnen worden? En als je dan je geheugen zowel aan de goede als aan de slechte dingen moet overleveren, dan is dit misschien toch niet een te hoge prijs die ze ervoor moet betalen. Het is beter om zo afstandelijk te blijven, een zegen om zo onverschillig te zijn, alsof dit alles iemand anders is overkomen.

Anna geeft de schommelstoel een aarzelend zetje. Hij kraakt vermoeid. De biezen zitting is door het jarenlang dragen van het gewicht van de bakker doorgezakt. De rugleuning mist een stijl. Anna maakt abrupt een eind aan de beweging van de stoel en bukt zich om door het raam te kijken. Dit is waar Mathilde in gelukkiger tijden wellicht mijmerend naar heeft zitten staren. De weg, de meanderende stenen muur daarlangs. Het licht is bruinachtig en triest.

Het is tijd om te gaan. Anna draait zich om om de kamer te verlaten. Ze loopt langs het bureau, waar Mathildes ongelukkige Fritzi haar nog steeds op zijn altaartje omringd door inmiddels tot stof vergane dode bloemen toelacht. En daarnaast, in een gebarsten porseleinen schaal waarin Anna ditjes en datjes bewaarde – stompjes kaars en naalden en oorbellen en wat andere sieraden die de obersturmführer voor haar gekocht had – ligt het kleine gouden doosje met het hakenkruis erop, waarin de foto zit die op haar verjaardag is gemaakt. Zonder erbij na te denken haalt Anna dat uit de schaal, het is alsof haar hand op eigen initiatief handelt. Ze laat het in de zak van haar rok zakken voordat ze de trap af loopt en de bakkerij voorgoed verlaat, zonder nog het vermoeden te hebben dat haar dochter dit enige aandenken aan haar moeders verleden tussen de lagen kanten ondergoed uit zal vissen in een andere slaapkamer aan de andere kant van de oceaan. Dat die met verlangen en afschuw en een soort ontzag telkens weer zal staren naar dit portret van wat een gezin zou kunnen zijn.

Trudy, april 1997

52

Trudy is gelukkig. Ze is nog nooit zo gelukkig geweest. Ze weet niet zeker of ze voorheen eigenlijk wel wist wat gelukkig zijn was. Ze staat versteld door de kracht ervan. Het is net of je met rode wangen en tintelend en met blozende bovenbenen onder je kleren binnenkomt uit de kou, achter een warme maaltijd gaat zitten en opeens ontdekt hoe uitgehongerd je bent, een honger waar je tot op dat moment nooit bij stil hebt gestaan.

Ze ligt op haar zij in Rainers bed en kijkt naar Rainer. Die staat in zijn onderbroek en hemd bij het raam. Ontdaan van zijn karakteristieke kledingstukken lijkt Rainers lichaam oud in het harde middaglicht. Wel is het zo dat de lengte van zijn lichaam de kracht die daarin verscholen ligt niet verloochent. En hij heeft een gespierde borst en is van top tot teen bedekt met een lichte grijzige beharing. Maar zijn huid heeft de witte kleur van talkpoeder en is slap op plekken waar die dat bij een jonge man niet zou zijn – onder zijn biceps bijvoorbeeld, die nog steeds rond en stevig is, hangt slap, uitgerekt vel. Maar Trudy kan daar absoluut niet mee zitten. Ze is zelf ook niet zo piep meer. En bij Rainer voelt Trudy geen greintje gêne. Ze wordt niet langer geplaagd door beelden van bloed, de geur van speeksel als bijtende verf op de huid, het spookachtige gevoel van schaamhaar tegen bot – allerlei zaken waarvan ze zich tot nu toe, door hun afwezigheid, niet gerealiseerd had dat die haar kwelden.

Trudy rekt zich weldadig uit en gaapt. Dan zegt ze 'mmm' om Rainers aandacht te trekken. Het werkt niet: hij blijft peinzend naar de tuin staan kijken en draait zich niet om. In tegenstelling tot Trudy is Rainer humeurig na het vrijen. Rook kringelt tegen de ruit. Hij is halverwege zijn tweede sigaret, een luxe die hij zichzelf alleen na de geslachtsdaad toestaat. De as tikt hij in een klein kristallen schaaltje, dat hij speciaal voor dit doel in een la van zijn nachtkastje bewaart en dat hij schoonveegt zodra hij klaar is.

Als hij een derde sigaret aansteekt, gaat Trudy rechtop zitten en pakt de ochtendjas die Rainer voor haar gekocht heeft: een glad zijden kledingstuk van een schrikbarend, opzichtig roze dat Trudy nooit zelf gekocht zou hebben en dat zo fel is dat het grenst aan het vulgaire. Trudy is er dol op. Ze knoopt de met franjes versierde ceintuur rond haar middel en trippelt naar Rainer. De houten planken voelen koel aan haar voeten. Ze gaat achter hem op haar tenen staan om haar lippen zachtjes tegen de achterkant van zijn nek te drukken, waar het zilvergrijze haar even kort en prikkelig is als op een hondensnuit. 'Heb je het niet koud?' mompelt ze.

'Nee. Maar jij wel. Je neus lijkt wel van ijs.'

Trudy slaat haar armen om hem heen. 'Kom mee naar bed,' zegt ze.

'Straks.'

Rainer drukt zijn sigaret uit en loopt met zijn zogenaamde asbak de kamer uit. Trudy hoort dat de wc op de overloop wordt doorgetrokken. Daarna loopt er water in de wastafel. Als Rainer terugkeert, pakt hij het doekje van de vensterbank waar hij het heeft achtergelaten en begint het schaaltje droog te wrijven. Trudy, die hem vanaf de rand van het bed aan het werk ziet, begint te lachen.

'Wat is er zo grappig?' vraagt Rainer zonder van zijn werk op te kijken.

'Jij,' zegt Trudy. 'Jij moet wel de meest Duitse jood op de hele wereld zijn.'

Rainer kijkt boos. Hij laat de asbak in de la vallen en schuift die met een klap dicht. 'En wat wil je daar precies mee zeggen?' vraagt hij.

'O, kom op, Rainer. Helemaal niets. Je bent gewoon zo dwangmatig netjes. Ik heb nog nooit iemand ontmoet die zo neurotisch is als ik... Behalve mijn moeder dan, natuurlijk.'

Rainer pakt zijn broek van een stoel, houdt die voor zich en stapt erin. Dan loopt hij naar de kast voor een overhemd.

'Hé,' zegt Trudy. 'Kom je niet meer in bed?'

'Nee,' zegt Rainer kortaf. 'Kleed je aan.'

'Maar...'

Rainer kijkt haar over de rand van zijn bril aan. Hij wijst naar Trudy's kleren, die opgevouwen op het bureau liggen. Dan verlaat hij de kamer. Trudy blijft stomverbaasd zitten en hoort hem de trap af lopen. Ze haalt diep adem. 'Oké,' zegt ze tegen de kamer, die net zo groot, hoekig en keurig onderhouden als zijn eigenaar is. Dan schudt ze de ochtendjas uit, trekt haar coltrui en broek aan en haast zich naar beneden.

Rainer staat in de keuken boterhammen op elkaar te meppen; smack op bruin brood. Trudy loopt naar de koelkast en haalt er de mayonaise uit. 'Je vergeet dit,' zegt ze, terwijl ze het op de tafel zet.

'Expres. Ik wil het niet.'

'Maar je bent dol op mayonaise.'

'Je loopt in de weg.'

Trudy gaat naar het aanrecht, leunt er tegenaan en slaat haar armen over elkaar. 'Doe niet zo boos, Rainer,' zegt ze. 'Wat ik daarnet zei, ik bedoelde niet... Ik bedoel, ik wilde je absoluut niet beledigen... O, verdomme.'

Rainer snijdt de boterhammen, waar plakjes worst en blaadjes sla tussen de korsten door piepen, schuin doormidden en stopt ze eerst in een plastic zakje en dan in een grote papieren zak. 'Pak je jas,' zegt hij, terwijl hij er servetten en een thermoskan bij stopt.

'Gaan we picknicken?' vraagt Trudy. Ze buigt haar hoofd om door het raam naar de thermometer aan de garage te kijken. 'Dat meen je niet. Het is min zeventien!'

'Pak je jas,' herhaalt Rainer. 'Ik zie je in de auto.'

Verbijsterd doet Trudy wat haar gevraagd wordt. Als ze zich goed heeft ingepakt, verlaat ze het huis via de achterdeur en rent door de kou naar de oprit waar Rainer de Buick al gestart heeft. Wolken dwarrelen uit de uitlaatpijp omhoog. Het is een groot, laag bakbeest met haaiachtige staartvinnen die zo belachelijk lang zijn, dat het optisch bedrog lijkt. Het portier aan de passagierskant gaat krakend open als Trudy nadert en ze laat zich dankbaar naar binnen vallen. 'Dit is belachelijk,' zegt ze, als Rainer de straat uit rijdt en vol gas Fiftieth Street op schiet. 'Waar gaan we heen?'

'Ik wil je iets laten zien.'

'Wat?'

Als antwoord buigt Rainer zich naar de radio en begint daaraan te draaien tot hij een ouverture van Rachmaninov vindt. Dan draait hij aan de volumeknop tot de aanzwellende akkoorden de auto vullen. Trudy zakt achterover tegen het kriebelende pluche van de stoel en bekijkt Rainer vanuit haar ooghoeken. Zijn profiel is ondoorgrondelijk, kalm onder de rand van zijn hoed. Hij bestuurt de grote Buick met een vingerbeweging, zijn hand ligt ontspannen op het stuur.

Ze rijden door de stille straten van Edina en de wat drukkere wegen van Uptown. Langs Lake Calhoun, dat er wit en plat als een dinerbord bij ligt. Aangezien het een doordeweekse dag is, ontbreken de doorgewinterde fanatiekelingen die als hamsters in een circuitje achter elkaar aan draven of op ski's over de paden ploeteren. Ze rijden over een brug naar Lake of the Isles, waar Rainer de auto aan de oever parkeert. Hij steekt zijn hand naar de achterbank om de lunchzak en een Schotse deken te pakken, stapt de auto uit en blijft met de deken over zijn arm gevouwen staan.

Trudy kijkt naar hem en werpt dan een blik door de voorruit. Van alle meren in Minneapolis vindt ze Lake of the Isles het minst leuk. De amoebevorm ervan verwart haar, ze moet op de paden zo veel bochten omslaan dat ze haar richtinggevoel kwijtraakt en niet meer weet of de stad nu voor of achter haar ligt. Ook hier zijn geen mensen, alleen een paar hutjes voor het ijsvissen waar dunne rook uit de kachelpijpen omhoog kringelt.

'Dit is belachelijk, Rainer,' zegt Trudy op haar strengste toon. 'Ik ga daar echt niet heen.'

Rainer haalt zijn schouders op, de wind blaast zijn ademstoten de lucht in. 'Wat je wilt,' zegt hij.

Hij wandelt bij Trudy weg en loopt het ijs op. Na een paar passen spreidt hij de deken uit, gaat er met hoed en jas en al op zitten en maakt de bruine zak open.

Trudy klimt de auto uit. 'Kom terug, idioot!' schreeuwt ze. 'Zo krijg je nog een longontsteking!'

Rainer lijkt haar niet te horen. Hij neemt een hap van zijn boterham. Hij eet de helft schijnbaar genietend op, legt de rest dan neer en gaat staan. 'Kom,' roept hij.

Trudy slaat hoofdschuddend het portier dicht en baant zich dan een weg over de bevroren aarde en tussen het riet door naar het ijs. Ze zet er een voet op en aarzelt. Het lijkt stevig en dik. En het heeft in ieder geval genoeg gevroren om te houden. En als mensen er nog steeds op gaan vissen... Maar een paar dagen geleden heeft het gedooid en de lokale radiozenders hebben gewaarschuwd extra voorzichtig op het ijs te zijn. Bovendien heeft Trudy door het ijs zakken altijd een afschuwelijke manier om te sterven geleken. Wild zwaaiend in ijskoud water, in het donker, je hoofd stotend tegen het harde plafond, geen adem kunnen halen...

'Kom dan!' schreeuwt Rainer wenkend met zijn arm.

Trudy neemt nog een stap. Dan rent ze met uitgestrekte armen om haar evenwicht te bewaren naar hem toe, onbesuisd en klungelig als een kind. Rainer vangt haar op als ze tegen hem aan knalt, maar dat gaat zo hard dat ze wankelen en bijna omvallen. Maar hij hervindt net op tijd zijn evenwicht. Trudy knijpt haar ogen dicht en duwt haar gezicht tegen de geruststellende wol van zijn jas die ruikt naar de cederhouten kast waarin hij die opbergt.

Een minuut lang blijven ze zo hijgend staan. Dan hoort Trudy Rainer zeggen – eigenlijk voelt ze het meer, want zijn stem bromt door de lagen kleding tegen haar wang: 'Wij hebben een probleem.'

'Wat? Welk probleem?'

Rainer maakt haar van zich los. 'Draai je om,' zegt hij.

'Waarom?'

'Moet je nu echt altijd een weerwoord hebben?' Rainer grijpt Trudy bij haar schouders en draait haar om, zodat haar rug tegen zijn borst rust. Dan laat hij haar weer los. Trudy steekt haar handen onder haar oksels om ze op te warmen, ook al draagt ze handschoenen.

'Kijk,' zegt Rainer.

Trudy kijkt. Ze ziet niets bijzonders: het grijswitte meer, de bewolkte hemel die iets donkerder grijs is erboven, het compacte zwarte lijnenspel van takken op de oever aan de overkant. Daar achter is een felle citroenkleurige lichtstraal die de middag op de een of andere manier kouder doet lijken dan hij is. De wind waait onophoudelijk over het ijs en ontlokt tranen aan Trudy's ogen. Haar wangen zullen knalrood zijn als zij en Rainer weer naar binnen gaan. Maar het is ook opwindend, alsof je, denkt Trudy, aan boord van een schip bent dat een expeditie naar de poolstreek maakt. Boven hun hoofd komt een vlucht ganzen gakkend uit een warmere streek terug. 'Wat zou ik moeten zien?' vraagt Trudy.

Rainer gniffelt en slaat zijn armen van achteren om haar heen. 'Dat is ons probleem, doctor Swenson,' zegt hij in haar haar. 'Je denkt te veel. Hou daarmee op. Niet denken. Niet praten. Alleen kijken. Zijn.'

53

De daaropvolgende maandag komt Trudy tien minuten te laat de collegezaal binnen. De verkeersdrukte onderweg van Rainers huis naar de universiteit was hels: auto's die vastzaten in plassen water, afkomstig van hevige aprilbuien op snelwegen waarvan de afvoer reeds overstroomd was, en aangerukte sleepwagens die gordijnen van smerig smeltwater opwierpen. Trudy fluit echter de marsmuziek van Colonel Bogey als ze haar laarzen in de deuropening schoon stampt. Dat wijsje zit nu al dagen in haar hoofd, aangezien Rainer het graag vol enthousiasme en op een aanstootgevende toonhoogte onder de douche zingt met de volgende tekst:

Hitler, he only had one ball
Göring had two but very small
Himmler had something similar
And poor old Göbbels had no balls at all!

Neuriënd loopt Trudy naar de lessenaar en doet haar koffertje open. 'Goedemorgen,' zegt ze.

Vanuit de zaal komt wat ongeïnspireerd gemompel. Trudy schudt de natte sneeuw uit haar haar. 'Wat is er met jullie?' vraagt ze. 'Ik geef toe dat dit het soort dag is dat de Britten smerig zouden noemen, maar technisch gezien is het wel degelijk lente, weet je.'

'Duh,' zegt iemand.

Trudy glimlacht en trekt haar sjaaltje recht, een vierkante lap limoengroen chiffon die zij en Rainer dit weekend gekocht hebben. Rainer stond erop dat Trudy zowel in het openbaar als achter gesloten deuren haar best moest doen er wat minder begrafenisachtig uit te zien. Dit veroorzaakte een langdurige woordenwisseling in de boetiek in het winkelcentrum. Trudy moet opnieuw glimlachen als ze eraan denkt. De verkoopster was in eerste instantie nogal van de wijs gebracht, maar toen ze het bedrag eenmaal had aangeslagen op de kassa, had ze op samenzweerderige toon aan Trudy gevraagd hoe lang zij en Rainer al getrouwd waren.

Trudy loopt naar het bord om het lesonderwerp op te schrijven: VROUWEN BIJ DE *SCHUTZSTAFFELN*: GEDWONGEN MEDEPLICHTIGHEID OF MACHTSWELLUST? 'Zo,' zegt ze. 'Laten we beginnen met de vrouwelijke bewakers in de kampen. De lieftallige en harteloze SS kapo Mandel, die Fania Fenelon beschrijft in het stuk dat jullie voor vandaag moesten lezen, bijvoorbeeld. Hoe beoordeelt Fenelon het karakter van Mandel?'

Ze draait zich om naar haar studenten. Ze staren wezenloos naar haar of naar de grond, met holle ogen van een nacht lang doorhalen. Hun konijnachtige neuzen druppelen door de verkoudheden waarmee ze elkaar aan één stuk door aansteken. Ze dragen veel te grote sweaters met capuchons, en pyjamabroeken boven hun enorme opbollende sneakers. Ze ogen totaal niet geïnteresseerd in het onderhavige onderwerp en zijn absoluut beeldschoon.

Trudy legt haar krijtje neer en slaat de kalk van haar handen. 'O, laat ook maar,' zegt ze. 'Gaan jullie allemaal maar lekker even slapen. Of, god verhoede, iets productiefs doen, zoals studeren.'

Pennen houden op met krabbelen in marges. De studenten kijken Trudy wezenloos of met doorbrekende hoop aan.

'Hup, wegwezen,' draagt Trudy hun met een wegwuifgebaar op. 'Geniet van jullie vrijlating.'

Aarzelend, alsof dit een test is waar ze voor zakken als ze gehoorzamen, beginnen enkele studenten spullen in tassen te proppen en hun parka's aan te trekken. Dan, voordat Trudy van gedachten kan veranderen, springt de rest op en stroomt snel de zaal uit. Trudy kijkt minzaam toe. De studenten lachen en kletsen geanimeerd, en dat doet haar plezier. Zo zouden ze altijd moeten zijn.

'Wat is er in godsnaam met haar aan de hand?' hoort ze Snip of Snap aan zijn tegenhanger vragen.

'Kweenie. Ze ziet er... Bizar uit. Anders. Alsof ze een flinke beurt heeft gehad of zoiets.'

'Professor Dood? Je moet met je vingers van de crack afblijven, man.'

Ze schuifelen grommend naar buiten.

Als de deur achter hen dicht knalt, pakt Trudy haar spullen en loopt ook naar buiten, zonder de moeite te nemen het bord schoon te vegen. Maar in plaats van op weg te gaan naar haar parkeerplaats, loopt ze naar boven. Ze moet nog iets doen voordat ze de universiteit verlaat: ze heeft een geweldig idee gekregen. Terwijl ze binnensmonds zingt – *Hitler, he only had one ball, Göring had two* – slentert Trudy over de afdeling Geschiedenis in de richting van Ruths kantoor.

Dat ligt, net als dat van Trudy, weggestopt in een doolhof van kamers aan de achterzijde op de eerste verdieping en lijkt ook in andere opzichten op dat van haar: veel te warm, hard toe aan een nieuw laagje verf en stinkend naar stoffige oude boeken en koffie die veel te lang op een warmhoudplaatje heeft gestaan. Maar hier houden de overeenkomsten op, want terwijl Trudy's kantoor sober is, is Ruth een verzamelaar van Holocaustmemorabilia. In een kast met glazen deuren die veel te groot is voor de kamer, staan haar vreemde schatten uitgestald: een vaandel met een hakenkruis die ooit de Rijksdag heeft gesierd, munten uit het getto van Warschau, ansichtkaarten die verstuurd zijn uit de kampen, waaronder Buchenwald, met hun eenregelige getypte tekst: WE WORDEN GOED BEHANDELD, ER IS HIER WERK. De wanden hangen vol nazipropagandaposters, op de grootste staat een doodsbange arische – erg op Anna lijkende – vrouw, die bedreigd wordt door een grijnzende jengelende jood. *FRAUEN UND MÄDCHEN*, luidt het opschrift, *DIE JUDEN SIND EUER RUIN!* Vrouwen en meisjes, de joden zijn jullie ondergang! Op een andere poster, die precies achter Ruths hoofd hangt, staan een reusachtige Hitler en Stalin elkaar de hand te schudden boven een stroom piepkleine schreeuwende joden die in een peilloze afgrond storten. Elke keer wanneer Trudy de deur opent, schrikt ze hiervan.

Zoals Trudy weet zit Ruth op dit uur van de dag achter haar bureau fronsend over papieren gebogen. Ze gooit haar rode pen neer als Trudy op de openstaande deur klopt.

'O, godzijdank,' zegt Ruth. 'Je bent mijn reddende engel. Deze examens halverwege het jaar zijn vreselijk... Wacht even, moet jij nu geen college geven?'

'Ja,' zegt Trudy. 'Ik heb mijn kinderen laten gaan.'

'Wát heb je gedaan? Dat is nog nooit gebeurd. Waarom?'

'Ach, ik weet het niet,' zegt Trudy. 'Ik denk dat ik vandaag in een veel te vrolijke bui ben om over die deprimerende dingen te praten.'

Ruth trekt haar voeten op de rand van haar stoel en slaat haar armen om haar onderbenen heen. Met haar scherpe kleine oogjes kijkt ze Trudy zonder te knipperen onderzoekend aan. 'Oké, wat is er aan de hand?'

'Niets,' zegt Trudy.

'Onzin,' zegt Ruth. Ze kijkt met samengeknepen ogen naar Trudy's warrige haar – dat Trudy laat groeien zodat ze, zoals Rainer heeft opgemerkt, minder op een jongen met tbc lijkt – en naar de lichtgroene sjaal. 'Je ziet er... Op de een of andere manier anders uit.'

Trudy haalt haar schouders op. 'Doe niet zo raar,' zegt ze. Maar ze voelt zichzelf grijnzen als ze zich in de stoel tegenover die van Ruth laat zakken. 'Luister,' zegt ze. 'Dat reisje dat jij en Bob met de kerst naar het Caribisch gebied hebben gemaakt. Heb je daar de folders nog van?'

Ruth leunt achterover en de stoelvering kreunt. 'Waarom?' zegt ze. 'Ga jij ook?'

Trudy knikt. 'Als het lukt met het rooster,' voegt ze eraan toe.

'In je eentje?'

'Nou,' zegt Trudy, 'eigenlijk niet. Er is een man...'

Ruth gooit haar vuisten in de lucht. 'Ik wíst het! Ik wist dat dat het moest zijn, zoals je zit te grijnzen. Dat werd tijd ook! Wie is het?'

Trudy glimlacht naar haar schoot. Nu ze hier is, kan ze aan zichzelf toegeven dat dit de reden is waarom ze naar Ruth is gegaan in plaats van een reisbureau te bellen. Trudy wil met Ruth over Rainer praten. Ze wil met iedereen over Rainer praten. Ze kan amper naar de supermarkt gaan om toiletpapier te kopen, zonder tegen de caissière te zeggen dat Rainer hetzelfde merk gebruikt. Ze kan 's morgens haar sokken niet aantrekken zonder te bedenken dat die van Rainer er eigenlijk een beetje afgedragen uitzien, dat ze nieuwe voor hem zou moeten kopen. Ze staat al tijden op springen, zo groot is de behoefte dit alles met iemand te delen, om te juichen over het geluk dat haar opeens ten deel is gevallen. En ze gaat het zeker niet aan Anna vertellen. Maar godzijdank is Ruth er nog.

En die zit verwachtingsvol te glimlachen in afwachting van Trudy's antwoord, dus Trudy zegt: 'Hij heet Rainer. Rainer Goldmann. Hij is groot en onbehouwen en bezitterig en een voormalig leraar en hij moet een despoot in de klas zijn geweest en ik ben helemaal van de kaart... Wat is er?'

'Niets,' zegt Ruth. Ze schudt even haar hoofd. 'Die naam klinkt me bekend in de oren, maar ik weet niet waarom... Ga verder. Hoe heb je hem ontmoet?'

Trudy lacht. 'Door het project, ongelooflijk, hè? Op het moment zelf was het afschuwelijk. Hij had een van mijn flyers gelezen en me naar zijn huis gelokt onder het voorwendsel dat hij mee wilde doen, maar toen de camera begon te lopen, bleek dat hij er een van jou is, een joodse overlever van de Holocaust, en toen is hij me toch tekeergegaan, hoe ik het ook maar in mijn hoofd haalde om de Duitse kant van het verhaal vast te leggen. Wat misschien niet helemaal onterecht was, dus ik ben diezelfde avond teruggegaan naar zijn huis met een paar *latkes*, en...'

Trudy stokt, want Ruth kijkt haar niet meer aan. Ze heeft haar favoriete speeltje gepakt, een legopoppetje van herr doktor Mengele, en zit fronsend zijn legobeentjes naar zijn middel te buigen. Trudy weet dat Ruth herr doktor Mengele via internet besteld heeft en dat hij in een doos zat met zijn lego-operatiezaal, lego-assistenten en legoslachtoffers, maar dat die, in tegenstelling tot de herr doktor, die gewoonlijk tegen een lamp zit, zijn verbannen naar de voorraadkast. Trudy weet ook dat Ruth alleen met herr doktor Mengele speelt als ze een netelig afdelingsprobleem probeert op te lossen of van streek is door iets anders. Trudy is perplex en kijkt haar vragend aan. 'Wat is er aan de hand?' vraagt ze. 'Ik dacht dat je blij voor mij zou zijn.'

'Dat ben ik ook,' zegt Ruth tegen de doktor, die ze heen en weer buigt. 'Echt, het is geweldig dat je iemand hebt. Maar deze man, Trudy... Ik weet het niet. Want ik weet nu waar ik die naam eerder gehoord heb: ik heb hem zelf gebeld, over het meedoen aan het Nagedachtenisproject. En hij leek...'

'Nou?'

'Een beetje grof.'

'Grof?'

'Kwaad,' zegt Ruth, terwijl ze de doktor weer op het bureau neerzet. 'Hij was in feite echt heel onbehouwen.'

Trudy leunt achterover. 'Ja, ik zei net toch al dat hij zo is,' zegt ze.

'Maar dat is gewoon een façade. Hij vindt het... lastig om over zijn verleden te praten.'

Ruth snuift. 'Goh, je meent het,' zegt ze. 'Geloof me, dat is luid en duidelijk overgekomen, Trudy. Ik vind het vervelend om te zeggen, maar misschien moet je er nog eens over nadenken of je echt iets met hem wilt. Ik weet niet zeker of dit wel zo verstandig is.'

Trudy reageert stekelig. 'O, meen je dat nou?' vraagt ze. 'En waarom dan wel? Omdat ik Duits ben en hij een jood is? Weet je hoe jij je gedraagt, Ruth? Als een joodse moeder, als een bemoeial die haar kinderen verstoot als ze met iemand trouwen die niet van hun geloof is en sjivve zit als ze...'

Ruth laat deze uitbarsting met een onbevooroordeelde, geduldige blik in haar ogen over zich heen komen en Trudy houdt beschaamd haar mond. Ze weet dat dit helemaal niet het geval is. Sterker nog, Ruths echtgenoot Bob is slechts half joods en om die reden is het stel door Ruths familie met de nek aangekeken. Maar waarom behandelt Ruth haar op deze bevoogdende manier, alsof Trudy een naïeve verliefde tiener is, alsof ze niet in staat is om met eigen ogen te zien dat de jongen die met haar naar het bal gaat in feite een jeugdige delinquent is?

'Het spijt me,' zegt Trudy. 'Vergeet alsjeblieft alles wat ik net gezegd heb. Maar ik begrijp gewoon niet waarom je zo reageert.'

'Ik wil niet dat je gekwetst wordt,' zegt Ruth. 'Dat is alles.'

'Dat gebeurt ook niet, Ruth. Rainer is een goede man. Echt. Hij is de beste persoon dat ik ooit ontmoet heb.'

Ruth steekt haar hand weer uit naar het poppetje. 'O, vast,' zegt ze. 'Maar weet je, jij bent er al zo lang uit geweest dat... Ik ben gewoon een beetje bezorgd. Moet je luisteren. Ik vind het echt geweldig dat je jezelf weer op de kaart zet. Dus misschien moet je, voordat je je met je hele ziel en zaligheid in de relatie met mijnheer Goldmann stort, overwegen om ook met iemand anders uit te gaan, als een soort tegenwicht? Toevallig ken ik een man aan wie ik je al een tijdje ontzettend graag wil voorstellen. Een nieuwe collega van Bob, die onlangs is overgeplaatst uit St. Louis. Niet gescheiden. Een weduwnaar. Drie kinderen, maar allemaal volwassen, en hij is echt een geweldige...'

Trudy blijft Ruth gedurende de rest van dit verkooppraatje ietwat bitter glimlachend aankijken. Nu begrijpt ze waarom Ruth bezwaren heeft. Na Trudy's scheiding heeft de goedbedoelende Ruth, die ontzettend graag wilde dat Trudy hertrouwde, haar een tijd lang aan een reeks potentiële huwelijkskandidaten voorgesteld. En Trudy heeft een tijdje meegespeeld, zich door eindeloze etentjes heen geslagen, waar ze altijd werd neergezet naast de beschikbare vrijgezel die Ruth weer tevoorschijn had weten te toveren – het maakte niet uit of die opgeblazen, kalend, dik of blufferig was, als hij maar ademhaalde en vrijgezel was. Trudy herinnert zich nog steeds Ruths laatste, verschrikkelijk ontluisterende poging van zo'n zeven jaar geleden, toen ze vol afgrijzen luisterde hoe haar date met groot enthousiasme vertelde over een recente vrijgezellencruise, waarbij de kandidaten als kennismakingsactiviteit in een zwembad moesten staan en met hun kin een bal aan elkaar door moesten geven. Hierna gaf Trudy het op, ze heeft tegen Ruth gezegd dat het voor haar misschien wel niet was weggelegd om een partner te hebben.

En zo moet Ruth sinds die tijd over Trudy gedacht hebben: de ondankbare ontvanger van sociale liefdadigheid, het zielige eenzame aapje op de ark van Noach. Natuurlijk is ze verontrust nu ze ziet dat Trudy opeens zo veranderd is. Mensen vinden het verschrikkelijk als anderen uit hun keurig gelabelde hokjes stappen.

Ruth zit Trudy stralend en verwachtingsvol aan te kijken. 'Nou?' zegt ze. 'Klinkt goed, hè? Ik kan wel iets organiseren voor volgende week.'

Trudy lacht haar vriendelijk toe. 'Bedankt,' zegt ze. 'Ik zal het onthouden. Misschien over een tijdje... Maar mag ik ondertussen die folders?'

54

Als de folders, die Ruth met enige tegenzin aan Trudy gegeven heeft, eenmaal veilig weggestopt zijn in haar koffertje, rijdt Trudy over de rivier terug naar Rainers huis. Ze gaat nu stap twee van haar prachtige plan in werking zetten: ze zal Rainer meenemen om te gaan lunchen bij Le P'tit en hem daar verrassen met de reis die ze samen gaan maken. Het vooruitzicht op Rainers reactie – en op het voorstellen van haar nieuwe geliefde aan haar ex-man – is zo verrukkelijk, dat Trudy opnieuw in zingen uitbarst, uit volle borst, lachend en zwaaiend naar de bestuurders die haar als een sopraan in een opera van Wagner voor het stoplicht zien brullen.

Maar als ze de trap naar zijn voordeur op rent en aanbelt, doet Rainer niet open.

Trudy probeert het nog drie keer. Als Rainer dan nog steeds niet komt opdagen, loopt ze langzaam naar de schommelbank op de veranda en gaat verdwaasd zitten. Heeft Rainer iets gezegd over een afspraak vanmiddag en is Trudy dat vergeten? Een routineonderzoek bij de huisarts, een gesprek met zijn accountant, de tandarts? Trudy dacht het niet. Misschien is hij even een boodschap doen. Ze bladert door de folders tijdens het wachten. Palmbomen, azuurblauw water, stelletjes die hand in hand over hagelwitte stranden kuieren. Heel wat anders dan wat Trudy ziet als ze opkijkt: regen die enkeldiepe plassen in de bevroren sneeuw op de trottoirs en de straat vormt. Uit een van de aangrenzende huizen klinken het ingeblikte gelach en applaus van een amusementsprogramma. Nog een gepensioneerde misschien; een hardhorende die het volume op de hoogste stand heeft gezet. Op deze tijd van de dag is er niemand anders thuis, behalve dan misschien een uitgeputte jonge moeder of twee, die een uurtje rust hebben als hun kinderen hun middagdutje doen. Alle anderen zijn aan het werk.

Als er drie kwartier verstreken zijn, begint Trudy zich zorgen te maken. En het koud te krijgen. Ze komt stijfjes de schommelbank af – haar ledematen zijn ijskoud en de achterkant van haar jas is vochtig – en stampt door de resterende sneeuw naar de achtertuin. Rainers auto staat niet op de oprit waar die normaal gesproken altijd staat, en even is ze opgelucht. Maar als ze door het stoffige raam in de garage tuurt, staat de Buick daar tussen de spinnenwebben en het tuingereedschap – een onwaarschijnlijk lange witte vorm in de duisternis, als een onderzeeër.

Trudy, die nu echt bezorgd is, rent naar de achterdeur en slaat daar met haar vuist op. 'Rainer,' gilt ze. 'Ik ben het! Doe open!'

Ze loopt achteruit en kijkt met samengeknepen ogen omhoog naar de slaapkamer, terwijl ze haar handen om haar mond legt. 'Rainer!'

Als er nog steeds geen reactie komt, pakt Trudy onder een omgekeerde bloempot in de tuin de reservesleutel die Rainer daar verstopt. Dat kost moeite, want de sleutel zit vastgevroren aan de grond. En het blijkt ook nog eens verspilde moeite te zijn geweest, want als Trudy hem gebruikt, draait ze de deur op slot in plaats van open: hij is al die tijd niet op slot geweest. Ze haast zich door de keuken met de metaalachtige smaak van angst in haar mond. Heeft Rainer een hartaanval gehad? Een beroerte? Hij is tenslotte geen jonge vent meer, zoals hij vaak na een wilde vrijpartij in bed zegt. 'Rainer!' roept Trudy. 'Geef antwoord. Waar ben je?'

Ze rent de trap op en loopt halverwege bijna tegen hem aan, aangezien hij op weg is naar beneden. 'Allemachtig, wat een tumult,' zegt hij.

Trudy grijpt de leuning vast en laat een bibberige zucht ontsnappen. 'God, wat heb jij me laten schrikken,' vertelt ze hem. 'Ik dacht dat er iets ergs met je was gebeurd.'

Rainer glimlacht. 'Is het werkelijk zo makkelijk voor je om me als dood en begraven te beschouwen, doctor Swenson?'

'Het is niet grappig,' snauwt Trudy. 'Waarom heb je niet opengedaan?'

Rainer kijkt schaapachtig. 'Ik dacht dat je veel later zou komen,' zegt hij.

'Heb je me niet horen kloppen? Heb je de bel niet gehoord?'

'Jawel. Ik dacht dat het een bijzonder irritante venter was.' Maar Rainer kijkt weg als hij dit zegt en Trudy voelt opnieuw een angstige rilling over haar rug lopen. Hij liegt. Er is tóch iets mis. Ze ziet nu pas dat hij een stapel truien in zijn handen heeft.

'Wat ben je aan het doen?' vraagt ze.

'Inpakken.'

'Inpakken?'

Trudy volgt Rainer naar zijn slaapkamer, waar een opvallende chaos heerst. Op het bed ligt een kledingzak, opengeritst en opbollend van de broeken. Daarnaast ligt een opengeslagen koffer. Heel even denkt Trudy dat Rainer haar gedachten over het reisje heeft gelezen of misschien zelfs van plan was er zelf een voor te stellen. Maar de hoeveelheid kleren op het dekbed drukt die gedachte snel de kop in. Er liggen stapels vesten, pyjama's, sokken. Waar hij ook naartoe gaat, hij gaat er in ieder geval van uit daar lang te blijven.

'Wat ben je aan het doen?' vraagt Trudy opnieuw.

'Ik zou zeggen dat dat nogal duidelijk is.'

'Maar ik begrijp het niet. Is er een noodgeval? Is er iets gebeurd met je dochter?'

Rainer stopt een stapeltje T-shirts in de koffer. Hij lijkt Trudy's ogen te mijden. Of beeldt ze zich dat in?

'Ik was van plan een briefje voor je achter te laten,' zegt hij.

'Een briefje?'

'Een brief.'

Trudy zet zich schrap tegen de deur. Het is gestopt met regenen. De druppels die over de ruit naar beneden glijden, werpen kronkelende schaduwen op de tegenoverliggende muur en de kamer is gevuld met een waterig grijs licht. Ze hoort het gedrup van smeltende ijspegels, het gekoer van een duif in de goot. De laatste roept beelden op van groene grasvelden, schaduwen in de schemering, het getik van ijsblokjes in cocktailglazen. Hoe kan dit nu gebeuren? 'Waar ga je naartoe?' vraagt ze.

'Florida.'

'Florida?'

'Hou nou eens op om alles wat ik zeg te herhalen,' zegt Rainer, maar zonder drift. Hij heeft Trudy nog steeds niet aangekeken.

'Het spijt me,' zegt ze. 'Ik ben gewoon zo... Waarom ga je naar Florida?'

'Om mijn dochter en kleindochter te bezoeken.'

'Voor... Voor hoe lang?'

Nu draait Rainer zijn gezicht naar haar toe. 'Trudy,' zegt hij.

Trudy staart hem aan. De gelatenheid in zijn ogen vertelt haar alles wat ze weten wil. 'Nee,' jammert ze.

Rainer schuift een paar schoenen in de koffer. 'Dat is het beste,' zegt hij.

'Hoe kun je dat nou zeggen? Dat is het stomste wat ik ooit heb gehoord. Hoe kun je in hemelsnaam denken dat dat zo is?'

Rainer staat met zijn handen in zijn zakken naar het bed te staren. 'Het ís zo,' zegt hij. 'En het is niet het einde van de wereld. Hoe dan ook, ik weet niet zeker hoe lang ik zal blijven. Ik heb een open ticket. Misschien kom ik erachter dat ik uiteindelijk toch niet zo geschikt ben voor een tropisch klimaat.'

Zijn toon is spottend, maar Trudy ziet zijn kaakspieren samenkrampen. Ze loopt naar hem toe en trekt aan zijn mouw. 'Kijk me aan, Rainer. Alsjeblieft. Heb ik iets verkeerd gedaan? Iets verkeerds gezegd? Die opmerking van vorige week, dat jij de meest Duitse jood...'

'Nee, nee,' zegt Rainer. Maar hij blijft onbeweeglijk staan. Zijn onderarm is als een blok hout onder Trudy's hand.

Trudy neemt een pijnlijke hap lucht, de tranen wellen op in haar ogen. 'Komt het door wie ik ben? Door hém... Mijn vader?'

'Natuurlijk niet. Dat mag je nooit denken, Trudy.'

'Dan moet het mijn project zijn. Ik hou ermee op. Vandaag nog. Nu meteen. Vanaf dit moment zal ik nooit meer iemand interviewen...'

Rainer zucht. 'Doe niet zo idioot. Dat is het laatste wat ik zou willen.'

'Maar wat wil je dán?' vraagt Trudy. 'Alsjeblieft, Rainer. Ga alsjeblieft niet weg. Of neem me mee...' Dan denkt ze opeens aan haar moeder. Wat gebeurt er met Anna als Trudy vertrekt? Maar Trudy is te overstuur om zich daar druk om te maken. Ze bedenkt wel iets.

'Alsjeblieft,' zegt ze weer. 'Doe dit niet. Waarom doe je dit?'

Eindelijk kijkt Rainer haar aan en pakt hij Trudy's handen tussen die van hem. 'Het heeft niets met jou te maken,' zegt hij. 'Dat moet je geloven.'

Trudy staart naar hun verstrengelde vingers en schudt haar hoofd. Ze voelt niets, behalve de absolute zekerheid dat zij het mikpunt is van een kosmische grap. Heeft ze echt durven denken dat geluk voor haar is weggelegd? Ze is ontzettend stom geweest. De goden zitten zich nu ergens op hun dijen te slaan van het lachen. 'Zonder jou,' zegt ze tegen Rainer, 'heb ik niets.'

'Ach, Trudy.' Rainer laat haar handen los om haar in zijn armen te nemen. 'Je hebt genoeg,' zegt hij. Zijn stem trilt tegen Trudy's wang. 'Je had een druk leven voordat we elkaar leerden kennen, en dat heb je nog steeds. Je colleges, de studenten aan wie je zo toegewijd bent, je onderzoek, je project. Het komt wel goed met jou. Meer dan goed.'

'Maar, Rainer...'

'Zoals gewoonlijk smeek ik je me niet tegen te spreken. Ik moet dit doen. Je maakt het er alleen maar erger op.'

Trudy drukt haar gezicht tegen de kriebelwol van zijn vest en staat zichzelf toe nog één keer de geur van zijn luchtje in te ademen. De geur die ze met zo veel vreugde bespeurde in haar eigen hals, in haar haar. En daaronder Rainers opvallende geur, als verse houtsnippers, als ceder.

Dan maakt ze zich van hem los. 'Je hebt me nog steeds niet verteld waarom,' zegt ze. 'Dat ben je me toch in ieder geval wel schuldig.'

Rainer loopt terug naar het bed. Hij kiest een stropdas uit en houdt die omhoog, bestudeert de ingetogen strepen alsof hij die voor het eerst ziet. Dan wikkelt hij de das tot een rolletje en stopt dat in de koffer. 'Waarom gaat een oude man naar Florida?' vraagt hij met enigszins onvaste stem. 'Een vriendelijker klimaat. Doorlopend zomers. En in mijn geval, het verlangen om bij familie te zijn. Je moet niet vergeten dat ik een stuk ouder ben dan jij, Trudy. Ik weet niet hoeveel gezonde jaren ik nog over heb en ik wil graag wat tijd met hen doorbrengen.'

'Oké,' zegt Trudy. 'Dat klinkt aannemelijk. Maar het is niet de werkelijke reden. Toch?'

Met gebalde vuisten langs zijn zij staart Rainer naar zijn kleren. 'Ik verdien dit niet,' zegt hij uiteindelijk heel zacht. 'Ik mag niet zo gelukkig zijn.'

Trudy wil ook hier tegenin gaan, maar ze merkt dan dat ze dat niet kan. Ze voelt zich opeens ontzettend bedrukt. Ze gaat gebukt onder het gewicht van het onvermijdelijke. Wie is Trudy om hier tegenin te gaan, terwijl ze nog geen minuut geleden overtuigd was van hetzelfde? Een deel van haar heeft al die tijd geweten dat dit geen stand kon houden.

Deze beslissing is al lang geleden voor hen beiden genomen.

Ze laat een lange trillende zucht ontsnappen en gaat naast Rainer staan. Ze raakt de stapel vesten aan. Die kent ze stuk voor stuk van heel nabij. Er blijft iets scherps in haar keel steken dat vervolgens begint op te zwellen tot ze amper meer kan ademhalen. Daaromheen vraagt ze: 'Waarom neem je al die truien mee?'

'Airconditioning,' antwoordt Rainer. 'Er is daar overal klimaatbeheersing. Mijn dochters huis is als een vleespakhuis.'

'O,' zegt Trudy. Ze pakt het bovenste vest op, vouwt de mouwen achter de rug, klapt het vest dubbel en legt het bij de andere vesten in de koffer. Rainer haalt nog een pak uit de kast en legt dat in de kledingzak. Trudy merkt dat hij dicht bij haar staat, zó dicht dat ze de warmte van zijn huid af voelt stralen. Hij ademt moeizaam, met een bewuste beheersing; korte, harde ademstoten door zijn neusgaten. Trudy weet dat hij haar weer wil aanraken. Maar dat doet hij niet en ze helpt hem met inpakken zonder nog een woord te zeggen. Ze cirkelen om elkaar heen in een georganiseerde, mooi gechoreografeerde dans, als een getrouwd stel dat elkaar al jaren op reis stuurt.

55

Als Trudy thuiskomt, loopt ze in de keuken regelrecht langs een verbijsterde Anna en door de gang naar haar studeerkamer, waar ze de deur achter zich dicht knalt. Het schiet haar te binnen dat Anna dit gedrag onbeschaamd of zelfs alarmerend zou kunnen vinden. Maar Trudy zet die gedachte meteen weer van zich af. Ze kan later haar verontschuldigingen aanbieden. Of misschien doet ze dat wel niet. Wat maakt het nu allemaal nog uit?

Zonder haar jas uit te trekken, laat Trudy zich op haar bureaustoel zakken en kijkt met een doffe blik haar kamer rond. Daar liggen haar verslagen en rapporten en boeken, de geschiedenistijdschriften waarop ze geabonneerd is, de transcripten van haar interviews en de opname van *Lotte in Weimar* en haar cd's van Duitse componisten. De banden van haar interviews, gealfabetiseerd op een plank in de televisiekast boven de videorecorder. Koptelefoons. Blocnotes. Mappen met leerplannen op jaartal. Jaar na jaar, tientallen jaren terug in de tijd. Dus dit is de totaalsom van Trudy's bestaan. Hoe heeft het zo ver kunnen komen? Dit is niet zoals het had moeten zijn. Trudy probeert zich een tijd te herinneren waarin ze misschien iets anders had gewild en wat dat dan had kunnen zijn, maar ze kan het niet. En als Trudy een poging doet om zich voor te stellen dat ze gewoon weggaat, naar Florida bijvoorbeeld, of naar een van de eilanden in die glanzende folders, is het enige beeld dat voor haar geestesoog verschijnt dat van haarzelf op een oud houten schip dat eindeloos door blijft zeilen, tot het aan het eind van de wereld is en zij ervanaf valt.

Met jou komt het wel goed, heeft Rainer tegen haar gezegd; je werk, je studenten, je onderzoek, het drukke leven dat je had voordat je mij ontmoette.

Trudy buigt zich voorover en veegt alles van haar bureau af. Ze geeft een trap tegen haar koffertje, waardoor haar aantekeningen en de vakantiefolders op het kleed vallen. Dan legt ze haar hoofd op het vloeiblok en bedekt dat met haar armen.

Enige tijd later wordt er aarzelend op de deur geklopt. Dan gaat die open en komt Anna binnen. Ze knipt de schemerlamp naast de bank aan en Trudy kijkt knipperend met haar ogen op. Ze heeft niet gemerkt hoe donker het in de kamer is geworden. Het is al avond. En waar is Rainer nu? Op het vliegveld? In het vliegtuig?

Anna stopt de pollepel die ze vasthoudt in de zak van haar schort en strekt haar handen uit. Trudy staat op, trekt haar jas uit, geeft die aan Anna en gaat weer zitten. Anna verdwijnt ermee, om hem in de kast te hangen vermoedt Trudy. Ze verwacht niet dat Anna terugkomt.

Maar dat doet ze wel. Ze blijft even in de deuropening staan en neemt de rommel op de grond in zich op. Dan bukt ze zich met een kreun van inspanning en begint de rotzooi op te ruimen.

'Laat maar, mama,' zegt Trudy.

Anna blaast tegen een lange lok wit haar die uit haar opgerolde vlechten is ontsnapt. Dan gaat ze verder met het opstapelen van de papieren.

'Ik zei, laat maar!' zegt Trudy. Ze duwt haar handen tegen haar gezicht. 'O god,' huilt ze.

Anna komt overeind en loopt naar de zijkant van het bureau. Ze legt er een stapel transcripten op. 'Zo,' zegt ze. 'Hij is dus weg.'

'Wat?' vraagt Trudy.

'Jouw man. De man die je gezelschap hebt gehouden.'

Trudy laat haar handen zakken en staart haar moeder aan. Anna staat op haar neer te kijken, keurig en resoluut als altijd in haar donkerblauwe jurk. Er zit een veeg meel hoog op haar jukbeen.

'Hoe wist je dat?'

Anna glimlacht. '*Ach*, Trudy,' zegt ze. 'Denk je dat ik achterlijk ben? Al die keren dat je niet thuis kwam eten. Die nachten dat je helemaal niet thuiskwam. Waar zou je anders moeten zijn dan bij hem?'

Trudy knikt en zucht.

'Nu is hij weg,' herhaalt Anna.

'Ja.'

'Voorgoed?'

'Ik weet het niet,' zegt Trudy.

Ze wacht tot Anna haar deelneming betuigt, met een of andere platitude komt, iets geruststellends zegt of raad geeft, maar Anna zegt niets meer.

'Weet je wie het was, mama? De man wiens interview je hebt gezien. Die avond dat ik thuiskwam en jij naar de band zat te kijken.'

'Ah,' zegt Anna. 'Zoiets vermoedde ik al.'

'Echt?'

'Ja, het stond met grote letters op je gezicht geschreven zodra je hem zag.'

Trudy kijkt omhoog naar haar. 'Dus je wist dat hij joods was,' zegt ze.

'Ja. Dat wist ik.'

'Vind je dat niet erg, mama? Dat ik iets had met een jood?'

Anna blijft glimlachen, een beetje triest, vindt Trudy.

'Dat is een rare vraag, Trudy,' zegt ze. 'Waarom zou ik? Jij bent een volwassen vrouw. Jij mag omgaan met wie je wilt. Dat gaat mij niets aan.'

'Nou ja,' zegt Trudy. 'Het doet er nu toch niet meer toe. Hij is weg.' Dan slaat ze opnieuw haar handen voor haar gezicht.

'Zo,' hoort ze Anna zeggen. 'Zo.'

Ze registreert dat Anna's vingers over haar haren strijken meer dan dat ze het daadwerkelijk voelt, zo licht is de aanraking. Het is meer een vluchtige herschikking van de luchtmoleculen naast Trudy's hoofd, een tijdelijke impressie van beweging, dan iets anders. Toch doet het Trudy opeens denken aan alle andere gelegenheden waarop Anna haar getroost heeft. *'Nur ein Alptraum,'* zei Anna altijd zittend op de rand van Trudy's kinderbed, als Trudy gillend wakker was geworden uit een nachtmerrie die ze zich nooit kon herinneren. *'Ja so, es ist nur ein Alptraum.'* Gewoon een nare droom. Een stem in het donker. Een hand op Trudy's voorhoofd. Hoe Anna haar een klap had gegeven en vervolgens vast had gepakt op de ochtend dat Trudy voor het eerst had gemenstrueerd. Toen Trudy krijste en bleef krijsen en niet kon stoppen met krijsen bij de ontdekking van die roestkleurige vlek in haar onderbroek. 'Zo. Zo. Dit betekent dat je een vrouw bent geworden. Eén keer per maand ga je bloeden. Zo, *nicht*?' Het zien van Anna's zeldzame glimlach, haar mooie, sterke witte tanden, zon die tussen de wolken door knipoogde.

En het wijsje dat Anna neuriede, een favoriet liedje van Jack, waarvan Anna de woorden nog niet had geleerd: *'You are my sunshine, my only sunshine. You make me happy when skies are gray.'*

Maar nu is het te laat voor dat soort dingen, of misschien zijn de twee vrouwen al te lang omzichtig met elkaar omgegaan. Want meer dan het vlinderlichte strijken van Anna's vingertoppen en een spoortje van haar seringengeurzakje is er niet, en als Trudy opkijkt, ziet ze dat Anna al naar de deur is gelopen. 'Ik heb een cake gebakken,' deelt Anna mee. 'Een maanzaadcake. Wil je een plakje?'

Voordat Trudy kan weigeren, voegt ze eraan toe: 'Ik zal er een pot van die koffie van jou bij doen.'

Kaffee und kuchen in plaats van *komfort?* denkt Trudy. Ach, waarom niet? Meer kunnen ze er allebei niet van maken.

Ondanks alles vormen Trudy's lippen een bedroefde glimlach. En Anna ziet er tevreden uit. En op dat moment herinnert Trudy zich de rest van het liedje: *'The other night, dear, as I lay sleeping, I dreamed I held you in my arms. When I awoke, dear, I was mistaken, so I hung my head and cried.'*

'Bedankt, mama,' zegt ze zacht. 'Lekker.'

Anna en Jack
New Heidelburg, 1945

56

Heimat. Het woord betekent 'land van herkomst' in het Duits, de plaats waar je geboren bent. Maar het woord drukt ook iets subtielers uit, een bepaalde tederheid. Iemands heimat is niet louter een kwestie van geografie, het is ook waar je hart ligt. En Anna, die niet over de woordenschat beschikt om dit verschil aan iemand in haar nieuwe land uit te leggen, is er niet zeker meer van of ze er een heeft.

Want hoe vreemd haar eigen land voor Anna ook geworden is, voor haar mans heimat geldt dat nog in veel sterkere mate. Alles aan Amerika is onbegrijpelijk voor haar: het overdadige eten, de enorme voertuigen, de onmetelijkheid van de platte horizon en de gewelddadigheid van het weer. Erger nog is dat ondanks de oppervlakkige vreemdheid, een wezenlijke onderdrukte stroom van gevoelens hetzelfde blijft. De mensen hier bekijken Anna met wantrouwen, de vijandigheid is tastbaar onder hun beleefde glimlach. Anna is ontzet als ze ontdekt dat ze Duitsland zo onbetwist met zich heeft meegenomen alsof ze de sporen van de aarde van dat land onder haar vingernagels heeft geïmporteerd, alsof de stank van de lijken nog aan haar huid kleeft.

Kerstavond 1945, Anna's eerste ervaring van de feestdagen in haar geadopteerde land. Zij en Jack en Trudie zullen een dienst bijwonen in de lutherse kerk van New Heidelburg. Die ligt op een goede twaalf kilometer – mijl, corrigeert Anna zichzelf – rijden van de boerderij. Een lange rit op een koude avond. Anna zou veel liever thuisblijven en de laatste hand leggen aan de gans voor morgen of linten om cadeautjes knopen of gewoon in de keuken gaan zitten en haar voeten warmen aan het gasfornuis, terwijl ze wacht op de thuiskomst van Jack en Trudie. Maar Anna heeft in de afgelopen drie maanden gemerkt dat het Jack verdriet doet als ze de stad mijdt, hoewel hij het nooit met zoveel woorden gezegd heeft. En ze is voldoende volgens het oude stempel geschoold om te weten dat een goede echtgenote haar man nooit teleur mag stellen. Dus neemt Anna een bad, wast het kind, trekt haar mooiste jurk aan, zet haar dapperste gezicht op en klimt in de truck.

Deze lutherse kerk is verrassend simpel: rechthoekig, wit en met hout betimmerd. Alleen aan de toren is te zien dat het geen huis is. Heel wat anders, denkt Anna, dan de kerk uit haar jeugd, Weimars massief stenen kathedraal met zijn torenhoge schip en onevenredig kleine rode deur, bedoeld om mensen te herinneren aan hun relatieve nietigheid. Toch heeft Anna zich nooit kleiner gevoeld dan hier, als ze probeert het nieuwsgierige gestaar te ontlopen door op een van de achterste banken te gaan zitten. En vanavond is het nog erger, want doordat de motor in deze vrieskou steeds afsloeg, zijn zij en Jack en Trudie erg laat. Als ze een paar minuten voordat de dienst begint arriveren, barst het bescheiden interieur van de kerk uit zijn voegen door de rumoerige New Heidelburgers en hun bijna niet te houden kinderen. Maar als Jack en zijn nieuwe gezinnetje verschijnen, valt iedereen stil. Hoofden draaien hun kant op. Er wordt gefluisterd, en behalve het geblèr van een baby is het stil.

Jack staat zoekend om zich heen te kijken. Hij heeft de stoïcijnse, vriendelijke blik die zo typerend is voor de mensen uit deze stad, maar vanuit haar ooghoeken ziet Anna dat hij de kaken onder zijn bobbelige huid op elkaar klemt. En de reden daarvoor is duidelijk: niemand schuift opzij om hem een plekje aan te bieden. In plaats daarvan gapen ze hem aan, stoten elkaar aan en draaien vervolgens hun hoofd weer over hun andere schouder naar achteren om verder te gapen. Anna pakt Trudies hand wat steviger vast, in de hoop dat het meisje haar getril niet zal voelen. Met geheven hoofd kijkt ze recht voor zich uit naar het altaar. Het is alsof ze in een droom zit, een nare droom, en Anna krijgt het vreemde gevoel dat ze ooit al zoiets gedroomd heeft.

Uiteindelijk springt op de eerste rij de vrouw van de dominee als een duveltje uit een doosje tevoorschijn, net als het speeltje dat Jack als kerstcadeau voor Trudie heeft gemaakt. 'Er is hier plek voor jullie, mensen,' roept de vrouw, terwijl ze hen wenkt.

Anna, Jack en Trudie lopen over het gangpad langs de rijen New Heidelburgers; Anna en Trudie een paar passen voor Jack, zoals het hoort. Ze laten een spoor van gemompel achter zich.

'Kom maar,' zegt de vrouw van de dominee als ze haar bereiken. Ze schuift haar jas opzij om plek te maken op de gelakte bank. Ze kijkt Jack met haar schotelronde gezicht onder stijfgelakte poedelkrullen stralend aan. 'Wat is het koud, hè?' zegt ze, en ze wendt zich tot Trudie. 'Maar maak je geen zorgen, het is niet zo koud dat de Kerstman niet komt. Zeker niet als je een braaf meisje bent geweest. Ben je braaf geweest dit jaar?'

Trudie krimpt ineen en verbergt zich achter Anna's jas. Anna kan het haar niet kwalijk nemen. De mensen hier lachen veel te veel om betrouwbaar te zijn. Maar ze fluistert in het Duits tegen het meisje: 'Geef die aardige mevrouw eens antwoord.'

Trudie gluurt naar de vrouw van de dominee en kijkt boos.

'Dank je, Adeline,' zegt Jack met zachte stem tegen haar. 'Gelukkig kerstfeest.'

'Goh, ja, jij ook een gelukkig kerstfeest!'

Dan draaien ze hun gezicht naar voren omdat de dienst begint. Anna begrijpt er weinig van. De manier waarop de dominee praat, lijkt nauwelijks op de taal die ze op het gymnasium heeft geleerd. Deze inwoners van Minnesota praten vanuit hun keel en gebruiken lange, uitgerekte klinkers. Anna doet een poging haar Engels te oefenen door het te vertalen, hoewel de plechtigheid ter meerdere eer en glorie van God en de wonderbaarlijke geboorte van Zijn zoon haar weinig doet. Haar gedachten keren echter al snel, zoals altijd, terug naar de bakkerij. De bakkerij met zijn werktafel en dubbele spoelbakken met roestplekken. De bakkerij waar muizen vruchteloos door de kastjes rennen. De zwarte rechthoekige mond van de oven, die in de loop der jaren dat Anna er broden in en uit schoof zo'n afschuwelijke betekenis kreeg. Mathildes slaapkamer met het gebarsten grijze plafond en de broek van de obersturmführer over de lege stoel van de bakker.

De gemeente staat op om te zingen. Anna mag dan niet alle woorden verstaan, de muziek is tenminste wel bekend. Omdat ze zich ervan bewust is dat Jack haar in de gaten houdt, murmelt ze de woorden in het Engels met haar lippen, maar houdt ze zich opstandig vast aan de Duitse versie in haar hoofd: *Stille Nacht, heilige Nacht...*

Dan is de dienst afgelopen en begint het tweede deel van deze beproeving. Anna weet wat haar te wachten staat; dat heeft Jack haar van tevoren verteld. Ze gaat dus met de rest van de stadsbewoners in de rij staan voor de receptie in de kelder. Ze kijkt nieuwsgierig om zich heen, wederom verbaasd over de sobere uitstraling van de lange ruimte. Als die niet voor kerkelijke activiteiten wordt gebruikt, zo heeft Jack haar verteld, doet hij dienst als bingozaaltje of cycloonschuilplek; wat 'bingo' en 'cycloon' ook mogen betekenen. Hoe dan ook, de ruimte is bekleed met vaal linoleum en ruikt naar oude rook, en de enige decoraties zijn felgekleurde fluwelen posters van Jezus en hertengeweien. De mannen en vrouwen gaan voelbaar opgelucht meteen in aparte groepjes aan beide zijden van de ruimte staan.

Anna draagt Trudie aan Jacks zorgen over en loopt naar de opklaptafel waar de andere vrouwen hun gulle gaven al hebben uitgestald. Wat een vreemde zoetigheden! Een cake die op een boomtak moet lijken, inclusief een plastic takje hulst. Een gelatinepudding met zachte witte snoepjes erin. Maar ook hierop is Anna voorbereid; ze pakt haar *stollen* uit en zet die tussen de andere lekkernijen, alsof die daarvan in niets verschilt. Trots kijkt ze naar haar gevlochten kerstbrood. Ze heeft, zoals Mathilde haar geleerd heeft, dadels en noten in het deeg gestopt en voor het bakken de bovenkant met eiwit bestreken om die te laten glanzen.

Als Anna een stap achteruit doet om haar handwerk verder te bewonderen, merkt ze dat de vrouw links van haar dat ook staat te inspecteren. Mevrouw Zimmerman, zo heet die vrouw toch? Wie ze ook is, ze staat behoedzaam en met samengeknepen ogen naar de *stollen* te kijken, alsof de gekonfijte vruchten elk moment als granaatscherven in haar gezicht kunnen exploderen. Dan merkt ze dat Anna naar haar staat te kijken en glimlacht. 'Ziet er smakelijk uit,' zegt ze, en ze loopt op een drafje naar de andere kant van de zaal, waar de andere vrouwen op een buitensluitend kluitje staan.

Smákelijk? Met vuurrode wangen schuifelt Anna een paar meter verder en doet net alsof ze het portret van Jezus bewondert. De zoon van God is met zijn lichtblauwe gewaad tegen een felgele zonnestraal afgebeeld; zijn handen zijn gevouwen en zijn ogen ten hemel gericht, waardoor het oogwit goed te zien is. Anna staart hiernaar zonder het te zien, terwijl ze binnensmonds telt: *elf... vierzehn... siebenundzwanzig...* Als ze bij de honderd is, mag ze van zichzelf om zich heen kijken om Jack te zoeken. Daar staat hij, bij de mannen natuurlijk, te praten over inkuilen, drainagesystemen, oogstopbrengsten en het weer, een gesprek dat even oneindig is als de wind die dit vlakke land geselt. Zoals voor hem te doen gebruikelijk is, staat Jack meer bescheiden te luisteren dan dat hij actief deelneemt aan het gesprek, maar het valt Anna wel op dat hij een andere houding aanneemt: sinds hij zijn nieuwe geïmporteerde gezin aan de gemeenschap heeft voorgesteld, staat hij kaarsrecht in plaats van ineengedoken als een man die gewend is onzichtbaar te zijn. Trudie zit op zijn schouders en Jack heeft zijn hand tegen haar onderrug geklemd om te zorgen dat ze er niet af valt. Deze bedachtzame omgang met het kind, heeft Anna geleerd, is typerend voor Jack, en dat geldt ook voor zijn perifere bewustzijn van zijn vrouw. Hij kijkt nu snel in het rond, alsof hij zichzelf wil geruststellen dat Anna er niet vandoor is gegaan. Ze is gewend geraakt aan deze half angstige verkenning, aan het feit dat Jack haar behandelt alsof ze een wild schepsel is dat hij gevangen heeft en moet temmen.

Ze vangt zijn blik en maakt haar ogen groter. Jack knikt en Anna gunt zichzelf een zucht van opluchting. Het is bijna voorbij, deze beproeving. Na de obligate afscheidswoorden kunnen ze naar huis. Ze telt opnieuw tot honderd en begint dan zijn kant op te lopen.

Terwijl ze dat doet, botst een van de jongens, die met zijn sokken over de gespikkelde vloer glijdt, bijna tegen haar aan; hij kan haar nog net ontwijken. Anna forceert een glimlach, aannemende dat dit een ongelukje was. Waarom, vraagt ze zich af, zijn de ouders in dit land niet wat strenger tegen hun kinderen? Ze zet nog een stap en het gebeurt opnieuw met een andere jongen. En weer. En nog een keer. 'Mof! Zuurkoolvreter!' sist een kleine vlaskop, terwijl hij dicht genoeg langs Anna glijdt om aan haar rok te trekken.

'Zag je dat?' schreeuwt hij, terwijl hij terug stuift naar de anderen. 'Ik heb haar aangeraakt!'

'Timothy Wilson, hou daar onmiddellijk mee op,' roept zijn moeder.

De vrouwen verbreken hun formatie en buigen zich over hun zich misdragende koters. Ze delen standjes uit en sleuren hen aan hun armen weg. Dan komen enkele van hen – veel te dicht – om Anna heen staan om hun excuses te maken. Ze doen de gegeneerde Anna denken aan een troep wilde honden. Ze meent een van hen zelfs aan haar te zien snuffelen, om vervolgens achteruit te deinzen alsof ze op Anna's kleren en haar iets zuurs geroken heeft, gekookte *rotkraut* misschien. Maar dat moet Anna zich verbeelden, want ze heeft vanille in haar badwater gedaan en daarna, anticiperend op deze gelegenheid en geheel tegen haar gewoonte in, een beetje *Pretty Lady* opgespoten.

'Sorry,' zeggen de vrouwen tegen haar, 'wat zijn ze toch lastig, hè, maar zo zijn kinderen nou eenmaal, sorry, sorry...'

Dan dringt Jack zich tussen hen door naar voren en houdt Anna's jas omhoog. 'Klaar om te gaan?' vraagt hij.

Anna knikt en staart naar de grond. 'Waar is Trudie?' fluistert ze tegen het linoleum.

'In de garderobe,' antwoordt Jack. 'Ze trekt haar laarzen aan.'

Zodra hij Anna in haar jas geholpen heeft, leidt hij haar naar de deur en steekt ten afscheid een hand op. De mensen wijken uiteen voor het stel. Iedereen glimlacht en knikt en wenst Anna fijne feestdagen. 'Gelukkig kerstfeest,' zeggen ze knipogend. 'Hopelijk is de Kerstman jullie dit jaar goedgezind! Gelukkig kerstfeest.'

Maar als het stel vertrekt om het kind op te halen, kijkt Anna achterom naar de tafel met lekkernijen. Tussen de lege schalen en dozen waarin de cakes en taarten van de andere vrouwen zaten, staat Anna's *stollen* onaangeroerd te glanzen.

57

Alsof de truck in een complot zit om Anna's ontsnapping uit de kerk te pareren, weigert die op de parkeerplaats opnieuw te starten. Jack pompt op het gaspedaal en praat tegen de motor, die weliswaar futloos aanslaat, maar even later weer afslaat.

'Kom op,' mompelt Jack. 'Kom op, zo ja... Potdomme!'

Anna kruipt tegen Trudie aan; ze zitten allebei machteloos te bibberen. Dat is nog zoiets waar Anna maar niet aan kan wennen, deze kou. Ze heeft het opgegeven om de temperatuur van Celsius om te rekenen naar Fahrenheit, niet omdat ze dat sommetje niet kan maken, maar omdat de uitkomsten surrealistisch zijn. Dertig graden onder nul, vijfenveertig graden onder nul... Het is absurd! Anna heeft gehoord dat water, als je dat omhoog gooit, al bevroren is voor het de grond weer raakt en dat je ogen, als je die niet beschermt, kunnen bevriezen. Hoe geneigd die Amerikanen ook zijn tot het vertellen van sterke verhalen, Anna gelooft ze. Door dergelijke omstandigheden zou je bijna met nostalgie terug gaan denken aan relatief milde beproevingen als wintertenen en pijnlijke gewrichten, aan de vochtige winters in Weimar. Anna trekt Trudie dichter tegen zich aan. 'Hou je sjaal over je gezicht,' zegt ze tegen het meisje.

'Verdomme,' zegt Jack. 'Goddomme... ja! Zo gaat-ie goed.' Hij lacht schaapachtig naar Anna. 'Ik wacht nog een minuutje of twee, tot ze goed warmgedraaid is,' zegt hij.

Anna knikt, haar tanden klapperen.

Jack duwt zijn pet achterover en wrijft met zijn pols door het platgedrukte haar. Dan strekt hij zijn nek naar voren om door de voorruit naar de avondhemel te kijken. 'Het is tenminste te koud voor sneeuw,' merkt hij op. 'Dat is meegenomen.'

Anna heeft het te koud om te antwoorden. In plaats daarvan maakt ze met de zijkant van haar gehandschoende vuist een rondje op haar raampje. Jack heeft haar gesmeekt om, net als Trudie, wanten te dragen en uitgelegd dat die qua warmte praktischer zijn omdat de vingers bij elkaar worden gehouden, maar dat ging Anna echt te ver. Die bolle, kinderlijke dingen doen haar denken aan ovenwanten. Ze tuurt door het gaatje dat ze in de broze visgraatjes van ijs heeft gewreven en kijkt naar de kerk. De receptie loopt op zijn eind: de stadslui komen in groepjes van twee en drie door de deur naar buiten. Enkele vrouwen verzamelen zich rond de dominee, die op de trap stil blijft staan om de oorkleppen van zijn muts onder zijn kin vast te binden. Anderen schuifelen met de armen om elkaars middel in de richting van hun auto, proestend over hun eigen gestuntel over de gladde weg in hun pumps.

Jack gromt. 'Ze mogen wel oppassen dat ze hun verdomde nek niet breken,' mokt hij. 'Jij bent vast blij dat je je laarzen hebt aangetrokken, hè Annie?' Dan kijkt hij Anna aan en verandert zijn intonatie: 'O, lieverd,' zegt hij. 'O, lieverd, niet doen. Niet huilen.'

Anna draait zich van hem af. 'Ik huil niet,' zegt ze. 'Het komt door de kou. Daarvan gaan mijn ogen in tranen.'

'Het is tránen, niet ín tranen,' zegt Jack. Hij laat een diepe zucht ontsnappen en strekt zijn handen op het stuur. 'Je moet leren het allemaal niet zo persoonlijk op te vatten,' zegt hij. 'Ze behandelen je niet met opzet zo. Het komt gewoon... Nou ja, de oorlog is nog maar pas geleden en zo. Gun ze wat tijd om aan je te wennen. Ze draaien echt wel bij als je er wat moeite voor doet. Diep in hun hart zijn het goede mensen, weet je.'

Anna knikt. Er schuilt enige waarheid in wat Jack zegt. Van huis uit zijn ze niet slecht, deze New Heidelburgers. Ze reageren gewoon op háár vreemdheid. Op het feit dat haar botten, zelfs na maanden rundvlees en melk, nog steeds te ver uitsteken in haar gezicht. Het feit dat haar jurken niet goed vallen. De witte vlekjes en ribbeltjes in haar nagels, haar bleke huid. Haar haperende Engels dat ze met zo'n zwaar accent stamelt, dat haar tong als een nutteloze homp vlees in haar mond voelt. Anna weet dat ondanks de Germaanse naam van de stad en de voornamelijk Duitse herkomst van zijn inwoners, zij Amerikanen in hart en nieren zijn, minstens twee generaties verwijderd van hun oorspronkelijke thuisland. En daardoor moet alleen Anna's aanwezigheid in hun midden hen er al op een grievende manier aan herinneren wat ze zojuist hebben verloren. Achter bijna elke voorruit in New Heidelburg prijken wel een of twee gouden sterren om de nagedachtenis aan geliefde zoons in ere te houden die hun leven voor hun land hebben gegeven. En uit jarenlange ervaring herkent Anna de rouwkleding van weduwen. Nee, ze veroordeelt deze mensen niet voor de manier waarop ze haar behandelen. Zou zij niet precies hetzelfde doen als de situatie omgekeerd was?

Maar Anna weet ook dat hoewel de vrouwen op een dag wellicht acceptatie zullen veinzen, het zinloos is om 'wat moeite' te doen, want ze zullen nooit werkelijk 'bijdraaien'. Ze heeft Jack niet verteld wat er gebeurd is tijdens de enige sociale gelegenheid die ze bijgewoond heeft, een paar weken nadat ze hier was aangekomen: een *bridge party* in het huis van de vrouw van de bankier. O, de vrouwen waren aanvankelijk een en al aandacht, ze stonden erop dat Anna de ereplek op de *davenport* kreeg en raakten niet uitgepraat over haar mooie sjaal en haar ingewikkeld opgestoken vlechten. Dit gebeurde uiteraard voor het grootste deel in gebarentaal, hoewel de vrouwen ook onbegrijpelijke dingen in Anna's gezicht schetterden – ze praatten hard, net als Jack in het begin deed, alsof Anna niet buitenlands maar doof was. Toch verstond Anna wel iets van wat ze zeiden – dankzij het feit dat Jack erop staat dat er thuis alleen Engels wordt gesproken – en dat was inderdaad misschien meer dan zij dachten. Want zodra ze aan hun verplichtingen jegens haar voldaan hadden, trokken ze zich terug en bleef Anna in haar eentje op de *davenport* naast een plastic plant zitten, met een plakje *upside-down pineapple cake* op haar schoot om haar gezelschap te houden. En toen zij aan tafeltjes van vier boven hun vreemde kaartspelletje zaten te kletsen, hoorde Anna de gastvrouw het woord *simple* zeggen. Steelse blikken in haar richting. 'Ssssjjj! Straks hoort ze je nog.' En toen weer, een opmerking, luider qua instemming: 'Tja, ze moet hem wel in de val gelokt hebben, die arme simpele man. Hij kon immers niemand anders krijgen?'

Anna werpt een zijdelingse blik op haar echtgenoot. Het is waar dat Jack simpel is in de zin dat hij aan weinig genoeg heeft om tevreden te zijn: een mooie vrouw, een speels kind, gezond vee en een goedlopende boerderij. Maar in de zin waar de vrouwen op doelden – makkelijk om de tuin te leiden – is Jack niet simpel. Hij is verlegen, maar hij is verre van dom. Hoeveel, vraagt Anna zich af, heeft hij verstaan van frau Hochmeiers beschuldiging bij het hek van Buchenwald? Hij is op zichzelf, haar man, en dat is een eigenschap die Anna kent en waardeert. Jack heeft deze scène nooit ter sprake gebracht en Anna is absoluut niet van plan hem ernaar te vragen.

Wat het ook is dat Jack vermoedt, er is één ding waarvan Anna zeker weet dat dat het niet is: de andere vrouwen weten van de obersturmführer. Is Anna nu echt zo dom geweest om te denken dat ze aan hem kon ontsnappen door simpelweg een oceaan en een half continent over te steken? Nee. Ze weet waar de vrouwen daarnet naar aan het snuffelen waren. Ze mogen dan niet over de relevante feiten beschikken, maar met de instincten die zo typerend zijn voor haar sekse kunnen de vrouwen de obersturmführer op Anna ruiken, zelfs hier.

Maar als ze hierom blijft huilen, riskeert ze bevroren ogen en een geërgerde Jack, dus tovert Anna een flauwe glimlach op haar gezicht en pakt de draad van het gesprek weer op, windt die terug naar de bron ervan. 'Ik zal beter mijn best doen het niet al te persoonlijk op te vatten,' verzekert ze hem. 'En kunnen we het dan nu over leukere dingen hebben? Het is tenslotte Kerstmis.'

Jack oogt opgelucht en Anna maakt even gebruik van zijn bezorgdheid door over te stappen op haar eigen taal, met het gemak dat voelt als een warm bad. 'Heb je die pudding met die witte dingen erin gezien?' vraagt ze. 'Afgrijselijk! Het leek wel een scheikunde-experiment.'

Jack lacht. 'Ambrosia,' zegt hij geheimzinnig. Hij klopt op Anna's arm, zet de auto in de eerste versnelling en rijdt de parkeerplaats af.

Trudie, die heeft zitten dommelen, beweegt zich en wrijft haar neus tegen Anna's jas. 'Hoe laat is het, mama?' vraagt ze. 'Is het al Kerstmis? Wanneer komt Sint Nicolaas?'

Anna schiet overeind. 'Sint Nicolaas komt hier niet,' zegt ze snel in het Duits. 'In Amerika hebben we de Kerstman, weet je nog?'

'Ja, maar ik wil Sint Nicolaas,' zegt Trudie, en Anna's maag krimpt ineen.

'Ssjj, Trudie,' zegt ze. 'Leid je vader niet af van het autorijden. Straks rijden we nog in een greppel.' Ze wacht angstig tot het kind nog iets zegt, maar Trudie rilt en gaapt alleen maar.

'Iemand is hier helemaal klaar voor de Kerstman,' zegt Jack.

Op de provinciale weg hotst de truck door kuilen van een halve meter diep. Een *foot*, corrigeert Anna zichzelf met klapperende tanden, een *foot*. Omdat ze al zo gespannen is, moet ze zichzelf inhouden om niet te gillen als de truck bij het nemen van een bocht begint te slingeren. Ze probeert Jack na te doen, wiens uitdrukking onverstoorbaar blijft als hij tegenstuur geeft. Anna bijt op de binnenkant van haar wangen en ziet hoe de koplampen door de duisternis klieven om de ijsgladde weg, de sneeuwhopen en de omheiningen aan weerszijden te onthullen. Ze vraagt zich, niet voor de eerste keer, af wat mensen in hemelsnaam heeft bezield om op deze bevroren vlakte een bestaan op te bouwen. Als ze nog steeds zou geloven in de godsdienstlessen die ze als jong meisje heeft gevolgd, denkt Anna, zou ze voor twee dingen bidden: dat ze de boerderij ongedeerd bereiken en dat het kind haar mond houdt tot ze haar naar bed kan brengen.

Godvruchtig of niet, Anna's beide wensen worden vervuld, en al snel staat de truck onbeschadigd op het erf. Jack maakt Trudie wakker, slingert haar als een zak graan over zijn schouder en rent de trap naar de veranda op. Anna volgt hen met haar gehandschoende vuist tegen haar mond geklemd. Ze wordt overspoeld door misselijkheid als ze het kind hoort gillen van de pret om dit vertrouwde spelletje.

'Mag ik alsjeblieft nog even opblijven?' smeekt Trudie. 'Alsjeblieft? Alsjeblieieieieft...'

Weet je wat er met slimme meisjes gebeurt die de namen van andere mensen stelen? Die moeten linea recta naar bed.

'Gedraag je, Trudie,' roept Anna. Ze stampt de sneeuw van haar laarzen op de plastic mat. 'Lief zijn voor je vader.' Ze houdt haar adem in, maar de enige reactie is gegiechel van boven.

Fronsend loopt Anna door de woonkamer, raapt sjaals en jassen op en hangt die in de garderobekast. Ze wriemelt met haar in panty's gestoken tenen in de dikke beige vloerbedekking en kijkt naar de kerstboom met zijn protserige ballen, naar haar eigen *davenport* met de nieuwe overtrek, de platenspeler waar Jack in september mee thuiskwam toen de prijzen voor sojabonen 'door het dak' gingen. Er is hier geen spoor van de versleten elegantie van het *elternhaus*, noch van de *gemütliche* versieringen uit het *gasthof* in Berchtesgaden. En het staat mijlenver af van de ontberingen in de bakkerij. Het leven op deze plek is rustig, des te meer dankzij wonderbaarlijke gemakken als *deepfreeze units* en wasmachines, *vacuum cleaners* en centrale verwarming. Anna komt niets te kort. Niet in materieel opzicht althans.

In de keuken zet Anna de spullen voor het ontbijt op de formica tafel: borden, mokken, suiker, jam. Ze loopt terug naar de woonkamer en vult Trudies sok met sinaasappelen, snoep en kleertjes voor haar pop. Ze doet de lichtjes in de kerstboom uit om brand te voorkomen. Dan doet ze ook de schemerlamp uit en blijft in het donker staan luisteren naar geluiden van boven.

Maar alles is rustig. Anna tikt peinzend met haar knokkels tegen haar lippen. Wat bedoelde het kind eigenlijk met haar vraag? Het is voor het eerst dat Trudie het over Sint Nicolaas heeft gehad sinds hun vertrek uit Duitsland. Hoeveel herinnert ze zich nog? De enorme klap die Sint Nicolaas haar heeft gegeven, het marslied dat hij haar geleerd heeft, het verhaaltje dat ze verzonnen over de konijnen in de *trog*? Zijn clowneske gedirigeer op de muziek van Brahms op de rivieroever van de Ilm? De neerdalende kandelaars en het brekende porselein, de laars die tegen de muur vlak bij haar hoofd bonsde? De buik van Sint Nicolaas die besmeurd was met haar moeders bloed? Het spelen in de keuken, de kelder, de tuin van de bakkerij, en al die tijd Anna's verstikte kreten horen?

Anna loopt de trappen op naar de tweede verdieping en blijft stilstaan voor Trudies kamer. Ze klopt op de deur, duwt hem open en doet hem zachtjes weer achter zich dicht. In eerste instantie denkt ze dat het meisje ligt te slapen, maar dan komt er een gesmoord gesnik uit het opgerolde balletje op het bed, en dan nog een, en als Anna op de rand van het bed gaat zitten en Trudies gezicht aanraakt, worden haar vingers nat.

'Zo,' zegt Anna. 'Zo. Wat is er? Sssjjj. Stil maar. En dit is juist zo'n fijne avond! Je moet echt gaan slapen, want anders kan de Kerstman nooit cadeautjes komen brengen.'

Ze strijkt door het haar van het meisje tot Trudie ophoudt met huilen, hoewel haar lichaam nog steeds af en toe schokt onder Anna's hand. Dan volgt er een triest gemompel dat wordt gedempt door het kussen.

'Wat zei je, konijntje?' vraagt Anna, terwijl ze zich over haar heen buigt.

'Ik wil de Kerstman niet,' zegt het kind. 'Ik wil Sint Nicolaas.'

'Tja, dat kan niet, Trudie. Hij komt nooit meer. Dus je moet maar niet meer aan hem denken.'

'Maar ik wil hem!' jengelt het meisje. 'Waar is hij, mama? Waarom is hij niet hier, bij ons? Ik mis hem...'

'Stil, Trudie! Wil je dat Jack je hoort? Ik ga je nu iets heel belangrijks vertellen. Zulke dingen mag je nooit meer in dit huis zeggen. Je mag nooit over die man praten. Je mag zelfs nooit aan hem denken. Nooit. Begrepen?'

'Maar ik wil Jack niet. Ik wil hém...'

Anna omklemt Trudies gezicht aan weerskanten van haar kin. 'Ik zei dat je niet over hem mag praten. Hij bestaat niet meer. Hij hoort bij het verleden, bij die andere plek en die andere tijd, en dat is allemaal dood. Hoor je me? Het verleden is dood en dat kan maar beter zo blijven.'

Anna schudt aan Trudies kin om haar woorden kracht bij te zetten, haar vingers dringen in het zachte vlees van het kind. Ze veracht zichzelf hierom – ze zou nog liever met een mes haar eigen gezicht bewerken dan haar dochter op deze manier pijn doen. Maar het moet gebeuren. Het moet het meisje aan haar verstand worden gebracht.

'Nooit,' herhaalt Anna. 'Begrepen?'

Trudie probeert te knikken. 'Ja, mama.'

'Zo mag ik het horen.' Langzaam laat Anna haar greep verslappen. In het donker strijkt ze over de wangen van het kind en kust haar dan op haar voorhoofd. 'We praten hier niet meer over. Jij gaat slapen en voordat je het weet is het ochtend en dan mag je je cadeautjes uitpakken. Is dat niet fijn?'

'Ja, mama.'

'Nou dan.' Anna staat op en loopt naar de deur. 'Slaap lekker, konijntje,' zegt ze, terwijl ze die weer dicht doet. Dan strompelt ze met slappe benen naar het raam aan het eind van de gang en grijpt haar ellebogen vast om het trillen daarvan te stoppen. Daar is het erf. Daar staat de truck, een donkere silhouet tegen hoge sneeuwhopen. De metalige vrouwelijke rondingen glimmen vaag in het licht van speldenpriksterren. Daar zijn de dennenbomen die de wacht houden langs de oprit, geplant door Jacks grootvader kort nadat de man naar dit land was geëmigreerd vanuit een vergelijkbare boerderij in Duitsland – uit Rothenburg ob der

Tauber om precies te zijn. En achter hun zwijgzame takken is alleen nog sneeuw, een witte vlakte die zich kilometers ver naar alle kanten uitstrekt. Míjlen.

Anna sluit haar ogen. Ze heeft gedaan wat ze kon voor haar dochter. Ze kan alleen maar hopen dat het voldoende is. En voor de tweede keer die avond doet Anna, hoewel ze niet meer gelooft in bidden, een schietgebedje: dat het het kind wordt toegestaan te vergeten. Anna's eigen vroegste herinnering is de radio op haar moeders dressoir die tegen haar praatte, haar aanspoorde groenten te eten. Nu bidt ze dat Trudies herinneringen dezelfde warrige, onzinnige en vage trekken zullen aannemen, dat die mettertijd uit dat schrandere, vrolijke koppie gewist worden, dat haar dochters jeugd alleen zal bestaan uit gehuppel onder deze gigantische Amerikaanse hemel, op deze platte weidse vlaktes die even argeloos zijn als het gezicht van haar adoptievader.

Er gaat een deur open op de gang. 'Annie?'

'Ik ben hier,' fluistert Anna. 'Ik kom zo.'

'Ik vroeg me af waar je was. Ik dacht dat je misschien beneden in slaap was gevallen.' Jack grinnikt. 'Wat ben je eigenlijk aan het doen?' vraagt hij.

'Niets,' zegt Anna. 'Trudie welterusten zeggen.'

'Nou, kom maar naar bed.'

'Ja, zo.' Wrijvend over haar armen werpt Anna een laatste blik op het witte landschap. Alstublieft, denkt ze. Alstublieft, laat haar alleen onthouden wat ik heb gezegd. Ze blijft nog even staan en luistert hoe het huis krakend in de wind om haar heen tot rust komt. Dan draait ze zich van het raam af en loopt naar de slaapkamer waar haar man op haar ligt te wachten.

58

Anna en Jack zijn allebei vroege vogels, Jack omdat de dagelijkse plicht roept en Anna omdat ze dat in de bakkerij jarenlang zo gewend is geweest. Maar de volgende ochtend is Trudie al voor een van hen op de been. Het is nog nauwelijks licht als Anna wakker schrikt en recht in het gezicht van haar kind kijkt, in haar lange witte nachtjapon een kleine spookachtige verschijning in het grijzige licht van de kamer.

Zachtjes, om Jack niet wakker te maken, duwt Anna zich op een elleboog overeind. Haar gezichtsveld wordt half verduisterd door een gordijn van haar. 'Wat is er Trudie?' vraagt ze. 'Een nachtmerrie?'

Trudie schudt haar hoofd, waardoor haar slaperige vlechten nog verder losraken. 'Is het al Kerstmis?' fluistert ze.

Anna herinnert zich wat voor dag het is en lacht. 'Inderdaad,' zegt ze. 'Vrolijk kerstfeest, kleintje.'

'Zijn mijn cadeautjes gekomen? Kan ik ze uit gaan pakken?'

'Mág ik,' corrigeert Anna automatisch. 'Over een paar minuten. Als je vader en ik ook beneden zijn.'

Jack beweegt en gromt iets, voordat hij dieper onder de dekens kruipt en het kussen over zijn hoofd trekt.

'Vrolijk kerstfeest, pap,' zegt Trudie, die op het bed klimt en tussen haar ouders gaat liggen. Ze trekt aan Jacks hemd. 'Vrolijk kerstfeest. Vrolijk kerstfeest! Wakker worden wakker worden dan kan ik mijn cadeautjes uitpakken, opstaan, nu, alsjeblieieieft...'

Jack bromt en draait zich om. 'Papa wil slapen, Strudel,' zegt hij.

Trudie tuit haar lippen. Ze trekt aan een plukje haar op zijn borst. 'Waarom willen grote mensen altijd slapen?' vraagt ze.

'Omdat we oud zijn,' antwoordt Jack. Hij tikt met zijn vinger op zijn wang. Trudie geeft drie kusjes op het plekje en zoent dan de andere kant van zijn kaak, zijn kin en zijn voorhoofd. 'Jèsses, het kriebelt,' stelt ze vast. 'Gaan jullie nu opstaan? Alsjeblieft?'

'Ga jij maar alvast,' zegt Jack. 'Wij komen zo.'

Het meisje schiet uit het bed.

'Alleen de cadeautjes die de Kerstman heeft gebracht,' roep Anna. 'Alleen die in je sok, heb je me gehoord?'

'Jaaaaaaaaaa,' schreeuwt Trudie vol ongeduld.

Anna zucht en grijnst naar haar man als het kind de trap af rent. 'Je verwent haar,' zegt ze.

'Weet ik,' antwoordt Jack zonder een greintje berouw. Hij tilt zijn kussen op en schuift zijn hand eronder. 'Ik wil haar moeder ook graag verwennen,' voegt hij eraan toe. 'Waar is dat verdomde ding nou...? O.' Hij geeft Anna een fluwelen doosje.

Anna fronst. 'En wat is dit?' vraagt ze aan haar man. *Een diamant? Parfum, misschien? Een parelsnoer voor die prachtige hals?*

'Dat zul je wel zien,' zegt Jack.

Anna draait het doosje om. Op de onderkant staat de naam van de juwelier van New Heidelburg, Ingebretsen, in gouden krulletters. 'Dat had je niet moeten doen, Jack,' berispt ze hem. 'Dit is vast heel erg duur.'

'Wil je het nu alsjeblieft openmaken?'

Anna werpt een zogenaamde afkeurende blik in de richting van haar man. Jack lacht en krabt slaperig zijn buik. In het doosje, op een bedje van watten, ligt een zilveren medaillon. 'Wat mooi,' zegt Anna. 'Wat een prachtige...' Ze zoekt naar het Engelse woord voor vakmanschap, maar als dat haar niet te binnen schiet, herhaalt ze: 'Wat mooi.'

'Kijk er eens in.'

Anna doet dat en wordt opnieuw overspoeld door een misselijkmakend déjà vu. De gescharnierde ovalen onthullen een foto, klunzig bijgeknipt met een nagelschaartje, van een gezin van drie. Niet Anna en het kind en de obersturmführer, natuurlijk; in dit medaillon poseren zij en Trudie zittend voor Jack in zijn hoofdkwartier in Weimar, kort voordat ze Duitsland zouden verlaten. Maar de overeenkomsten zijn frappant genoeg – tot en met Jacks uniform en kaarsrechte houding – om het koude zweet te laten uitbreken op Anna's slapen en onder haar armen.

'Je bent er niet blij mee,' zegt Jack beteuterd. 'Ik had beter iets anders kunnen kopen.'

Anna dept haar voorhoofd met de mouw van haar nachtjapon. 'Ik vind het prachtig,' zegt ze.

'Echt?'

Anna geeft het medaillon aan hem, pakt haar haar bij elkaar en tilt het op. 'Wil je hem alsjeblieft om doen?' vraagt ze.

Na een paar vergeefse pogingen – het piepkleine sluitinkje glipt steeds tussen Jacks eeltige vingers uit – maakt Jack de ketting vast. Hij kust Anna's nek en ze huivert door het geprikkel van zijn stoppels op haar huid.

'Hoe zie ik eruit?' vraagt ze, als ze zich heeft omgedraaid.

'Beeldig,' zegt Jack.

Verlegen strijkt hij door haar nachtjapon heen over de borst die het dichtst bij hem is. Zijn teken. Anna is verbijsterd. Meestal doet hij dit één keer per week, op zaterdag, alleen 's nachts en altijd in het donker.

'Het kind...' protesteert ze.

'Maak je om haar maar niet druk,' zegt Jack. 'Die is ons compleet vergeten.'

'Wat zal ze blij zijn met de fiets,' zegt Anna om tijd te rekken.

Maar Jack kust haar. Hij maakt het lintje rond de hals van de nachtjapon los en trekt de stof naar beneden om haar borsten te ontbloten. Als hij zijn gezicht daar tussen begraaft, staart Anna over zijn vetkuif naar haar gordijnen. Die zijn niet van kant, maar van gestippeld katoen. De wanden zijn, ook op haar verzoek, behangen met een viooltjespatroon. Geen donker hout of afbrokkelend pleisterwerk. Er is hier niets van Duitsland. Behalve dan dat Anna, elke keer wanneer ze met haar ogen knippert, de bakkerij voor zich ziet. Knipper: de koude cirkel van de plafondlamp in de winkel. Knipper: de door de vluchtelingen meegebrachte smeltende sneeuw die vieze plassen vormt op de vloer. Knipper: de scheuren in het plafond van Mathildes slaapkamer die zo lijken op de adertjes in Anna's oogleden dat ze daarop getatoeëerd zouden kunnen zijn. De vervliegende beelden voelen als vuiltjes in haar ogen, continu irriterend.

Anna knijpt ze dicht, maar dat heeft geen zin. Het maakt het er eigenlijk alleen maar erger op, want nu ziet ze de verwijde pupillen van de obersturmführer op zich gericht. Ze voelt zijn nepgrijns tegen haar keel drukken, zijn mond zuigen op een bepaald plekje tussen haar schouder en hals. Haar heupen scharen omhoog tegen die van haar man en ze schreeuwt het uit.

Jack rolt van haar af. 'Annie? Heb ik je pijn gedaan? Jeetje, je licht te trillen als een espenblad. Heb je het koud?'

De obersturmführer sleept het pistool over Anna's ribben. *Heb je het koud, Anna? Je moet niet tegen me liegen, ik zie toch dat je het koud hebt.*

'Komt het... Is het weer dat vrouwenkwaaltje?' vraagt Jack. 'Laat me je nu alsjeblieft meenemen naar een dokter, Annie. We kunnen naar Iowa City of naar Rochester gaan. Niemand hoeft erachter te komen.' Hij buigt zich voorover om Anna's vochtige haar glad te strijken. Anna trekt haar hoofd terug.

'Ik heb geen dokter nodig,' verzekert ze hem. 'Er is niets aan de hand.' In werkelijkheid is ze verstijfd van angst. Dit gebeurt elke keer als zij en Jack hun echtelijke plicht vervullen en Anna vreest dat hij heus wel vermoedt wat er met haar aan de hand is. Voor een man die werkt met dieren, die lammetjes door het geboortekanaal leidt en schichtige paarden kalmeert door slechts zijn verweerde vingertoppen over hun huiverende schoften te strijken, kun je niets lichamelijks verborgen houden. Anna zoekt naar een smoes die ze nog niet gebruikt heeft. 'Ik denk gewoon de hele tijd aan het kind,' zegt ze dan. 'Stel dat ze ons hoort? En, Jack, overdag...?'

Maar Jack luistert niet. Hij ligt op zijn rug peinzend naar het plafond te staren. Hij strijkt met zijn hand over zijn kin, duwt zijn kaak naar een kant. Dan gaat hij rechtop zitten, zodat hij Anna's gezicht kan zien. 'Ik heb mezelf beloofd dat ik dit niet zou vragen,' zegt hij. 'Ik dacht dat ik het niet wilde weten. Maar ik word er gek van.'

Hij kijkt omlaag naar Anna. 'Ik vraag je dit maar één keer, Annie. Dat wat die vrouw zei, die ochtend dat we jullie naar het kamp brachten, dat verhaal over die SS-officier. Was dat waar?'

Anna draait haar hoofd opzij, naar haar gordijnen. 'Ja,' fluistert ze uiteindelijk.

Ze voelt dat Jack stokstijf naast haar ligt. Ze waagt het even naar hem te kijken. Hij is wit weggetrokken; afgezien van het op- en neergaan van zijn borst zou hij van porselein kunnen zijn. Dan draait hij zijn rug naar haar toe.

Anna sluit haar ogen. 'Jack,' zegt ze.

Ze hoort dat hij de dekens opzij schuift. Door het afhellen van het bed weet ze dat hij op de rand is gaan zitten; in het niets starend misschien, of misschien zachtjes in zichzelf pratend. Opeens veert het matras weer op als hij opspringt en ligt Anna alleen.

'Alsjeblieft, Jack,' zegt ze. Ze duwt zich op een elleboog omhoog en kijkt hoe hij zich aankleedt. Hij knoopt zijn flanellen overhemd verkeerd, waardoor de ene kant lager hangt dan de andere. Hij ramt zijn voeten in zijn laarzen zonder de veters te strikken.

'Jack, alsjeblieft,' herhaalt ze. 'Ik moest wel. Hij...'

'Is hij Trudies vader? Is zij verdomme een nazikind?'

'Laat het me je nou uitleggen...'

Jack draait zich razendsnel naar haar om. 'Hield je van hem?' schreeuwt hij.

Anna staart naar haar benen, nu Jack de dekens heeft weggetrokken zijn haar melkflessen niet meer bedekt.

'Nou?'

Anna perst haar mond tot een dunne streep en schudt haar hoofd. Maar haar ogen vullen zich met tranen en ze weet dat haar gezicht rood wordt.

'Ik wacht, Annie. Geef antwoord.'

'Het was niet zoals je denkt,' murmelt Anna. 'Het... Je moet snappen... Met hem... Ik... Wij...' Maar ze kan de rest van de zin er niet uit persen. Ze heeft het gevoel alsof haar keel is volgepropt met bruin brood. Ze kijkt Jack mistroostig aan.

'Godverdomme,' zegt hij met trillende stem. 'Loop naar de hel.'

Hij knalt de deur zo hard open, dat de deurklink zich in de muur graaft. Zittend hoort Anna zijn zware voetstappen de trap af donderen. De hordeur naar de veranda valt dicht.

Anna weet dat hij nu met gebogen hoofd briesend naar de schuur loopt. Ze zou graag haar ochtendjas aan willen trekken en achter hem aan gaan. Ze zou in ieder geval graag het raam willen opendoen om hem te roepen. Maar dat kan ze niet, want ze heeft gezien dat zijn van haat vertrokken gezicht in dat van een vreemde is veranderd. Ze had kunnen weten dat dit zou gebeuren, zelfs met hem. Ze had hem beter niet de waarheid kunnen vertellen. Ze kan hem nooit vertellen wat ze wilde vertellen: dat we gaan houden van degenen die ons redden. Want hoewel Anna ervan overtuigd is dat dit waar is, is het woord dat in haar keel bleef steken niet 'redden' maar 'beschamen'.

Ze strekt haar hand uit om haar nachtjapon, die nog steeds opgestroopt rond haar middel zit, naar beneden te trekken. Haar vingertoppen strijken over de donkere driehoek van haar bij haar bovenbenen en blijven er hangen. Ze is onvergeeflijk stom geweest. Ze heeft alles verpest. Hoe heeft ze in hemelsnaam kunnen denken dat iemand het ooit zou begrijpen? Hoe zou haar echtgenoot, die beste, brave kerel, het haar ooit kunnen vergeven dat ze tijdens hun geslachtsgemeenschap altijd de obersturmführer voelt, ziet, ruikt. De sledehondenogen van de obersturmführer die naar haar opkijken vanaf de plek waar hij tussen haar benen geknield zit, zijn hoofd buigt om subtiel als een kat aan haar te likken en vervolgens de kussentjes van zijn duimen te gebruiken, zodat ze niet meer weet wat wat is. Voortdurend gespitst op haar reactie, taxerend, berekenend; waarom laat hij haar niet met rust? Maar hij negeert haar 'genoeg, alsjeblieft, zo is het genoeg', haar naar adem happende 'stop stop stop'. Hij is pas tevreden als hij haar twee keer heeft voelen klaarkomen, drie keer, vijf keer; tot hij haar reacties heeft gestolen, haar van zichzelf heeft afgenomen, haar heeft uitgewist, tot ze net zo leeg is als de keukenkastjes beneden omdat heel Weimar verhongert, iedereen sterft van de honger. Tot de plek rond zijn vingers in brand staat en schrijnt, en ze hem smeekt om bij haar naar binnen te gaan, smeekt haar te bestijgen en haar echt te nemen, omdat dat de enige manier is waardoor er ooit een keer een einde aan komt.

Anna rukt haar handen tussen haar dijen vandaan en stroopt huilend haar nachtjapon omlaag. Ze duwt haar vuisten in het matras en ramt er op los. Ze schopt zo hard ze kan, haar mond is vertrokken tot een geluidloos gejammer, hete tranen stromen uit haar ogen. Maar ze kan geen geluid maken.

Van alles wat de obersturmführer haar aan heeft gedaan, en dat was veel en het was afschuwelijk, is dit het ergste, het meest oneerlijke: hij heeft haar vermogen om lief te hebben verwoest. Iedereen wordt daarmee geboren. Zij ook, dat weet Anna. Maar door de obersturmführer is haar hart nog slechts een zieke, krachteloze spier, en het enige wat ze nog heeft, is haar verbondenheid met de man, soms intens, soms niet, maar altijd als een onderstroom aan haar trekkend. Het is niet eerlijk dat hij haar zo heeft aangetast, dat Anna vanwege de obersturmführer haar goede echtgenoot niet oprecht lief kan hebben. Het is niet eerlijk dat haar duistere hart voor altijd verbonden moet zijn met zo'n man. Het is niet eerlijk en het is onvergeeflijk en Anna zal er nooit meer over praten. Tegen niemand. Nooit.

Na een tijdje, als haar tranen bijna opgedroogd zijn, komt Anna overeind en maakt het bed op. Ze zet haar haar met spelden vast in een wrong en kleedt zich aan. Ze waagt zich naar beneden en treft een woonkamer vol gescheurd papier en uit elkaar getrokken dozen aan. Ze hoort Trudie buiten schreeuwen, dus in plaats van de moeite te nemen deze rotzooi op te ruimen, schuifelt Anna er doorheen naar de garderobekast en trekt haar jas aan. Ze stapt de veranda op. De wind schroeit haar schrale neusgaten.

Jack staat op de bovenste tree, hij is klaar met het verzorgen van het vee. Hij negeert Anna als ze naast hem komt staan.

'Ziet er goed uit, Strudel,' roept hij. 'Niet te snel.'

Trudie, die haar parka onbekommerd over haar nachtjapon heeft aangetrokken, rijdt op haar nieuwe fiets over de cirkel die Jack na elke sneeuwbui schoon ploegt. Het gezicht van het meisje is rozig van de kou en de opwinding. Samen met de botergele kleur van haar verwarde haar en het blauw van haar jas, ziet het er opzichtig uit tegen het decor van het landschap, dat oogt alsof het is geschilderd door een kunstenaar wiens palet alleen uit tinten wit bestond. Oesterwit, grijswit, krijtwit. De horizon is niet te onderscheiden: de lucht vervaagt in het land. Ze krijgen nog meer sneeuw, halverwege de ochtend al, denkt ze. Wat een plek, deze uitgestrekte, witte vlakte. Maar op dit moment zit Anna daar niet mee. Voor iedereen die hier niet bekend is, is het bijna onmogelijk de boerderij te vinden. Voor een voormalige officier van de *schutzstaffeln* die zich wil verenigen met zijn minnares bijvoorbeeld.

Trudie racet met haar pompende bonenstaken heen en weer. 'Kijk, mama,' gilt ze. 'Kijk dan!'

Anna trekt haar jas huiverend wat strakker rond haar nek. 'Voorzichtig,' roept ze. 'Er zit ijs onder...'

Het meisje schenkt geen aandacht aan haar en tilt haar handen van het stuur. Anna schrikt: een van Trudies armen is gestrekt in de nazigroet. Dan knippert Anna met haar ogen en ziet ze alleen haar dochter die zich uitslooft.

Anna draait zich om naar Jack, die met zijn vuisten in de zakken van zijn schapenwollen jas naar het kind staat te kijken. 'Wil je alsjeblieft zorgen dat ze ophoudt,' zegt ze.

Jack kijkt Anna niet aan. Het enige wat ze van zijn gezicht kan zien, zijn profiel, is keihard. Hij haalt een lucifer tevoorschijn, knipt die met zijn duimnagel aan en houdt zijn hand om de vlam om zijn sigaret aan te steken.

'Alsjeblieft, Jack, zeg het tegen haar. Het is gevaarlijk. Straks valt ze nog.'

Jack blaast rook door zijn neusgaten naar buiten. Dan roept hij: 'Niet zo snel, Strudel.' Hij kijkt Anna met samengeknepen ogen aan. 'Maak je geen zorgen,' mompelt hij. 'Het is niet háár schuld. Ik zal het haar nooit verwijten.'

'Jack,' zegt Anna. Haar stem breekt. Ze schraapt haar keel en probeert het opnieuw. 'Jack, ik zou het fijn vinden als je haar bij haar echte naam zou noemen. Ze is nu Amerikaans. We zijn allebei Amerikaans. We hebben Duitsland en alles wat daarbij hoort ver, ver achter ons gelaten... Begrijp je wat ik bedoel?'

'Kijk dan!' gilt Trudie. Ze staat op de pedalen en rijdt in een sneeuwhoop, waar ze van top tot teen onder de sneeuw weer uitkomt. Ze veegt zichzelf lachend schoon.

Anna raakt Jacks mouw aan. 'Jack...?'

Jack loopt bij haar weg en laat zijn sigaret op de houten planken vallen. Hij drukt hem uit onder de hak van zijn werklaars. Hij bukt om de peuk op te pakken en laat die even wippen op zijn handpalm. Dan gooit hij hem in de struiken en gaat naar binnen. Anna draait zich om en wil achter hem aan gaan.

'Waar gaan jullie heen?' wil Trudie verontwaardigd van haar moeder weten.

'Ontbijt maken,' vertelt Anna haar. 'Jij mag nog wel een tijdje buiten blijven. Maar niet te lang.'

Ze vindt Jack in de keuken, waar hij met gebogen hoofd met zijn knokkels op de tafel slaat. Ze vangt zijn hand en tilt die naar haar lippen. Die duwt ze tegen elke eeltplek op zijn handpalm. Dan neemt ze hem mee naar boven, naar de slaapkamer. Hij volgt haar langzaam, maar gewillig.

Hoewel de kamer nu baadt in het licht, trekt Anna al haar kleren uit. Ze kleedt Jack ook uit, voordat ze hem naar het bed trekt. Ze zwijgen allebei. Er is niets te zeggen; er is zo veel te zeggen, dat Anna het nooit zal zeggen. Ze zal het hem nooit vertellen, hoewel ze misschien allebei weten dat als Anna zich tegen hem aan drukt en het initiatief neemt voor een vrijpartij die hen wellicht een kind van hen samen zal brengen, het niet haar echtgenoot is aan wie ze denkt.

Trudy, mei 1997

59

Mei is de tijd van de seringen in Minneapolis. Alsof de strenge winter gecompenseerd moet worden, barst de stad opeens van de bloemen, waardoor die – al is het maar voor een week of twee – een van de mooiste plekken op aarde wordt. Als eerste zijn daar de zonnige uitspattingen van forsythia, dan komen kersenbomen en kornoeljes tot leven; hun roze- en crèmekleurige blaadjes zweven overal en bedekken de trottoirs als een dikke laag sneeuw. Maar het zijn de seringen die de komst van de lente echt inluiden: lavendelblauw, wit en soms zo dieppaars als druiven, bloeien ze in de stegen, over de hekken van achtertuinen en op begraafplaatsen. Schoonheid is overal, ook op de meest onverwachte plekken. Er valt niet aan te ontkomen. En voor Trudy lijkt deze overdaad een persoonlijke belediging, een vuile streek van de natuur die net zo wreed berekenend is als bepaalde vormen van marteling, bedoeld om in een zo kort mogelijke tijd zo veel mogelijk pijn te veroorzaken.

Op deze stralende zondagmorgen zit Trudy op de passagiersstoel van Thomas' truck, op weg naar een interview in Minnetonka. Ze heeft hem gevraagd te rijden, onder het mom dat het belachelijk is om met twee auto's naar een bestemming te gaan. Iets waar de altijd inschikkelijke Thomas meteen mee instemde. Natuurlijk, Thomas is van nature meegaand, maar hij is nu zó vriendelijk, dat Trudy zich afvraagt of hij de werkelijke reden van haar verzoek vermoedt: zonder hem zou ze waarschijnlijk dat hele interview hebben afgezegd. Dit is het eerste interview dat Trudy sinds Rainers vertrek heeft en ze was het niet alleen bijna vergeten – ze heeft het al een maand geleden gepland – maar de gehele onderneming kan haar eigenlijk ook gestolen worden. Ondanks Rainers bewering van het tegendeel, heeft Trudy toch het gevoel dat haar project een rol heeft gespeeld bij zijn beslissing. Afgezien van een halfhartig telefoontje ter bevestiging van de afspraak, heeft ze niets aan de voorbereiding van dit interview gedaan. Geen research verricht naar de achtergrond van deze mijnheer Pfeffer, noch haar gebruikelijke vragenlijst gemaakt – een schending van het arbeidsethos die in de dagen voor Rainers vertrek ondenkbaar zou zijn geweest. Ze zal moeten improviseren.

Thomas rijdt langs het Lake of the Isles. Het water werpt licht in de cabine van de truck en Trudy draait zich om om het meer langs te zien trekken. Door de bomen ziet ze gezinnetjes picknicken, innig gearmde geliefden kuieren en de altijd aanwezige joggers hijgen. Ze rekt haar nek tot er niets meer te zien is en draait haar hoofd dan weer naar voren.

'Gaat het?' vraagt Thomas. 'Neem me niet kwalijk dat ik het zeg, maar je ziet er een beetje afgemat uit.'

Trudy ziet in gedachten Rainer bij een badwaterachtig meer omringd door palmbomen staan; hij maakt zijn dagelijkse gezondheidswandeling langs kreken die krioelen van de alligators. Hij heeft zijn gleufhoed vervangen door een strooien panamahoed en stapt stevig door in de verzengende hitte. Trudy gaat in haar koffertje op zoek naar een papieren zakdoekje. 'Allergie,' mompelt ze. 'Die verdomde seringen.'

Thomas buigt voor haar langs, doet het handschoenenkastje open en overhandigt Trudy een ietwat verouderd papieren servetje van een tankstation. Ze bet haar ooghoeken ermee. 'Bedankt,' zegt ze korzelig.

'Graag gedaan.'

Thomas slaat Highway 7 op en rijdt een paar minuten zwijgend verder. Dan zegt hij: 'Ik vind het rot voor je, dat met mijnheer Goldmann.'

Trudie schiet overeind. 'Hoe weet jij dat in godsnaam?'

'Ruth heeft het me verteld.'

'Ruth!' zegt Trudy verontwaardigd. 'Godallemachtig, moet iedereen hier alles van elkaar weten? Je zou denken dat we allemaal nog op de middelbare school zaten!'

'Sorry,' zegt Thomas. 'Ik had er niet over moeten beginnen. Stom van me. Neem me niet kwalijk.'

'Ach, het maakt niet uit,' mompelt Trudy. Ze staart door het zijraampje en maakt weer gebruik van het servetje.

'Weet je,' zegt Thomas na een tijdje. 'Ik heb twee jaar geleden mijn vrouw verloren. Rond deze tijd van het jaar. Auto-ongeluk. Ik reed.'

'O,' zegt Trudy. 'O, Thomas, dat wist ik niet. Wat verschrikkelijk.'

Thomas laat zijn vingers op het stuur knakken. 'Het geeft niet. Ik bedoel, het geeft wel, maar natuurlijk kon je dat niet weten. Het is nou niet iets waar ik mee te koop loop. En ik kom er nu alleen maar mee om je te laten weten dat ik weet hoe je je voelt. Het leven is vaak zo oneerlijk en pijnlijk, en het is niet makkelijk om de ware liefde te vinden en je moet je kans grijpen zodra je kunt, hoe kort het ook duurt en hoe het ook afloopt. Dus ik begrijp het. Dat is alles.'

Trudy kijkt hem aan. Hij heeft een zwarte zonnebril op, waardoor ze zijn ogen niet kan zien, maar zijn gezicht oogt kalm. Toch voelt Trudy zich rot, niet alleen door wat hij haar verteld heeft, maar ook omdat ze buiten het project nooit veel over Thomas nagedacht heeft. Hij is er gewoon altijd als ze hem nodig heeft, staat klaar met zijn apparatuur, een vriendelijke lach en bemoedigende woorden. Opeens ziet Trudy in een – shockerende, maar niet onplezierige – flits voor zich hoe Thomas er naakt uit zou zien: een bierbuikje en een ietwat holle borst, ofwel met wat lichte beharing rond de tepels, ofwel volledig glad. Ze ademt zacht. 'Bedankt, Thomas.'

'Graag gedaan, Trudy.'

Ze zijn nu in Minnetonka, een buitenwijk voor bevoorrechten, met enorme huizen die ver van de straat staan, op lappen grond zo groot als golfbanen. Oude bomen buigen zich over de straten en verstrengelen zich tot een baldakijn waar maar een paar flintertjes zonlicht door vallen. Thomas gaat langzamer rijden en tuurt naar de bronzen naamborden en straatnamen die op stenen zuilen zijn geschroefd. Dan rijdt hij de oprit van 9311 Hawthorne Way op.

'Hemeltje,' zegt hij, en dat is zacht uitgedrukt, als hij het huis aan het eind van de oprijlaan ziet.

Trudy is het zwijgend met hem eens. Mijnheer Pfeffers residentie is meer een vitrine dan een huis, een torenhoge constructie van glas en staal die lijkt te drijven op het uitgestrekte groene grasveld. Een architectonische droom van hedendaagse invalshoeken. Het is niet bepaald het soort huis waar Trudy zou willen wonen, zelfs niet als ze het zich, in haar wildste dromen, zou kunnen veroorloven. Met die glazen wanden zou je jezelf net zo afgrijselijk te kijk zetten als in een poppenhuis. Vooral 's nachts. Maar Trudy moet toegeven dat het indrukwekkend is, al was het alleen maar vanwege de bouwkosten.

En blijkbaar heeft Thomas een vergelijkbare gedachtegang gevolgd, want als ze uit de wagen klimmen vraagt hij: 'Wat doet deze kerel?'

'Ik zou het niet weten,' bekent Trudy.

'Echt niet? Ik dacht dat dat een van de vragen was die je altijd al tijdens het telefoongesprek vooraf stelt.'

'Tja, dat is waar,' zegt Trudy, 'maar om je de waarheid te zeggen, herinner ik het me niet meer.' Ze haalt haar portfolio tevoorschijn en slaat die open. Natuurlijk staat daar alleen het adres van mijnheer Pfeffer gekrabbeld, maar de handeling op zich is genoeg om haar geheugen op te frissen. 'Het schiet me opeens te binnen dat hij nogal ontwijkend was over zijn beroep,' zegt ze tegen Thomas. 'Hij zei alleen: "O, een beetje van dit en een beetje van dat; ik ben een man met wie je alle kanten op kunt, lieve dame".'

Thomas kijkt verbaasd om zich heen als hij en Trudy over de flagstones van het tuinpad lopen. Hij gaapt naar het gemanicuurde gras, het slimme ontbreken van tuinarchitectuur die toch maar zou concurreren met het huis, de fonkeling van Lake Minnetonka daarachter. 'Geen wonder dat hij ontwijkend was,' merkt Thomas op. 'Hij heeft waarschijnlijk een bank beroofd.'

'Waarschijnlijk wel, ja,' beaamt Trudy. Dan maakt ze een sprongetje van schrik, want mijnheer Pfeffer doet de deur open voordat zij op de bel heeft gedrukt.

'Kom binnen, kom binnen,' zegt hij, terwijl hij hen een hal binnen leidt met de weerkaatsende dimensies van een kathedraal. 'Welkom in mijn huis! Is het geen prachtige dag?' Hij wrijft in zijn handen en springt dan opzij om Thomas met zijn karretje te laten passeren.

Hij is een klein parmantig mannetje, deze mijnheer Pfeffer. Hij heeft de pezige bouw van een tennisser en een hoofd dat zo kaal is als een biljartbal. Zijn haar, als hij dat gehad zou hebben, moet zwart zijn geweest, want dat zijn zijn wenkbrauwen nog steeds. Ze beklimmen verrukt zijn voorhoofd als hij Trudy van top tot teen opneemt. 'Maar de ochtend is niet half zo prachtig als u, lieve dame,' voegt hij eraan toe. 'Ik neem aan dat dit in uw voordeel werkt tijdens het interviewen, ja? Ik zal als was zijn in uw handen.'

Trudy knippert met haar ogen en strijkt over haar haar, dat nu bijna haar schouders raakt. Ze is de laatste tijd te mistroostig geweest om het te laten knippen. Mijnheer Pfeffer neemt haar vast en zeker in de maling.

Maar hij houdt zijn hoofd schuin en kijkt Trudy vrolijk, roodborstjeachtig waarderend aan. Hij draagt een driedelig antracietkleurig pak van Italiaanse makelij, ziet Trudy, en ze vindt het leuk dat de roos in zijn knoopsgat precies dezelfde kleur geel heeft als de zijden zakdoek die uit zijn borstzakje steekt.

'Vertel me eens iets over uzelf,' zegt mijnheer Pfeffer.

'Nou, zoals u weet ben ik hoogleraar Duitse geschiedenis aan de universiteit, en ik...'

'Nee, nee. Iets interessanters, alstublieft. Bent u getrouwd?'

'Nee,' zegt Trudy. 'Wel geweest, maar...'

'Nee?' zegt mijnheer Pfeffer. Hij trekt een verbaasd gezicht. 'Dat verbaast me. Hoe kan zo'n charmante dame als u nu ongebonden zijn?'

Trudy probeert te glimlachen, maar als haar ogen zich vullen met tranen draait ze zich naar het schitterend blauwe firmament achter de dakramen.

Thomas, die met een geluidsinstallatie langs hen heen loopt, zegt snel: 'Wat een ongelooflijk huis, mijnheer Pfeffer. Wat doet u eigenlijk voor de kost?'

'O, een beetje van dit en een beetje van dat; ik ben een man met wie je alle kanten op kunt, beste man... Maar wat ben ik toch onbeleefd! Ik heb jullie helemaal niets te drinken aangeboden. Deze kant op alstublieft.'

Hij pakt Trudy bij haar elleboog en begeleidt haar naar een enorme woonkamer. Trudy werpt Thomas een dankbare blik toe als ze langs hem loopt. Hij steekt zijn hand uit om een kneepje in haar arm te geven en begint dan schermen bij de witte Steinway neer te zetten.

Mijnheer Pfeffer klopt op een leren bank. 'Kom,' zegt hij, 'ga naast me zitten.'

Dat doet Trudy. Tot haar verbazing ziet ze, tussen het glimmende chromen meubilair en de takken met orchideeën in vazen van Meissen porselein, bij de elleboog van mijnheer Pfeffer een hoteltheewagentje staan. Dat is voorzien van een zilveren theeservies, kleine korstloze sandwiches en... Zijn dat echt *crumpets*? Dat moet wel: een piramide van de kruising tussen de Engelse muffin en de scone.

'Thee? Koffie? *Crumpet*?' vraagt mijnheer Pfeffer.

'Alleen koffie, graag,' zegt Trudy. Ze pakt de kop en schotel aan en glimlacht naar hem, wat overtuigender deze keer. 'Waar in Duitsland bent u geboren, mijnheer Pfeffer?'

'Felix alsjeblieft, lieve dame. Ik kom uit de bossen van Thüringen, ik ben geboren in een bedompt krotje, als zevende van elf kinderen, geloof het of niet... De dichtstbijzijnde stad was niet zo groot, Weimar – maar als hoogleraar Duitse geschiedenis klinkt je dat vast bekend in de oren.'

Trudy zet de koffie op haar knie. Ze heeft het gevoel alsof ze zojuist een bak met ijskoud water over zich heen gekregen heeft. De naam van haar eigen geboorteplaats te horen uitspreken door iemand die daar ook daadwerkelijk geweest is, bezorgt haar niet alleen koude rillingen, maar ook beelden die zo nauw met haar verweven zijn dat ze zich nauwelijks bewust is van hun bestaan; het zijn bijna meer stemmingen dan herinneringen. Een modderige straat langs een armzalige winkelgevel. De meanderende muur daarlangs. De tuin achter de bakkerij, grijs en wit van de sneeuw. De donkere veeg van het bos op de Ettersberg aan de rand daarvan. Een kaal heen en weer zwaaiend peertje. Melancholie. Angst. *Brötchen* onder glas. En de officier natuurlijk, staande in de deuropening of boven in de slaapkamer. Zijn lichte wolvenogen.

Trudy slaagt erin een slokje van haar koffie te nemen. 'Wat toevallig,' zegt ze tegen mijnheer Pfeffer. 'Ik ben daar ook geboren. Maar dan dichter bij het centrum van de stad.'

Mijnheer Pfeffer is opgetogen. 'Is dat zo? Nou, dan heb je helemaal gelijk: wat buitengewoon toevallig. Hoewel, uit je naam had ik natuurlijk op kunnen maken dat je Duitse van geboorte bent. Trudy is toch kort voor Gertrude?'

'Ja, dat is zo. Ik weet niet wat mijn moeder bezield heeft.'

Mijnheer Pfeffer lacht. 'Het had nog veel erger kunnen zijn. Helga, bijvoorbeeld... *Und sprichst du jetzt Deutsch?* Weet je wat mijn naam betekent in het Duits?'

'*Ja, natürlich. Auf Deutsch, Pfeffer ist* peper.'

Mijnheer Pfeffer klapt verrukt in zijn handen. 'Ah, ja, je hebt een Thürings accent! Maar ik bedoelde niet mijn achternaam, maar mijn voornaam, Felix.'

'Dat weet ik niet,' zegt Trudy. 'Bestaat daar een letterlijke vertaling van?'

'Nee,' zegt mijnheer Pfeffer. 'Maar het betekent gelukkig. Of misschien moet ik zeggen zorgeloos.' Hij steekt een vermanende vinger naar haar op. 'Mijn moeder, Hannaliese Pfeffer, was een slimme dame. Ze heeft me een goede naam gegeven. Ik heb mijn hele leven geluk gehad.'

'In welk opzicht?' vraagt Trudy.

'In welk opzicht?' herhaalt mijnheer Pfeffer. Zijn wenkbrauwen gaan opnieuw omhoog en rimpelen de karamelkleurige huid. 'Nou ja, in bijna alle opzichten. Ik ben gezegend met een goede gezondheid en een optimistische levensinstelling. Mijn zakelijke belangen in dit land zijn alleszins voorspoedig gegaan, zoals je kunt zien. En in Weimar, tijdens de oorlog, toen zo veel van mijn landgenoten zo'n afgrijselijke dood stierven in de Russische sneeuw of de woestijnen van Afrika, hebben mijn zakelijke beslommeringen mij vrijgesteld van de dienst, me te eten gegeven en me warm gehouden. Tot mijn betreurenswaardige inhechtenisneming, tenminste. Maar het is me gelukt het te overleven, en hier ben ik dan... Terwijl zo veel anderen van mijn generatie liggen te vergaan in de grond...'

Mijnheer Pfeffer klopt op Trudy's knie, zijn hand blijft misschien iets langer liggen dan nodig is. 'En als dat geen geluk hebben is, mijn lieve dame,' zegt hij met zijn glimmende bruine oogjes, 'wat is het dan wel?'

60

HET DUITSE PROJECT
Interview 14

GEÏNTERVIEWDE: Mijnheer Felix Pfeffer
DATUM/LOCATIE: 10 mei 1997, Minnetonka, MN

V: ... U had het over uw zakelijke belangen in Duitsland, mijnheer Pfeffer. Kunt u mij daar wat meer over vertellen?

A: Met alle genoegen. Om te beginnen was ik als vijftienjarige in de leer bij een groothandelaar in antiek in Weimar – Fizel heette hij. Ik moet bekennen dat ik gejokt heb over mijn leeftijd om die baan te krijgen. Maar terwijl mijn talrijke broers en zussen zich tevredenstelden met houtbewerking, timmerwerk en andere vormen van handarbeid, was ik op de een of andere manier geboren met een voorliefde voor subtielere zaken én met veel overtuigingskracht. Binnen een paar maanden was ik Fizels beste verkoper. Toen ik alles van hem geleerd had wat ik kon, ging ik voor een juwelier werken die gespecialiseerd was in oude stenen in kostbare zettingen. Ik reisde het hele continent af op zoek naar dergelijke handelswaar en ontmoette ondertussen heel veel invloedrijke mensen met een voorliefde voor verzamelen; naast edelstenen waren ze op zoek naar kunst, tapijten, zeldzame boeken. Ik kwam er al snel achter dat ik, en je moet me mijn onbescheidenheid maar vergeven, bijzonder goed in staat was om alles wat zij maar wilden op de kop te tikken. Tegen de tijd dat de oorlog uitbrak, had ik een behoorlijke reputatie opgebouwd. Ik was toen pas tweeëntwintig, maar al een heel eind op weg naar de top. En toen het *reich* zijn volle machtsomvang bereikte, deden andere zakelijke kansen zich automatisch voor en daar heb ik gebruik van gemaakt.

V: Wat waren dat voor kansen?

A: Tja, ik denk dat je zou kunnen zeggen dat ik een makelaar werd [*respondent lacht*]. Ja, een makelaar.

V: Een makelaar in...?

A: Nou, in mensen natuurlijk, mijn liefje. Joden die wilden ontsnappen aan de ophanden zijnde juggernaut. Het is waar dat velen van hen het gevaar niet op tijd doorzagen; ze staken hun kop in het zand en baden dat het over zou gaan. Maar er waren er genoeg die ten einde raad waren en wilden vertrekken, en dankzij de talrijke connecties die ik had, zowel onder de welvarende als, laat ik zeggen, de wat minder achtenswaardige types, was ik in staat hen te helpen. Ze wilden met alle geweld alles wat ze hadden ruilen voor geldige visa, nieuwe identiteitspapieren, paspoorten. Het aanbod overtrof al heel snel de vraag, dat kan ik je vertellen. Ik werd overladen met bont, zilver, schilderijen, geërfde juwelen, een of twee vleugels. Een familie wist me er zelfs van te overtuigen [*lacht*] een kanarie in een antieke kooi aan te nemen. De vogel was uiteraard waardeloos, maar de kooi was van massief goud en het lukte me om er op korte termijn een thuis voor te vinden.

V: En wat gebeurde er zodra u die betalingen had geaccepteerd?

A: Dan bracht ik mijn joodse klanten in contact met de juiste mensen, en die mensen regelden dan dat ze het land uit konden. Ondanks de Gestapo was er een sterk verzetsnetwerk in Duitsland, althans in de eerste tijd. Wat er gebeurde als ik mijn cliënten eenmaal had overgedragen aan mijn contacten weet ik niet. Ik neem aan dat de meesten hebben weten te ontsnappen.

V: Hebt u zich ooit schuldig gevoeld over het feit dat u zo uw geld verdiende?

A: Nee, liefje, helemaal niet. Ik had wel medelijden met de joden, maar me schuldig voelen? Nee.

V: Ziet u zichzelf dan als een held omdat u joden hebt helpen ontsnappen?

A: [*lacht*] O, mijn hemel, nee. Laat het me uitleggen. Oorlogstijd is altijd een uitstekende tijd om zaken te doen, als je maar ondernemend genoeg bent om de mogelijkheden te ontdekken. Als historica moet je toch weten dat bepaalde mannen altijd hebben geprofiteerd van de tegenslagen van anderen. Als er dan oorlogen gevoerd moeten worden –

en gezien de aard van de mens zijn die jammer maar helaas onvermijdelijk – waarom zou je daar dan niet van profiteren als je daartoe in staat bent? Zaken zijn zaken.

V: Hoe lang bent u hiermee doorgegaan?

A: Dit specifieke bijbaantje duurde tot eh... Ik zou zeggen... Het eind van de jaren dertig. Toen was de bron opgedroogd, aangezien al mijn joodse klanten het *vaterland* al hadden verlaten; met mijn hulp of op minder aangename manieren op aandringen van de nazi's. Toch had ik nog steeds meer werk dan ik aankon, want de SS had zich tegen die tijd verschanst in Buchenwald, die hel op de heuvel. Die SS'ers waren nog inhaliger dan mijn voormalige vermogende klanten en aangezien mijn reputatie mij vooruit was gesneld, begon ik ook hen van goederen te voorzien. Uiteraard ging dat wel om iets andere dingen.

V: En dat waren...?

A: Drank, voornamelijk. En drugs. Medicijnen, hasjiesj, opium, cocaïne. En Franse sigaretten – de *schutzstaffeln* hadden om wat voor reden dan ook een onvaderlandslievende voorliefde voor Gauloises. Hoe het ook zij, ik kende iedereen van Marrakech tot Moskou, dus waar de SS ook om vroeg, ik kon het leveren.

V: Wie was precies degene die u vroeg deze spullen te leveren?

A: Ik deed zaken met bijna de hele SS, maar mijn belangrijkste contactpersoon was *kommandant* Koch. En hij was mijn beste klant. Weet je, historici maken tegenwoordig veel ophef over het feit dat Göring een opiumverslaafde dégénéré was. Ik heb nooit de twijfelachtige eer gehad kennis te maken met deze man, dus voor zover ik weet kunnen ze het best bij het rechte eind hebben. Maar uit wat ik gezien heb, was hij verreweg de mindere van Koch. Dát was nog eens een man die het ervan nam. Een wellusteling. Een hedonist. Zijn positie stelde hem in staat alles te doen wat hij wilde en, geloof me, daar maakte hij ten volle gebruik van.

V: In welke opzichten?

A: Er waren bijvoorbeeld kameraadschapavonden, een ritueel dat Koch tijdens de begindagen van het kamp instelde. Tenminste, zo noemde hij ze. In werkelijkheid waren het orgieën. Die werden elke zondag, met de regelmaat van de klok, gehouden in de Bismarcktoren net buiten de kampgrenzen. Daar kwamen alle officieren samen – hun aanwezigheid was verplicht – om te genieten van het gezelschap van prostituees. Niet de arme meisjes die werkten in het kampbordeel, maar prostituees van buiten. En *puppenjungen*, jongens die speciaal voor dit doel uit binnenkomende transporten werden geselecteerd. Ik leverde de champagne die de officieren dronken en waarin ze, als de activiteiten ten einde waren, baadden. En ook sigaren, marihuana, de opium en de cocaïne waar ik het eerder over had.

Je kunt je wel voorstellen dat dit een zeer lucratieve onderneming was. En daar kwam nog eens bij dat ik hierdoor vrijgesteld was van dienst in de Wehrmacht. En ik was niet de enige die profiteerde van een contract met Koch, dat kan ik je wel vertellen. Een aantal van Weimars meest vooraanstaande middenstanders heeft eveneens goed geboerd. Herr Fischkettel, om er maar eens een te noemen, een ijzerwarenhandelaar. Wohnmeyer, een leverancier van worst en andere vleeswaren. Frau Staudt, een lokale bakker, vergaarde een aardig bedrag met het leveren van brood voor de officieren en de petit fours waar Koch zo dol op was.

V: Hoe lang kon u hiermee doorgaan?

A: O jee, ik was al bang dat we vroeg of laat op dit punt zouden belanden... Nou, ik heb je verteld dat ik voor het geluk geboren ben, maar in 1940 kwam daar tijdelijk een eind aan. Koch zei dat een deel van de cocaïne die ik geleverd had van slechte kwaliteit was – versneden met suiker, beweerde hij, of zoiets onzinnigs. Een van zijn ondergeschikten, ene *unterscharführer* Glick, had er nogal vervelend op gereageerd: hij stierf. Ik vermoed dat het eerder een overdosis was dan dat er iets mis was met het product, maar dat zullen we nooit weten. Hoe dan ook, eind 1940 pakte de Gestapo me op, arresteerde me en bracht me naar Buchenwald.

V: Wat gebeurde er daar met u?

A: Er zat aan alle kanten een luchtje aan. Ten eerste werd ik ingedeeld als een Groene Driehoek, een *berufsverbrecher*. Zo werd in het kamp een beroepscrimineel aangeduid. Geen begerenswaardige gebeurtenis, want de BV's werden veel hardvochtiger behandeld dan, laten we zeggen Jehova's getuigen of de Rode Driehoeken, de politieke gevangenen. En in sommige gevallen waren we zelfs slechter af dan de joden, want vaak stond die groene driehoek garant voor een verblijf in de kampgevangenis, waar je heropgevoed werd door de gestoorde Sommer. Iedereen noemde hem de Hangman, want dat was zijn geliefde onderwijsmethode: polsen op de rug vastbinden en iemand dan dagenlang met de handen omhoog aan een vleeshaak of een raamstijl laten bungelen. En dat was nog zijn minst creatieve methode. Iets inventiever was een tuinslang door de strot van een gehangene proppen en het water laten stromen tot zijn maag barstte.

Ik slaagde erin aan deze initiatierite te ontkomen door mijn connecties binnen het kamp. Ik werd echter wel onmiddellijk gedetacheerd bij het ergste arbeidsonderdeel, de steengroeve. Ik begon regelingen te treffen om overgeplaatst te worden naar de wasserette of de Gustloff-wapenfabriek, waar je in ieder geval binnen was, of naar de keuken, wat uiteraard ideaal was gezien de toegang tot voedsel. En uiteindelijk ben ik daar ook terechtgekomen. Tot de bevrijding eigenlijk. Maar het organiseren van de betalingsregelingen kostte wat tijd en Koch was ondertussen nog steeds zo boos op mij, dat ik in de steengroeve te werk werd gesteld. En dat was een regelrechte hel.

V: Waar bestond het werk uit?

A: We werkten twaalf uur per dag, van zes uur 's morgens tot zes uur 's avonds. We kregen verschrikkelijk weinig te eten en moesten onder alle weersomstandigheden gigantische stenen verslepen. Ik heb er nooit helemaal de zin van ingezien, maar ik ben nu eenmaal nooit een type voor handarbeid geweest. Door de blootstelling aan de elementen en het gebrek aan voedsel begon ik redelijk snel af te takelen.

Het waren echter de bewakers die het grootste gevaar vormden. Zij haatten de monotonie van het toezicht houden op de steengroeve: ze noemden het het *Scheisse* Onderdeel – vergeef me mijn taalgebruik. Ze waren snel verveeld, zoals domme mannen dat vaak zijn, hadden vaak een kater, waren nog vaker dronken en hadden monsterachtige manieren om de verveling te bestrijden. Favoriet was het afknuppelen van een pet van een of andere ongelukkige gevangene en die over de afscheiding heen gooien. Op het niet dragen van een pet stond te doodstraf, maar dat gold ook voor het overschrijden van de omheining. Toch kreeg de arme sloeber die eruit gepikt was het bevel zijn pet terug te halen en zodra hij over de omheining stapte, werd hij dan neergeschoten. Alle bewakers vonden dit ongelooflijk grappig. Gretel en Spekbil, zoals wij hen noemden, waren twee van de meest enthousiaste deelnemers. En *Was-*

serkopf, een kapo die vanwege zijn abnormaal grote hoofd en absolute gestoordheid die bijnaam had gekregen. Maar de grootste sadisten, de organisatoren van het spelletje, waren Hinkelmann en Blank; onmenselijker types ben ik tot op de dag van vandaag niet tegengekomen. Net als alle andere bewakers waren ze voor de oorlog beroepscriminelen geweest – echte – en om te voorkomen dat zij voor problemen zouden zorgen, liet Koch hen permanent de steengroeve bewaken. Ik dankte God altijd op mijn blote knieën dat ik bedreven was in het mezelf verstoppen achter de andere gevangenen, want aan de aandacht van Hinkelmann en Blank ontsnappen, was je enige hoop om het er elke dag levend vanaf te brengen.

Het enige voordeel van het werk in de steengroeve – en dat heeft sommige mannen veel langer in leven gehouden – was het brood dat net achter de bewakingsgrens voor ons werd achtergelaten. Soms, als de bewakers met hun sport bezig waren, kon een van de BV's er snel naartoe rennen, het pakken en dan verstopten we het in onze broek. Deze taak viel mij vaak te beurt, aangezien ik relatief klein van postuur was en niet de aandacht op mezelf vestigde. Twee vrouwen uit Weimar, arische burgers, verstopten broodjes voor ons in de holle stam van een hoge dennenboom. Dat bracht uiteraard een groot risico met zich mee, want ook op het *füttern des Feindes* stond de doodstraf. Wij aanbaden hen, we noemden hen de *bäckerei engel*. Gelovige gevangenen baden elke avond voor hen.

Het was een verschrikkelijke winter, maar ik heb het gehaald en in het voorjaar van 1941...

V: Mijnheer Pfeffer, kunnen we heel even teruggaan? Kunt u me wat meer vertellen over die bakkerij-engelen?

A: Zeker. Eens kijken... Nou, die zogenoemde speciale bestellingen leverden ze elke woensdag af. En tegelijkertijd namen ze de berichten mee die wij uit het kamp hadden weten te smokkelen. Dat deden we op een nogal onsmakelijke manier, ben ik bang: we schreven ze op piepkleine papiertjes en verstopten die in condooms. Ik laat het aan jouw verbeelding over waar we die condooms verstopten. We hoopten nieuws naar buiten te brengen over wat er in het kamp gebeurde, zodat dat via het netwerk van het verzet in Israël of Amerika terecht zou komen. In het begin, voordat de SS er een eind aan maakte, werden er op die manier ook fotorolletjes bij de boom achtergelaten. Er was een fotografieafdeling in het kamp en een aantal van de meer ondernemende Rode Driehoeken slaagde erin om met behulp van de apparatuur foto's te maken als bewijsmateriaal. Vervolgens was het aan de engelen om ervoor te zorgen dat die verspreid werden.

Eén zo'n arme sloeber, die precies voor die overtreding gearresteerd was, herinner ik me nog goed: de goede doktor, noemden we hem, herr doktor Max Stern. Ik kende hem al voor het kamp, aangezien hij de eerste link was in de keten die mijn joodse cliënten in staat stelde te ontsnappen. Ook heeft hij me ooit behandeld voor influenza. Voor de oorlog was hij al mager en na een tijd in de kampgevangenis was hij uitgemergeld. En uiteraard hadden ze hem ook tot moes geslagen. Toch hield hij het veel langer vol dan wij allemaal dachten en ik vermoed dat dat een kwestie van wilskracht was. Hij had een verhouding met een van de *bäckerei engel*, snap je. Zij had hem tot zijn arrestatie verborgen gehouden en hij had een kind met haar, een dochter die in de buitenwereld geboren was en die hij nooit gezien heeft. Ik ben ervan overtuigd dat hij in leven bleef voor de berichten over haar. Ik weet nog goed wanneer ze geboren is, in november 1940, aangezien ik de sigaren voor die gelegenheid heb geleverd. Die rookten we in de barakken nadat het licht was gedoofd, hoewel de goede doktor tegen die tijd al te zwak was om van de zijne te genieten...

Liefje, gaat het wel?

V: Ja. Neem me niet kwalijk. Gaat u alstublieft verder. Wie waren de bakkerij-engelen? Hoe heetten ze? Hebt u hen ooit gezien?

A: Natuurlijk. De ene was frau Mathilde Staudt, over wie ik het net al had. Zij leverde het gebak voor de kameraadschapavonden. Ze zat ook bij het verzet en ik had haar af en toe geholpen. Sommige mannen noemden haar *die dicke*, en ze was inderdaad behoorlijk fors. Maar ik vond dat nogal bot, gezien het feit wat ze voor ons deed, en persoonlijk heb ik altijd liever een vrouw gehad die goed...

V: En die andere? De andere engel. Hoe zag zij eruit?

A: Haar kende ik niet. Zij kwam bij frau Staudt in de leer tijdens mijn betreurenswaardige inhechtenisneming en ik heb voor de oorlog nooit iets met haar te maken gehad, dus ik weet niet hoe ze heet. Maar ik heb af en toe wel een glimp van haar opgevangen. Eén keer heb ik haar zelfs behoorlijk goed gezien, toen Hinkelmann alle leven uit een of andere arme sloeber stond te persen door op zijn keel te gaan staan. Ze moet door dit tafereel zo geschokt zijn geweest, dat ze haar waakzaamheid uit het oog was verloren, want ze stond veel te dicht bij de steengroeve. Ik heb gehoord dat ze later, nadat frau Staudt was ontmaskerd en geëxecuteerd, heeft weten te ontkomen aan datzelfde lot door de minnares te worden van een van de meest hooggeplaatste officieren, ene *obersturmführer* Horst von Steuern, een nog meedogenlozere moordenaar dan Hinkelmann of Blank. Hij was behoorlijk onder de indruk van haar, hoorde ik, en ik kan me dat best voorstellen. Ze was erg knap, klein maar met prachtige rondingen, ze had lichte ogen en donker haar met een paar blonde lokken...

V: Stop de tape. Stop de tape. Stop de tape!

'Oké, Trudy,' zegt Thomas, 'hij staat uit, de camera staat uit. Wat is er? Wat is er aan de hand?'

Trudy schudt de inhoud van haar handtas op de salontafel van mijnheer Pfeffer en grijpt haar portefeuille. Haar hand trilt zo, dat ze de foto scheurt als ze die uit het plastic hoesje trekt. Maar gelukkig is Anna op het midden ervan nog goed te zien. Anna in 1952. met Jack en Trudy op de veranda van de boerderij, op de vierde juli.

Trudy gooit de foto in de richting van mijnheer Pfeffer. 'Is dit de vrouw die u hebt gezien?' wil ze weten. 'Is dit de andere bakkerij-engel?'

Mijnheer Pfeffer houdt de foto met een gestrekte arm voor zich. 'Ik kan het niet met zekerheid zeggen,' geeft hij toe. 'Het is zo lang geleden... Maar er is een opvallende gelijkenis. Ik weet bijna zeker dat zij het is.'

'Hoe zeker?'

Mijnheer Pfeffer tuit zijn lippen en laat een *pssssj* ontsnappen. 'O, ik zou zeggen, zo'n tachtig procent?'

Hij steekt de foto uit naar Trudy, maar zij maakt geen aanstalten die aan te pakken. Ze staart naar de kabbelende maancirkeltjes van de zon op de muur achter mijnheer Pfeffer. 'Mijn god,' zegt ze. 'Mijn god.'

'Wat is er, Trudy?' vraagt Thomas opnieuw.

Na een minuutje schudt Trudy haar hoofd. 'Ik weet het nog niet zeker,' antwoordt ze. 'Maar laten we het voorlopig even hierbij laten, oké?'

Tegen mijnheer Pfeffer, die haar nieuwsgierig aan zit te kijken, zegt ze: 'De vrouw op de foto is mijn moeder.'

Mijnheer Pfeffer glimlacht. 'Ah, ja,' zegt hij. 'Ik vermoedde al zoiets.'

'Zou u het heel erg vinden als we dit interview een andere keer afronden? Ik ben nogal van slag...'

'Natuurlijk. Dat begrijp ik helemaal.'

'En als u tijd heeft, zou ik het enorm waarderen als u met mij mee naar huis gaat – heel even maar...'

'Je wilt natuurlijk graag weten of ik je moeder herken,' zegt mijnheer Pfeffer. Hij haalt een zwaar gouden zakhorloge tevoorschijn en klapt dat open. 'Ik heb wel een eetafspraak voor vanavond,' zegt hij, 'maar tot die tijd, liefje, sta ik geheel tot je beschikking.' Hij staat op, schudt de kreukels uit zijn broek en biedt Trudy zijn arm aan. Ze begeven zich naar de trap bij de voordeur en wachten tot Thomas zijn apparatuur heeft ingeklapt en op het karretje heeft gezet. Mijnheer Pfeffer bestudeert de lucht en trekt zijn jasje uit. Dan dept hij zijn voorhoofd droog met zijn zijden zakdoek. De zon staat hoog aan de hemel en het is erg warm geworden.

Trudy staart over het grasveld en ziet een border met seringen aan de rand van het terrein, ruim negentig meter verder. Feitelijk is die nogal opmerkelijk: een compacte muur van bloemen van meer dan zes meter hoog in verschillende witte en paarse tinten. Ze kuiert een stukje in die richting en blijft midden op het grasveld stilstaan. Op regelmatige afstand zijn kleine houten deurtjes in de heg geplaatst, waarschijnlijk om te zorgen dat je erbinnen kunt lopen. Trudy denkt aan haar *trog*, aan hoe ze met knipperende ogen van verbazing omhoog keek door net zulke verstrengelde takken naar de bleke Duitse zon. Haar beeld vertroebelt door de tranen.

'Er zijn paadjes tussen de seringen,' roept mijnheer Pfeffer. 'De struiken zijn meer dan honderd jaar oud.'

Trudy knikt om te laten zien dat ze hem gehoord heeft.

'Hun geur is overweldigend nostalgisch, hè? Het is de enige ongerepte herinnering die ik aan Duitsland heb. Weimar was prachtig in de seringentijd.'

Weet ik, denkt Trudy.

Als ze weer een beetje gekalmeerd is, loopt ze terug naar mijnheer

Pfeffer. 'Ik heb nog één vraag voor u, als u het niet erg vindt,' zegt ze.

Mijnheer Pfeffer buigt zijn hoofd.

'Wat is er met de goede doktor gebeurd?'

Mijnheer Pfeffer draait zich om en kijkt naar de oprit, waar Thomas het laatste statief in de auto laadt. 'Van wie je denkt dat hij je vader is,' zegt mijnheer Pfeffer. 'Als jou moeder inderdaad de bakkerij-engel is.'

'Ja. Wat is er met hem gebeurd?'

Mijnheer Pfeffer geeft niet meteen antwoord. Hij steekt zijn handen in zijn broekzakken en wipt een tijdje op de voorkant van zijn voeten. In de verte klinkt een slaapverwekkend gezoem, van een grasmaaier misschien, of van een vliegtuig, of van bijen.

'Mijnheer Pfeffer?'

Mijnheer Pfeffer schraapt zijn keel. 'Hij is opgehangen, ben ik bang,' zegt hij ten slotte. 'Arme kerel. Von Steuern zelf heeft de stoel weggeschopt en liet de goede doktor toen aan de galg hangen voor de kraaien, als een waarschuwing voor ons allemaal.'

61

Twintig minuten later zet Thomas Trudy en mijnheer Pfeffer af bij haar huis. Opnieuw neemt Trudy mijnheer Pfeffers arm aan en ze laat zich door hem over haar eigen tuinpad begeleiden. Ze leunt een beetje op hem; haar benen trillen en haar knieën knikken. Binnen is het in de woonkamer, hoewel die op dit uur van de dag in de schaduw ligt, net zo benauwd als in augustus. De meubels wasemen in de plotselinge warmte een houtgeur uit. Ook hangt er een geur van versgebakken brood en een of andere vleessoort. *Bratwurst*, vermoedt Trudy. Ze leidt mijnheer Pfeffer naar de keuken, waar Anna als een bezetene staat te snijden in een roggebrood. Een losgeraakte haarstreng zwaait voor haar gezicht.

'Mama,' zegt Trudy. 'Ik heb iemand meegebracht aan wie ik je wil voorstellen.' Ze wenkt mijnheer Pfeffer, die met zijn handen ineengeslagen achter zijn rug als een maître d' in de deuropening staat.

Anna kijkt op. Het zien van Trudy's wellevende gast moet haar schrik aanjagen, want het kartelmes klettert op de grond. 'O!' zegt ze. Haar gezicht, dat al roze was door de damp en de inspanning, kleurt aardbeienrood. 'Neem me niet kwalijk, Trudy. Ik wist niet dat je iemand mee zou nemen. Ik ga zo naar boven...'

Trudy bukt om het mes op te rapen. Ze veegt het schoon aan haar broek en legt het op de broodplank. 'Nee, alsjeblieft niet, mama,' zegt ze. 'Mijnheer Pfeffer is hier voor jou. Mijnheer Pfeffer, dit is mevrouw Anna Schlemmer, mijn moeder. Mama, mijnheer Felix Pfeffer.'

Ze houdt mijnheer Pfeffer goed in de gaten – toont hij een teken van herkenning? Hij glimlacht alleen maar. 'Aangenaam,' zegt hij.

Anna, die erg nerveus is, steekt haar hand uit, maar trekt die dan gehaast terug en veegt hem af aan haar schort. Als ze hem voor de tweede keer uitsteekt, pakt mijnheer Pfeffer die met beide handen vast en maakt een Europese buiging.

'Wilt u met ons mee lunchen, mijnheer Pfeffer?' vraagt Anna, als ze eenmaal haar hand terug heeft. 'We hebben meer dan genoeg. Ik zal er een plekje bij dekken aan tafel.'

Ze draait zich naar het keukenkastje, maar Trudy pakt haar arm en houdt haar bij de borden vandaan. 'Wacht even, mama,' zegt ze. 'We eten straks wel. Zullen we eerst even gaan zitten? Mijnheer Pfeffer wil graag met je praten.'

'Met mij?' zegt Anna. Met haar pols veegt ze haar vochtige pony uit haar gezicht en kijkt vragend van Trudy naar mijnheer Pfeffer. 'Ik kan me niet voorstellen...' zegt ze.

Maar ze loopt gehoorzaam achter Trudy aan naar de woonkamer. Mijnheer Pfeffer sluit hoffelijk achteraan aan. Ze zijn nog niet gaan zitten – mijnheer Pfeffer in de oorfauteuil tegenover de twee vrouwen op de bank – als Anna weer opstaat. 'Laat ik voor je gast dan ten minste een kopje koffie inschenken, Trudy,' zegt ze. 'Of wil hij misschien iets koelers, een glas ijsthee...'

'Alstublieft, mevrouw,' zegt mijnheer Pfeffer. 'Dank u voor het aanbod. Zeer vriendelijk van u. Gaat u alstublieft zitten. Wat ik wil zeggen duurt niet lang.'

Verdwaasd laat Anna zich weer op de bank zakken en strijkt haar schort strak over haar knieën.

Mijnheer Pfeffer kijkt haar een tijdje onderzoekend aan. Dan werpt hij een blik op Trudy en knikt nauwelijks waarneembaar. Trudy's adem stokt in haar keel.

'Mama,' zegt ze. 'Mijnheer Pfeffer denkt...' Maar haar stem breekt. Mijnheer Pfeffer wacht beleefd tot Trudy weer verdergaat. Dan spreidt hij begripvol zijn handen voor zich uit en kijkt bewonderend naar de mooie zegelring aan zijn pink. 'Uw dochter heeft me verteld,' zegt hij tegen de zegelring, 'dat u tijdens de oorlog in Weimar woonde.'

Anna's gezicht gaat op slot. 'Ja,' zegt ze behoedzaam.

'En dat u daar in een bakkerij werkte?'

'Ja.'

Mijnheer Pfeffer ademt uit over zijn ring. 'Ik ben ook in Weimar geboren, mevrouw,' zegt hij, terwijl hij de steen opwrijft aan zijn broek. 'En voordat ik gevangen werd gezet in KZ Buchenwald heb ik daar een vrouw leren kennen die de eigenaresse was van een bakkerij. Ene Mathilde Staudt. Een zeer dappere vrouw, deze frau Staudt. Zij en haar assistente riskeerden hun leven door brood voor ons, de gevangenen, achter te laten bij de steengroeve waar wij dwangarbeid moesten verrichten. Daarnaast brachten deze twee vrouwen informatie van en naar het kamp van het verzet. Het filmrolletje dat zij naar buiten smokkelden, heeft geleid tot het bombardement door de geallieerden in augustus 1944 op Buchenwald. Zij hebben vele levens gered, waaronder – zoals u ziet – dat van mij.'

Anna, die met de seconden bleker is geworden, legt haar handpalmen op de kussens van de bank, alsof ze klaar is om te vluchten. 'Ja?' zegt ze. 'En?'

'Mevrouw,' zegt mijnheer Pfeffer, 'een van die vrouwen was u.'

Een piepklein spiertje vertrekt in Anna's mondhoek en is dan weer roerloos.

'Ik heb u gezien, snapt u,' voegt mijnheer Pfeffer eraan toe. 'Bij verschillende gelegenheden, maar voor het eerst op de dag dat *unterscharführer* Hinkelmann een gevangene vermoordde bij de steengroeve, een wreedheid waarvan zowel u als ik getuige waren. Ik heb u zien staan bij de boom waarin u het brood had verstopt. Na al die jaren zie ik het nog steeds glashelder voor me. Het heeft mijn overlevingsdrang gevoed. Het heeft me hoop gegeven.'

Anna staart hem aan. Ze lijkt niet te ademen. Alleen haar handen, die de zoom van haar schort op- en afrollen, verraden haar. Uiteindelijk zegt ze: 'U moet mij verwarren met iemand anders.'

Mijnheer Pfeffer glimlacht. 'Dat is niet het geval, mevrouw, dat kan ik u verzekeren. U hebt niet een gezicht dat je snel vergeet.'

'Neemt u mij niet kwalijk, maar u hebt het mis. Ik weet hier helemaal niets van.'

'Echt niet?'

Anna haalt lichtjes haar schouders op. 'Hinkelmann, Blank, Staudt – die namen zeggen mij niets. Ik heb inderdaad bij een bakkerij gewerkt. Maar er waren verschillende bakkerijen in Weimar. Ik heb nooit iets bijzonders gedaan. Ik heb alleen gedaan wat ik kon om mezelf en mijn dochter te eten te geven en te beschermen. Verder niets. Niets.'

Mijnheer Pfeffer kijkt haar onderzoekend aan. 'Ah,' zegt hij even later. 'Ik begrijp het.'

'Sterker nog, ik herinner me heel weinig van wat er in die tijd gebeurd is,' voegt Anna eraan toe, terwijl ze opstaat. 'Mijn geheugen is niet meer wat het geweest is.'

Ook mijnheer Pfeffer staat op. 'Sommigen zouden dat een zegen noemen,' zegt hij. 'Het spijt me dat ik u hiermee heb lastiggevallen.'

Anna bukt om de overtrek van de bank weer op zijn plek terug te stoppen. 'Geeft niets,' zegt ze. 'Het spijt me dat ik niet de vrouw bent die u zoekt. Misschien dat ik uw teleurstelling kan compenseren met een lunch?'

'Dat zal me een waar genoegen zijn, mevrouw Schlemmer... Als ik zo vrij mag zijn. Dan zullen we het over leukere dingen hebben.'

'Prima,' zegt Anna, en ze loopt in de richting van de keuken.

'Wacht even, mama,' roept Trudy. Ze huilt. Niet met de waardigheid van een volwassene, maar snikkend als een kind, met open mond naar adem snakkend, met haar handen hulpeloos op haar bovenbenen.

'Gut o gut,' zegt mijnheer Pfeffer. 'Wat is dit nou?'

'Het spijt me,' zegt Trudy. 'Het gaat zo wel weer over...' Er verschijnt een gele zijden zakdoek voor haar ogen. Trudy pakt die aan, maar gebruikt hem niet. Het lijkt zonde om die nat te maken. Ze draait hem rond op haar schoot. 'Zij is de vrouw die u gezien hebt,' zegt ze tegen mijnheer Pfeffer. 'De andere bakkerij-engel.'

'Ja, daar twijfel ik geen moment aan.'

Trudy knikt met gebogen hoofd. Tranen bevlekken de zijde in haar vuist en het linnen van haar broek. Ze schaamt zich dat ze zich zo laat gaan... Waar mijnheer Pfeffer bij is nog wel. Want wat had ze nou eigenlijk verwacht? Dat Anna na al die jaren opeens alles zou bekennen, simpelweg door de confrontatie met iemand die hetzelfde heeft ervaren, iemand die erbij was? Nou, blijkbaar wel dus. Een deel van Trudy – het meisje dat ze nog met zich meedraagt, dat verbijsterd is en hardnekkig volhoudt – heeft precies daarop gehoopt.

Maar terwijl Trudy probeert haar ademhaling weer onder controle te krijgen, herinnert ze zich ook wat Rainer heeft gezegd: de straf moet passen bij de misdaad. Anna heeft zich de last van het zwijgen op de schouders gehaald. Het is haar beslissing om niet te praten over de dingen die ze gedaan heeft, heldhaftig of niet. Het is in feite haar voorrecht als heldin. En in een ander opzicht is het feit of ze al dan niet een heldin is irrelevant. Ieder mens moet zelf bepalen hoe hij of zij met het verleden omgaat, beschikt over deze waardigheid, dit onschendbare recht.

Mijnheer Pfeffer legt een vriendelijke hand op Trudy's schouder. Trudy brengt de zakdoek naar haar gezicht. Ze verbaast zich ook over hem, deze man die zijn leven op het spel zette door anderen te helpen. Misschien dat zijn luchthartige houding daarover ook niet is wat het lijkt.

'Beter?' vraagt mijnheer Pfeffer.

'Ja. Dank u.'

'Snuit je neus,' beveelt hij.

Trudy lacht bibberig en gehoorzaamt.

'Zo,' zegt mijnheer Pfeffer. Hij staat op en trekt de zomen van zijn broek recht. 'Welnu,' zegt hij. 'Jouw moeder is zo vriendelijk geweest mij uit te nodigen voor de lunch en ik ga dat aanbod zeker niet afslaan. Jij wel?' Hij schrijdt vastberaden in de richting van de keuken waar, zo te horen, Anna borden op een dienblad aan het neerzetten is.

Na een tijdje staat Trudy op, loopt rustig door de eetkamer langs Anna en mijnheer Pfeffer, en gaat naar de badkamer boven. Ze kijkt in de spiegel boven de wastafel en ziet een vreemde: opengesperde ogen van verbazing met tranen in de wimpers. Ze wast haar gezicht en loopt terug om zich bij de andere twee te voegen. Zonder een woord te zeggen gaat ze zitten en vouwt haar servet open. De middagzon valt in zachte rechthoeken op het tafelkleed. Mijnheer Pfeffer complimenteert de chefkok, die protesteert en lacht; haar wangen kleuren alweer mooi roze. De drie bespreken Anna's opvattingen over wat ze hoort op de radio, de colleges van Trudy en de plotselinge gunstige weersomslag. Ze eten wat Anna voor hen neer heeft gezet: *bratwurst* en andere vleeswaren die in waaiervorm op een bord liggen, een zoete rodekoolsalade en koude komkommersoep. Een schaaltje augurken. Brood.

62

Nadat de tafel is afgeruimd, serveert Anna ijskoffie en thee met *sachertorte* en blijven zij en Trudy en mijnheer Pfeffer nog tot laat in de middag zitten. Tegen de tijd dat mijnheer Pfeffer zijn horloge openklapt en van schrik een kreet slaakt, zit Anna te geeuwen achter haar servet. Ze verontschuldigt zich en zegt dat ze nog even wil afwassen voor ze zich terugtrekt op haar kamer om te rusten. Bij deze aankondiging springt mijnheer Pfeffer overeind en trekt haar stoel achteruit. Hij bedankt Anna uitgebreid en buigt zich opnieuw over haar hand om daar vervolgens een kus op te drukken. De toekijkende Trudy denkt dat de blos op Anna's wangen andere oorzaken heeft dan de slaperige verzadiging na de maaltijd of de warmte van de dag.

Als dit uitbundige ritueel van afscheid nemen eenmaal achter de rug is, brengt Trudy mijnheer Pfeffer terug naar Minnetonka. Als ze wegrijden prijst hij Anna's kookkwaliteiten en bedankt hij Trudy voor haar gastvrijheid; opmerkingen die geen uitgebreide reactie vergen. En onderweg lijkt hij genoegen te nemen met het kijken naar de voorbijtrekkende buitenwijken en doet geen poging tot een gesprek over koetjes en kalfjes. Trudy is hem dankbaar. Ze is moe en leeg; haar gezicht voelt nog strak aan van de opgedroogde tranen. Ze wil alleen nog maar in alle rust alleen zijn, zitten en nadenken en de gebeurtenissen van de dag verwerken.

Dus zegt ze niets tot ze bij mijnheer Pfeffers huis zijn, en dan zegt ze simpelweg: 'Bedankt, Felix.'

Mijnheer Pfeffer glimlacht met soezerige voldoening naar zijn huis, naar de glazen wanden en hoeken die de zwaartekracht tarten. 'Het was me een genoegen,' zegt hij. 'Ik vond het enorm fijn om kennis te maken met je moeder. Of, misschien moet ik zeggen, hernieuwd kennis te maken.' Hij pakt zijn jasje van de achterbank, drapeert dat over een arm en doet het portier open.

'Ik bel je nog om een afspraak te maken over het interview,' zegt Trudy tegen hem als hij uit de auto stapt.

'Hmmmm?' zegt mijnheer Pfeffer. 'O, ja. Doe dat alsjeblieft.' Hij loopt een paar passen bij de auto vandaan, maar draait zich dan op zijn hielen om en komt terug. 'Als ik zo vrij mag zijn,' zegt hij, terwijl hij bukt om Trudy door het raampje aan te kijken, 'ik zou je moeder graag nog eens bezoeken.'

Trudy knikt. 'Ik denk dat ze dat wel fijn zou vinden.'

'Echt?' zegt mijnheer Pfeffer. 'Fijn. Die indruk kreeg ik ook. Ik zal haar volgende week bellen.' Hij knipoogt naar Trudy, geeft een klap op het dak ten afscheid en loopt fluitend en met zijn jasje over zijn schouder geslagen kwiek het tuinpad op.

Trudy kijkt hem na tot hij in het huis verdwijnt. Na een weemoedige blik op de seringenborder keert ze op de weg en neemt dezelfde route terug.

De slingerende bomenlanen van Minnetonka maken plaats voor vlak land en een open hemel als Trudy eenmaal op de 394 is, en ze draait het raampje open om de frisse lucht te voelen. Die brengt de geuren van asfalt, gemaaid gras, rozen, vlees en houtskool uit de achtertuinen de auto binnen. Ze kan het bestaan van de gezinnen ook horen: een roepende moeder, een blaffende hond, schreeuwende spelende kinderen. Een flard pianospel. Het gefluit van een trein die van de prairie komt. Het licht verandert nu de zon aan zijn afdaling is begonnen; het wordt scherp en puur, de schaduwen lang en blauw. Dit alles wekt in Trudy een intense melancholie op die pijn doet in haar keel. Vanavond, denkt ze, ga ik naar mijn studeerkamer en doe ik de ramen open. En wie weet gun ik mezelf ook wel de luxe van een telefoontje aan Rainer. Ze wil hem vertellen wat er allemaal gebeurd is, dat ze nu beter begrijpt hoe hij zich gevoeld moet hebben toen hij voor het eerst in dit land kwam, met zijn zeebenen van de boot af stapte en vol angst en verwondering om zich heen staarde en de last van alles wat hij dacht te kennen achter zich gelaten had.

Maar niet meteen. Nog niet. Op dit moment wil Trudy dit vreemde gevoel zo lang mogelijk rekken. Dit trieste en vredige vacuüm tussen het deel van haar leven dat eindigt en het deel dat daarvoor in de plaats komt, verlengen.

Dus als de skyline van de stad voor haar verschijnt en de simpele vormen van de woonblokken lichtstralen van richting veranderen en in de auto werpen, passeert Trudy de afrit die haar naar haar huis zou brengen. En dan de volgende, die haar naar Rainers huis zou brengen. Nog verder de afslag die haar naar Le P'tit zou voeren, dat rond deze tijd sluimert onder de zonneschermen, terwijl het personeel binnen rondrent om het eten te bereiden. Trudy rijdt de ring op en omcirkelt de stad naar de andere kant, die in de schaduw van de wolkenkrabbers verrijst. Links onder haar stroomt de Mississippi. De stroming is zo traag en krachtig dat het water helemaal niet lijkt te bewegen. Aan de overkant daarvan ligt de universiteit; de kunstgalerie is een verblindende structuur van verkreukeld aluminiumfolie in de ondergaande zon. Daarachter ligt de afdeling Geschiedenis. Bij stoplichten inhaleert Trudy het vet van frituurpannen, uitlaatgassen en de hitte die van de trottoirs af slaat. Lachende mensen zitten op terrassen met een glas wijn. Auto's toeteren. Het blikachtige gedreun van popmuziek uit verre radio's. Een en al aandringend, hardnekkig leven.

Uiteindelijk, als de zon de horizon raakt, keert Trudy om en rijdt terug naar de rivier. Haar stemming verdwijnt. Met een mengeling van spijt en opluchting rijdt ze de Nicollet Island Bridge op. Ze is er half overheen als ze opeens naar de kant zwenkt en de auto stilzet. Iets in haar blikveld heeft haar aangenaam getroffen. Iets met het licht. Trudy zet haar knipperlichten aan, stapt de auto uit en loopt naar de reling om te kijken.

Er komt een front deze kant op, torenhoge stapelwolken waarvan de bovenkanten zachtgeel, goud en roze kleuren. De onderkant is donkerblauw, de rand zo scherp alsof die langs een liniaal is getrokken, met uitzondering van het regengordijn dat langzaam de skyline verzwelgt. Vanaf dit punt is de stad een en al elektriciteitskabels, schoorstenen en torentjes, dwarsbalken en spoorwegmagazijnen en kleurloze fabrieksgebouwen. Het doet erg denken, denkt Trudy, aan hoe Duitse steden er ooit uitzagen: Heidelberg, Dresden, Berlijn. Weimar. Misschien zien die er nog steeds zo uit. De zon doet een laatste dappere poging om door de nevel heen te dringen en heel even slaat overal een gele en grijze damp vanaf. Dan begint het te hozen en is het verdwenen.

Dankwoord

Elke auteur van historische romans heeft enorm veel te danken aan de meesterwerken van non-fictieschrijvers. Hoewel ik tijdens de research voor *Het familieportret* tientallen bronnen van onschatbare waarde heb geraadpleegd, heb ik vooral veel gehad aan *Der Buchenwald-Report* van David A. Hackett, *Frauen: German women recall the Third Reich* van Alison Owings, en die bijbel over de Tweede Wereldoorlog, William L. Shirers *Opkomst en ondergang van het Derde Rijk.*

Ook ben ik enorm veel dank verschuldigd aan de Shoah Foundation van Steven Spielberg, voor het in mij gestelde vertouwen als interviewer, waardoor ik in contact kwam met overlevenden van de Holocaust. En aan de overlevenden zelf, die met het vertellen van hun verhalen blijk hebben gegeven van ongeëvenaarde moed en generositeit. Woorden schieten tekort om mijn dankbaarheid adequaat uit te drukken; wellicht is het voldoende om te zeggen dat jullie levende wonderen zijn en dat niets van wat jullie hebben gezegd ooit vergeten zal worden.

Op persoonlijk vlak is er een aantal mensen dat me tijdens het schrijven van deze roman heeft bijgestaan. Drie jaar lang hebben ze mijn eindeloze geklets over nazi's verdragen en begrip getoond als ik de telefoon niet opnam. Het vooruitzicht hen in het zonnetje te zetten, was een van mijn leukste dagdromen. En dat doe ik nu dus met zeer veel vreugde en ruwweg in alfabetische volgorde. Ik dank: mijn familie, Frances J. Blum, Lesley M.M. Blum en Joseph R. Blum voor hun levenslange vertrouwen en liefde; de faculteit B.U.CO 201 voor de cake en het enthousiasme; Chris Castellani, meestermentor; Jean en Adel Charbonneau voor het talloze malen doorlezen en hun onvermoeibare aanmoedigingen; Stephanie Ebbert Devlin, mijn schat van een redacteur, en haar man Ted Devlin; Dan Ellingson, die me altijd heeft voorgehouden 'Ik denk dat ik het kan'; Eric Grunwald voor het corrigeren van mijn haperende Duits en het leveren van het gedicht 'Backe Backe Kuchen'; mijn leerlingen bij Grub Street, die mij veel geleerd hebben door mij toe te staan hun les te geven; de tovenaars van Harcourt die het manuscript hebben getransformeerd tot een boek; Phil Hey en Tricia Currans-Sheehan van *Briar Cliff Review*, die het oorspronkelijke verhaal zo'n geweldig thuis gaven; Julie Hirsch, mijn Popje – zij weet wel waarom; Ken Holmes; de meisjes Kenyon; Doug Loy voor de inspiratie; het supporterstrio Necee Regis, coole Ann Tracy en Joanna Weiss; Zuster Cecila; Dave Sandstedt voor de zonnebloemen en de champagne; Sarah Schweitzer, wiens geduldige raad ervoor heeft gezorgd dat ik Trudy eronder heb gekregen; dr. Sherri Szeman, collega op het arbeidsterrein van het *reich*; en Steve Wilmsen, voor zijn luisterend oor en het feit dat hij me mee heeft genomen naar Woodman's Clam Shack toen ik vast was gelopen.

Een speciaal woord van dank voor Stéphanie Abou, stoutmoedige en verrukkelijke superagente, en Ann Patty, weergaloze über-redacteur, voor het geloof dat zij in dit boek hadden.

It takes a village to raise a child, en dat geldt ook voor het schrijven van een roman. Mocht ik iemand uit dit dorp over het hoofd hebben gezien, weet dan dat dat niet komt door een gebrek aan waardering: *danke schön.*

Leesvragen

1. In welk genre zou je *Het familieportret* indelen, bij de oorlogsromans, de liefdesromans of beschouw je het meer als een moeder-dochterroman? Waarom? Waarin verschilt het van andere romans die kwesties rond de Holocaust aankaarten? Welke nieuwe perspectieven biedt het?

2. Hoe kijkt Anna in het begin van het boek tegen de joden van Weimar aan? Verandert die houding? Zo ja, wanneer en waarom is daar sprake van?

3. Terwijl ze Max verborgen houdt, 'zou Anna er heel wat voor over hebben om er doorsnee uit te zien, want haar uiterlijk wordt zowel voor haar als voor Max steeds gevaarlijker'. Beschouw jij Anna's schoonheid als een zegen of als een vloek? Welke rol speelt die bij de bepaling van haar lot? Op welke manier beïnvloedt haar uiterlijk haar relaties met Max, Gerhard, de obersturmführer en Trudy?

4. Als ze bij Mathilde woont vraagt Anna waarom Mathilde haar leven op het spel zet door de gevangenen van Buchenwald eten te geven 'terwijl alle anderen zich van de domme houden'. Waarom neemt Mathilde dat risico? Denk je dat Nederlandse vrouwen in vergelijkbare omstandigheden anders zouden reageren dan Duitse en, zo ja, waarom?

5. Hoe reageert Anna in seksueel opzicht op de obersturmführer en wat heeft dat voor effect op haar zelfbeeld? Hoe bepalend is dat voor Anna's relatie met Trudy? Beschouw jij Anna's relatie met de obersturmführer hoofdzakelijk als seksueel of zijn er momenten in de roman waarop hun relatie het seksuele overstijgt?

6. Zie jij de obersturmführer als een monster of als een mens? Wat zijn zijn zwakke kanten? Tot op welke hoogte is hij een product van zijn tijd? Als de obersturmführer in het hedendaagse Nederland geboren was, wat zou hij nu dan doen?

7. Tegen het eind van de roman denkt Anna dat de obersturmführer 'haar vermogen om lief te hebben [heeft] verwoest'. Denk jij dat hij haar vermogen om Jack lief te hebben voorgoed heeft aangetast? En om Trudy lief te hebben? Wat zijn Anna's ware gevoelens voor de obersturmführer en wat zijn zijn ware gevoelens voor Anna en haar dochter?

8. Worden Trudy's problemen met haar moeder alleen veroorzaakt door de geheimen die Anna koestert? Hoe zou hun relatie eruit hebben gezien als het verleden niet tussen hen in was komen te staan? In welke opzichten zijn Anna en Trudy karakteristiek voor moeders en dochters? Welke parallellen kun je trekken tussen hun relatie en die van jou met je eigen moeder?

9. Schaamte is iets waar Trudy al haar hele leven vertrouwd mee is, zowel die van haarzelf als die van Anna. Op welke manier leert Trudy van Anna wat schaamte is? Vloeit Trudy's schaamte alleen voort uit haar vermoeden dat ze het kind van een nazi is of heeft haar Duitse afkomst er ook mee te maken? Hoe heeft die schaamte zich in haar volwassen leven gemanifesteerd?

10. Anna beantwoordt Trudy's vragen steevast met: 'Het verleden is dood en dat kan maar beter zo blijven.' Waarom blijft Anna haar mond houden? Is dat eerlijk ten opzichte van Trudy? Verbaasde het je dat Anna weigerde te praten over haar verleden, zelfs toen ze geconfronteerd werd met mijnheer Pfeffer en door hem als heldin werd beschouwd? Zou jij in haar geval hetzelfde doen?

11. Tijdens zijn interview voor het Duitse Project haalt Rainer, zoals hij het noemt, 'een rotstreek' met Trudy uit door haar een schriftelijke verklaring voor te lezen over de ervaringen en uiteindelijke deportatie naar Auschwitz van zijn tante, in plaats van zijn eigen verhaal te vertellen. Waarom doet hij dat? Waarom is Rainer zo boos op Trudy? Denk je dat die woede gerechtvaardigd is?

12. Waarom knoopt Trudy een relatie aan met Rainer? Is die relatie gezond? Als Rainer vertrekt naar Florida zegt hij: 'Ik verdien dit niet... Ik

mag niet zo gelukkig zijn.' Een verklaring waar Trudy het mee eens is. Zou de relatie van Trudy en Rainer gelukkig zijn geweest als die niet door hun oorlogsverleden was aangetast? Zou er überhaupt sprake van zijn geweest?

13. Voor welke handelswijzen tijdens de oorlog en gevoelens achteraf staan de Duitsers die Trudy interviewt (frau Kluge, Rose-Grete Fischer, Rainer en Felix Pfeffer)? Wat leert Trudy van deze mensen?

14. Aan het eind van *Het familieportret* is het lot van de hoofdpersonen onduidelijk. Zo bevindt Trudy zich in een 'vacuüm tussen het deel van haar leven dat eindigt en het deel dat daarvoor in de plaats komt'. Waarom doet Blum dit? Welk punt, als daar al sprake van is, probeert ze hiermee te maken? Heb jij het idee dat het eind van de roman een gelukkig eind is voor Trudy? En voor Anna? Waarom? En wat denk je dat er met de obersturmführer is gebeurd?

Lees ook de nieuwe Jenna Blum!

In tweestrijd

Een fascinerend portret van een stormachtige relatie tussen een tweelingbroer en -zus

Als tiener is Karena Jorge de enige die haar tweelingbroer Charles in toom kan houden. Charles heeft een bipolaire stoornis die verergert naarmate hij ouder wordt, tot op het punt dat hij een gevaar wordt voor zichzelf – en anderen. Op hun achttiende verjaardag rijden Charles en Karena met hun auto zo dicht mogelijk achter een tornado aan. Wat er dan gebeurt is zo verschrikkelijk dat de tweeling vanaf die dag het contact met elkaar volledig verbreekt.

Twintig jaar later krijgt Karena een telefoontje van een psychiatrische inrichting waar Charles onder dwang is opgenomen. Ze besluit dat het tijd is om af te rekenen met het verleden en gaat haar broer ophalen, maar bij aankomst blijkt hij ontsnapt te zijn. Dat is het begin van een enerverende zoektocht...

ISBN 978-90-225-5878-2 / € 19,95